KITCHENER PUBLIC LIBRARY
D1231646

Juli Zeh

Spieltrieb

Roman

Schöffling & Co.

Für David

Zweite Auflage 2004

Satz: Reinhard Amann, Aichstetten
Druck & Bindung: Pustet, Regensburg
ISBN 3-89561-056-9

www.schoeffling.de

Summum Ius, Summa Iniuria

Exordium. Wenn das alles ein Spiel ist, sind wir verloren

Was, wenn die Urenkel der Nihilisten längst ausgezogen wären aus dem staubigen Devotionalienladen, den wir unsere Weltanschauung nennen? Wenn sie die halb leergeräumten Lagerhallen der Wertigkeiten und Wichtigkeiten, des Nützlichen und Notwendigen, Echten und Rechten verlassen hätten, um auf Wildwechseln in den Dschungel zurückzukehren, dorthin, wo wir sie nicht mehr sehen, geschweige denn erreichen können? Was, wenn ihnen Bibel, Grundgesetz und Strafrecht nie mehr gegolten hätten als Anleitung und Regelbuch zu einem Gesellschaftsspiel? Wenn sie Politik, Liebe und Ökonomie als Wettkampf begriffen? Wenn ›das Gute‹ für sie maximierte Effizienz bei minimiertem Verlustrisiko wäre, ›das Schlechte‹ hingegen nichts als ein suboptimales Resultat? Wenn wir ihre Gründe nicht mehr verstünden, weil es keine gibt?

Woher nähmen wir dann noch das Recht zu beurteilen, zu verurteilen, und vor allem – wen? Den Verlierer des Spiels – oder den Sieger? Der Richter müsste zum Schiedsrichter werden. Mit jedem Versuch, Erlerntes anzuwenden und Recht in Gerechtigkeit zu übersetzen, würde er sich der letztverbliebenen Todsünde schuldig machen: Der Heuchelei.

Alles das habe ich in die Entscheidungsgründe eines Urteils geschrieben. Es wurde der Geschäftsstelle übergeben, es wurde den Parteien förmlich zugestellt. Ich kann die Gerichtsferien nutzen, um meine Gedanken zu ordnen. Ich kann den Tatbestand aufschreiben, nicht in der verkürzten Form, die ein Urteil verlangt, sondern so, wie er sich wirklich zugetragen haben muss.

Wenn ich mich aber entscheide, von Geschehnissen zu

sprechen, an denen ich selbst nicht beteiligt war, deren Protagonisten ich kaum kenne und über die ich nur aus beruflichen Gründen Bescheid wissen muss, komme ich um die Frage nicht herum, wer die Geschichte erzählen soll. Ein Ich, der Weltgeist, die Gerechtigkeit, das multiple ›Wir‹ aus phantasierendem Autor und seinen Figuren, das der Realität des Erzählens am nächsten kommt? Nichts davon gefällt mir. Es wäre unnatürlich wie die erzwungene Erwiderung auf eine Frage, die sich schlichtweg nicht beantworten lässt. Wer ist schon ›Ich‹? Wer ›Wir‹? Das Problem beschäftigt die Menschheit seit Tausenden von Jahren. Ein Computer, der es lösen wollte, sähe sich gezwungen, eine Gleichung zu bilden, die gegen unendlich geht. Wer bist du?, bedeutet für ihn: Wie viele Anwendungen laufen in dieser Sekunde in deinem Innern? – Wenn er darauf antwortete mit der Zahl X, so fügte der Vorgang des Antwortens der Summe einen weiteren Prozess hinzu, so dass sie lauten müsste: X plus eins, und seine Antwort wäre falsch. Würde er dies erkennen und versuchen, sich zu korrigieren, und sagte: X plus eins, so wäre die Summe bereits X plus zwei, und so ginge es weiter, und der Computer stürzte ab, zerschellend an der liegenden Acht, unfähig zu sagen, wer er sei. Der Mensch unterscheidet sich vom Rechner durch die Fähigkeit zur Schlamperei, durch seine Begabung, ein Problem zu übergehen, wenn er instinktiv erkennt, dass er es mit der Unendlichkeit aufzunehmen hätte. Während der Computer abstürzt, schüttelt der Mensch den Kopf, lacht oder weint und geht weiter seines Weges. Mal wieder ein Problem, das man am saubersten löst, indem man es vergisst. Ich lasse offen, wer ich bin. Ich bitte um Verständnis und entschuldige mich für entstandene Unannehmlichkeiten.

Wenigstens das Wetter erfüllt die Erwartungen. Es ist für die Jahreszeit weder zu warm noch zu kalt, was im Monat August in dieser Stadt nur eins bedeuten kann: Es ist heiß und feucht. Väterchen Rhein schwitzt seine flusshaften Sekrete aus, die Köln-Bonner-Bucht sammelt sie und kocht sie ein zu schwerem Mus, das auf Häusern, Autodächern, Rücken und Gedanken lastet. Was gäben wir für einen kleinen Wind, einen frischen Hauch, der den Rhein hinaufgeklettert kommt, von Norden her, Erleichterung bringend, eine Ahnung von Meer! Nichts wird kommen. Das Luftmus füllt den Menschen Lungen und Köpfe wie feuchter Sand. Abkühlung wird der einsetzende Nieselregen bringen, irgendwann im September, wenn ich zurück muss auf meine Dienststelle, um auszuprobieren, ob es nach dem letzten Urteil noch weitere geben kann.

Mein Arbeitszimmer im ersten Stock geht direkt auf die Straße. In einem Fußmarsch von dreißig Minuten könnte ich die asphaltierte Rheinpromenade erreichen, um mich selbst die Unterlegenheit eines einfachen Fußgängers gegenüber Radfahren, Joggern, Inline-Skatern und Hundebesitzern spüren zu lassen. Ich könnte zu den verlassenen Botschafterresidenzen hinaufsehen, die ihrerseits aus leeren Fenstern über den Fluss schauen. Ich könnte die Villa Kahn besuchen, die verspielt ein französisches Schloss kopiert, oder das Gelände einer der zahlreichen Bonner Internatsschulen umrunden, deren Grundstück, vollgestellt mit Gründerzeitbauten und ausgepolstert mit einem Park, bis fast ans Wasser reicht. Täglich könnte ich diese Orte ohne Mühe aufsuchen, und es gäbe doch nichts zu sehen. Stattdessen schaue ich aus dem Fenster.

Haus und Straße werden durch einen geräumigen Vorgarten voneinander getrennt, dessen schmiedeeisernes Gitter ganz zugewachsen ist vom Rhododendron, der seine fleischigen Blätter wie Gefangenenfinger durch die Stäbe streckt, um den Passanten bettelnd auf die Schultern zu fassen. Über die Spitzen des Gitterzauns hinweg sehe ich auf die Fahrbahn und warte darauf, dass etwas aus der Reihe springen möge, seitwärts rutschen, die Fahrtrichtung verlassen, sich drehen. Ein schwerer, abrupt gebremster Lastwagen zum Beispiel, der dann mit schrägem Leib zum Stehen käme, ein Rad auf dem Bordstein, dicht vor einer Laterne, als wollte er das Hinterbein heben, während sich vor seiner Schnauze eine dunkle Wolke Fußgänger wie Fliegen versammelte. Etwas läge reglos und unförmig auf dem Asphalt. Ein Haufen alter Mäntel vielleicht, die nicht mehr in den Altkleidercontainer gepasst haben? Auch ohne genaues Hinsehen wüsste ich es besser. Das Herannahen der Rettungssirene machte den Vorfall zu einem technischen Problem. Mit schnellen Stichen vernähte kreisendes Blaulicht das Loch in der Ordnung, aufgerissen durch das außerplanmäßige Versterben eines Artgenossen; ein Loch, über das die aufgelaufene Menschenmenge sich beugte, um einen entsetzten Blick in das darunter liegende Chaos zu werfen. Die Menge würde zurückgedrängt. Die Heckklappe des Rettungswagens schlüge zu. Der Tag ruckte, stöhnte und setzte sich von neuem in Bewegung. Ein Mensch würde fehlen, für immer. Vielleicht einer meiner Angeklagten. Vielleicht meine Zeugin. Einer meiner drei fast Freigesprochenen. Aber ich bin sicher, sie alle halten sich nicht in der Stadt auf, nicht einmal im Land. Zwischen den Instanzen unternimmt man gern einen Ausflug.

Die Staatsanwaltschaft hat Rechtsmittel eingelegt. Mein Urteil wird aufsteigen zu den höheren Instanzen. Dieser Fall sollte es bis nach Karlsruhe schaffen. Er enthält die Aufforderung, das Versagen des Rechts offiziell zur Kenntnis zu nehmen, weil die Würde des Menschen es verlangt. Über dem Bundesverfassungsgericht, sagen wir Juristen, sei nur noch der blaue Himmel.

Der blaue Himmel ist zum farbigen Pappdeckel einer Spielesammlung geworden. Wenn das alles ein Spiel ist, sind wir verloren. Wenn nicht – erst recht.

Von Prinzessinnen und Marionetten und der Möglichkeit, sich mit wenigen Worten Respekt zu verschaffen

Ada war ein junges Mädchen und nicht schön. In jenem Augenblick, den der Scheinwerfer dieser Erzählung ins Licht taucht, war sie vierzehn Jahre alt, blond und kräftig gebaut. Ihr Mund war breit, die Handgelenke stark. Über der Nase lag ein löchriger Teppich aus Sommersprossen und wusste bei passender Beleuchtung ein paar Notlügen von gepflückten Wildblumen und Kinderspielen im hohen Gras an den Mann zu bringen. In Wahrheit sah Ada älter aus, als sie war. Ihre Brust war stark entwickelt.

Im Sommer 2002 wurde sie in die zehnte Klasse des Ernst-Bloch-Gymnasiums zu Bonn eingeschult, nachdem sie aus einem Grund, der sich in Kürze im Rahmen einer musikalischen Rückblende offenbaren wird, ihre alte Schule hatte verlassen müssen. Auf Ernst-Bloch erregte sie zu Anfang wenig Aufmerksamkeit.

In allen Klassen ab der siebenten gab es samt- und seidenweiche Mädchen, deren Geburt durch langsam anschwellende Musik begleitet worden war wie das hochfahrende Windowsbetriebssystem von seiner Begrüßungsouvertüre. Sie kamen als Miniaturprinzessinnen zur Welt, erreichten bereits in der Unterstufe das erste, fohlenhafte Stadium der Vollendung und wuchsen gleichmäßig in die Frau hinein, die sie einmal werden sollten. Ihre Entwicklung vollzog sich routiniert und fehlerlos, als hätten sie die Aufgabe des Älterwerdens schon etliche Male zuvor bewältigt. Jene Pubertätsprofis unterschieden sich auf den ersten Blick von den Dilettanten. Sie hatten das gepflegte, schulterlange Haar erwachsener Frauen, trugen ihre Hüfthosen, breiten Gürtel und knappen

Hemdchen mit wohltemperierter Lässigkeit und ließen glatte Kinderhaut und aufgeworfene Kindermünder zu Mädchenhaut und Mädchenmündern werden, ohne dass Pickel, Schweißausbrüche oder Wachstumslaunen zu irgendeinem Zeitpunkt die Harmonie ihrer Erscheinungen gestört hätten. Die Aura hochnäsiger Sauberkeit, die sie umgab, ließ sich weder von Regengüssen noch von feuchter Sommerhitze beeindrucken. Alles zierte die Prinzessinnen, nasse Haare, rote Nasen und selbst die Staubschicht, die sich im Sportunterricht beim Sprung in die alte Sandgrube über alle Körper legte.

Weil sie daran gewöhnt waren, alles umsonst zu bekommen, besaßen diese menschlichen Rehkitze keinen Ehrgeiz. Männliche Mitschüler bemühten sich um sie, auch jene, zu denen eine Freundin mit Innenleben besser gepasst hätte. Manche betrieben leichten Sport oder lasen leichte Literatur. Ihre Schulnoten waren mittelmäßig; als Lieblingsfächer nannten sie Deutsch oder Kunst und Biologie, ohne erklären zu können, was ihnen daran gefalle. Während der Oberstufenjahre standen sie bereits im Zenit des Lebens. Sie besaßen die stärkste Ausstrahlung, empfingen ein Höchstmaß an Bestätigung und erlebten Tag für Tag eine Art farblosen Wohlbefindens, um nicht zu sagen: Glück. Nach dem Abitur würde es gemächlich abwärts gehen. Erfreulicherweise war ihnen der Spannungsbogen ihrer persönlichen Geschichte egal. Vielleicht ahnten sie etwas. Vielleicht rührte von jener Ahnung der melancholische Hauch, der ihren anmutigen Bewegungen etwas Träges, der Trägheit etwas Tragisches und der Tragik besondere Anmut verlieh.

Mit dieser Beschreibung sind alle Eigenschaften genannt, die Ada nicht anhafteten. Sie war das Gegenteil einer Prinzessin, sofern Prinzessinnen ein Gegenteil besitzen. Seit Ada im Alter von zwölf Jahren auf den Gedanken verfallen war, dass Sinnsuche nichts als ein Abfallprodukt der menschlichen Denkfähigkeit sei, galt sie als hochbegabt und schwer erziehbar. Als ihr neuer Klassenlehrer sie aufforderte, sich den anderen Schülern vorzustellen, nannte sie ihren Vornamen und wusste sonst nichts zu berichten. Er bat um ein paar persönliche Sätze, um irgendeine Aussage, die Gültigkeit für sie besitze, und verstand ihr Lachen nicht.

Der Schulwechsel bedeute einen Glücksfall für sie, sagte Ada schließlich, sie habe sich auf Ernst-Bloch gefreut. Damals hätten ihre Eltern eine Einschulung auf dem teuren Privatgymnasium nicht erlaubt.

Sie wusste ›damals‹ auf eine Art zu sagen, die nach lang zurückliegenden Epochen klang.

»Und was«, fragte eine Prinzessin mit spiraligen Locken, »ist an Ernst-Bloch das Besondere?«

»Mir war so, als sei dies ein Ort für wirklich kluge, wirklich kaputte, wirklich kategorische Menschen.«

Einige johlten Zustimmung, andere schnitten Gesichter. Die Prinzessinnen lehnten sich zurück und zogen mit beiden Händen das lange Haar hinter den Rücken hervor, um es über die Stuhllehne zu werfen. Ada hatte sich wirklich auf Ernst-Bloch gefreut. Die Schule stand in privater Trägerschaft und gewährte auch jenen verlorenen Geschöpfen, die sich hartnäckig gegen eine Teilnahme an der Kaffeefahrt namens ›glückliche Kindheit‹ zur Wehr setzten, eine letzte Chance auf Hochschulreife. Vorausgesetzt, ihre Eltern konnten es sich leisten.

›Mir war so, als sei.‹ Danach sprach Ada wenig im Jahr 2002. Im Unterricht meldete sie sich nie. Wurde sie aufgerufen, begann sie ihre Sätze nicht mit ›Meiner Meinung nach‹ oder ›Ich glaube‹. Sie sagte: ›Das ist Unsinn.‹ Oder: ›Es gibt nur eine Lesart für diese Stelle.‹ Oder: ›Es ist unerheblich, wer was und wie viel gewusst hat.‹

Diesen Stil behielt sie auch Höfi gegenüber bei. Höfi hatte sich einen Ruf als Bluthund erworben, der Dummheit auf hundert Meter gegen den Wind roch und gnadenlos verfolgte. Aus Misanthropie hatte er sich gegen eine akademische Karriere und für die Schullaufbahn entschieden. Seine Sympathie verhielt sich aufsteigend proportional zum Intelligenzquotienten eines Gegenübers. Wie alle frei kreisenden Felsbrocken im Universum besaß auch er einen warmen, flüssigen Kern, den er jedoch mit allen Mitteln der Ratio zu verteidigen wusste. Höfi vertrat die empirisch belegte Auffassung, dass selbst Sahne hart werde, wenn man sie lange genug schlage. Die Prinzessinnen hassten ihn. Er betrachtete sie niemals anders als mit ironisch verzogener Unterlippe.

Seit Anfang des neuen Schuljahres zeigte ihm sein träger Röntgenblick in jeder Geschichtsstunde bei der 10 B ein neues Kuckuckskind, das starrköpfig in einem quirligen Nest bunter Jungvögel hockte. Eines Tages im September, draußen ging ein feiner Nieselregen nieder, baute er seine quasimodisch verwachsene Gestalt vor Ada auf, die am rechtshinteren Winkel der u-förmigen Tischformation saß, griff nach einem Kugelschreiber und richtete ihn wie ein Messer auf ihre Nasenspitze.

Er schätze Meinungsstärke, verkündete Höfi, aber es gebe auf alles im Leben mindestens zwei mögliche Perspektiven, von der keine absolute Geltung beanspruchen könne. Das solle sie sich mit diesem Stift hinter die Ohren schreiben und den Mund erst wieder aufmachen, wenn sie es begriffen habe. Ende der Durchsage.

Ada nahm ihm den Stift aus der Hand und passte ihn exakt in die Position ein, an der er zwischen Heft und Buch gelegen hatte. Dabei erwiderte sie geradeaus Höfis Blick, sah ihm aber nicht in die Augen, sondern fixierte jene kleine Stelle auf seiner Stirn, die nach glattem Durchmarsch einer Pistolenkugel sofortigen und sicheren Tod versprach.

»Sind Sie verheiratet?«

»Gewiss«, sagte Höfi, während die Stille im Raum ein totalitäres Ausmaß erreichte.

»Lieben Sie Ihre Gemahlin?«

»Gewiss. Sogar sehr.«

»Haben Sie jemals darüber nachgedacht, dass Sie diese Frau ebenso gut hassen könnten?«

»Nein.«

Ada senkte den Blick von Höfis Stirn auf ihre vernarbten Fingerspitzen. Im Unterricht vertrieb sie sich die Zeit, indem sie die Haut rund um die Fingernägel vom Fleisch kratzte und in schmalen Streifen bis zur Mitte der Finger abzog.

»Wenn das so ist«, sagte sie leise, »hören Sie auf mit dem Quatsch von zwei möglichen Sichtweisen auf alle Dinge.«

Höfi öffnete den Mund und schloss ihn wieder. Er nickte, als hätte er eine im Grunde nebensächliche, aber unverzichtbare und seit längerem erwartete Information erhalten, und setzte seinen Unterricht fort. Vierundzwanzig Stunden später wussten alle siebenhundertzweiundvierzig Schüler auf Ernst-Bloch, dass eine von ihnen gegenüber Höfi das letzte Wort behalten hatte. Es hieß, Höfi habe zum ersten Mal in seiner langjährigen Tätigkeit als tyrannischer Geschichtslehrer einen ebenbürtigen Gegner gewittert.

Ada konnte seit ihrem vierten Lebensjahr lesen und schreiben; sie hatte es sich mit Hilfe einer Buchstaben-Bild-Tabelle selber beigebracht. Mit fünf erreichten die Finger der rechten Hand mühelos das linke Ohr, wenn Ada den rechten Arm oben über den Kopf legte. Deshalb wurde sie vorzeitig eingeschult und erhielt das Amt der Jüngsten auf Lebenszeit. In der dritten Klasse war ein Junge der Auffassung gewesen, ein Kleinkind wie Ada könne keine Schulhofbande führen, und erlitt daraufhin eine leichte Nierenquetschung wegen eines Stiefeltritts. Ada hatte sich auf ihren quadratischen Ledertornister gestellt, um ihn im Rücken zu erwischen. Während der folgenden Wochen verbrachte sie die Vormittage in einem verglasten Nebenraum des Klassenzimmers, wo sie die Aufgaben der jeweiligen Schulstunde in Minutenschnelle löste und danach blassbunte Tiefseefische malte, im schwarzen Wasser, viele tausend Meter unter dem Meer.

Ernst-Bloch bewirtete so viele Sitzengebliebene mit Unterricht und einer letzten Chance, dass Ada für ein Gespräch mit Gleichaltrigen die Flure der unteren Mittelstufe hätte besuchen müssen. Da ihr schon die Schüler der höchsten Klassen infantil erschienen, verspürte sie nicht das geringste Bedürfnis danach. Keine Freunde finden konnte sie auch in der eigenen Jahrgangsstufe.

Die Pausen verbrachte sie auf dem Raucherhof, wo sie mit kunsthandwerklicher Präzision im Stehen Zigaretten drehte. Sie hielt sich am Rand einer immer gleichen Gruppe von Schülern verschiedener Klassen auf, stand einen halben Schritt außerhalb des Kreises, achtete darauf, dass sie von breit geplusterten Daunenjacken den Blicken des Aufsichtspersonals entzogen wurde, und hörte den Gesprächen zu. Jedes Mal, wenn sie an der Zigarette zog, schielte sie unter gesenkten Lidern auf die papierfressende Glut. Meist trug sie zu ihrer ausgewaschenen Jeans, deren fransig getretene Hosenbeine hinter den Fersen übers Pflaster schleiften, eine Jacke gleichen Materials, jedoch von dunklerem Farbton, was einem ästhetischen Verbrechen gleichkam. Kopf und Brüste, die ein Stück zu groß waren für Adas stabilen, aber kleingewachsenen Körper, hatten ihr, gemeinsam mit der Tatsache, dass sie selten sprach, den Spitznamen ›Marionette‹ eingetragen. Kaum jemand kannte ihren richtigen Namen, aber jeder wusste, dass sie Höfi mit wenigen Worten in die Schranken gewiesen hatte. Man ließ sie in Ruhe. Gelegentlich mischte sie sich grob ins Gespräch. Was für eine Rolle spielt es, ob Amelie das gewollt hat. Wenn wirklich jemand den Fahrradkeller für eine Party bräuchte, würde er ihn bekommen. Selbstverständlich wird Schröder wiedergewählt.

Die scheißt auf alles. Knapper ließ sich die Persönlichkeit der Neuen nicht in Worte fassen. Anerkennung schwang in dieser Wendung mit und wenig Sympathie. Man wusste nicht recht. Die Prinzessinnen aller Stufen hielten sich von ihr fern und sortierten sich auf dem Raucherhof so lange um, bis keine von ihnen Ada im Rücken hatte. Genau wie auf ihrer alten Schule stand Ada umgeben von einem Haufen Leute, die sie nicht das Geringste angingen, und spürte genau, dass alles beim Alten geblieben war. Es war albern gewesen, etwas anderes zu erwarten.

Denken heißt Beschreiten. Ernst-Bloch und das Prinzip Hoffnung

Bald nach Adas Neuanfang fand auf Ernst-Bloch die Hundertjahrfeier statt. In der hochgewölbten Aula trafen sich fast tausend Personen, Schüler, Lehrer, Internatspersonal, Schulträger, Ehemalige und Mitglieder des Fördervereins. Das Licht von der gewaltigen Glasrosette über dem Eingangsportal stand schräg zwischen den kathedralen Mauern, fleckte Rücken und Schultern mit bunten Reflexen und umgab die Versammlung mit einer Aura von Andacht und Abendmahl. Man saß hüstelnd beieinander wie die Gemeinde im Gottesdienst. Der Namensgeber der Schule hatte einmal geäußert: Die Fälschung unterscheidet sich vom Original dadurch, dass sie echter wirkt.

Ein bisschen Unterstufe strich im Quartett, der Schulchor jazzte ein beherztes Geburtstagslied, zwei Schüler der dreizehnten Klasse spielten Beckett in freier Interpretation. Danach wurde dem dienstjüngsten Lehrer die Ehre zuteil, die Festtagsrede halten zu müssen. Groß und schlank kam er nach vorn aufs Podest, in feines Anzugschwarz gehüllt wie ein Konfirmand. Er zog den Kopf ein, um hinter dem Rednerpult nicht ganz so hünenhaft zu wirken, lächelte den Schülern zu, die umzingelt von Lehrern auf den mittleren Stuhlreihen saßen wie Schafe zwischen Schäferhunden, und strich sich mit beiden Händen die Haare aus dem Gesicht.

Ada saß in den unbeliebten vorderen Reihen, die immer als letzte von Nachzüglern und Außenseitern besetzt wurden, tuschelte mit niemandem und sah steil von unten zum Redner hinauf. In ihm erkannte sie einen der ersten Menschen, die ihr auf den Fluren von Ernst-Bloch begegnet waren. Noch vor den Sommerferien, unmittelbar nach ihrem Vorstellungsgespräch im Direktorenzimmer, war dieser Man ihr in Begleitung von Höfi auf der Plexiglasbrücke entgegengekommen, die Altbau und Neubau miteinander verband und von den Schülern ›Lufttunnel‹ genannt wurde. Ihre Mutter hatte mit ihm zu schäkern versucht, und Ada hatte sich dafür geschämt. Sie erinnerte sich daran, wie er sich vorgestellt hatte: Smutek, Deutsch und Sport. Er sprach mit einem leichten Akzent, den sie nicht zuordnen konnte.

Seine Rede war in Hexametern verfasst und raffte hundert Jahre Schulgeschichte in zwanzig Minuten zusammen. Die Sprösslinge der Gründer-Familie, Enkel und Urenkel des alten Wolfram Gründer, saßen in erster Reihe und trugen das Lächeln stolzer Eltern zur Schau. Sie entstammten einer Industriellenfamilie, die mit der Zuckerherstellung ein so großes Vermögen angehäuft hatte, dass sich der alte Wolfram im Jahr 1902 einen Kinderwunsch erfüllen und eine Schule gründen konnte, auf die er selbst gern gegangen wäre. Smutek dankte dem lang verstorbenen Übervater für diese Idee, nannte die Nachfahren ›Zuckerpüppchen‹, weil es ins Versmaß passte, und erntete anhaltendes Gelächter aus den hinteren Reihen.

Nachdem einige ehemalige Schüler zu Nazizeiten für zweifelhaften Ruhm gesorgt hatten, erfolgte einige Jahre nach dem Zweiten Weltkrieg die Umbenennung des Gründer-Gymnasiums. Der neue Namensgeber, hieß es, sei beim Festakt unter dem Motto ›Denken heißt Überschreiten‹ persönlich zugegen gewesen, wofür es allerdings keine Belege gab. Ernst-Bloch erhielt die staatliche Anerkennung, verblieb aber in privater Trägerschaft. Die Erbfolge der Gründer-Dynastie war bislang ungebrochen. Der amtierende Urenkel war ein spätes Kind, erst sechsundvierzig Jahre alt und nach Meinung der meisten Beteiligten zu jung für jede Art von Entscheidung. Seit er im Amt war, wurde von der ›Gründerzeit‹ mit nostalgischer Wehmut wie von etwas lang Vergangenem gesprochen.

Die folgenden Strophen waren dem scheidenden Direktor

Singsaal gewidmet. Wie viele junge Lehrer verdankte Smutek ihm seine Einstellung. Mit Liebe und Hochachtung sprach er von Singsaals enormen Segelohren, mit deren Hilfe dieser stets über den Dingen zu schweben schien. Einige ältere Schüler klatschten spontane Ovationen, Singsaal lächelte gerührt, am Westrand der Aula wurde im Lager des neuen Direktors hartnäckig geschwiegen. Der neue Direktor hieß Teuter, war ein Studienfreund des jungen Gründers, klein wie ein Jockey und mit der Stimme von Kermet dem Frosch gesegnet. Seit seiner Wahl zum Direktor zogen sich tiefe Schützengräben durchs Lehrerzimmer. Hinter Teuter stand eine Fraktion von Pädagogen, die Singsaal nett fand, seinen Führungsstil aber zu lasch. Man brauchte nur die Zeitungen aufzuschlagen, um zu wissen, dass auf deutschen Schulen geraubt, erpresst, vergewaltigt und gefoltert wurde. Teuters Freunde wollten den Abnutzungserscheinungen am Wall zwischen Alltagsverhalten und Kriminalität entgegenwirken. Einen Schüler ernst nehmen, bedeutete auch, nicht blindlings an die Unschuld im Kinde zu glauben. Zwischenmenschliche Beziehungen lebten nun einmal von ihrem normativen Charakter – das klang vielleicht nicht hübsch, entsprach aber der Wahrheit, und daran würde niemand, vor allem nicht Leute wie Smutek oder Singsaal, etwas ändern können. Ada hatte Teuter auf den ersten Blick nicht ausstehen können. Er sah aus wie einer, der die Welt hasste, um sich selbst lieben zu können, und Ada hielt großen Hass ebenso wie starke Liebe für ein Zeichen von Dummheit.

Auf dem Weg vom und zum Rednerpult begegneten sich die beiden Männer und gaben einander die Hand. Dabei befand sich Smuteks Krawattennadel auf Teuters Augenhöhe: Ein goldfarben lackiertes Stück Blech mit Motto und Emblem der Schule. Denken heißt Überschreiten.

Die Zeit des Überschreitens, so Teuter auf dem Podium, sei in gewisser Weise inzwischen vorbei. Selbstverständlich habe jeder intelligente Mensch die Grenzen seiner Verstandeskraft immer wieder neu auszuloten und wenn möglich zu übertreffen. Überhaupt sei ›Übertreffen‹ das begrüßenswerte Dogma einer leistungswilligen Gemeinschaft. Innerhalb eines freiheitlichen und menschenwürdigen Staatswesens komme dem Begriff des Überschreitens jedoch eine veränderte Bedeutung zu. Eigentlich eine negative Bedeutung. Glücklicherweise! Denn könne es etwas Schöneres geben als das Leben in einem Staat, den man lieben und achten darf, anstatt ihn bekämpfen zu müssen? Solange Regeln wünschenswert sind, ist ihre Überschreitung unerwünscht. Teuter bevorzugte deshalb die Wendung ›Beschreiten‹, die er als zeitgemäß angepasste Deutung von ›Überschreiten‹ verstanden wissen wollte. Denken heißt Beschreiten. Nicht zu verwechseln mit ›Bestreiten‹.

»Denken heißt zwar auch Bestreiten«, sagte er hinterm Rednerpult, »ja nee, aber nicht im Unterricht!«

Im Westflügel der Aula wurde gelacht.

Auch Adas Mutter hatte gelacht, als Teuter während des Vorstellungsgesprächs denselben Vortrag mit demselben schmächtigen Witz abschloss. Geistreich!, hatte sie gerufen, das ist sehr geistreich!, und Ada war es nicht einmal gelungen, ihr deshalb böse zu sein. Aufrecht wie am Marterpfahl hatte die Mutter auf dem Besucherstuhl neben Teuters Bürotisch gesessen und ihre schwarz gefärbte Kleopatrafrisur alle zwei Minuten mit den Fingern glatt gestrichen. Ihr rechter Fuß schwebte am übergeschlagenen Bein in der Luft und zuckte im schnellen Takt der Herzschläge. Ada wusste, dass sie lieber geweint hätte als gelacht – geweint vor Erleichterung darüber, dass Teuter die Verbrechen ihrer Tochter mit der klinischen Nüchternheit eines Mannes behandelte, der Schlimmeres gewohnt ist. Die Froschstimme zog sich Gummihandschuhe über und implantierte Adas Untat in einen abstrakt-soziologischen Kontext, in dem sie gut aufgehoben war, beinahe schon einen Sinn ergab und vor allem nicht wieder vorkommen würde. Mit dem professionellen Optimismus eines Arztes redete Teuter von der Herrlichkeit des demokratischen Systems, in dem sie alle lebten und an das es junge Menschen zu gewöhnen galt wie Tiere an die Bedingungen eines kleinen, bequemen Naturreservats. Warum es in letzter Zeit vermehrt zu Ausschreitungen der zahmen Reservatsgäste gegen ihre Wärter oder Artgenossen gekommen war, wusste Teuter nicht zu sagen und wollte auch nicht viel davon sprechen, solange Ernst-Bloch von solchen Schrecknissen verschont blieb. Singsaal, der vor den Sommerferien offiziell noch im Amt gewesen war, hatte dabeigesessen, gutmütig gelächelt und Ada nach ihren Lieblingsfächern gefragt. Die Mutter suchte unablässig Teuters Blick, da dieser, soviel sie verstanden hatte, der Mann der künftigen Stunde war. Als er begann, Adas Schulwissen zu testen und diese nicht aufhörte, ihm mit glasigem Blick zwischen die Augenbrauen zu starren und mit langsamer Stimme wie zu einem Geisteskranken zu sprechen, hätte die Mutter ihr mit dem Hackenschuh vors Schienbein getreten, wenn Singsaals Gründerzeitschreibtisch nicht längst einer neuen Stahl- und Glaskonstruktion gewichen wäre, die keinerlei Sichtschutz bot. Die Mutter senkte den Blick auf den Boden, wo Computerkabel sich unter dem Tisch in einem Schlangennest ringelten.

In gleichgültigem Tonfall beantwortete Ada eine Frage nach der anderen, ohne sich den geringsten Fehler zu erlauben. Mit jeder neuen Antwort wuchs Teuters Missmut. Er war stolz auf seine Allgemeinbildung und brachte die Mutter mit herrischer Handbewegung zum Schweigen, als sie entschuldigend einwarf, Ada habe schon immer in allen Fächern die besten Noten erhalten. Singsaal machte ein bekümmertes Gesicht. Erst als Teuter von Naturwissenschaften und Literatur zur Religionskunde überging und Ada angab, die Bibel nie gelesen zu haben und deshalb keine Aussage darüber treffen zu können, was David und Goliath mit den gegenwärtigen internationalen Konfliktstrukturen zu tun hatten, atmeten alle gemeinsam auf. Die Mutter wusste, dass Ada seit ihrer Kindheit damit beschäftigt war, sämtliche Bücher im gemeinsamen Haushalt zu lesen. Es gab drei große Regale, die drei verschiedenen Personen gehörten: das erste Adas verstorbenem Vater, das zweite dem Stiefvater, der die Familie vor zwei

Jahren verlassen hatte, und das dritte der Mutter selbst. Die Bibel stand im ersten Regal unten rechts. Ada hatte sie genauso gelesen wie den Rest.

Teuter beendete das Gespräch mit einem milden Kurzvortrag über die Fortgeltung der Bibel als Fundus westeuropäischen Kulturmaterials, über ihre Bedeutsamkeit für jeden philosophischen, ja, selbst atheistisch begründeten Diskurs, der sich doch immer nur über eine Negierung der Gottesfunktion etablieren könne, wechselte daraufhin einen kurzen Blick mit Singsaal und hieß Ada herzlich auf Ernst-Bloch willkommen. Das Prinzip Hoffnung, schloss er, gelte auf dieser Schule mehr als an jedem anderen Ort.

Im Lufttunnel waren sie Smutek und Höfi begegnet. Der Erste trug kurze Hosen, Laufschuhe und einen Salzrand getrockneten Schweißes über der Oberlippe, der Zweite ging gebückt mit auf dem Rücken verschränkten Händen und verschwand fast in seinem olivgrünen Cordanzug. Neue Schülerin?, hatte Smutek gefragt, woraufhin die Mutter kokett zur Decke sah: Mein lieber Herr, so jung bin ich nun auch nicht mehr. Sie lachten gezwungen, schüttelten Hände, Smutek, Deutsch und Sport, und setzten ihre verschiedenen Wege fort.

»Ja nee, das Prinzip Hoffnung«, sprach Teuter ins Mikrophon, »gilt heute wie vor hundert Jahren auf dieser Schule mehr als an jedem anderen Ort.«

Der Applaus spülte ihn zurück auf seinen Platz, wie die Flut ein Schiff in den Hafen trägt. Weil er genau vor Ada saß, trafen sich ihre Blicke versehentlich. Am Abend des Tages machte Ada eine der seltenen Eintragungen in ihr Tagebuch, das ›An Selma‹ hieß:

»Kein Philosoph würde ein dickes Buch schreiben, wenn er im Vornherein wüsste, auf welche Weise er später zitiert werden wird. Als man dem Menschen verbot, in die Zukunft zu blicken, hatte man nur sein Bestes im Sinn. Da ich durch die Gegenwart nach vorne sehen kann wie durch ein feines Moskitonetz, werde ich mein Leben lang nichts von Bedeutung tun.«

Smutek erinnert sich an ein paar Erinnerungen

Für Smutek hatte das Schuljahr nicht schlecht begonnen. Zwar trug die Aussicht, ab sofort unter einem Mann zu arbeiten, den die Schüler abwechselnd ›Töter‹, ›Täter‹, ›Teutone‹ und ›Euter‹ nannten, nicht zur Verbesserung seiner Stimmung bei, die am Ende der Sommerferien gewohnheitsgemäß miserabel war. Aber Smutek fühlte sich glücklich und konnte die Gründe benennen. Seine elfengleiche, kapriziöse Ehefrau hatte ihre hartnäckige Weigerung aufgegeben, jemals wieder in polnischen Land-, See- oder Luftraum einzudringen, und ihn im Sommer für vier Wochen nach Masuren begleitet.

Bald nach seiner Anstellung auf Ernst-Bloch hatte Smutek irgendwo zwischen Olsztyn und Ostróda ein Häuschen gekauft, ganz aus Holz und dicht am Wasser, und war seitdem Jahr für Jahr allein hingefahren, um sich mit Schwimmen, Lesen, Renovierungsarbeiten und sehnsüchtigen Gedanken an seine Frau die Zeit zu vertreiben. Unermüdlich hatte er sich dem Ausbau seines kleinen Palastes gewidmet, ohne zu wissen, ob die Schwelle jemals vom Fuß seiner Königin überschritten würde. Er kannte Vögel, die ein Frühjahr lang mit aller Kraft und Kunst kugelförmige Nester errichteten, neben denen sie dann ängstlich hockten, während fette Angebetete darin wüteten, mit Flügeln schlugen und die Schnäbel in die empfindlichen Geflechte stießen, bis alles zerrupft und verkommen auseinander hing. War das Nest zerstört, wurde der Baumeister sogleich verlassen. Hielt es stand, bekam er eine Chance.

Smutek stieg Hitze ins Gesicht, wenn er an diese Vögel dachte. Ihm war es noch schlechter ergangen – seine Angebetete hatte sich bis zu diesem Sommer nicht einmal zu einer Begutachtung herabgelassen. Stattdessen hatte sie ihren beißenden Spott über ihm ausgegossen. Er sei sich also nicht zu schade, als Sommerfrischler in ein Land zu fahren, das ihren Vater getötet und den seinen mit Füßen getreten habe? In ein Land, das ihn, Smutek, im Alter von achtzehn Jahren inhaftiert und anschließend rausgeworfen hatte? Bist du so ein großer Holzkopf, Smutek, dass du das alles vergessen kannst? Oder stellst du deinen Liegestuhl am liebsten auf Familiengräber?

Er hatte es aufgegeben, ihr erklären zu wollen, das ein einziger Satz seine Freundschaft zu ihrem gemeinsamen Heimatland gerettet hatte; ein Satz, den sein Vater die Treppe hinunterrief, als Smutek im zarten Jünglingsalter eines Nachts von Uniformierten aus dem Bett geholt wurde.

»Mach dir nichts daraus, Sohn! Jeder gute Pole geht einmal im Leben ins Gefängnis, weil er im Kampf fürs Vaterland vom eigenen Vaterland verhaftet wird.«

Dabei hatte Smutek nicht einmal gekämpft, sondern gerade ein völlig unpolitisches Studium aufgenommen, Physik und Mathematik. Draußen hielt der Januar die Stadt Krakau im Griff, weggeworfene Weihnachtsbäume froren am Boden fest. Das Gefängnis war nicht beheizt.

Smutek hatte nichts vergessen, im Gegenteil besaß er das Gedächtnis eines Elephanten und erinnerte sich an alle Einzelheiten. Er wusste noch, wie er ein halbes Jahr später auf den endlos weiten Straßen Westberlins gestanden hatte und wie ihm diese Straßen nach einem Leben in Krakaus Gassengewirr, nach sechs Monaten Gefängniszelle und achtundvierzig Stunden im käfiggroßen Laderaum eines Transporters als trockene Flussbette in einer gigantischen, steinernen Landschaft erschienen waren. Lange hatte er still auf einer Stelle ausgeharrt und sich über die geringe Körpergröße der Passanten gewundert, die achtlos an ihm vorbeiflanierten und ihn nicht mehr beachteten als die Bäume in der Allee. Genau wie die Bäume konnte er ihnen von oben auf die Köpfe gucken. Er hatte sich die Deutschen größer vorgestellt. Zum letzten Mal hatte er als Kind welche gesehen, sie machten Urlaub auf einem Campingplatz in Masuren, gar nicht weit von dem Ort, an dem heute sein Häuschen stand, und sie waren riesengroß. Wie alle anderen Kinder hatte Smutek Angst vor den Deutschen, vor ihrer Kraft, ihrer Brutalität und ihrer ›Intelligenz‹, von der manchmal am Abendbrottisch die Rede war und die er für eine besonders moderne und gefährliche Waffe hielt. Als er auf dem Campingplatz unversehens diesen beiden Prachtexemplaren gegenüberstand, verfiel er in Schreckstarre und duckte sich klein im Gras zusammen, während die Deutschen über ihm turmhoch in den Himmel ragten. Sie sprachen ihn an mit ein paar Brocken Polnisch, die er in seiner Panik nicht verstand, und zwängten ihm Bonbons in die fest geschlossene Faust. Kaum waren sie verschwunden, rannte er schreiend zum elterlichen Zelt. Mama! Tata! Niemcy dali mi cukier! Die Deutschen haben mir Zucker gegeben!

Vielleicht hatte er in Vorausahnung seiner bevorstehenden Abschiebung in die Bundesrepublik zu wachsen begonnen. Kaum im Gefängnis, war Smutek in die Höhe geschossen, als wollte er durch die Zellendecke ins Freie brechen. Nach drei Monaten ragten Hand- und Fußgelenke aus der Häftlingskluft, und der Stoff spannte über Brust und Oberschenkeln. Smutek teilte sich den Knastalltag durch Trainingseinheiten aus Liegestützen, Klappmessern und Kniebeugen in verdauliche Happen und gehörte bald zu den Gefangenen, die niemals Ärger mit den Zellengenossen haben. Er überwand die eins neunzig und hörte erst wieder mit Wachsen auf, als sie ihn aus der Zelle holten. Smutek musste heute noch lachen, wenn er daran dachte, wie er auf dem Kurfürstendamm gestanden und sich gewundert hatte, dass die Deutschen nicht drei Meter hoch waren.

Berlin war heiß gewesen wie ein Backofen, und Smutek rannte tagelang durch die Stadt, als hoffte er, irgendwo auf einen Knopf zur Regulierung der Temperatur zu stoßen. Im Nordhafen Spandau stelle er Antrag auf politisches Asyl und hoffte auf Ablehnung, auch wenn er nicht wusste, was es bedeutet hätte, wie ein Bumerang in die Hände seiner Rausschmeißer zurückzukehren. In diesem Jahr aber verzeichnete Deutschland einen einzigartigen Tiefstand in der Zahl politischer Flüchtlinge aus den Ostblockgebieten, und so reichte es mühelos für ein kleines Asyl, das Smutek am einundzwanzigsten Juli erhielt, kurz nach dem spektakulären Papstbesuch in Polen und einen Tag vor Aufhebung des Kriegszustandes. Währenddessen wartete seine Familie in Krakau mit täglich steigender Unruhe darauf, dass er aus dem Militärgefängnis entlassen würde. Smutek, der sie nicht durch einen Kontaktversuch aus Westberlin in Gefahr bringen wollte, verstand viel zu spät, dass sein schlaues Schweigen die schlimmste Bedrohung darstellte. Schließlich erfuhr Smuteks Vater, der sich immer ein kämpferisches Kind gewünscht hatte, dass sein Sohn aufgrund einer tragischen Namensgleichheit mit irgendeinem Solidarność-Aktivisten inhaftiert worden war und sich inzwischen nicht mehr im Gefängnis befand. Der bloße Gedanke an eine solche Verwechslung offenbarte das ganze schreckliche Ausmaß göttlicher Possenreißerei, die ein Mensch im Leben zu erdulden hatte. Smuteks Vater war gläubiger Katholik. Er wurde krank.

Um mit dem Verlust seines gesamten bisherigen Lebens zurechtzukommen, hatte Smutek damals beschlossen, ein anderer Mensch zu werden. Er schwor den Naturwissenschaften ab und wollte jetzt Sport und Germanistik studieren. Für das eine brauchte er keine Sprache; für das andere fehlte sie ihm so vollkommen, dass er glaubte, es unbefangen versuchen zu können. Als Erstes musste er lernen, was das Wort ›Duldung‹ bedeutete. Er wurde Stammgast auf dem Ausländeramt der Universität. An irgendeinem beliebigen Werktag entdeckte er dort ein Mädchen, das er an der Kleidung sowie ihrer Art, sich ständig verstohlen umzusehen, sofort als Landsmännin erkannte. Als er sie auf Polnisch ansprach, schrak sie zusammen wie eine Ertappte, die seit Wochen auf den Moment der Entdeckung wartet.

Viel zu begeistert, um auf ihre abwehrenden Hände Rücksicht zu nehmen, verlangte Smutek, sie möge ihr fließendes Deutsch einsetzen und ihm bei der Verständigung helfen. So vernahm er aus ihrem schönen Mund, dass sein Status in diesem Land weder zum Arbeiten noch zum Studieren, noch zum Erwerb einer sonstigen Ausbildung berechtigte. Was ihm dann bliebe? Czekać, warten, sagte seine künftige Frau. Warten, meinte Smutek, sei ebenso wenig eine Tätigkeit wie Bleiben oder Wohnen, und im Übrigen wisse er nicht, worauf. Man gab ihm recht. Ob er als Gasthörer ein paar Seminare besuchen dürfe? Das sei mit dem jeweiligen Professor zu klären. Smutek fasste, überwältigt vom Glück, seine künftige Frau an den Händen: Słyszysz, hörst du, ich kann zur Uni gehen. Da war er achtzehn und sie zwanzig.

Sie stammten beide aus Krakau, und das war in Smuteks Lage Grund genug, an die Macht der Vorsehung zu glauben. Er war Asylant, sie Exilantin, was ihm zuerst fast dasselbe schien, während er Jahre später begriff, dass zwischen diesen beiden Spezies ein himmelweiter Unterschied bestand, der sie für immer voneinander trennen würde. Frau Smutek *in spe* hasste die Volksrepublik. Sie sah aus wie eine weißhäutige Carmen und führte heißes Blut in den Adern. Ihren alten Vater hatten die Teufel in Warschau einem polnischen Winter zum Fraß vorgeworfen, so dass er langsam in seiner Zelle zugrunde gegangen war. Er war Gewerkschaftsmitglied gewesen und hatte den erbarmungslosen Hass auf ›die russische Leiche Polens‹ an seine Tochter vererbt, die ihn der Vollendung entgegentrieb. Als sie von Smuteks Gefängnisaufenthalt erfuhr, leuchtete das Schwarz ihrer Augen wie unter plötzlichem Licht. Ihre Begeisterung über seine Inhaftierung erschreckte ihn anfangs wie ein jähes Aufblitzen von Wahnsinn an einem rundum gesunden Menschen. Im Lauf der Zeit gewöhnte er sich daran und erkannte Teile davon in den Mienen der unterschiedlichsten Personen wieder, wenn sie von seiner Inhaftierung erfuhren, bis schließlich die Große Wende die Fronten verwischte und die Idee verblassen ließ, dass jedes

Opfer der Bolschewiken ein notwendiger Freund der frei und gerecht denkenden Westler sei.

Schon damals sprach die künftige Frau Smutek davon, nach Abschluss ihres Biologiestudiums noch viel weiter gen Westen ziehen zu wollen. In den Unterrichtsstunden am polnischen Institut, mit denen sie ihren Lebensunterhalt bestritt, formte sie die Wörter ihrer Muttersprache überdeutlich und langsam, als wollte sie sich an den Lauten Zähne und Lippen nicht schmutzig machen, und behandelte die Grammatik mit der gestelzten Vorsicht eines Naturschützers bei der Entsorgung von Sondermüll. Von ihr lernten die Schüler in atemberaubender Zeit. Smutek, der sich keinen Sprachkurs am Goethe-Institut leisten konnte, saß dabei und versuchte, ihre Polnischstunden in umgekehrter Richtung nachzuvollziehen. An den Nachmittagen drillte sie ihn weiter mit militärischer Strenge, und nach einem knappen Jahr sprachen sie deutsch miteinander.

Selbstverständlich war Frau Smutek nicht so dumm zu glauben, dass die Menschen im Westen besser seien als jene im Osten. Vielmehr ging sie davon aus, dass die Anordnung von gut und böse auf dem Globus allein dem Geschäftsverteilungsplan des Schicksals obliege, womit sie nicht sagen wollte, dass alles vom Zufall abhänge, sondern dass Gott komplizierter als eine Behörde sei. Den Mauerfall verbrachte sie stoisch im Zimmer über ihrer Diplomarbeit, während Smutek mit den anderen Karnevalisten durch die Straßen taumelte und das Ergebnis einer politischen Absprache hochleben ließ, die er nicht verstand. Wenn im Verlauf einer Diskussion der politische Dämon in ihr erwachte, nannte sie den Begriff ›friedliche Revolution‹ ein Oxymoron und begann davon zu sprechen, dass ohne Blutopfer der infizierte Teil einer Bevölkerung nicht ausgetauscht werden könne, weshalb es nichts als eine Lachnummer sei, die gleiche alte DDR plötzlich ›NEUE Bundesländer‹ zu nennen. Sie wollte nach Westdeutschland, um einen möglichst großen Abstand zwischen sich und den ›Ostblock-Ostbluff‹ zu bringen, und als sie sich bereit erklärte, bis zum Ende von Smuteks Ausbildung mit ihm in Berlin zu bleiben, wusste er, dass sie ihn liebte. Weil ihm nach der politischen Wende die Abschiebung drohte, heiratete sie ihn, und mit ihrer Arbeit finanzierte sie sein Lehramtsstudium.

Der Bundeshauptstadt begegneten sie *on the road*: Während sie von Bonn nach Berlin umzog, bewegten Smutek und Frau sich im Führerhaus eines Speditionslastwagens in entgegengesetzter Richtung. Der alte Singsaal hatte nicht einsehen wollen, einen polnischen Deutschlehrer nur deshalb nicht einzustellen, weil er Pole war, und hatte Smutek aus diesem Grund allen anderen Bewerbern vorgezogen. Die Seligkeit seiner Frau milderte Smuteks Abschiedsschmerz. Während für ihn Berlin zu einer zweiten Heimat geworden war, zu einer Stadt, die ihm alles beigebracht hatte, was er im Leben zu brauchen glaubte, erblickte Frau Smutek in Berlin einen Cerberus des Ostblocks, wohingegen Bonn das zarte Herz jenes leise verendenden Reichs war, in das es sie seit fünfzehn Jahren zog. Das Reich hieß ›Westen‹ und erlebte gerade seine Abschaffung zugunsten eines grenzenlosen geographischen Wolpertingers, in dessen Bauch die Nationen Europas zu Brei verdaut werden würden. Frau Smutek hoffte mit ganzer Kraft, ein Stück westlichen Geistes möge in den Aufbewahrungstempeln der früheren Kapitale überdauern, wenigstens noch ein paar Jahre, vergessen und geschützt hinter der Spielzeug-Skyline am Rhein, die man so gut aus den täglichen Nachrichten kannte.

Smutek bereute seine Entscheidung nicht. Zwar ließ er in Berlin einen großen Freundeskreis und eine semiprofessionelle Basketballkarriere zurück, aber gleichzeitig verehrte er seine Frau und wollte sie an einen Ort bringen, an dem sie glücklich werden konnte. Er würde ihr nie vergessen, was sie für ihn getan hatte und dass sie nie auf die Idee gekommen war, ihn auf dem Höhepunkt seiner Träume und Erwartungen zugunsten eines anderen zu verlassen. Wie Schneewittchen war sie aus Schwarz, Weiß und Rot erbaut, die Blicke der

Männer schossen harpunengleich in ihre Richtung, sobald sie vor die Tür trat. Sie hatte niemals einen anderen angesehen.

Der Streit um das Häuschen in Masuren war der erste Konflikt in ihrem langen Zusammenleben, in dem Smutek nicht nachgeben wollte. Im Verlauf jeder Auseinandersetzung gelangten sie an die immer gleiche Stelle, an der Smutek auf Polnisch rief: »Das Kriegsrecht ist seit zwanzig Jahren nicht mehr in Kraft, General Jaruzelski wurde Vater des Runden Tischs, und deine Volksrepublik ist längst eine Demokratie!«

Daraufhin pflegte Frau Smutek zu lachen, wobei sie ihren großen Mund schamlos dehnte, und Smutek fuhr allein nach Polen. Er kam unglücklich in Masuren an, pflegte unglücklich sein kleines Haus, das immer schöner wurde, und kehrte jedes Mal früher als geplant nach Deutschland zurück.

In diesem Jahr war es anders gewesen. Frau Smutek hatte gelacht, ihren Mund gedehnt und sogar mit dem nackten Finger auf ihn gezeigt. Als er aber den Kofferraum seines Volvos mit einer Reisetasche und ein paar Eimern Parkettlasur auf Zitronenbasis belud, stand sie plötzlich neben ihm. Ohne ein Wort rückte Smutek die Lackeimer beiseite und schob ihren kleinen Koffer auf seine Tasche. Während der langen Fahrt sprachen sie nicht miteinander. Frau Smutek starrte die ganze Zeit aus dem Fenster, an dem brachliegende Felder, unverputzte Häuser und von Müll verunstaltete Straßenränder vorbeizogen, und Smutek schämte sich für alles, was sie sah, als wäre er persönlich am Zustand ihres Heimatlands schuld. Er konnte nicht aufhören, an das Vogelweibchen zu denken, das mit Schnabel und Flügeln ein kunstvolles Kugelnest zerstört. Als er das Auto im Leerlauf auf sein abschüssiges Grundstück rollen ließ und unter dicht belaubten Obstbäumen zum Stehen brachte, schwitzte er trotz der kühlen Abendstunde.

Frau Smutek umrundete das Haus, stiefelte durch die hochgeschossene Wiese, befühlte geschlossene Fensterläden, schlug leicht mit den Händen gegen das Holz der Wände und roch am bemoosten Regenrohr. Als sie wieder neben ihm stand, wies sie mit ausgestrecktem Arm auf das Gebäude, das mit zugekniffenen Türen und Fenstern niedergekauert im hohen Gras hockte.

»Otwórz oczy, mały domku«, sagte sie. »Jesteśmy.«

Mach die Augen auf, kleines Haus, wir sind da. Von ihr gesprochen, klang der Satz wie die erste Zeile eines Gedichts.

Die folgenden vier Wochen waren von einem blanken, blauen Himmel überspannt. Frau Smutek ging barfuß, trug abgeschnittene Jeans und badete mehrmals täglich im See. Ihr schneewittchenweißer Körper überzog sich mit einer cremefarbenen Tönung, und das glatte schwarze Haar wuchs noch schneller als sonst. Smutek fing Fische und briet sie auf dem Grill. Vierzehn Tage später verlangte sie nach Ausflügen in die Umgebung, und Smutek kutschierte sie bereitwillig überallhin. Ab und zu sprachen sie Polnisch miteinander, und es bot Raum für Späße, viel mehr Platz für Gelächter, als das Deutsche es jemals vermocht hatte. Am Ende der Ferien hatten sie sich für den Herbst verabredet. Zugedeckt mit den Spiegelbildern bunter Baumkronen, waren Masurens Seen fast am schönsten.

Smutek verließ die Wohnung, fand seinen Wagen treu wartend am Straßenrand und fuhr mit dem sicheren Gefühl zur Arbeit, ein glücklicher Mann zu sein. Solche Momente gibt es. Sie sind nicht weniger trügerisch als Phasen grundloser Schwermut.

Über den Konsum von Büchern

Seit sie lesen konnte, las Ada viele Bücher. Das Lesen war weder Arbeit noch Hobby, es folgte keinem bestimmten Interesse. Lesen war ein Zustand, in dem die Zeit verstrich, weil sie nicht anders konnte, während Adas Verstand in Nahrung eingelegt wurde, so dass seine hektische Gier in ein gleichmäßiges Einsaugen und Verwerten überging. In der Zwischenzeit durfte das Gemüt aufatmen und für ein paar Stunden die Füße hochlegen, wie ein erschöpfter Maschinist, der rund um die Uhr eine gefährliche Hochleistungsapparatur zu bedienen hat. Ada las, wie man Stämme in ein Sägewerk schiebt. Weil sich von den dicken, harten Klötzen am längsten zehren ließ, mochte sie vor allem die Literatur des vorletzten Jahrhunderts und alles, was vor dem Zweiten Weltkrieg geschrieben worden war. Neuere Werke hielt sie für Ablenkungsmanöver von den großen Gegenständen, sie waren leicht und süß, etwas wie Popcorn, das man konsumieren muss, während der Kopf mit anderen Dingen beschäftigt ist. Dies galt vor allem für die Bücher deutscher Autoren, jedoch nicht für Arno Schmidt, dem zu Ehren Ada von Zeit zu Zeit einen Mondvergleich ersann und in ihr selten genutztes Tagebuch eintrug. An Selma: Der Mond, matschig wie ein Klecks Kartoffelpüree, von Kinderhand in den Himmel geschmiert. Der Mond, ein unregelmäßig gebackenes Fladenbrot. Ein Mond von der Sorte, die niemand bemerkt, eine Herde Wolken an sich vorbeiwinkend.

Den Ersten Weltkrieg stellte Ada sich als einen schwarzen Mantel vor, der für vier Jahre über den Kontinent geworfen worden war und in dessen Schatten sich Unsägliches ereignet hatte. Als er sich wieder hob, ließ er die Welt in Chaos und Umsturz zurück. Der Zweite Weltkrieg aber war ein Abgrund, in den der Geschichtsstrom, aus historischen Höhen herabbrausend, unentwegt stürzte, anstatt sich in den Ebenen der jüngeren Vergangenheit zu drosseln und zu weiten, um schließlich sanft die Arche Gegenwart dem Meer der Zukunft entgegenzutragen. Auf der hiesigen Seite des Abgrunds verlief ein trockenes Flussbett im Sand, bis hier und dort das Wasser aus dem Boden drückte, erst ein Rinnsal, dann einen Bach ergab, der schließlich, gut befestigt und kanalisiert, genug Wasser führte, um achtzig Millionen Demokraten in Einer- und Zweierkanus flussabwärts paddeln zu lassen. Es war schön, stromaufwärts zu gehen, sich am trockenen Rand des Abgrunds niederzulassen und eine lange Angel auszuwerfen. Die Fische, die Ada aus den vis-à-vis fallenden Massen fing, waren mächtig und bizarr wie Urzeitviecher. Sie waren von Dostojewski, Balzac oder Mann.

In der Unterstufe hatte Ada eine Freundin, der sie alles weitererzählte, was sie las. Die Freundin hieß Selma, ging in die Parallelklasse und stammte aus Bosnien-Herzegowina, an das sie sich nur noch in den Kategorien von Pflaumenmus und Sonnenschein erinnerte. Sie lebte in Deutschland, seit der Krieg ihr sommerlich duftendes Heimatland in eine Bluthölle verwandelt hatte. Selma besaß einen Hund, mit dem sie und Ada an den Nachmittagen quer durch die Wälder des Kottenforstes zogen, meist auf der Fährte einer Gruppe Rehe oder einer Wildschweinrotte, bis der Hund sie gegen Abend, am ganzen Körper mit kleinen Zweigen und Blättern besteckt, nach Hause brachte. Während sie gingen, redete Ada, und Selma hörte zu. Sie interessierte sich für alles, für jede Art von Geschichten, die Ada zu berichten wusste. Eine unvollständige Nacherzählung der *Buddenbrooks* mit vielen logischen Löchern war ebenso viel wert wie eine ganze Serie Liebeständel aus der *Menschlichen Komödie*, ein Stakkato Zweig'scher Novellen oder ein paar Andeutungen über das Wesen von Zeit und Raum.

Wenn eine von Selmas zahlreichen familiären Verpflichtungen verhinderte, dass sie sich trafen, schrieb Ada Briefe, aus denen mit der Zeit ein Tagebuch wurde, das ›An Selma‹ hieß. Auf literarische Nacherzählungen folgten Berichterstattungen aus der Welt der Gedanken und Gefühle. Ada teilte mit, dass sie nichts Schönerem in der Welt begegnet sei als Selma, dass die Bäume des Mischwalds die Köpfe wandten, um ihnen nachzusehen, dass der ganze Kottenforst sich vor ihnen verbeuge, die Vögel ihren Gesang für sie änderten und Ada stolz und glücklich sei, Selmas geistige Landschaften mit ihren Geschichten für eine Weile besetzen zu können. In ein paar Jahren, verhieß Adas Tagebuch, würde es andere geben, die ihre Bewunderung geschickter auszudrücken vermochten als Wald, Vögel und sie selbst. Bis dahin aber wolle sie Selma für sich allein. Das sicherte die Freundin ihr schriftlich auf einer freien Seite des Tagebuchs zu und gestattete es fortan, dass Ada auf Wanderungen und im Schulklo den Arm um sie legte und sie auf den Mund küsste.

Aus Adas Unterlagen ergab sich, dass sie Selma im Ganzen über dreihundert Bücher, Novellen und Kurzgeschichten nacherzählt hatte, bevor es zum Bruch kam. Als Mutter und Stiefvater einen Sommerurlaub in den Bergen ankündigten, verlangte Ada, bei Selma bleiben zu dürfen, die sie ›ihre Frau‹ nannte. Wenig später fand sie sich auf der Terrasse einer Hütte wieder, blickte auf die Felsrücken der umstehenden Giganten, die sich viel zu dicht vor ihr aufbauten, las Bücher und hörte ein Lied auf einer Kassette, die sie dem Autoradio des Stiefvaters entnommen hatte. Wenn das Lied zu Ende war, spulte Ada das Band zurück und hörte es von neuem. Unmöglich zu beschreiben, was diese Musik in ihr auslöste. Sie lieferte den Soundtrack zu Adas Verzweiflung, zur Sehnsucht nach Selma und dem aufgestauten Druck zahlloser unerzählter Geschichten, die dem Vergessen erlagen und dabei um sich schlugen und pausenlos schrien.

Das Lied hatte einen Refrain, den Ada, des Englischen noch weitgehend unkundig, als ›Sir Don Camisi, to me‹ verstand. Einige Zeilen weiter tauchte die Wendung ›I love you‹ auf. Ihre Briefe an Selma, die der Stiefvater einmal in der Woche zum örtlichen Postamt brachte, baten darum, nicht vergessen zu werden, erflehten Fürsorge für das Tagebuch, das in Selmas Obhut zurückgeblieben war, fassten ein paar jüngst gelesene Geschichten in wenigen Sätzen zusammen und erzählten vor allem Dinge, die das Schweigen der umliegenden Bergriesen ihr eingeflüstert hatte. Sie waren mit ›Don Camisi‹ unterschrieben. Das war der Name der Einsamkeit.

Als Ada zurückkam, hatten Selmas Eltern das Tagebuch gefunden und sämtliche Briefe abgefangen. Das war das Ende aller Waldspaziergänge. Selma beantwortete die Zettel nicht, die Ada ihr auf dem Schulhof zusteckte. Adas Kampf um Selma endete abrupt, als die Familie abgeschoben wurde und an einen Ort in Bosnien zurückkehrte, dessen Namen Ada sich nicht merken konnte. Jahre später entdeckte sie ihn in den Unterlagen für ein Referat im Geschichtsunterricht: Višegrad. Dort stand die Brücke über der Drina und trug eine alte Inschrift: Fließe, Drina, fließe und erzähle. Dreimal sagte Ada den Spruch auf und verspürte das Bedürfnis zu weinen, ohne zu wissen, ob vor Freude oder Schmerz. Wie es die Angewohnheit des Zufalls ist, wurde in der gleichen Woche Don Camisi von der Realität erschlagen. Die Remix-Version eines Achtziger-Jahre-Hits kam auf den Markt: Words don't come easy to me.

Eine neue Selma war nicht aufgetaucht und auch sonst niemand, der zuhören wollte. Ada hatte gelernt, Geschichten zu lesen, ohne sie nacherzählen zu dürfen. Ihr Tagebuch führte sie weiter, schaffte aber nicht mehr als ein paar Zeilen in der Woche.

Für einen ungestörten Ablauf aller geistigen Prozesse schloss Ada sich meistens im Badezimmer ein. Auf dem Weg dorthin blieb sie vor den drei Regalen im Wohnzimmer stehen. Den Beständen ihres früh verstorbenen Erzeugers entnahm sie einen der dicken Schmöker, die im Wesentlichen seine Hinterlassenschaft ausmachten. Ihr Stiefvater, den Ada seit seiner letzten Beförderung nur noch den ›Brigadegeneral‹ nannte, hatte die Familienwohnung ohne seine Bücher verlassen; aus seinem Regal wählte Ada irgendein Werk über Zeitforschung, Astronomie, Philosophie oder Bismarck'sche Realpolitik. Schließlich griff sie aus der Sammlung von Neuzugängen nach ein oder zwei in Hochglanzpapier geschlagenen Werken mit bunten Titelbildern. Diesen Stapel trug sie schnell und leise über das Altbauparkett und die moderne Wendeltreppe in die obere Maisonetteetage, wo sich das Badezimmer befand.

Nach dem Auszug des Brigadegenerals hatte Adas Verwandlung in einen Trichter begonnen, in den man jedes Kümmernis hineinsprechen konnte, ohne dass ein einziger Tropfen danebengegangen oder je wieder zum Vorschein gekommen wäre. In diesen Trichter ergossen sich die Sprachausbrüche der Mutter, wann immer sie seiner habhaft werden konnte. In Adas Charakter waren nämlich ganze Reihen von aufdringlichen Ähnlichkeiten zum verflossenen General zutage getreten, und weil die beiden nicht miteinander verwandt waren, mussten diese Veränderungen auf ein Jahrzehnt seines Einflusses zurückgehen und sich auf psychischem Weg wie die Symptome einer Induktionskrankheit auf die Tochter übertragen haben. Einer solchen Entwicklung wortreich entgegenzuwirken kristallisierte sich als der Kern mütterlicher Restpflichten heraus, nachdem die übrige Erziehungsarbeit seit dem Verschwinden des zweiten Ehemanns sukzessive eingestellt worden war. Die Mutter wandte ihre ganze Kraft auf, um den General in der eigenen Tochter zu bekämpfen, und es war nicht einfach, dem zu entgehen. Adas Zimmertür stellte keine natürliche Grenze dar. Alle Türen in der Wohnung waren ohne Schlüssel, und so genügte ein Anklopfen, um nach den Regeln der Höflichkeit freien Eintritt zu erlangen. Jeder Versuch, sich gegen die seelische Verklappung zur Wehr zu setzen, wurde als neuerlicher Ausbruch der Infektion gewertet und ließ den Abladevorgang nahtlos in einen Angriffskrieg zu Adas eigenem Besten übergehen.

Eines glücklichen Tages hatte sie herausgefunden, dass die Badezimmertür eine Schranke darstellte, die von den Gesetzen der Privatsphäre zu einem Bollwerk verstärkt wurde. Ada begann, ihre Klogänge systematisch auszudehnen, bis sie endlich voll ausgerüstet für mehrstündige Aufenthalte hinter geschlossener Tür verschwand, die Heizung aufdrehte, sich in die trockene Badewanne legte oder auf den Toilettendeckel setzte und las. Gelegentlich kam die Mutter in die Maisonette-etage hinauf, klopfte an und fragte, wie lange es noch dauern werde. Eine Weile noch, antwortete Ada von drinnen, sie solle besser unten das Gästeklo benutzen. Weil die Mutter weibliche Schönheit nicht für ein Geschenk, sondern für eine Verpflichtung hielt, begrüßte sie es grundsätzlich, dass ein junges Mädchen den halben Tag vor dem Spiegel verbrachte und dass insbesondere die spröde Ada der Körperpflege plötzlich so viel Aufmerksamkeit schenkte. Eine Weile stand sie unschlüssig vor der Tür herum, dann klickten ihre hochhackigen Schritte die Wendeltreppe hinunter und verloren sich in den spiegelnden Weiten der Wohnetage.

Seitdem wurde Ada vor allem am Esstisch von verbalen Kreuzzügen heimgesucht, und ihr Lesepensum erhöhte sich auf drei bis vier Bücher pro Woche. Bevor jemand in Adas Leben auftauchte, der das Sägewerk in ihrem Kopf besser zu beschäftigen wusste, als ein Buch es jemals vermocht hatte, bevor diese Begegnung sie aus der Welt der Literatur in die so genannte echte Welt hinauszwang und bevor überhaupt alles sich änderte, musste noch ein Jahr vergehen, in dem eine Menge geschah, das Ada immer nur am Rand berührte.

Kommen Sie bitte mit in mein Büro. Ada hasst Dummheit

In diesem Schuljahr hatte Smutek keine eigene Klasse, dafür aber ein Jahr Zeit, um sich mental und praktisch auf den ersten Leistungskurs seiner Laufbahn einzustellen. Kurz vor seiner Pensionierung hatte Singsaal ihm für 2003 den Deutschleistungskurs der jetzigen zehnten Klassen zugeteilt und diesen Beschluss im ganzen Lehrerkollegium und vor allem bei Teuter bekannt gemacht. Am liebsten hätte Smutek ihm den Ring geküsst. Auf Ernst-Bloch war das erweiterte Leistungskursmodell der Mainzer Studienstufe schon zu einem Zeitpunkt verwirklicht worden, da es noch nicht einmal diesen Namen trug, so dass sich die Klassenverbände bereits in der elften Jahrgangsstufe auflösten und die Schüler in ihre Schwerpunktbereiche entließen. Für Smutek bedeutete das: ab nächstem Jahr sechs Stunden pro Woche mit einer Gruppe von sechzehnjährigen Schülern, Referate, Diskussionen, Kreatives Schreiben, Exkursionen, die traditionelle Orientierungsfahrt im ersten Halbjahr der Elf und schließlich die gemeinsame Vorbereitung aufs Abitur.

Drei Jahre waren eine lange Zeit. Sie würden sich kennen lernen, vielleicht irgendwie anfreunden. Manch einer würde ihn nicht leiden können, aber alle würden ihn endlich als das betrachten lernen, was er war: ein Mensch, ein Lehrermensch zwar, aber immerhin ein Mensch. Smutek litt darunter, immer nur eine Funktion sein zu müssen, die umschmeichelt oder betrogen, belagert, ausgenutzt oder bestochen wurde. Er wollte menschlichen Kontakt. Er hielt seine Schüler nicht für dumm und fühlte sich ihnen nicht wesentlich voraus, wenig an Alter, kaum an Klugheit, ein Stück an Erfahrung. Auch wenn er wusste, dass er mit seinen siebenunddreißig Jahren aus ihrer Sicht hoch wie ein uralter Baum aus einer Wiese ragte, deren Gräser und Blumen nach den Prinzipien des Entstehens und Vergehens ein bestimmtes Alter niemals überschritten; auch wenn eine zehnte Klasse immer eine zehnte Klasse war und weder alterte noch sich sonst wesentlich veränderte, während Smutek von der vergehenden Zeit Jahr für Jahr dem eigenen Tod ein weiteres Stück entgegengetragen wurde; auch wenn er auf der Uni gelernt hatte, dass es für einen Lehrer gefährlich war, sich mit den Schülern gemein zu machen, spürte Smutek doch mit Gewissheit, dass sie sich von gleich zu gleich am besten verstehen würden. Endlich würde er auf Konferenzen von ›seinem Kurs‹ sprechen können. Endlich würde er aufhören, wie ein Freischärler allen und keiner Klasse zu dienen. Endlich wäre er nicht mehr allein.

Smutek dachte schon jetzt darüber nach, welche Bücher er mit ihnen behandeln wollte, nahm sich vor, den Pflichtteil aus *Effi Briest*, *Werther* und *Blechtrommel* auf ein erträgliches Maß zu begrenzen und die Beschlüsse der Fachkonferenz dahingehend auszulegen, dass sich sprachliche, ethische und ästhetische Kompetenzen sowie wissenschaftspropädeutische Grundlagen am besten anhand des monströsesten Werks der deutschsprachigen Literaturgeschichte vermitteln ließen. Wenn sie das verstehen konnten, verstanden sie alles. Wenn sie das lasen, hatten sie alles gelesen. Wenn sie darüber sprachen, konnten sie über alles sprechen. Smutek war ein Jünger des *Mannes ohne Eigenschaften* und fest entschlossen, ihn den Schülern zumindest in Auszügen vorzusetzen. Fragmente vom Wesen und Inhalt einer großen Idee.

Einstweilen ließ die Arbeit ihm Freiräume. Smutek hatte nicht vor, in jenen trägen Trott zu verfallen, der zweifellos den Urzustand der menschlichen Natur darstellte. Vielmehr plante er, das Nachschwingen der glücklichen Sommerferienwochen in den Aufbau einer freiwilligen Leichtathletikgruppe zu investieren. Er wollte den Sportsgeist der Schüler wecken, sie vorsichtig antrainieren, die Begabtesten fördern und spätestens in zwei Jahren mit einer kleinen Schar fröhlicher junger Menschen auf Wettkämpfe fahren. Es war an der Zeit, sich ein Stück eigener Lebenswelt auf Ernst-Bloch zu erobern.

Jeden Morgen schwenkte Smutek in der einen Hand die Aktenmappe, in der anderen die Sporttasche, indem er von der Haustür zum Auto ging. Er schwenkte sie auf dem Weg vom Lehrerparkplatz zum Schulgebäude und auch im Treppenhaus, wo er zwei bis drei Stufen auf einmal nahm, bis er Teuter in die Arme rannte. Der Direktor stand auf dem obersten Absatz gegen das Geländer gelehnt, als hätte er auf ihn gewartet.

»Ja nee, Herr Smutek«, sagte er, »wenn Sie einen Moment Zeit haben vor Unterrichtsbeginn, kommen Sie doch mit in mein Büro.«

Während Smutek ihm folgte, hielt er seine Taschen ruhig am Körper. Teuter hatte als Einziger auf dem förmlichen ›Sie‹ unter Kollegen bestanden, und das kam ihm jetzt so sehr zugute, dass die Vermutung nahe lag, er habe schon seit Jahren auf den Direktorenposten spekuliert. Jeder Frosch strebt heimlich nach der Weltherrschaft, dachte Smutek. Er selbst hatte in seiner Westberliner Zeit beim DTV Charlottenburg Basketball gespielt, traf den Korb noch heute sicher von der Dreipunktelinie aus und sprang aus dem Stand hoch genug für ein vollendetes Dunking. Den Willen zur Macht brauchte er nicht, er hatte immer von oben auf die Dinge geblickt. Er war Asylant, aber kein Frosch gewesen. Teuter hingegen hielt sich gern am oberen Ende der Treppe auf, und er bat gern Menschen in sein Büro. Er liebte es, sie um eine Minute ihrer Zeit zu bitten, wohl wissend, dass sie ihm auch im höchsten Stress zu folgen hatten. Er liebte die zweideutige Höflichkeit desjenigen, der nicht auf Höflichkeit angewiesen ist.

Smutek begegnete ihm auf dem Schulhof, hinter der Turnhalle, auf der Toilette, an der Tür zum Klassenzimmer, im Treppenhaus. Kommen Sie doch kurz in mein Büro. Die Anliegen waren fadenscheinig, Teuter zeigte einfach Präsenz. Er tickte mit dem Ende seines Mont-Blanc-Füllers gegen die makellosen Schneidezähne, klärte eine Belanglosigkeit und hoffte noch einmal, persönlich und exklusiv, auf künftig gute Zusammenarbeit.

Smutek dachte sich Schleichwege aus. Zur Turnhalle ging er außen ums Schulgebäude herum, über den Raucherhof und auf der Straße ein Stück zurück, anstatt auf direktem Weg quer über den Parkplatz zu laufen. Im Lehrerzimmer zeigte er sich so selten wie möglich, und wenn es sich einrichten ließ, benutzte er die Schülertoilette. Als er seiner Frau davon erzählte, lachte sie ihn aus.

»Wenn du so weitermachst, stehst du bald morgens mit Bauchschmerzen auf, weil du Angst vor dem Direktor hast.«

Sie hatte Recht. An den Weg über den Raucherhof hatte er sich aber inzwischen gewöhnt. Häufig sah er dort Ada, wie sie in der Peripherie einer gemischten Schülergruppe stand, mit halb geschlossenen Augen an einer Zigarette zog und sich nicht am Gespräch beteiligte. Manchmal hob sie das Gesicht in seine Richtung. Er wusste nicht, wie alt sie war; sie wusste, dass er sie trotzdem in Ruhe rauchen ließ. Bei der zwanzigsten Begegnung nickten sie einander zu. Smutek erinnerte sich daran, sie vor den Sommerferien im Lufttunnel getroffen zu haben, in Begleitung einer ganz gegensätzlichen Mutter, die, schwarzhaarig, zierlich und aufgedreht, neben ihrer blonden, kräftigen, lethargischen Tochter tänzelte. In jeder Pause stand Ada auf derselben Stelle, wie ein Gegenstand, der niemandem gehört. Ihr weggetretener Blick war feindselig, Gesicht und Körper hatten etwas zu verbergen, und Smutek fragte sich, ob sie selbst wisse, worum es sich dabei handelte.

Die Schule betreute etliche Last-Call-Kinder, die nach einer ansehnlichen Karriere von Rausschmissen eine letzte Gelegenheit erhielten, sich zu beruhigen. Ernst-Bloch setzte sie unter pädagogischen Wechselstrom, verband Großzügigkeit mit Despotismus, Zuckerbrot mit Peitsche, und die Mehrheit von ihnen schaffte es letztlich, in einem Zustand gemäßigter Revolte, gemischt mit sporadischer Anpassung, das Abitur zu erwerben. Früher einmal hatte Teuter den Ausspruch geprägt, Ernst-Bloch sei wie ein Vater, der dem abtrünnigen Sohn für seine Rückkehr mehr Liebe und Dankbarkeit entgegenbringt als allen braven und treuen Kindern zusammen, wobei nie klar war, ob er das als Ausdruck einer biblisch-paradoxen Gerechtigkeit guthieß oder sich darüber lustig machen wollte. Jedes Mal auf dem Raucherhof dachte Smutek im Weitergehen darüber nach, ob dieses Mädchen wohl zu den verlorenen Söhnen zähle, ob sie in die zehnte Klasse gehe und ob sie sich nächstes Jahr für Deutsch als erstes Schwerpunktfach entscheiden und damit zu seinen Schützlingen gehören werde.

Diese Überlegung entsprang reiner Neugier und nicht etwa dem Bedürfnis, einem Menschlein mit grimmiger Miene zu helfen. Smutek hatte den pädagogischen Auftrag, sofern er als Entwicklungshilfe verstanden wurde, immer als grotesken, ja lächerlichen Windmühlenkampf empfunden. Er glaubte nicht daran, einem anderen Menschen beibringen zu können, wie er sein Leben zu führen hatte. Smutek konnte nur da sein. Manchmal zuhören. Alle Kraft in das Aussenden einer stummen Botschaft legen, die davon handelte, dass das Glück des Menschen vor allem in der Abwesenheit von Elend bestand und es darüber hinaus wenig gab, dem man nachjagen konnte. Dass sie sich abregen sollten. Dass der perfide, lautlose Krieg im Frieden einen Normalzustand darstellte, in dem es sich aushalten ließ. Im Grunde wollte Smutek ihnen den kürzesten aller Witze erzählen: Treffen sich zwei Menschen. Sagt der eine: Ich bin glücklich.

Mehr wollte er nicht.

Bei diesen Gedanken wurde er meistens unterbrochen, vom Erreichen der Turnhalle, von der Begegnung mit einem Lehrer oder Schüler, von letzten Überlegungen zur bevorstehenden Unterrichtsstunde. Danach vergaß er seine Grübelei. Sie war auch nicht so wichtig.

Wichtig war die Bundestagswahl im September. Die Schützengräben im Lehrerzimmer vertieften sich, die jüngeren

Klassen spielten George Bush und Bin Laden anstelle von Räuber und Gendarm, und auf dem Schulhof stritt die als unpolitisch verschriene Jugend über den Zustand der Welt. Wie Mücken tanzten ihnen die Schlagworte um die Köpfe: ›Massenvernichtungswaffen‹, ›Welthandel‹ und ›Öl‹. Der eine verabscheute den Kampf der Kulturen, der nächste arabische Diktatoren, ein anderer fühlte sich zum ersten Mal im Leben gern als Deutscher, und alle zusammen wollten schulfrei für Demonstrationen.

Einmal lehnte Smutek sich in der großen Pause in Hörweite der Gruppe an die Wand. Wortführerin war eine Prinzessin mit großer Lockenmähne, die er aus früheren Jahren kannte. Sie hieß Johanna, nannte sich ›Joe‹ und hielt trotz Rehäugigkeit und Gazellenhüften viel auf ihren Intelligenzquotienten. Auf dem Raucherhof rückte sie sich immer so zurecht, dass sie Ada mit dem Rücken verdeckte. Die überwiegend männliche Zuhörerschaft stand schweigend im Kreis, schaute ihr auf Hals und Brustansatz und nickte an den passenden Stellen.

Die Motivation der Amerikaner sei völlig egal, meinte Joe. Den Frauen und Kindern im Irak müsse geholfen werden, und wer dies unterlasse, sei selbst kriminell. Ein Verbrecher gegen die Menschlichkeit.

»Johanna!«

Adas Stimme hatte man selten gehört in diesem Kreis. Als Joe sich umdrehte, stand Ada allein wie eine Angeklagte vor einer Schülergruppe, die sich einen einzigen Gesichtsausdruck teilte: Verwunderung.

»Nach deiner Ansicht«, sagte Ada zu Joe, »berechtigen Verbrechen gegen die Menschlichkeit zu einer militärischen Intervention?«

»So ist es, Schätzchen.« Joe lächelte zufrieden, wie ein Jäger, der nach tagelangem Ansitzen das Wild zum ersten Mal vor die Flinte bekommt. Smutek sah ihr an, dass sie schon einige Zeit darauf wartete, der blonden Stoikerin mit der ewigen Zigarette zwischen den Lippen auf freiem Feld zu begegnen.

»Und weil Deutschland im Irak nicht eingreift«, fragte Ada, »begeht es ein solches Verbrechen?«

Anscheinend begann Joe zu ahnen, dass sie vorgeführt werden sollte. Das Lächeln verschwand aus ihrem Gesicht und ging auf Ada über, die während des Sprechens unter halb geschlossenen Lidern zu Boden sah und die Zigarette dicht vor den Lippen hielt, ohne daran zu ziehen.

»Dann bleibt uns wohl nichts übrig«, fuhr Ada fort, »als die ersten Bomben auf Berlin abzuwarten. Ich bin ganz sicher, dass du, liebe Johanna, in erster Reihe stehen wirst, um die amerikanischen Befreier mit Seele und Leib willkommen zu heißen.«

Sicher hatte niemand der Zuhörer sie jemals so lange am Stück sprechen hören. Einer hob die Hände wie zum Beifallklatschen und ließ sie eine Weile hilflos in der Luft schweben. Erst als Joe den Mund öffnete und wieder schloss, breitete Gelächter sich aus. Der Junge benutzte seine erhobenen Hände, um Joe auf den Rücken zu klopfen, weit unten an einer Stelle, die man beinahe schon ›Hintern‹ nennt.

»Na, *Johanna*, gehen wir Bombenfangen?«

Joe wandte sich nach rechts, dann nach links, fand den Weg versperrt von Schülern, die sich, die Hände in den Taschen, herzlich auf ihre Kosten amüsierten, und entschied sich zum Rückzug.

»Was ich noch sagen wollte.« Adas Hand schloss sich wie ein Fußeisen um Joes Oberarm und drehte sie halb herum. »Schröder wird auf jeden Fall wiedergewählt.« Sie stieß die Prinzessin von sich, dass diese ins Stolpern geriet, und wandte sich ab. »Ich hasse Dummheit«, flüsterte sie. »Wie sehr ich Dummheit hasse!«

Die Pausenklingel trieb die Gruppe auseinander wie der Wind ein Häufchen Blätter. Zehn Tage später war Wahl.

Während Smutek vor dem Fernseher die Hochrechnungen verfolgte, dachte er gegen seinen Willen unentwegt an Teuter. Er stellte sich vor, wie Teuter in einem akkurat eingerichteten Wohnzimmer vornübergebeugt auf dem Sofa saß und mit beiden Händen den Hals einer verschlossenen Sektflasche rieb. Am nächsten Morgen hörten Smutek und seine Frau das endgültige Ergebnis im Küchenradio. Smutek freute sich.

»So kommt die Volksrepublik schneller in die EU«, sagte er zum Abschied, und seine Frau zischte durch die Zähne wie eine Natter.

Es war kindisch, sich ausgerechnet diesen Montagmorgen auszusuchen, um bei Teuter, der mit Sicherheit schlechter Laune war, wegen der Leichtathletikgruppe vorzusprechen. Aber Teuter verdiente eine Lektion in Sportsgeist beim freundlichen Gespräch mit dem glücklichen Gewinner. Als sie einander im Treppenhaus begegneten, konnte Smutek nicht widerstehen.

»Wenn Sie einen Moment Zeit haben«, sagte er, »würde ich in der großen Pause gern in Ihr Büro kommen.«

Die Art, wie Teuter den Kopf senkte zum Zeichen des Einverständnisses und wortlos grüßte, schon halb abgewandt, mit einer erhobenen Hand, die winkte oder eine Fliege verscheuchte, entschädigte Smutek ein wenig für die Tatsache, dass er im Begriff stand, sich ausgerechnet heute mit seiner Lieblingsidee zum Idioten zu machen.

Die Gegenwart ist nichts als zukünftige Vergangenheit. Ada und Smutek fliegen raus und tauschen erste Worte

Während der folgenden Unterrichtsstunde dachte Smutek darüber nach, welches andere Anliegen er Teuter vortragen könne, um das Leichtathletikgespräch auf ein andermal zu verschieben; aber weil es ihm schon immer an Phantasie gemangelt hatte, fiel ihm auch diesmal nichts ein. Ein Stockwerk über ihm unterrichtete Höfi in der 10 B und kämpfte ebenfalls mit einer Lieblingsidee. Er unternahm gerade einen seiner gelegentlichen Versuche, den Schülern eine selbst entwickelte These nahe zu bringen. Für Höfi hatte Geschichte nichts mit Vergangenheit zu tun. Er sprach gern über die Historizität der Gegenwart.

Die ganze so genannte Gegenwart lasse sich überhaupt nur historistisch begreifen, nämlich als ein Stück zukünftiger Vergangenheit. In der Ignoranz kontemporärer Analysen diesem Umstand gegenüber liege der Grund für die inflationär auf allen Kanälen erhältlichen Torheiten, produziert von dem Versuch, auf direkte Weise etwas über unsere Zeit auszusagen. Selbst ein Computer könne keine Aussage treffen über die gegenwärtigen Vorgänge in seinem Inneren, wohl aber über alles, was soeben geschehen war. Ebenso benötige der Mensch die winzige Distanz einer fiktiven Sekunde, um seine Umwelt wahrzunehmen, und erst recht erforderten vielschichtige Gebäude aus Ursachen und Wirkungen, wie das menschliche Zusammenleben sie in jedem Augenblick hervorbringe, einen gewaltigen zeitlichen Abstand, um sich dem rationalen Ordnungsstreben zu unterwerfen. Gegenwart sei undurchdringliches Chaos, die Vergangenheit ein stromlinienförmiges Ding. Um ein wenig Zucht in das gegenwärtige Durcheinander zu bringen, müsse man es als Geschichte und damit als etwas Vergangenes behandeln. Das nannte Höfi einen ›fiktiven Rückblick‹, und es war ihm noch nie gelungen, jemanden dafür zu begeistern.

Weil er aufgrund seiner gnomischen Körperhaltung beim Sprechen zu Boden sah und die Zuhörer nur von Zeit zu Zeit mit heraufblitzenden Blicken bedachte, fiel ihm nicht auf, dass eine Schülerin durch seine Worte in ein starres Abbild ihrer selbst verwandelt wurde. Sie saß mit einem hochgezogenen Knie, den Blick vor sich auf die Tischplatte gerichtet. Ada war dabei, sich an das Entsetzen zu erinnern, das ihrer ganzen Kindheit einen gräulichen Farbton verliehen hatte, seitdem sie entdeckt hatte, dass sich die jeweils aktuelle Sekunde, in der die Welt und damit auch Ada selbst ihr geistiges und körperliches Bestehen genossen, auf keine Weise erfassen ließ. Sie war immer schon vorbei, wenn das Denken oder Fühlen sich auf sie richtete. Ada musste etwa sieben Jahre alt gewesen sein, als sie begann, sich einer Übung zu unterziehen, bei der sie reglos auf einer Stelle verharrte, in sich hineinhorchte und unter monotoner gedanklicher Wiederholung des Mantras ›Ich-bin-jetzt-ich-bin-jetzt‹ auf die gegenwärtige Sekunde lauerte wie ein Fischer am Wildbach auf den Lachs, den er mit bloßer Hand zu fangen gedachte. Nachdem die Eltern sie mehrmals stumm vor einer Wand kauernd angetroffen hatten, befürchteten sie eine autistische Disposition. Es gelang Ada nicht zu erklären, wonach sie suchte und auf welche Weise. Weil die Eltern ihr verboten, stumm vor der Wand zu kauern, lag sie nachts lange wach und fürchtete sich vor einem Wahnsinn, für den sie keine Worte hatte. Mit den Jahren schliff das Problem sich ab, was nichts anderes bedeutete, als dass Ada es zu ignorieren lernte.

Jetzt war sie nicht sicher, ob der Anlass für Höfis Ausführungen sich mit dem Inhalt ihrer kindlichen Gegenwartsparanoia deckte. Jedenfalls aber begriff sie besser als jede andere, wovon die Rede war.

Höfi versuchte gerade, einen fiktiven Rückblick zu inszenieren.

»Denkt euch einmal aus, wir wären Historiker im Jahr 2020. Im Rückblick beurteilten wir das bundesdeutsche Wahlergebnis von 2002 und untersuchten die Zusammenhänge mit der internationalen Krise rund um Terror und Irak. Na?«

Schweigen. Höfi wusste, dass sein legendärer Zynismus die Schüler davon abhielt, unbefangene Antworten zu geben. Er wusste auch, dass das Niveau seines Unterrichts die meisten überanstrengte. Er warb um jene, die sich von hohen Ansprüchen herausfordern ließen. Alle anderen konnten sich eine mittelmäßige Note durch konsequente Erledigung der Hausaufgaben verdienen.

»Joe?«

Die Angesprochene hob erschrocken die Lockenmähne und raschelte unter der Bank mit einem Magazin, in dem sie heimlich gelesen hatte. Höfi wiederholte die Frage.

»Im Jahr zwanzig-zwanzig«, versuchte Joe einen Witz, »bin ich Außenministerin und habe für solche Fragen einen Beraterstab.«

»Liebe Johanna«, sagte Ada in die folgende Stille hinein, »wenn du genauso viele Hirnwindungen hättest wie Locken, bekäme ich seltener Schmerzen im Sehnerv.«

»Wie bitte?«

»Vom Augenverdrehen.«

Draußen bemühte sich jemand um den Motor eines alten Citroën. Das Wimmern des Anlassers wurde bei jedem Versuch kürzer und schwächer.

»Liebe Ada«, sagte Höfi, »du kannst deinen Sehnerv dazu verwenden, dir ein bisschen die Klassentür anzusehen. Und zwar von außen. Klinke runterdrücken. Alles klar?«

»Herr Höfling«, sagte Ada, »ich wollte eigentlich etwas anderes sagen. Ich ...«

»Raus.«

Der Citroën sprang wider Erwarten doch noch an und entfernte sich. Während Ada aufstand, kam es ihr vor, als hätte sie sich schon vor Minuten erhoben und ihre Äußerungen im Stehen getroffen, in vorauseilendem Gehorsam gegenüber Höfis berüchtigter Strafe. Bevor sie den Raum verließ, nahm sie den Tabak aus der Jacke und schob ihn in die Hosentasche. Leise schloss sie von außen die Tür und hielt mit der Linken die Klinke gedrückt. Höfi würde die Tür die ganze Stunde über aus dem Augenwinkel im Blick behalten. Den einen Fuß gegen die Ferse des anderen gestemmt, streifte Ada beide Turnschuhe ab, schob den einen so dicht vor die Tür, dass er sie vom Aufpendeln abhielt, und knotete den anderen mit den Schnürsenkeln an die Klinke. Vorsichtig ließ sie los. Hielt. Es machte Spaß, auf Strümpfen durchs Schulgebäude zu laufen. Auf dem Weg zur Toilette drehte sie eine Zigarette, die so perfekt geriet, als käme sie aus der Maschine.

Als sie kurz vor dem Klingeln ihre Schuhe holen und Stellung beziehen wollte, ging die Tür auf, und Höfis Gesicht erschien im Spalt. Noch nie hatte sie ihm aus solcher Nähe in die Augen gesehen. Er war genauso klein wie sie. Seine Augen waren gleichmäßig braun und erinnerten an die eines klugen und freundlichen Hundes.

»Das nächste Mal gehst du barfuß raus«, sagte er leise und zwinkerte, bevor er die Tür wieder schloss.

Ada zog die Schuhe an und hüpfte wie ein Kind die Treppe hinunter, immer beide Füße gleichzeitig auf einer Stufe, so dass Smutek, der seinen Unterricht vorzeitig beendet hatte und sich auf dem Weg nach oben befand, das Stampfen schon von weitem hörte. Als sie sich trafen, lächelte er ihr zu.

Teuter ließ ihn vor seinem Büro warten, bis nur noch zehn Minuten vor Beginn der nächsten Stunde übrig blieben. Kaum dass Smutek saß, holte er Luft und begann ein Plädoyer für Zweck und Nutzen einer freiwilligen Sportgruppe. Er verstieg sich in leuchtfarbenen Schilderungen der pädagogischen Möglichkeiten einer klassenübergreifenden Gemeinschaft, schilderte den möglichen Ruhm für Ernst-Bloch durch Erfolg bei Wettkämpfen und spürte deutlich, dass er demnächst von *mens sana in corpore sano* zu salbadern beginnen würde, wenn Teuter seine unbewegte Miene beibehielt, weiterhin unverschämt Richtung Tür sah und mit dem Ende des Füllfederhalters gegen die Schneidezähne klopfte. Endlich unterbrach ihn der Direktor, indem er das Handgelenk drehte und die Armbanduhr vors Gesicht hob.

Die Antwort war kurz gefasst. Er könne ihn nicht hindern, sein Anliegen bei nächster Gelegenheit auf der Lehrerkonferenz vorzutragen. Er weise jedoch darauf hin, dass es an der Schule neben dem Sportunterricht bereits einen Ruderverein, eine Tennisgruppe sowie Basketball-, Volleyball- und Badmintonkurse an den Nachmittagen gebe. Im Übrigen täten schlechte Schüler besser daran, ihre freie Zeit den Hausaufgaben zu widmen, während gute Schüler eher unsportlich seien. Er, Teuter, halte nichts von der Übertragung eines unbefriedigten sportlichen Ehrgeizes auf die potentielle Leistungsfähigkeit von Kindern.

Smuteks Einwände stoppte er mit einer herrischen Handbewegung, so dass dieser die eingeatmete Luft ungenutzt wieder aus den Lungen lassen musste. Teuter lächelte. Er hatte den irrwitzigen kleinen Rachefeldzug durchschaut und wusste, dass Smutek als Ein-Mann-Triumphzug sein Büro betreten hatte und es als Angestellter einer privatrechtlichen Einrichtung wieder verlassen würde. Dafür gab es Hierarchien. Dafür waren sie gut.

»Ja nee, was halten Sie übrigens vom Wahlergebnis?«, fragte er freundlich.

Smutek hob den Blick nicht, den er auf die eigenen Hände gesenkt hatte, als gäbe es dort etwas Interessantes zu sehen.

»Ich bin froh«, antwortete er schlicht.

»Mit Ihrer Herkunft würde mir das genauso gehen«, sagte Teuter. Und ab jetzt sei er beschäftigt. Raus.

Die Unverfrorenheit überraschte Smutek mehr, als dass sie ihn kränkte. Ein Drittel der Schüler auf Ernst-Bloch stammte aus osteuropäischen oder arabischen Ländern, und sie gehörten zu den am besten zahlenden Kunden. Teuter war kein

Ausländerfeind. Er griff Smutek aus rein persönlichen Gründen an und genoss das Wissen, dass der andere das wusste. Smutek verließ das Büro und spürte die Niederlage wie eine ölige, übel riechende Flüssigkeit am ganzen Körper.

Massen von Schülern, die ins Gebäude drängten, strömten ihm entgegen, als er die Schule durch das Hauptportal verließ und um die Ecke bog, um über den Raucherhof zur Turnhalle zu gelangen. Fast hätte er Ada angerempelt, die allein dort stand. Einem abwegigen Impuls folgend fragte er sich, ob sie auf ihn gewartet habe. Als er vor ihr stand, reichte sie ihm kaum bis zur Brust.

»Die Gegenwart ist nichts als zukünftige Vergangenheit«, sagte sie und starrte dabei auf seinen Solarplexus. »Können Sie damit etwas anfangen?«

»Darüber muss ich nachdenken. Magst du Leichtathletik?«

»Ich laufe regelmäßig.«

»Das freut mich.«

Unauffällig streifte Smuteks Blick ihren Körper. Bislang hatte er nicht darüber nachgedacht, ob sich unter der weiten Jeanshose und dem formlosen Pullover Muskelpakete verbergen könnten und ob ihr abwesender Ausdruck vielleicht wie Sand sei, den ein Raubfisch sich zur Tarnung über den Kopf schaufelt.

»Und mit der Gegenwart«, sagte er, »muss man vorsichtig sein. Es gibt sie nicht. In der Mathematik nennt man das einen Näherungswert.«

Unvorbereitet traf ihn ihr Blick. Eine Art Grau, von seltsamer Farbe, die Pupillen klein wie Stecknadelköpfe, obwohl die Sonne nicht schien.

»Danke.«

Sie hatte die Stimme einer erwachsenen Frau. Auf dem Weg zur Sporthalle schüttelte Smutek den Kopf über sich selbst. Knecht, dachte er. Lakaien-Natur. Warschauer-Pakt-Pole. Er konnte so viele Sportgruppen gründen, wie es ihm gefiel. Teuter war nicht Saddam Hussein. Wo blieb der Stolz einer jahrhundertealten romantischen Tradition? Was hätten Mickiewicz, Słowacki und Zbigniew Herbert zu seiner Niederlage gesagt?

Sie hätten gesagt, dass es unhöflich ist, ein junges Mädchen nicht nach seinem Namen zu fragen.

Smutek wohnt der Vorbereitung eines Ereignisses bei

Smutek konnte sich weder ihre Unterhosen noch gebrauchte Tampons vorzeigen lassen. Weil es schlichtweg keine Möglichkeit gab, die Regelbeschwerden-Ausrede zu überprüfen, führte er seit Anfang des Schuljahres für alle Mittelstufenmädchen digitale Menstruationskalender, die er von Sportstunde zu Sportstunde ergänzte und in einer unauffällig benannten Datei auf seinem Homecomputer versteckte. Anna: 15.8. bis 20.8. Lola: 25.8. bis ? Grit: Siehe Lola. Smutek kam sich wie ein Perverser vor.

Dabei waren sie nicht einmal faul. Sie kamen aus gutem Hause und waren deshalb nicht übergewichtig. Sie hatten alle das Kinderturnen, Kinderschwimmen und Kindervoltigieren besucht. Aber Bewegung war uncool und litt in einer Zeit, da selbst Kriege am Computermonitor geführt wurden, an Begründungsnotstand. Was sollte es ihnen oder der Welt bringen, wenn sie an Reckstangen hin- und herschwangen oder über ein Seil hüpften? Smutek konnte die Frage nicht beantworten, weil er sie überflüssig fand. Wenn er für Rugby oder Hallenhockey das Feld freigab, gingen Mädchen und Jungen wie Sternenkrieger aufeinander los, während der Rest der Klasse auf den Bänken stand und brüllte.

Nach zwei Sportstunden, in denen die Schüler mit hängenden Armen, schlackernden Gelenken und schwingendem Fleisch beim Aufwärmlauf um die Halle geschlichen waren, kehrte die mühsam bekämpfte Verzweiflung über das Treffen mit Teuter zurück, als hätte sich ein Meer auf halbem Weg anders entschlossen und die Ebbe abgebrochen, um noch einmal das Land zu überfluten. In der Pause hatte Smutek keinen Aufsichtsdienst, stieg fünf Treppen hoch und stellte sich an ein Fenster im Verwaltungsstockwerk. Hier war es ruhig. Hierher kam er, wenn er das Lehrerzimmer nicht ertrug, in dem die Kollegen in den Ecken saßen, ihre Korrekturen erledigten und versuchten, durch möglichst sparsame Bewegungen ein optisches Nirwana zu erreichen, das sie beinahe unsichtbar machte. Lehrerzimmer hatte es schon gegeben, bevor die Idee des Großraumbüros zum ersten Mal gedacht worden war. Nur hier oben im fünften Stock konnte Smutek in Ruhe darüber nachdenken, warum zum Teufel er Lehrer geworden war.

Schwacher Essensgeruch zog über den Flur und verhinderte die meditative Versenkung in immer gleiche Gedankengänge. Direkt über Smutek im sechsten Stock befanden sich die Räume des kleinen Internats, das von den Schülern *Die Tenne* genannt wurde, weil sich dort in kürzester Zeit die Spreu vom Weizen trennte. Mehr aus Verlegenheit denn aufgrund eines pädagogischen oder finanziellen Konzepts hatte man ein paar spartanische Räume eingerichtet, in denen zwanzig Schüler untergebracht werden konnten. Es gab genug Eltern, die nach einer Möglichkeit suchten, ihr Kind auf staatlich anerkannte Weise loszuwerden, und genug Kinder, die kein Klassenziel erreichen und kein wertvolles Mitglied der Gesellschaft werden wollten, solange sie gezwungen waren, bei ihren Eltern zu leben. Zwei ehemalige Schüler von Ernst-Bloch lebten als Erzieher im Schulgebäude und vererbten ihren Job alle paar Jahre an jüngere, nervenstarke Nachfolger.

Obwohl Smutek kein Liebhaber von Leberkäse und Kartoffelbrei war, konnte er nicht verhindern, dass ihm das Wasser im Mund zusammenlief. Er öffnete das Fenster, um den Essensdunst gegen eine gleichgültige Septemberluft einzutauschen. Wenn er steil nach unten guckte, wurde ihm schwindlig. Fettleibig kauerte der Altbau samt Seitenflügeln auf der dunklen Asphaltfläche und sah aus wie ein Albatros, der sich vor dem Abheben zusammengeduckt hat und dabei eingeschlafen ist. Von hier aus ließ sich der ganze angrenzende

Stadtteil überblicken. Zwischen den angegilbten Kronen der Bäume im Schulpark entdeckte Smutek ein silbernes Stück Rhein. Der alte Gründerzeitbau bot ausreichend Fallhöhe für einen sicheren Selbstmord, und allein im letzten Jahrzehnt hatten sich zwei Schüler und ein Erzieher diesen Umstand zunutze gemacht. Die Vorfälle lagen vor Smuteks Zeit. Man hatte die Fenster nicht vergittert. Wer sich wirklich umbringen wolle, pflegte Teuter zu sagen, der bringe sich um. Ein Gitter oder Schloss würden ihn nicht davon abhalten.

An klaren Morgen sorgte die Luftfeuchtigkeit über dem Fluss für wahrhaft pazifische Sonnenaufgänge, und Smutek wünschte sich seit seinem ersten Arbeitstag, einmal zu früher Stunde mit seinem Schneewittchen auf dem höchsten Giebel von Ernst-Bloch zu sitzen und zuzuschauen, wie der rote Lichtball hinter dem Siebengebirge in den Himmel stieg. Sie könnten eine Flasche Schampus trinken und sich hoch über den Dächern der deutschen Ex-Kapitale lieben.

Über solchen Überlegungen vergaß Smutek seine Missstimmung und fing an, leise mit dem Atem zu pfeifen, eine willkürliche Abfolge von Tönen, wie er es immer machte, wenn er ein Ventil für verdrängten Ärger brauchte. Das Schrillen der Schulklingel brachte die Menschenmuster auf dem Hof in Bewegung wie die Felder eines Kaleidoskops. Die Schüler sortierten sich zu drei Strömen, die in die verschiedenen Eingänge des Gebäudes mündeten. Vier Personen blieben übrig und sahen aus wie ein Grüppchen Zugvögel, das den Anschluss an die Formation verloren hat und über eine neue Reiseroute berät.

Auf der niedrigen Mauer, die den Hof der Oberstufe vom Bereich der Jüngeren trennte, saß eine Prinzessin mit großer Lockenmähne, in der Smutek die selbstbewusste Johanna erkannte. Sie wurde von drei Jungen aus der Fraktion der Tausendschönen umstanden, deren Schlangenlederschuhe spitz unter den Beinen der Schlaghosen hervorsahen. Sie trugen pastellfarbene Hemden, die sie straff unter die Gürtel gesteckt hatten, und folgten im Ganzen einer Modeströmung, die ihre hartnäckigsten Verfechter dazu brachte, in Röcken herumzulaufen und sich die Augen zu schminken. Von diesen dreien kannte Smutek keinen mit Namen.

Die Prinzessin erzählte etwas, wozu sie alle vier Gliedmaßen benötigte. Aufgeregt warf sie jeden Augenblick das Haar zurück, als wäre es eine Plage, die sich trotz aller Bemühungen nicht vertreiben ließ. Ihre Stimme wehte in unverständlichen Fetzen zu Smutek herauf. Die Jungen wiegten sich beim Zuhören wie Abfahrtsläufer in den Hüften, lachten und wurden wieder ernst, nickten abschließend und verbündeten sich durch eine Folge von Handschlägen, bei denen sie schnell die Finger ineinander verhakten. Zum Abschluss berührten sie sich gegenseitig mit den Stirnen.

Eine hübsche Choreographie. Smutek mochte solche Rituale, die jahrelang das Leben der Jugendlichen bestimmten, um dann nach dem Abitur mit einem Schlag keine Rolle mehr zu spielen. Man musste nur eine Gruppe von Menschen zusammenstecken, und sogleich erfanden sie Regeln, Trachten und Traditionen und hatten im Handumdrehen einen halben Staat gegründet. Was unten besprochen worden war, interessierte ihn hingegen nur am Rande. Er glaubte, erst in dem Moment ein guter Lehrer geworden zu sein, als er etwas erfand, das er ›wohlwollende Neutralität‹ getauft hatte.

Als er sich vom Fenster abwandte, verspürte er kein Bedürfnis mehr, über seine Berufswahl nachzudenken. Für heute fühlte er sich im Reinen mit sich selbst und mit der Welt in ihrer ewigen, formelhaften Wiederkehr.

Eine Prinzessin schlägt zurück

Niemand weiß, wie oft er im Jahr, in der Woche oder gar in der Stunde Zeuge von Vorgängen wird, die eine Vorbereitung, ein Nachspiel oder einen kleinen Ausschnitt eines Ereignisses darstellen, das schrecklich, vielleicht sogar tödlich enden mag, dessen Einzelteile aber für sich genommen nicht das Geringste zu sagen haben. Unsere Unfähigkeit, solche Fragmente zu deuten, schützt uns vor der Schuld. Nicht einmal Ada, hätte sie von Smuteks unbemerkter Anwesenheit bei der geschilderten Beratung gewusst, wäre später auf die Idee verfallen, ihm einen Vorwurf daraus zu machen, dass er sich vom Fenster abgewandt hatte und auf zwei schnellen Beinen, die einander ständig zu überholen trachteten, die Treppe hinuntergerannt war, um einigermaßen rechtzeitig zur nächsten Unterrichtsstunde zu kommen.

In der letzten kleinen Pause vor Schulschluss saß Ada auf dem Wasserkasten in einer Kabine der Mädchentoilette, hatte die Füße auf dem geschlossenen Klodeckel abgestellt und entzündete eine der Zigaretten, die sie während der vergangenen Unterrichtsstunde auf Vorrat gerollt hatte. Eine Diskussion im Grundkurs Politik ließ sich nur ertragen, solange die Finger in Bewegung blieben.

Sie war allein. Für gewöhnlich versammelten sich in der Nachbarkabine ein paar andere Mädchen und Jungen, die, eng zusammengedrückt wie in einem Fahrstuhl, eine immense Qualmwolke erzeugten und dabei Unterhaltungen führten, deren Verlauf und Inhalt von der Tatsache bestimmt wurden, dass nebenan jemand zuhörte. Rauchen auf der Mädchentoilette im vierten Gang hatte Tradition. Bei den Jungen stank es, und in den unteren Etagen wurden die Klos von Kleinen frequentiert, die in jeder Pause pinkeln mussten.

Vor etwa zwei Jahren hatte Ada das Rauchen angefangen, um andere Menschen nach einer Zigarette fragen oder der Bitte um eine solche nachkommen zu können. Dann begann sie zu drehen, weil es billiger und stilvoller war, und besaß seitdem ein Tabakpäckchen, von dem niemand etwas wollte. Es machte ihr nichts mehr aus. Seit Selma in Bosnien verschwunden war, hatte sie mit dem sozialen Leben abgeschlossen, und die Enge der Klokabine ertrug sie ohnedies nur allein.

Kaum dass sie die ersten Züge genommen hatte, klopfte es an der Tür. Mit ihren vierzehn Jahren hatte Ada die Entdeckung durch einen Lehrer mehr zu fürchten als jede andere. Sie hatte schon lautlos den Klodeckel geöffnet und wollte die Kippe hineinfallen lassen, als sie die flüsternde Stimme eines Schülers vernahm. Sie gehörte zu niemandem, den sie kannte.

»Nebenan ist zu. Können wir rein?«

Ada war so gut wie sicher, dass niemand die Nachbarkabine belegte, aber eine Weigerung hätte allen Gesetzen des Dschungels widersprochen. Als sie den Riegel zurückgeschoben hatte, schwang die Tür auf.

Drei Jungen standen davor, so eng beieinander, als wollten sie alle zugleich durch die schmale Öffnung hinein, und rührten sich doch nicht von der Stelle. Zu dritt starrten sie in die Kabine wie in einen geöffneten Raubtierkäfig, extra hergekommen, um sich von Ada bedrohen zu lassen, die vielleicht nur auf die erste Bewegung wartete, um zum Sprung anzusetzen. Keiner von ihnen hatte eine Zigarette zwischen den Lippen oder hinter dem Ohr. Die pastellfarbenen Hemden flirrten wie eine optische Täuschung, drei Paar spitzer Schuhe wiesen mit nach oben gebogenen Schnäbeln auf den Wasserkasten. Unwillkürlich spannte Ada die Rückenmuskeln und spürte die Kälte der gekachelten Wand.

»Ada«, sagte der Kleinste von ihnen, der sich recken musste, um über die Schultern seiner Vordermänner zu sehen, »wie geht es deinem Sehnerv?«

Auf diese alberne Frage folgte ein sekundenlanges Schweigen. Wenngleich die Auseinandersetzung mit Joe kaum drei Stunden zurücklag, fand Ada nur mühsam den Punkt, auf den sich die Worte bezogen. Für sie war Vergangenheit gleich Vergangenheit; was soeben geschehen war, rückte in den Status des Irrealen und fiel ein paar Meter tief in ein großes Becken, für das die Bezeichnung ›Gedächtnis‹ bei weitem zu schmeichelhaft gewesen wäre. Es handelte sich mehr um ein Auffanglager für beliebige, meist unvollständige, zerbrochene und in sich verdrehte Erinnerungen, um einen Schrottplatz des Gewesenen, den Ada nur widerwillig besuchte, wenn sie gezwungen war, nach einem bestimmten Teil zu forschen, das sich plötzlich als unabkömmlich zur Vervollständigung der Gegenwart erwies. Wie lang das gesuchte Ereignis zurücklag, spielte nur insoweit eine Rolle, als Ada im vorderen Teil der Müllkippe wühlte, wenn sie es innerhalb der letzten vier Wochen vermutete.

Aber auch als sie begriffen hatte, worauf die Anspielung sich richtete, verzichtete sie auf eine Antwort. Die Frage diente allein dazu, ein wenig Zeit zu gewinnen. Es war diese Unsicherheit ihrer drei Besucher, die Ada am meisten irritierte.

Woher der Kleine ihren Namen kannte, während sie sicher war, den seinen nie gehört zu haben, ließ sich nur vermuten. Wenn die Vermutung stimmte, hatte sie ein Problem, und es galt abzuwarten, wie groß das Problem war und von welcher Beschaffenheit. Sie hielt die Augen fest auf die Stirn des Jungen gerichtet, der am nächsten stand.

Nachdem der Kleine sich zum Wortführer aufgeschwungen hatte, musste er weitermachen. Längst war es unmöglich geworden, noch eine Weile untätig herumzustehen und sich danach wieder zu verabschieden. Mit beigedrehtem Oberkörper zwängte der Kleine sich zwischen den anderen hindurch und kam so dicht vor Ada zum Stehen, dass er die Ellenbogen auf ihre Knie hätte stützen können.

»Im Biounterricht haben wir gelernt«, sagte er, »dass der Sehnerv sich in seltenen Fällen genau hier befindet.«

Mit beiden Händen griff er Ada an die Brust, die groß genug war, um auch ohne einschlägige Erfahrung den relevanten Teil zu erwischen, und drückte zweimal zu. Ada spürte, wie ihm eine Brustwarze zwischen die Finger geriet, und der aufsteigende Ekel verschloss ihr für einen Moment Augen und Mund. Was widerwärtiger war, die Berührung selbst oder die Tatsache, dass der Junge eine derart abstruse Überleitung gebraucht hatte, um zur Tat zu schreiten, ließ sich auf die Schnelle nicht entscheiden. Die Frage wurde gleichgültig, als er losließ, einen halben Schritt zurücktaumelte und mit ebenso erschrockenem wie verzücktem Gesichtsausdruck fast gegen seine Hintermänner gefallen wäre. Er sah aus wie jemand, der gerade den größten Erfolg seines Lebens errungen hat.

»Was wollt ihr?«, fragte Ada. Sie hatte keine Miene verzogen und hielt ihre Atmung so angestrengt unter Kontrolle, dass ihr schwindlig wurde vom Sauerstoffmangel im Gehirn.

»Erst mal einen Schauplatzwechsel«, sagte einer der anderen, trat vor und schob den Kleinen beiseite. Der Dritte tat es ihm gleich. Sie fassten ihr links und rechts unter die Achseln, zogen und hoben sie vom Wasserkasten und stellten sie auf die Beine. Ada nutzte die Gelegenheit, um unbemerkt tief Luft zu holen. Sie stemmte beide Füße in den Boden, der zu glatt war, um Widerstand zu bieten, legte ihren Angreifern die Arme um die Taillen, krallte ihnen jeweils fünf Finger ins Rippenfleisch und wandte, als alles nichts half, den Kopf, um dem Rechten ins Gesicht zu spucken. Dieser lächelte, während ihm der Speichel an der Nase hinunterrann, und wischte sich mit einer ruckartigen Kopfbewegung an der eigenen Schulter ab. Der Griff in die Rippen schien keinen der beiden zu stören; vielleicht minderte Adrenalin das Schmerzempfinden, oder, was schlimmer gewesen wäre, sie mochten es, wie Adas Finger ihnen Hemd und Haut zusammenquetschten.

Sie konnte die Aufregung der Jungen riechen, sie roch auch ihre eigene Angst. Es war schwer zu glauben, dass ihr an einem gewöhnlichen Vormittag im Herzen des Schulgebäudes etwas wirklich Schlimmes zustoßen könnte. Trotzdem begann die Tatsache zu wirken, dass diese Jungen, ungeachtet Adas nicht geringer körperlicher Kräfte, ohne weiteres in der Lage waren, sie mit sich zu schleifen. Wie eine sperrige Schaufensterpuppe hing sie zwischen ihnen, schwer, aber nicht groß, mit Beinen, die im Türrahmen festklemmten und beiseite getreten wurden, mit Armen, die sich ständig irgendwo verhaken wollten.

Der Kleine verließ die Mädchentoilette als Erster und gab ein Victory-Zeichen hinaus auf den Gang. Ada sah Joe im Durchgang stehen, der vom Hauptflur in den Toilettenbereich abzweigte, und sah, wie Joe die Siegergeste erwiderte. Sie überlegte, ob sie schreien sollte. Sofort wären ein Lehrer oder ein paar Schüler herbeigestürzt, Ada hörte die Stimmen der Leute, die sich nicht weit entfernt vor den Klassenzimmern herumtrieben. Ihre Angreifer hätten sich Ärger eingehandelt für einen fehlgeleiteten und nicht besonders lustigen Scherz.

Ada schrie nicht. Etwas hielt sie davon ab, vielleicht Stolz und das Bedürfnis, einen Aufruhr zu vermeiden. Vielleicht war es auch Joe, die elegant und entspannt an der Ecke zum Flur lehnte, als wartete sie auf eine Freundin. Sie schüttelte die Ringellocken und sah so niedlich aus mit ihren kleinen Händen und Füßen und dem kleinen, selbstbewussten Kinn, dass Ada, während sie im Abstand von drei Metern vorbeigezerrt wurde, den aberwitzigen Wunsch verspürte, ihr zuzulächeln.

Sie wurde in die Jungentoilette verfrachtet. Während sie sich eine Weile an der Türklinke festhielt, dachte sie darüber nach, ob ihre Angreifer tatsächlich damit kalkuliert haben konnten, dass ein psychologischer Affekt das Opfer am Schreien hindern würde. So viel Raffinesse war ihnen nicht zuzutrauen. Wahrscheinlich hatten sie gar nicht darüber nachgedacht. Wahrscheinlich verteilte der Zufall mal wieder große Kartoffeln an dumme Bauern.

Es stank. Es stank auf eine Weise, die unmissverständlich

klar machte, dass Putzen nicht mehr half. Der Geruch nach Urin und Schlimmerem kam aus den Rohren, aus dem Inneren der Pissoirs und aus allen Ecken des gekachelten Raums. Erst als die Jungen Anstalten machten, Ada auf eins der Pissbecken zu setzen, fing sie an, sich richtig zu wehren. Einer ihrer Fußtritte traf den Kleinen in den Bauch, dass er Abstand hielt und eine Weile vornübergebeugt stand, während die anderen ihr einen Arm auf den Rücken drehten und den Griff so lange verstärkten, bis sie aufstöhnte und sich auf das Pissoir heben ließ. Ihre Füße erreichten den Boden nicht. Der Hintern drückte sich in das Becken, Porzellan stieß gegen die Hüften, der Duftstein presste sich durch den Stoff der Jeans. Mit einem Mal gab Ada allen Widerstand auf und saß den Jungen ruhig und in fast majestätischer Haltung auf ihrem seltsamen Hochsitz gegenüber.

»Und jetzt?«, fragte sie mit unbewegter Stimme.

»Jetzt drehen wir Locken.«

Der Kleine übernahm den Polizeigriff im Rücken, während die anderen Adas glatte, halblange Haare um die Finger wickelten, fest und immer fester, bis zur Kopfhaut hinunter. Die Haare gingen in Büscheln aus, Tränen rannen ihr aus den Augenwinkeln über das Gesicht. Die Arbeit bereitete ihnen Vergnügen, steht dir super, gleich siehst du aus wie Joe, Klugheit ist wirklich nur eine Frage der Frisur. Sie lachten und zischten durch die Zähne und schüttelten die ausgegangenen Haare von den Fingern. Ada wurde übel, sie wäre auch ohne Polizeigriff nicht mehr imstande gewesen, sich zu wehren. Die eigenen Tränen brannten wie Meerwasser in den Augen. Schließlich hielt ihr der Kleine nur noch mit einer Hand den verdrehten Arm auf dem Rücken, so dass er die Linke freibekam, um ungeschickt und grob ihre Brüste zu kneten. Sehnerv, kicherte er, ich sehe was, was du nicht siehst. Die anderen achteten nicht auf ihn, sie fuhren fort, sich um Adas Haare zu kümmern. Die Locken halten nicht, wir brauchen eine Brennschere, das machst du doch absichtlich.

Als der Spaß seinem Ende entgegenzugehen drohte, ließ

der Kleine ihren Arm los und schob ihr die Beine auseinander. Mit Zeigefinger und Daumen der linken Hand formte er einen Ring, den er auf Adas Schambein drückte und mit drei Fingern der Rechten zu durchstoßen begann. Siehst du das, siehst du das. Die beiden anderen ließen von ihr ab, schauten zu, was der Kleine dort trieb, und machten Mienen wie Kinder, die eine Vogelspinne im Zoo beim Verzehren ihrer Beute beobachten. Dann packten sie wie auf plötzlichen Zuruf den Kleinen an den Schultern, drehten ihn um und rannten aus dem Toilettenraum.

Ada hievte sich aus dem Becken, schlug den an der Hose klebenden Pinkelstein angewidert von sich und spähte mit tränenden Augen durch den Türspalt auf den Gang. Niemand war zu sehen. Der Flur lag ruhig, die Pausengeräusche waren verstummt, der Unterricht hatte begonnen. Sie wechselte vom Jungenklo zurück in die Mädchentoilette, lehnte sich dort neben dem Waschbecken an die Wand und konzentrierte sich auf ihre Atmung. Wie nach dem Laufen, wenn man es übertrieben hatte. Wenn man überlegte, ob man vornüberklappen und kotzen sollte, kotzen allein fürs anschließende Wohlbefinden. Einatmen, ausatmen. So etwas ging schnell vorbei, ein Schwächeanfall, sie kannte das von der Aschenbahn, Unterzucker und Sauerstoffmangel. Mit den ruhigen Atemzügen kehrte die Kraft zurück.

Schließlich trat sie zum Waschbecken, stützte beide Hände auf den Rand und betrachtete sich im Spiegel. Sie sah nicht gut aus, aber weniger schlimm als erwartet. Das Haar war zerzaust, als habe sie Wochen im Bett verbracht, und die Kopfhaut brannte wie nach einer Verätzung. Mit beiden Händen versuchte sie die Haare zu glätten, die für einen Zopf noch nicht lang genug waren. Dem Gesicht war nicht viel passiert, die roten Flecken stammten eher von der Aufregung als von einer Misshandlung. Ada schöpfte Wasser vom Hahn und verrieb es auf dem Hosenboden ihrer Jeans, wusch sich das Gesicht, befeuchtete das Haar und strich es hinters Ohr. Fast wie neu.

Solche Dinge passieren eben, dachte sie. Guck dir die Welt an. Hast du wirklich geglaubt, du kämest drum herum? Das hast du nicht geglaubt. Das Wichtigste ist, dass es vorübergeht. Es geht immer vorüber, so oder so, wie noch jeder einzelne Moment seit Menschengedenken, sei er noch so grausam oder schön, widerstandslos vergangen ist.

Ada bildete sich ein, dass ihre Mutter sie in Kindertagen den einen Satz gelehrt habe: Kein Ereignis ist so schlimm wie die Furcht, die es vorausschickt. Und sie führte diese Worte fort: Nichts ist schlimmer als Unversehrtheit, die den Menschen allein seiner Angst überlässt.

Einen grotesken Augenblick lang war Ada froh um das, was geschehen war.

Ein Prinz betritt die Szene

Wenige Minuten später war die Euphorie aufgebraucht und vergangen. Hirnchemie. Ada fühlte sich elend. Die Unterrichtstunde war zur Hälfte vorbei, drinnen saß Joe. Schon morgen würde Ada ihr und den drei Musketieren mit Gleichgültigkeit begegnen, im Moment aber klemmte das Visier, und sie fühlte sich den Blicken nicht gewachsen. Sie wollte nicht nach Hause, wo die Mutter herumsaß und ihren Hass gegen den Brigadegeneral zu einer Prachtbestie mästete, die ihr im Scheidungsprozess zur Seite stehen sollte. Sie würde Fragen stellen. In der Stadt war man immer der Neugier der Menschen ausgesetzt, die Kinos hatten noch nicht geöffnet, und auf dem Klo hätte sie es auch nicht länger ausgehalten. Am schlimmsten war die plötzliche Gier darauf, mit jemanden zu sprechen. Nicht notwendig über das Ereignis. Über irgendetwas. Schröder. Den Irak. Über den neunzigsten Geburtstag des westeuropäischen Werteverlusts. Dieses Verlangen hatte sie so lange nicht verspürt, dass es identifiziert und kategorisiert werden musste wie eine seltene, vom Aussterben bedrohte Distel. Beim Versuch, es wie Unkraut auszureißen, stach es in die Hände.

Ada widerstand dem Impuls, in gewohnter Manier die Türklinke niederzuhalten. Gedämpfte Stimmen drangen heraus. Ein Schüler las stockend aus einem lateinischen Text und hatte immer noch Schwierigkeiten mit diesem Quellcode von Sprache. Sie überlegte, das Lehrerzimmer aufzusuchen und nach Höfi zu fragen, ihn holen zu lassen, es sei dringend. Aber die Vorstellung, ihn unter einem Vorwand ins Gespräch zu verwickeln, ging nicht auf. Ihre Arme sanken herab, als mit der Leuchtintensität einer Neonschrift eine Wahrheit aufstieg, die sie schon längst kannte und zum Objekt ihres garstigen Stolzes erhoben hatte: Auf dem ganzen Planeten existierte kein einziges, noch so kleines und dummes Wesen, mit dem sie sprechen konnte, wenn sie etwas zu sagen hatte. Es gab kein Haustier, keine Stelle am Fluss, nicht mal eine Topfpflanze, der sie sich verbunden fühlte. Die Knie wurden weich, der Schock meldete sich zurück.

Als sich von drinnen Schritte näherten, schaffte sie es gerade noch, beiseite zu treten. Die Klinke wurde gedrückt, die Tür schwang auf. Reflexartig hob sie einen Zeigefinger an die Lippen und bekam große, bittende Augen. Da stand Olaf, zuckte zurück, verstand, schloss betont gelassen die Tür und lehnte sich neben sie an die Wand.

Er hatte seinen Platz in einer Bank, die rechtwinklig an Adas Pult stieß. Schräg an seiner Nase vorbei schaute sie im Unterricht zur Tafel. Seine Anwesenheit hatte sie nie gestört. Er gehörte zu den Unauffälligen der Klasse und genoss den Status eines parteilosen Beobachters. Er war nicht viel größer als sie, hielt seine langen Haare tief im Nacken mit einem Haushaltgummi zusammen und trug bei jeder Temperatur die gleiche Jeansjacke mit schwarzen Lederbesätzen, mit Fransen auf der Brust und einem großflächigen Sepultura-Logo über dem Rücken. Anscheinend war er mit niemandem in der Klasse befreundet. Die Pausen verbrachte er in der Nähe des Fahrradkellers bei einer Gruppe von Schülern aus verschiedenen Klassen, die ähnliche Jacken und Pferdeschwänze trugen wie er.

Nun standen sie Seite an Seite, hielten die Arme vor der Brust verschränkt und die Köpfe einander zugekehrt und musterten sich in aller Ruhe. Olaf wirkte glatt, wie frisch aus der Packung genommen. Sein kräftiger Bartwuchs, den er einmal pro Woche auf Drei-Tage-Länge stutzte und dann wieder sich selbst überließ, passte genauso wenig zur weichen Haut wie die dunklen, starken Brauen zu seinen hellen Augen. Dieses Mädchengesicht in Heavy-Metal-Verpackung hatte etwas Rührendes. Weil sie sich so lange unverwandt angesehen hatten, begann Olaf zu lächeln, und Ada bekam Lust, ihn bei der Hand zu nehmen und zum nächsten Spielplatz zu laufen, sich neben ihn auf den Rand eines Sandkastens zu setzen und eine Baustelle zu eröffnen.

»Was ist los?«, flüsterte er.

»Ich muss mit dir reden«, flüsterte sie zurück.

Es klang, als hätte sie vor der Tür gestanden, um darauf zu warten, dass er endlich herauskäme. Er schien nicht überrascht, kippte das Handgelenk und schaute auf eine überdimensionierte schwarze Plastikuhr.

»Jetzt sofort?«

Sie nickte. Er legte eine Hand ans Kinn, rieb sich die Bartstoppeln, was ein wisperndes Geräusch verursachte, und dachte nach.

»Ich geh pinkeln«, sagte er leise, »danach melde ich mich krank. Du solltest woanders warten. Wenn dich jemand sieht, wirst du eingewiesen.«

Unwillkürlich betastete sie die wichtigsten Bestandteile ihres Gesichts. Alles schien an seinem Platz. Olafs Lächeln blieb gutmütig. Mit allen zehn Fingern deutete er an, dass ihr Haar sich beim Trocknen löste und in allen Himmelsrichtungen vom Kopf stand. Dann reichte er ihr eine Hand, die sie ergriff und schüttelte.

»Am Eingang zum Fahrradkeller, unten am Tor«, sagte er über die Schulter, schon auf dem Weg zum Klo.

Ada flog die vier Treppen hinunter und schlug auf jedem Absatz mit flacher Hand aufs Geländer, dass ihr das Dröhnen des Holms bis ins Erdgeschoss vorausklang. Die Bewegung tat gut. Am Nachmittag würde sie laufen, rennen, schneller denn je. Vorher duschen, Haare waschen. Nachher noch mal duschen, Haare waschen. Alle Klamotten in die Wäsche. Lieblingspulli anziehen. Laufen.

Zum Fahrradkeller führte eine Betonrampe mit Querrillen, an denen Füße und Reifen auch bei Regen Halt finden sollten. Die Wände waren lückenlos mit Edding und Sprühfarbe vollgeschmiert. Wochen hätte es gedauert, alle Inschriften zu entziffern. Ada kannte den Eingang nur vom Vorbeigehen. Sie war noch nie im Keller gewesen; zur Schule kam sie zu Fuß.

Sie setzte sich auf den Steinboden mit dem Rücken an das verschlossene Tor. Rauchen, das gab es auch noch. Wie schön es sein konnte, etwas Angenehmes zu vergessen, wenn es einem im rechten Moment wieder einfiel! Die Zigarette belebte die Sinne, als wäre sie mit Marihuana gestopft, diesmal war der Schwindel angenehm, Adas Geist entfernte sich mit Überschallgeschwindigkeit von der zurückliegenden halben Stunde. Wenn Olaf noch fünf Minuten auf sich warten ließe, wären die Ereignisse außer Sicht geraten und Ada einfach nach Hause gegangen; ungläubig und gekränkt würde er vor den leeren Kubikmetern Luft am Kellertor stehen. Das Bedürfnis zu sprechen wurde mit jeder Sekunde dünner und verlor an Geschmack, wie ein Longdrink, der Schluck für Schluck mit Wasser aufgegossen wird. Diesen Gedanken hatte sie gerade zu Ende gebracht, da hielt er vor ihr an.

»Darmgrippe«, sagte er, lächelte zu ihr hinunter und probierte Schlüssel von einem umfangreichen Bund. Als sie sich hochgerappelt hatte und neben ihm stand, hatte sie wieder den Eindruck, sie befänden sich als zwei befreundete Kinder auf dem Weg zu einem verbotenen Abenteuer.

»Du hast einen Schlüssel?«

»Wir proben hier«, sagte Olaf.

Dass es Schulbands gab, die sich regelmäßig zum Üben trafen, gehörte zu den vielen Dingen, die an Ada vorbeigingen wie ein Kinofilm im benachbarten Saal, von dem nur die Geräusche der wichtigsten Schießereien herüberdrangen.

Das Neonlicht flackerte sich in Position und zeigte lange Reihen von Fahrrädern, die an manchen Stellen umgekippt waren und schräg übereinander lagen. Hier waren die Graffiti ordentlich, sauber zu Ende geführt und mit lesbaren Inschriften versehen; anscheinend hatte es eine organisierte Sprayeraktion gegeben. Der Proberaum befand sich hinter einer weiteren Tür, er blieb dunkel auch bei eingeschaltetem Licht. Drei durchgesessene Zweisitzer standen an den Wänden. Ada und Olaf ließen sich unter dem schmalen, querliegenden Fenster nieder. Draußen erklangen von irgendwoher die schrillen, regelmäßigen Schreie einer schlecht geölten Kinderschaukel.

»Also?«, sagte Olaf.

»Willst du eine Zigarette?«

»Tut mir leid, ich rauche nicht.«

Ada drehte, obwohl sie keine Lust auf die nächste hatte, gab sich Feuer und paffte ein paar Züge.

»Ein paar Typen haben mich auf dem Klo überfallen«, sagte sie.

Olaf hob beide Augenbrauen. Das sollte die einzige Regung bleiben, zu der er sich hinreißen ließ während einer Erzählung, die, einmal in Gang gekommen, zwanzig Minuten und zwei weitere Zigaretten in Anspruch nahm. Als Ada fertig war, schwiegen sie eine Weile. Sie fühlte sich so müde, dass sie am liebsten die Beine unter sich gezogen, den Oberkörper zur Seite geworfen und sich dem Schlaf überlassen hätte.

»Ich gehe davon aus, dass du nichts unternehmen willst«, sagte Olaf.

»Woher weißt du das?«

»Du hättest schätzungsweise nicht ausgerechnet mich als Gesprächspartner ausgesucht, wenn die Planung darin bestünde, einen Riesenzauber zu veranstalten.«

»Findest du das richtig?«

Er hob die Achseln.

»Versteh mich nicht falsch, aber das ist mir egal. In so einem Fall würde ich alles für richtig halten. Was auch immer du tust. Und gleichzeitig für falsch.«

»Ich genieße das Glück, mich ab jetzt in moralfreien Räumen zu bewegen?«

Sie hatte es als Witz gemeint, er ging nicht darauf ein.

»Ich sag es mit meinen blutarmen Worten, andere finde ich nicht dafür. Was die Typen getan haben, gehört zu der Kategorie von Schweinereien, die Menschen auf der ganzen Welt das Leben zur Hölle machen. Das ist es, was Höfi meint, wenn er von Kreisläufen aus Angst und Unterdrückung spricht. Ich kann mir weder eine richtige noch eine falsche Antwort darauf vorstellen, verstehst du? Dabei hätte ich sogar Mittel, um dir zu helfen.« Er überlegte einen Moment, und Ada dachte an die langhaarige, raubeinige Bande von Lederjacken, mit der er sich vor dem Fahrradkeller traf. »Aber intuitiv würde ich sagen – vergiss es.«

Er hatte seine Kurzansprache beendet, Ada nickte und war ihm dankbar für das anschließende lange Schweigen. Als es auch ohne Worte nichts mehr zu sagen gab, standen sie fast gleichzeitig auf.

»Ich denke, ich werde jetzt nach Hause gehen und meiner Mutter von der Darmgrippe erzählen, die heute auf Ernst-Bloch kursiert«, sagte er.

Zum ersten Mal lachten sie zusammen, kurz und ein wenig stoßweise, aber sie lachten. Olaf schloss den Keller ab, Ada sah ihm dabei zu. Er gab ihr wieder die Hand.

»Bis morgen«, sagte er, nichts weiter. Dann trennten sie sich.

Ein bisschen Olaf

Es ist nicht schwer zu erraten, dass Olaf schon den einen oder anderen Gedanken an Ada verschwendet hatte, bevor sie mit zerrupften Haaren, einem breiten roten Fleck unter dem linken Auge und Speichelblasen in den Mundwinkeln vor ihm stand und in komischer Geste den Zeigfinger auf die Lippen presste. Nicht dass Olaf eine Freundin gebraucht hätte. Die Mädchenfrage ertrug er mit einem freundlichen Phlegma, das gut als Verstandesreife durchgehen konnte. Dem ›ersten Mal‹ all jener Dinge, die ihm mit ziemlicher Gewissheit im Leben noch bevorstanden, blickte er ohne Aufregung entgegen. Als er zehn Jahre alt wurde, hatte er im Fernsehen, in Magazinen und im Internet die wesentlichen Zutaten des menschlichen Lebens bereits gesehen und auf ihre Beschaffenheit geprüft. Er kannte Kriege, Sex, Liebe, Glück, Unglück, Pornographie, sinnlose oder sinnvolle Gewalt, Folter, Mitleid, Heldentaten, Vergewaltigungen und noch vieles mehr. *Homo sapiens* hatte vor seinen Augen längst alle makabren Fratzen gerissen, deren er fähig war. Die Menschheit hatte sich als ein Rudel gefährlicher, aus den selbstreinigenden Gehegen von Mutter Natur entkommener Mutanten bewiesen, die sich virengleich vermehrten und im Begriff standen, noch die letzten verbliebenen Ordnungssysteme auf dem Planeten zu zerstören. Olaf kannte die schmalen Trampelpfade des ›Man-muss-sein-Bestes-tun‹ und ›Da-kann-man-eh-nichts-machen‹, und er wusste um die Maut aus Gleichgültigkeit, die man für ihre Benutzung zu entrichten hatte. Selbst wenn er gewollt hätte, wäre er schwerlich in der Lage gewesen, sich wegen der Frage zu sorgen, wann und wie er seine erste Freundin finden würde.

Ada hatte seine Aufmerksamkeit erregt, weil sie ihm divergent erschien. ›Divergenz‹ war eins der Fremdwörter, die er regelmäßig gebrauchte, wenn er über die Welt, sich selbst und die Verbindung zwischen diesen beiden Phänomenen nachdachte. Olaf hielt sich keineswegs für etwas Besonderes; seine Heavy-Metal-Kutte und die schwarzen T-Shirts mit grellbunten Aufschriften trug er nicht aus einem Grund, den man vor zehn oder zwanzig Jahren in den Kategorien von Identitätsstiftung, Sozialisierung und Jugendkultur erfasst hätte, sondern weil sie zu der Musik gehörten, die er mochte, und weil andere Klamotten ihm nicht gefielen. Aber ›Divergenz‹ bedeutete ›Auseinanderstreben‹, und Olaf strebte auseinander.

Zwischen anderen Menschen und vor allem innerhalb der so genannten Klassengemeinschaft fühlte er sich wie ein Europäer unter Japanern: Alle sahen gleich aus, betrachteten einen als Gaijin, und zum Schluss erfuhr man, dass sie Koreaner waren. Nord, Süd, Ost, West? Karnivor, omnivor oder oligophag? Olaf hatte keine Ahnung. Seine Klassenkameraden gehörten einer anderen Spezies an, er wusste nicht, worüber er mit ihnen reden sollte, und wunderte sich an manchen Tagen darüber, dass sie überhaupt dieselbe Sprache verwendeten wie er. Seine Unfähigkeit, sich als einer von ihnen zu fühlen, war Divergenz – und in deprimierten Momenten ›Inkompatibilität‹. Seine Eltern waren nicht nur miteinander verheiratet, sondern lebten auch noch zusammen, und Olaf fragte sich häufig, ob hierin der Grund für seine Kommunikationsschwäche zu suchen sei.

Ansonsten stammte er aus durchschnittlichem Hause mit durchschnittlichem Einkommen und durchschnittlicher Intelligenz. Sein Vater arbeitete als Bauingenieur und die Mutter, wenn Olaf sich nicht täuschte, als freischwebende Übersetzerin. Manchmal kam sie in sein Zimmer, beugte den Kopf, um ihm den streng gezogenen Mittelscheitel und die einzeln daraus hervorstehenden Haare zu zeigen, und sagte:

»Guck mal, jetzt wachsen sie alle nach. Bei dem Stress in

letzter Zeit sind sie ausgegangen, aber jetzt kommen sie wieder. Bald habe ich meine Löwenmähne zurück.«

Olaf nickte und gab vor, sich zu freuen. Er kannte nur ihr durchschnittlich dicht stehendes, in keiner Weise mähnenhaftes Haar.

Seine ältere Schwester, die Olaf sehr liebte, hatte alle in der Familien-DNA zur Verfügung stehende Phantasie und Tatkraft auf sich gezogen wie ein Magnet, der in eine Schachtel mit Reißzwecken gefallen ist, so dass weder für Olaf noch für die wenigen Cousins und Cousinen etwas übrig blieb. Auch die Schwester war divergent, aber bei ihr erzeugte das, was ihn phlegmatisch machte, einen Rausch von Aktivitäten. Neben dem Medizinstudium komponierte sie Klaviermusik. Am besten gefiel ihm, dass sie Menschen hasste und von diesem Grundsatz kaum Ausnahmen machte. Seit sie ausgezogen war, gab es niemanden mehr, mit dem er sich über den toten Gott in einer toten Welt unterhalten konnte.

Die Rockergruppe war etwas anderes, mit ihr bildete Olaf eine Band, eine Clique, vielleicht sogar eine Gang. Sie sprachen über Musik und Politik und, sofern ihr Leader dabei war, über Musiktheorie und Politikwissenschaft. Der Leader hieß Rocket, war mit seinen achtzehn Jahren drei Jahre älter als Olaf und spielte alleine besser als der Rest von ihnen zusammen. Seit Rocket in frühester Kindheit von seinen Eltern zum Geigenunterricht gezwungen worden war, zeigte er respektables musikalisches Talent. Er hatte auf Gitarre umsteigen dürfen, als der Vater gestorben war. Olaf hatte nicht vor vielen Dingen Angst, wohl aber vor dem Tag, an dem Rocket sein Abitur in Händen halten und von Ernst-Bloch verschwinden würde. Rockets konsequent schwache Leistungen in allen Fächern ergaben einen Hoffnungsschimmer am Horizont.

Warum Olaf sich so sehr gefreut hatte, nach den Sommerferien diese Neue in seiner Nähe sitzen zu sehen, war ihm erst nach einigen Tagen bewusst geworden: An ihr beobachtete er etwas, das er auch in sich selber spürte. Sie sprach wenig und würde es nicht leicht haben. Sie kam auf eine seltsam blasierte Weise nicht klar. Obwohl sie nichts Ungewöhnliches an sich hatte, außer dass sie seit Monaten nicht beim Friseur gewesen war, sich nicht schminkte und Klamotten trug, die ebenso gut zu einem sechsjährigen Mädchen wie zu einem zwanzigjährigen Mann gepasst hätten, begegnete die Klasse ihr mit Misstrauen, in manchen Augenblicken mit Feindseligkeit. Egal, was ihr entgegengebracht wurde, sie starrte verschwommen zurück. Ein paarmal hatte Olaf sie angesprochen und sich dabei gefühlt, als versuchte er, einem Fisch hinter der Glaswand des Aquariums per Zeichensprache das große Einmaleins beizubringen. Ja, sie lieh ihm einen Stift. Ja, er konnte die Matheaufgaben abschreiben. Klar, Höfi war ein guter Lehrer, wieso?

Menschen brauchen einen Vorwand, um sich miteinander beschäftigen zu können. Ada lieferte keinen Vorwand, und Olaf hatte allen Erfindungsreichtum pränatal an die ältere Schwester verloren. Seit dem Moment jedoch, da er auf dem Flur neben sie getreten war, liefen die Dinge in vorgegebener Spur, wie eine Bowlingkugel, die ihre Bahn verlassen hat und in der seitlichen Rinne weiterrollt, mit Sicherheit nicht in der Lage, einen Treffer zu erzielen, dafür aber gleichmäßig und vorhersehbar. Olaf spürte, wie er unablässig das Richtige sagte und tat.

Am nächsten Tag fand er sich ganz von selbst eine Viertelstunde früher vor dem Klassenraum ein, trieb sich auf dem Flur herum und hielt Wache für den Fall, dass Ada nicht wie üblich zu spät zum Unterricht kommen würde, was an diesem besonderen Morgen der Feigheit verdächtig gewesen wäre. Er glaubte nicht, dass sie sich eine derartige Schwäche erlauben würde.

Er hatte Recht. Noch vor dem ersten Klingeln bog sie um die Ecke, ihre alte Ledertasche nicht am Riemen über der Schulter, sondern wie ein Kind am ersten Schultag vor die Brust gedrückt. Unter dem linken Auge saß eine bläuliche Schwellung. Sie hatte nichts davon erzählt, so hart im Gesicht getroffen worden zu sein. Olaf vermutete, dass sie es am Vortag selbst nicht bemerkt hatte, und auch damit lag er richtig.

Ada hatte die Verformung ihrer Wange im Badezimmerspiegel entdeckt und sich die Mühe gespart, der Mutter gegenüber zu behaupten, sie sei die Wendeltreppe hinuntergefallen. Stattdessen verkündete sie rundheraus, nicht darüber sprechen zu wollen, und hinterließ die Mutter weinend über der aufgeschlagenen Zeitung, wobei ihr die frisch aufgetragene Wimperntusche in Streifen das Gesicht hinunterlief. Es tat Ada weh zu wissen, dass die Einbildungskraft der Mutter die Wirklichkeit um Längen übertreffen würde. Trotzdem gab es keine Möglichkeit, von der Wahrheit Bericht zu erstatten. Warum es also versuchen.

Olaf trat ihr einen Schritt entgegen und begann ohne Begrüßung und Einleitung zu reden. Er plauderte drauflos, als wären sie alte Bekannte, als hätte diesmal er vor der Tür gewartet, um etwas loszuwerden, das er nur ihr erzählen konnte. Es ging um einen Jungen namens Rocket, der bei einem jungen Geschichtslehrer namens Klinger, von dessen Homosexualität die ganze Schule wusste, regelmäßig in den Pausen vorsprach, um durch geschicktes Wackeln mit seinem kleinen Musikerarsch die Note der mündlichen Mitarbeit aufzubessern. Während dieser sinnlosen Schilderung suchten Adas Blicke in seiner Miene verwirrt nach der Hilfefunktion.

In der nächsten Minute hatte sie begriffen, was er mit diesem Überfall bezweckte. Die Pausenklingel, eine altmodische, salatschüsselgroße Metallhaube an der Wand, auf die seitlich ein besessenes Hämmerchen prügelte, schrillte ihr penetrantes Geräusch. Joe ging an ihnen vorbei, blieb unwillkürlich stehen, als sie Ada erkannte, und lauschte dem Gespräch. Und dann hat er ihn tatsächlich. Zu gern hätte ich sein Gesicht. Ich sag dir, es klappt immer. Ada legte Olaf die Hand auf den Arm und begann zu lachen, er fasste ihren Ellenbogen und schob sie, unentwegt redend, Richtung Klassentür. Jetzt ging es um seine Band, *10 Ohren hören mehr als 2*, ein guter Name, er stammte von ihm selbst, und auch wenn wegen der Länge gewöhnlich von den *Ohren* gesprochen wurde, was ein wenig nach den *Hosen* klang, gefiel er ihm noch heute. Sogar die *Rolling Stones* wurden mit *Stones* abgekürzt, und überhaupt entgingen nur Namen, die aus einem Wort bestanden, diesem Schicksal, *Megadeth* zum Beispiel, *Metallica* oder *Sepultura*. Mit einem Springerstiefel trat er Joe auf den Fuß. Verzeihung, Johanna, das wollte ich nicht. Als Ada ihren Sitzplatz erreichte, wurde sie gerade zur Bandprobe am Nachmittag eingeladen und fand endlich die Sprache wieder. Sie habe nichts gegen Heavy Metal, im Gegenteil, einige Gruppierungen vereinten wirklich hervorragende Musiker, *Dream Theater* zum Beispiel, von denen einige auf der *Berklee School of Music* in Boston studiert hatten. So viel hatte sie in einer Zeitung gelesen. Olaf war entzückt, dass sie *Dream Theater* kannte und keine Erklärungen darüber brauchte, dass Lärm nicht selten nach klassischen Sinfoniestrukturen aufgebaut war. Begeistert klopfte er ihr auf die Schulter, was schon nicht mehr Teil der Show war, und begab sich, vom Lehrer ermahnt, als Letzter auf seinen Platz.

»Was ist mit deinem Auge passiert«, flüsterte die Banknachbarin von links, mit der Ada noch nie ein Wort gewechselt hatte.

»Wenn ich verheiratet wäre«, sagte Ada, »würde ich sagen: Ich bin die Treppe runtergefallen.«

Das Mädchen verstand die Anspielung nicht, zog die Mundwinkel herunter, stieß das Kinn vor und erinnerte dabei an einen Mediziner, der eine simple Diagnose stellt.

Langsam, ganz langsam hob Ada den Kopf und begegnete Joes Blick, der wie so häufig von der anderen Seite des Klassenraums auf sie zielte. Auf beiden Seiten des Mundes saßen zwei scharfe Falten und ließen Joe für einen Moment wie eine Maske ihres eigenen, zwanzig Jahre älteren Gesichts aussehen, eine optische Divination, der Ada mit Augurenlächeln begegnete. Nie zuvor im Leben war ihr ein Lächeln derart strahlend gelungen. Es ließ einen süßen Geschmack auf der Zunge zurück.

Im Rahmen einer musikalischen Rückblende offenbart sich der Grund für Adas Anwesenheit auf Ernst-Bloch

Zur vereinbarten Zeit erschien Ada am Nachmittag vor dem Fahrradkeller. Als sie nach der Schule heimgekommen war, hatte sie die Wohnung leer gefunden, kein Zettel lag auf dem Tisch. Weil die Mutter außerhalb ihrer festgelegten Einkaufs- und Friseurzeiten selten aus dem Haus ging, befürchtete Ada, selbst Anlass dieser plötzlichen Exkursion zu sein.

Unmittelbar nach dem Verschwinden des Brigadegenerals vor zwei Jahren hatte die Mutter ihre frisch gebackene Menschenscheu einige Male überwunden und ihrem Mädchen in der Innenstadt eine neue Außenhülle gekauft, die, frei nach der Regel, dass das Sein das Bewusstsein bestimme, ein attraktives, leichtherziges junges Ding aus ihr machen sollte, das ohne weiteres mit der schwierigen Familiensituation zurechtkommen würde. Ada hatte die bunten Sommerkleider, schmal geschnittenen Stoffhosen und gemusterten Pullover mit spitzen Fingern in die Luft gehalten, sich nicht gefreut, sondern den Kopf geschüttelt und mit trauriger Stimme den immer gleichen Satz gesagt: Mutter, das ist nichts für mich. Sie sei nicht der Typ, sie habe Läuferbeine, einen großen Kopf und wenig Oberkörper, bis auf das, was man gemeinhin als dicke Titten bezeichne, und weil die Mutter nicht aufhören wollte, ihr zu schildern, wie nett sie in den richtigen Kleidern aussehen könne, ließ sie sich eines Tages zu der Bemerkung hinreißen, dass ihr der eigene Körper herzlich zuwider sei und sie wahrscheinlich magersüchtig würde, wenn sie dafür nicht zu träge wäre. Ab diesem Moment galten die Ausflüge in die Stadt einem Psychologen mit quadratischem Schädel, auf dem noch wenige, weiße Haare wuchsen.

Zunächst geduldig, dann mit zusehends versteinertem Lächeln hörte der Mann sich Adas ellenlange Ausführungen darüber an, dass seine Wissenschaft einigermaßen verschwendet sei an einen Geist, der nicht an das Vorhandensein von etwas wie ›Seele‹ glaube, stellte daraufhin eine Serie von Warum-Fragen und kam zu dem Schluss, dass Ada nicht krank, sondern restlos unterfordert sei. Alle Bücher, die er vorschlug, hatte sie schon gelesen. Eine Klasse zu überspringen war nicht empfehlenswert für ein Kind, das schon jetzt ein bis zwei Jahre jünger war als die Kameraden. Eine Selma ließ sich weder aus dem Hut zaubern noch aus Bosnien zurückholen. Er riet der Mutter abzuwarten und sich nicht zu viele Sorgen zu machen.

Nach Adas Rauswurf aus dem Nikolaus-Kopernikus-Gymnasium saßen sie wieder im gelb gestrichenen Warteraum, blätterten in *Psychologie heute*, und die Mutter trug ihr Siehste-Gesicht zur Schau. Diesmal lag der Grund für den Besuch, mit mütterlicher Intuition vorausgeahnt, konkret und unabweisbar auf der Hand. Nach Ansicht der Mutter war in Adas kleiner Ausschweifung auf Nikolaus-Kopernikus eine Aberration kulminiert, die Folge der unschönen Trennung ihrer Eltern war. Aber Ada glaubte nicht an Familientraumata und auch immer noch nicht an die Seele. Wie Hausierer klapperten sie drei weitere Arztpraxen ab, bevor das Kind amtlich als therapieresistent galt. Vor dem Fahrradkeller stehend, hoffte Ada inständig, dieses Faktum kein weiteres Mal vor berufener Stelle erläutern zu müssen.

Es war frühlingshaft warm, die Bäume mit ihren vergilbten Kronen streckten noch einmal ihre Äste aus, um in die würzige Luft zu greifen. Aus dem Gebüsch am oberen Ende der Rampe drang der Lärm eines Spatzenkriegs. Die Musik war nur zu hören, wenn man unmittelbar vor der Metalltür stand. Ein Basslauf, ein paar Gitarrenriffs, die fast jedem Rocksong der vergangenen zwei Jahrzehnte entnommen sein konnten.

Als Ada das unverschlossene Tor aufgestemmt hatte, wurde es laut, und als sie die Tür zum Proberaum öffnete, noch viel lauter, dabei hatten die *Ohren* noch gar nicht richtig zu spielen begonnen. Der Ort, den sie vom Vortag kannte, war verändert durch die Anwesenheit der Band. Olaf und ein weiterer Junge lungerten auf je einer Couch, ihr Anführer stand mit beiden Beinen auf einem niedrigen Tisch, der Organist betrachtete sein Keyboard von der Unterseite, der Schlagzeuger war noch nicht da. Die Bassläufe stammten von Olaf. Jeder der Anwesenden schien ausschließlich mit sich selbst und seinem Instrument beschäftigt zu sein; weder Jungen noch Klänge hatten irgendetwas miteinander zu tun. Wenig Licht drang durch das schmale Fenster herein.

Nachdem Olaf mit den Augen gegrüßt hatte, setzte Ada sich allein auf die dritte Couch. Es war feucht und kühl, so dass sie keine Anstalten machte, die Jacke abzulegen. Der Schlagzeuger kam und ließ sich ohne ein Wort zwischen seinen Blechen und Bottichen nieder. Im Dämmerlicht wirkte Rocket auf dem Tisch trotz seines geringen Alters wie eine direkte Vorstufe zu Iggy Pop. Um seine mageren Glieder schlackerten die Kleidungsstücke einer größeren Person, ungepflegtes Haar verdeckte sein Gesicht, das er schräg zu Boden gerichtet hielt, auf die kleinsten Lebensäußerungen seiner Gitarre lauschend.

Ada dachte darüber nach, wieder zu gehen, als der Schlagzeuger, bislang mit dem Drehen von Schrauben und der Auswahl der Sticks beschäftigt, zärtlich auf seinen Becken zu rasseln begann und schließlich zu einem simplen Rhythmus überging, den er stur auf den Aluminiumrand der wichtigsten Schüssel klopfte. Es dauerte eine Weile, bis Olafs Bass gehorchte. Sie konnte verfolgen, wie die Klänge sich ineinander schlangen, wie die Spieler sich blind aufeinander zutasteten, vertraut machten und langsam preisgaben, was sich in ihren Köpfen drehte. Und als sie endlich zu spielen begannen, lehnte Ada sich zurück. Seit Don Camisi hörte sie nur noch beim Laufen Musik, vor allem *Evanescence*, deren böse blickendes Front-Puppengesicht die Miene des totgeborenen Jahrhunderts auf ein CD-Cover gebannt hatte. Jetzt trieb sie plötzlich in ein offenes Meer aus Klängen hinaus, während alles, was sich in Klassenzimmern und Elternhäusern, auf Straßen, Trampelpfaden und Rennbahnen abzuspielen pflegte, an Land zurückblieb, kleiner wurde und verschwand. Die Zeit entspannte sich, floss in die Breite, bildete Minutenhaufen, Sekundenstrecken, Stundenpfützen und zuckte zusammen wie eine Qualle, in die man einen Finger gestochen hat, als Rocket den Kopf hob, mit Christusblick zur Betondecke aufsah und zu singen begann. Die Melodie kam Ada bekannt vor, ohne dass ihr der Titel des Liedes einfallen wollte.

My god sits in the back of a limousine. My god comes in a wrapper of cellophane. Starfuckers incorporated.

Eine Weile lang pflügten sie durch Coverversionen von Songs, die Ada aus dem Radio oder aus dem Nirgendwo kannte. Je länger sie zuhörte, desto besser gefiel ihr die Musik; trotz des massiven Garagenklangs, trotz umgangener Soli, die niemand von den *Ohren* auf die Reihe bekam, trotz Rockets Stimme, die letztlich besser zum Schreien als zum Singen geeignet war; trotz der Stellen, an denen das Miteinander in ein Handgemenge der Instrumente überging. Als Rocket ein paar Takte anspielte, die sie wirklich erkannte, stand Ada sofort auf. *Evanescence*. Er musste es erraten haben. Vielleicht ging er simpel davon aus, dass Mädchen Musik von Mädchen mochten.

Ada hatte nie im Leben gesungen. Beim Rennen flüsterte sie manchmal die Texte ihrer Lieblingsstücke mit. Und das Gleiche tat sie jetzt: Flüstern. Rennen, wenn auch nur im Geiste. Sie fasste das Mikro mit beiden Händen, führte es vor den Mund und verzichtete darauf, die Schraube zu fixieren. Als sie die Augen schloss, sah sie Olafs kindliches Gesicht vor sich, sah, wie er sie bei einer Hand nahm, die nicht mehr zu ihr gehörte, sah ihn davongehen mit ihrer Außenhülle, sie langsam führend, das Instrument auf dem Rücken. Eine staubige Straße, schnurgerade, Richtung Horizont. Hartes Steppengras und weißer Himmel. Dann das Logo von MTV.

My god, my tourniquet, return to me salvation.

Unbekannte Textstellen ersetzte sie durch Phantasiewörter und hinzuerfundene Passagen. Beim zweiten Durchgang – es musste ein zweiter Durchgang sein, denn der Text ging ihr aus, während die Musik weiterlief – erhob sie die Stimme. Während sie sang, begannen Bilder in ihrem Kopf zu laufen, jagten einander, überlagerten sich, suchten eine Reihenfolge. Diesen Zustand kannte sie von der Aschenbahn und von den Minuten kurz vor dem Einschlafen.

Auch wenn der Soundtrack zu *Daredevil* mit zwei Liedern von *Evanescence* erst sechs Monate später auf dem amerikanischen Markt erschien; auch wenn die Musik zum damaligen Zeitpunkt noch nicht komponiert, vielleicht nicht einmal angedacht oder erträumt war, mussten die *Ohren* sie an jenem Septembernachmittag im Fahrradkeller doch gespielt haben. Ganz genau erinnerte Ada sich später daran, detailliert konnte sie beschreiben, wie sie zu diesem Song über eine komfortabel erbaute Zeitbrücke in die Vergangenheit geschritten war, nur drei Monate zurück in jene Julinacht, in der sich mehrere hundert Schüler zur Schuljahrsabschlussparty in der Mehrzweckhalle von Nikolaus-Kopernikus versammelt hatten. Wirklichkeit ist ein anderes Wort für das, woran Zeugen sich erinnern.

Now I will tell you what I've done for you.

Schon die ersten Takes hatten Bewegung in die Leute gebracht. Der weitläufige Raum bestand an diesem Abend aus geballter, feuchter Dunkelheit, zuckendem Licht und dröhnenden Bässen. Man lief auf die Tanzfläche, die Kräftigen schufen sich Platz in der Mitte, die Schwächeren wippten am Rand. Ada war ins Zentrum des Schwankens gestürzt wie ein Himmelskörper ins schwarze Loch, ein Wurm unter Giganten, noch keine vierzehn Jahre alt und schon seit zwei Stunden illegal vor Ort. Das Gesicht des Staatsanwalts tauchte gestochen scharf aus Gewölk und Verwischung auf, stand starr in den Wogen und wollte nicht aus dem Weg. Was machst du noch hier?

Der Junge ging in eine höhere Klasse, und Ada, die seinen Namen nicht kannte, hatte ihn ›Staatsanwalt‹ getauft, weil er sie fast täglich auf dem Schulhof abpasste, um ihr eine Frage zu stellen. Ada, was ist der Sinn des Lebens? Was ist am elften September passiert? Ada, gibt es einen Gott? Was er von ihr wollte, wusste sie nicht, sie gab knappe Antworten. Der Sinn des Lebens ist, was übrig bleibt, wenn man alles Sinnlose weglässt. Am elften September hat David die Steinschleuder erfunden, aber warte ab, wie die Geschichte weitergeht. Es gibt keinen Gott, sondern ein Bedürfnis nach Gott, was dasselbe ist. Manchmal stand er für sie Schmiere, wenn sie heimlich hinter der Bushaltestelle rauchte. Er war kein Freund, er war ein seltsam freundlicher Feind.

50thousand tears I cried.

Die Musik war nicht laut genug, um seine Stimme zu übertönen. Eigentlich machte es keinen Unterschied, was genau er zu sagen hatte, nur dass es eine Menge war und dass es all die Dinge betraf, nach denen er sonst immer nur fragte. Gottlose. Leute wie du. Leute, die schuld sind. Terror. Schlimm war seine Stimme, die näher rückte, ans Ohr, ins Ohr, seine Finger, die sich in die Oberarme bohrten. Dich loslassen? Vielleicht holen wir erst mal einen Lehrer? Es ist fast Mitternacht, und du bist dreizehn, kleine Ada, dreizehn Jahre alt. Tanz mal mit mir, kleiner Wasserkopf.

Don't want your hand this time, I'll save myself.

Plötzlich hatte Ada keine Lust mehr, seinem verrückten Gefasel zuzuhören. Sie war zu klug für so etwas, zu klug, zu stark und zu allein. Wie von selbst ging ihr Arm in die Höhe, gewichtlos, als hätte er die Schwerkraft überwunden, flog neben ihr in die Luft, wurde hart, justierte seine Position, bis die Faust sich neben ihrem rechten Ohr befand, in das der Staatsanwalt vor einer Sekunde noch gesprochen hatte. Die wandernden bunten Lichter der Diskokugel über ihren Köpfen spiegelten sich im Metall des Schlagrings. Er war blank geputzt, weil Ada ihn ständig in der Hosentasche mit sich herumtrug. Vor Monaten hatte sie ihn für fünf Mark auf dem Flohmarkt erstanden. Der Verkäufer hatte eine Lederjacke und Glatze getragen und sie freundlich angelächelt: Gut so, Kleine, es gibt im Leben immer nur einen, der zuerst zuschlägt, und einen, der zu lange zögert. Ada interessierte sich nicht für seine Philosophie. Sie schob den Schlagring in die Tasche, er drückte gegen den Oberschenkel, man sah ihn durch die Hose, er war wie ein Haltegriff, an den man sich klammern konnte, wenn der Boden zu schwanken begann.

Ada hielt den Arm ein Stück seitlich vom Körper weg und schlug auf diese Weise zu, eine halbe Körperdrehung vollführend, den Daumen außerhalb der Faust und an die Seite des Zeigefingers gepresst. So ging das. Sie hatte noch nie jemanden geschlagen. Leicht und weich landete die Hand von unten am Kiefer ihres Gegenübers, der um einiges größer war als sie. Ein kleiner Schubs, mehr nicht. Der Kopf des Staatsanwalts flog zur Seite wie bei einer schlecht gestopften Puppe. Obwohl Ada sicher war, seine Nase nicht berührt zu haben, schoss das Blut heraus und zeichnete eine rote Pyramide auf das helle Hemd. Der Staatsanwalt taumelte zurück und wäre fast gestürzt. Sein ganzes Verhalten stellte eine maßlose Übertreibung dar angesichts der Tatsache, dass ein kleines Mädchen, keine fünfzig Kilo schwer, ihm einen harmlosen Denkzettel verpasst hatte. Ada musste lachen. Memme, sagte sie zu ihm, auch wenn er in der lärmenden Musik bestenfalls sehen konnte, dass ihre Lippen sich bewegten, was für eine Memme. Als sie zum zweiten Mal ausholte, fing jemand ihre Hand in der Luft. Ada verspürte kein Bedürfnis, sich mit diesem Vorgang rational auseinander zu setzen. Sie trat blind hinter sich und erwischte mit dem Stiefelabsatz eine Kniescheibe. Etwas fiel zu Boden, ein Glas vielleicht, eine leere Flasche, ein Mensch. Sie trat drei Schritte vor und schlug dem Staatsanwalt, der mit beiden Händen versuchte, das Blut aus seiner Nase zu stillen, die Faust mitten ins Gesicht. Natürlich traf sie seine Hände. Natürlich schützten diese Hände die Nase. Es knirschte. Der Schlagring reflektierte das Diskolicht, Ada schlug wieder zu. Ihr Gegner ging zu Boden. Sie zielte auf seine Schläfen, sie zielte knapp hinters Ohr. Ein Paar Arme fingen sie ein, schlangen sich um die Taille, zehn Finger krallten sich in ihre Faust, drangen ein wie hartnäckige Würmer, lösten den Griff, zogen den Schlagring über die Knöchel. Wie gut sie plötzlich alle zusammenarbeiteten, während sie sonst immer nur gegeneinander waren; wie geschickt sich ihre Handgriffe ineinander fügten, wenn es darum ging, ein Mädchen vom Boden zu heben und in der Luft zu halten, ihre Beine zu fixieren, die um sich traten, ihren Fingernägeln und Zähnen zu entgehen. Endlich ließ Ada sich fallen. Sie verlor keineswegs das Bewusstsein, wollte nur eine Weile auf dem Rücken liegen, die Augen schließen, die letzten Takte der Musik genießen.

So go on and scream, scream at me, I'm so far away.

Den Schlagring sah Ada niemals wieder, und eigentlich vermisste sie ihn auch nicht. Am nächsten Morgen erwachte sie mit dem unbestimmten Gefühl, es sei etwas Wunderschönes passiert, dessen sie sich für den Moment nicht entsinnen konnte. Sie lächelte, noch halb im Schlaf. Vielleicht war Weihnachten. Oder Geburtstag.

I'm going under.

Ada sang aus vollem Hals. Sie spürte das Vibrieren der eigenen Stimme, zu dem sie nichts beitrug, außer die Kehle weit zu öffnen. Als die Musik sich steigerte bis zu einem ohrenbetäubenden Schlussakkord, riss Ada die Augen auf und rannte über die unsichtbare Brücke zurück in die Gegenwart, aus dem Raum, die Rampe des Fahrradkellers hinauf. Sie fühlte sich schlecht, spreizte die Hände vom Körper, als hätte sie versehentlich in eine klebrige Masse gegriffen. Quer über den Schulhof, Richtung Park. Da gab es wieder etwas, vor dem man davonlaufen konnte. Davonlaufen musste.

Auf offener Wiese zog sie sich um und betrat die Aschenbahn, lief los, lief ohne Kopfhörer, ohne Musik, eine Runde nach der anderen in steigendem Tempo, mit halb geschlossenen Augen und ohne jeden Gedanken. Nicht weit von der Bahn saß ein barfüßiges kleines Mädchen im sonnenwarmen Gras, schaute Ada zu und fütterte ihren Dackel mit Hornhautfetzen, die sie sich von den Fußsohlen zupfte.

Smutek sieht eine Schülerin laufen

Sie lachte ihn nicht aus, als er von seinem Gespräch mit dem Direktor berichtete. Frau Smutek verlangte, dass er Teuters Sätze noch einmal wiederhole, und machte eine ungeduldige Handbewegung, die Smutek noch nie an ihr gesehen hatte. Ihre Finger bewegten sich in der Luft, als ließen sie einen unsichtbaren Rosenkranz um die Hand laufen.

Es waren schöne Hände, die Nägel sorgfältig gefeilt und poliert, dass sie wie rosafarbenes Plastik schimmerten. Seit der Studienzeit in Berlin hatte Frau Smutek die farbenfrohe polnische Schminksucht gegen intellektuelles Understatement eingetauscht, lackierte die Nägel nicht mehr, ging in lockere Hosenanzüge gekleidet und erlaubte ihrem Haar, nach dem Waschen an der Luft zu trocknen. Nur den roten Lippenstift hatte sie sich bewahrt und frischte ihn mehrmals täglich auf. Smutek war stolz, als einziger Mensch auf Erden ihren ungeschminkten Mund zu kennen, der in Wahrheit viel kleiner war, als er tagsüber wirkte. Wenn Frau Smutek morgens aus dem Bett stieg, beherrschten die dunklen Augen ein Gesicht, in dem alle anderen Farben blass ineinander schwammen.

Smutek liebte ihre Finger und fand die neue Geste obszön. Er hatte ohnehin Schwierigkeiten, ihre rechte Hand zu betrachten, ohne sich vorzustellen, wie sie seinen erigierten Schwanz umschloss.

»Wende dich an den Schulträger«, sagte seine Frau.

Daraufhin setzte Smutek an, ihr noch einmal den Unterschied zwischen Schulleitung und Schulträgerschaft zu erklären. Allein Teuter besaß Entscheidungsgewalt über die Gegenstände des schulischen Alltags.

»Weiß ich«, sagte seine Frau. »Wie kann ein so großer Mann wie du dermaßen dumm sein?«

Sie stand vor ihm, während er auf einem Küchenstuhl saß, hatte ein Bein zwischen seinen Knien und die Brust auf Höhe seiner Nasenspitze und fuhr ihm mit beiden Händen durchs Haar, weil sie ihn am meisten mochte, solange sie ihn beschimpfte.

»Der Schulträger«, sagte sie, »entscheidet über jene Dinge, die eine Menge Geld kosten.«

»So ist es«, antwortete Smutek und stemmte seinen Kopf wie eine junge Katze gegen ihre Hände.

»Dann mach die Leichtathletikgruppe zu etwas, das eine Menge Geld kostet.«

Sie nahm die Finger aus seinen Haaren, um der aufkeimenden Idee Platz zu machen.

»Das ist es!«, rief er. »Ein neuer Sportplatz.«

Er schlang einen Arm um ihre Taille und hob sie, indem er aufstand, mit sich in die Höhe, fasste unter ihre Kniekehlen und trug sie ins Nebenzimmer, wobei sie das Gesicht an seinem Hals versteckte.

Am darauf folgenden Tag nach Schulschluss unternahm Smutek einen Marsch am Rhein. Die Luft war mild, das Jahr gönnte sich einen zweiten Frühling im späten September. Zwar rieben sich die Nächte bereits mit kälterauer Oberfläche an der Haut; tagsüber aber machte die Sonne alle Männer zu Helden und brachte die Mädchen zum Lachen, während ein warmer Wind mit einer Hand Haarmähnen toupierte und mit der anderen taumelige Passanten durcheinander schob. Die Kiesterrasse des Basteicafés war dicht besetzt, man trug die Schnäppchen aus dem Sommerschlussverkauf, die sonst erst im Folgejahr aus den Schränken geholt wurden. Mit ausgreifenden Schritten ging Smutek dicht am Geländer. Eine alte Frau warf ganze Brotlaibe ins Wasser, obwohl keine Möwen oder Enten in der Nähe waren. Das Brot wurde von der Strömung hinausgesogen und davongespült wie seltsame Flaschenpost.

Bei Mehlem kehrte Smutek um, wettete gegen sich selbst, ob er mit den flussabwärts stampfenden Frachtern Schritt halten könne, verlor und gewann zu gleicher Zeit und ärgerte sich über das lästige Nullsummengefühl, das alle Wetten gegen sich selbst begleitet. Als er dem Fluss den Rücken kehrte und die schmalen Treppen zum Schulpark hinaufstieg, fühlte er sich wie ein Besucher, der das Gelände zum ersten Mal betrat. Unter Kastanien ging er den Schotterweg entlang und verlangsamte seine Schritte, um den Anblick des Sportplatzes noch einen Moment hinauszuzögern.

Grau lag die Aschenbahn zwischen den Wiesenflächen. Wolken fuhren schwer beladen wie Frachtschiffe mit Tiefgang darüber hinweg. Die Anlage war mickrig. Um das festzustellen, genügte ein einziger Blick, die Wanderung nach Mehlem hätte er sich sparen können. Auf einer solchen Bahn war an ein ernsthaftes Training nicht zu denken. Der Umfang erreichte keine vierhundert Meter, so dass ein Läufer sich übermäßig oft in die Kurven legen musste und die Beschleunigungsmöglichkeiten der langen Seiten nicht nutzen konnte. Der Belag war jahrzehntealt. Parallel zur flussseitig gelegenen Zielgeraden verlief die Anlaufstrecke zur Weitsprunggrube, die nicht mehr war als ein ungepflegter Sandkasten mit hölzernem Absprungbrett. Im Inneren der Laufbahn befand sich ein abgetretenes Rasenstück, keine Hochsprunganlage, keine Speerwurfmöglichkeit, von Kugelstoßen ganz zu schweigen. Eine so lieblos gestaltete Sportanlage war einer angesehenen Privatschule nicht würdig.

Smutek entschied, seinen Antrag zuerst auf eine neue Laufstrecke zu richten. Er wandte die Augen zum Himmel und schickte einen Gruß an seine Frau. Sie war genial. Er wunderte sich bloß, dass er nicht selbst darauf gekommen war. Noch mehr wunderte er sich darüber, dass sich auf der Aschenbahn etwas in ständiger Bewegung befand.

Ein Häufchen aus Kleidern und Schuhen lag am Boden, als wäre jemand blitzschnell herausgestiegen, um sich an einem heißen Tag ins Wasser zu stürzen. Seit Smutek im Lehrerzimmer ein Gespräch mitverfolgt hatte, in dem es um den Zusammenhang von Begabung und Verweigerung ging, wusste er, dass jenes Mädchen, das gerade auf der Sportbahn seine Runden zog und sonst immer unbeteiligt auf dem Raucherhof stand, mit Vornamen Ada hieß. Er hätte sie gern gefragt, ob sie nach Nabokovs größtem Buch benannt worden sei.

Während er ein Stück näher heranging, beschlich ihn ein unbehagliches Gefühl, das dem des Wettens gegen sich selbst nicht unähnlich war, jedoch eindeutig von Adas Anwesenheit auf dem Sportplatz herrührte. Seit Beginn des Schuljahres war er ihr einfach zu häufig begegnet, oder, besser ausgedrückt, seine Wahrnehmung setzte Ada zu deutlich in Szene, rahmte sie ein mit unbestimmter Bedeutung, erhob sie zu einem Leitmotiv, zu einer Markierung auf den brüchigen Stellen im System Wirklichkeit. Smutek ließ sich nicht genug Zeit, um in Erwägung zu ziehen, dass künftige Ereignisse oft durch die Wiederholung bestimmter Muster angekündigt werden, durch scheinbar zufällige Übereinstimmungen, die immer schneller aufeinander folgen und sich zu etwas verdichten, das alsdann ›Geschehen‹ heißt und längst eingetreten ist, wenn der Mensch sich bequemt, es zu bemerken.

Rings um den Sportplatz gab es keinen Baum, hinter den er hätte treten können, um seine Betrachtungen etwas weniger exponiert fortzusetzen. Wie ein Pfahl stand Smutek auf freiem Feld und vertrieb die esoterischen Ideen durch eine konzentrierte Analyse von Adas Laufstil. Erkennbar trainierte sie nicht, sondern rannte aus anderen Gründen, vielleicht nur zum Spaß oder um sich abzureagieren, und hielt dabei ein Tempo, das Smutek aber verblüffend hoch erschien. Dabei hatte ihr sicher niemals jemand etwas über professionelles Laufen erzählt. Die halb geschlossenen Fäuste wurden ohne Führung von den kolbenartig arbeitenden Armen vorangestoßen und fassten ins Leere, als verfügte die Luft über Griffe, an denen sie sich vorwärts ziehen konnte. Arme und Beine schwangen energieverschwendend zur Seite aus, und die Gesamtkraft wirkte nicht strikt nach vorn, sondern gleichzeitig nach oben. Ada glich die geringe Länge ihrer Beine durch übergroße Sprünge aus.

Wie dem auch sei, sie war schnell. Smutek beschloss, ihre Zeit zu nehmen. Als sie das nächste Mal die Ziellinie passierte, sah er auf die Uhr und verglich mit hin und her schnellenden Blicken den Lauf des Sekundenzeigers mit Adas Position auf der Bahn. Sie brauchte kaum sechzig Sekunden für eine Runde. Bei einem Bahnumfang von gut dreihundert Metern lief sie also fast zwanzig Stundenkilometer. Er maß noch vier weitere Runden, bis er es glaubte. Das konnte sie nicht lange durchhalten.

Weil Ada kein T-Shirt trug, sondern nur einen Sport-BH, der den Busen fest an den Körper drückte, konnte er ihren Körperbau studieren wie bei einem Rennpferd, das sich vor dem Derby im Ring präsentiert. Sie schien gedrungen und ganz und gar nicht zum Laufen geschaffen. Die Hüften waren breit und verjüngten sich kaum zur Taille hin, dominierten die Linien des Oberkörpers und setzten sich regelrecht bis zum Brustkorb fort. Der Bauch war muskulös und vorgewölbt, als müssten zwei Mägen, zwei Därme und zwei Gebärmuttern darin Platz finden. Smutek dachte an die langen Glieder seiner Frau, die mehr als doppelt so viele Jahre zählten und trotzdem mädchenhafter wirkten als Adas archaische Architektur, und stellte zur eigenen Überraschung fest, dass er Ada trotzdem schön fand. Oder einfach nur schnell. Das Stampfen und Springen ihrer Beine übertrug sich wie Rhythmus auf seine Ordnung, er wollte die Jacke abwerfen und lossprinten, ihr nach, sie einholen, den Takt seiner Schritte den ihren anpassen. Er wollte mit ihr Luft einsaugen wie durch einen einzigen Mund, gemeinsam den Punkt erreichen, an dem der Atem sich beruhigt und so mühelos strömt, dass man meint, selbst unter Wasser überleben zu können. Smutek dachte an zwei Pferde, die in weiter Ferne über eine Ebene galoppierten, als wäre der Horizont eine eigens für sie erbaute Straße.

Ohne es recht zu merken, war er nah an die Laufstrecke herangekommen und stolperte fast über ein Kind, das auf der Wiese saß. Der Dackel des Mädchens begann wütend zu bellen, Ada sah hoch und bremste ihren Lauf, das kleine Mädchen machte sich davon, den aufgeregten Hund an der Leine hinter sich herziehend.

»Hallo«, sagte Ada, als sie vor ihm stehen blieb. Schweiß dunkelte ihre Hose an den Oberschenkeln, tropfte ihr von der Nasenspitze, glänzte auf Armen und Bauch.

»Nicht stehen bleiben«, sagte Smutek. »Du wirst dich erkälten.«

Gemeinsam kehrten sie auf die Bahn zurück und gingen mit großen Schritten nebeneinanderher. Jetzt hatte Smutek den Eindruck, er führe das Rennpferd nach vollbrachter Leistung trocken.

»Na, vor wem läufst du davon?«

Er hatte es scherzhaft gemeint und erschrak, als sie ihm das Gesicht zukehrte und an ihm vorbeisah in merkwürdig abgestorbenem Ernst. Unter dem linken Auge hatte sie eine geschwollene, dunkel verfärbte Stelle, die er jetzt erst bemerkte.

»Wenn Sie fragen wollen, ob ich gegen die Tür gelaufen bin – nur zu. Ich habe Antworten parat.«

Smutek verstand, nickte und wusste nicht, wie er zum Ausdruck bringen sollte, dass es ihm gleichgültig war, was ihr zustieß, ob ihr Vater sie verprügelte oder ihr Freund oder ob sie tatsächlich gestolpert war, auf der Treppe oder beim Laufen – es war ihm egal. Sie kannten sich nicht. Sie führte ihr Leben, er führte seins. Wenn sie Hilfe benötigte, konnte sie es sagen, und er würde sehen, was sich machen ließ. To wszystko, das war alles. Er war kein Pädagoge, er war Dienstleister.

Das wollte er ihr sagen, sie hätte sich bestimmt gefreut, aber er fand keine Worte und konnte aus diesem Umstand ableiten, dass Ada schwierig war. Im Lehrerzimmer galt sie als Schweigerin, aber sie schwieg nicht, sondern zwang andere zu schweigen, was ein Unterschied war. Smutek hatte kein Problem damit. Als Lehrer besaß er die Fähigkeit, alle Sensoren für Zwischenmenschliches abzuschalten und die Signale zu ignorieren, denen der Mensch von Seiten seiner Artgenossen permanent ausgesetzt ist. Smutek beherrschte den Autismus auf Kommando.

Unbeeindruckt durch ihre Miene begann er, von seinen Plänen zum Aufbau einer Leichtathletikgruppe und von Teuters Widerstand zu erzählen. Ada spazierte neben dem Geplauder wie ein Flaneur am Bach, der dann und wann stehen bleibt und mit überraschender Heftigkeit einen Stein ins Silbergeplätscher kickt.

»Bei dem Krieg«, sagte sie beispielsweise, »den Teuter gegen sich selber führt, will ich keine Blauhelm-Mission durchführen müssen.«

In Smutek wuchs der Glaube, ihr eine Menge Dinge anvertrauen zu dürfen, über Leichtathletik, Teuter, sich selbst, Polen, Deutschland und was es bedeutete, wenn man hinter dem Eisernen Vorhang die Postmoderne verpasst hatte und manche Erscheinungen beim besten Willen nicht verstand. Gleich der erste Satz, den das Großhirn ihm zurechtlegte, stolperte über die eigenen Ausläufer, verhedderte sich in Einschüben und Nebensätzen, geriet zu gigantischer Länge, konnte sich an seinen Anfang nicht erinnern und das Ende nicht vorhersehen und verreckte im Brutkasten. Smutek zwang sich zurück in seichteres Fahrwasser und plauderte weiter über Tartan und Zielgeraden. Nach der fünften Runde gemeinsamen Gehens verließ er die Bahn. Ada zog ihren groben Wollpullover direkt über die nackte, inzwischen trockene Haut, was Smutek schaudern machte, streifte die Shorts ab und stieg in ihre Jeans, ohne sich darum zu kümmern, dass er neben ihr stand. Frau Smutek verschwand nach fünfzehn Jahren Ehe immer noch im Badezimmer und schloss die Tür, wenn sie sich umkleiden wollte.

Als Ada fertig war und sich aufrichtete, sah sie ihn zum ersten Mal an. Ihre Augen waren von einer Farbe, die sich am besten als ›farblos‹ beschreiben ließ, etwa so, wie es ›kein Wetter‹ gab oder wie ein Mensch ›an nichts‹ denken konnte.

»Es würde mich beruhigen zu wissen«, sagte sie, »wenn Sie wüssten, dass ...«

Ihr Blick rutschte ab und blieb an seinem Kinn hängen, das durch eine senkrechte Falte in zwei fleischige, nicht ganz symmetrische Hälften geteilt wurde und aussah, als könnte man es mit leichtem Druck der Daumen auseinander brechen wie eine dicke siamesische Zwillingspflaume. Wenn Smutek gewusst hätte, was sie in diesem Moment dachte, hätte es ihn endgültig aus dem Konzept gebracht. Dieses Kinn, dachte sie nämlich, muss der Sitz seines Sprachzentrums sein. Während seines munteren Schwatzens war ihr aufgefallen, wie bedächtig er die Worte wählte; nicht wie ein vorsichtiger Rhetoriker, sondern wie ein Mann, der nach dem Baukastenprinzip aus einer fremden Sprache übersetzt und den deutschen Text vorträgt, ohne die Bedeutung der einzelnen Satzbestandteile zu kennen. Aber auch ohne dass sie diese Überlegung aussprach, genügte ihr intensiver Blick, um Smutek mit allen zehn Fingern sein Gesicht betasten zu lassen, als wollte er den nächsten Gesichtsausdruck vormodellieren.

»Es würde mich beruhigen«, begann Ada ein zweites Mal, »wenn Sie auf eine Enttäuschung vorbereitet wären. Sie besiegen Teuter. Sie bekommen einen neuen Sportplatz mit allen Schikanen. Dann melden sich zehn Schüler für die Leichtathletikgruppe, und nach den ersten Trainingsstunden kommen noch drei.«

Weil Smutek nichts sagte, musste sie weitersprechen.

»Soll ich Ihnen sagen, wo das Problem liegt?«

»Ja bitte«, sagte Smutek, »verrat es mir.«

»Wir sind alle Müßiggänger, die sich die Fingernägel schneiden, weil keine Arbeit sie abwetzt.«

»Darüber muss ich nachdenken.«

»Das sollten Sie.«

»Dürfte ich erfahren, warum du dir Gedanken machst um mein Seelenheil?«

»Wahrscheinlich bin ich dafür, dass der Mensch in begrenztem Rahmen bekommt, was er will.«

Sie hatte ihre Tasche aufgenommen und über die Schulter gehängt.

»Sehr freundlich, mich in diese Überlegung einzubeziehen. – Ada!« Er rief ihr hinterher. »Wenn es gelingt, das Training zu organisieren, wärst du dabei?«

»Ja«, sagte sie, ohne sich umzudrehen. »Aber versuchen Sie nicht, mit meiner Zusage bei den anderen zu werben. Das wäre kontraproduktiv.«

Alltägliches geschieht bei Smuteks

Nachdem die Keime der künftigen Ereignisse auf begrenztem Gelände und dicht beieinander ausgesetzt worden waren, senkte sich der Alltag über alle Beteiligten wie eine Schneedecke, unter der die Erde hart werden muss, bevor im Frühjahr die Wurzeln ihren unterirdischen Diskurs beginnen und schließlich Triebe aus dem Boden zwängen.

Bevor Smutek seine schöne, launische Frau wie verabredet für die Herbstferien nach Masuren transportierte, führte er ein Gespräch mit Gründer, und dieses Mal war er vorbereitet. Nach einem Abend vor dem Monitor, mit seiner Frau auf den Knien und einem Notizblock in Reichweite, konnte Smutek die Konzepte von sieben Privatschulen im Land Nordrhein-Westfalen erklären. Er besaß heruntergeladene Photos von Schwimmhallen, Reitbahnen, Krafträumen und Beach-Volleyball-Feldern. Er entfaltete seine Ideen im Namen von Ernst-Bloch, stellte die Bedeutung von Sporterziehung für ein funktionierendes Schulwesen dar, konnte ohne Anstrengung auf die einfachsten Lehrsätze seines Studiums zurückgreifen und fasste sich kurz, weil er wusste, dass Gründer sich für die pädagogische Seite seines Bildungsunternehmens nur begrenzt interessierte. Bei einem Charakter wie Gründer, der sich durch mäßige Intelligenz, ein relativ gutes Herz und nervöses Verpflichtungsgefühl gegenüber seiner einst glorreichen, inzwischen auf zutiefst bundesrepublikanische Weise unspektakulär gewordenen Familiengeschichte auszeichnete, schadete es nicht, ein wenig dick aufzutragen. Smutek brachte den Namen ›Salem‹ ins Spiel. Eine Schule müsse wie jede andere Firma an die Zukunft denken. Nie dürfe man den metaphorischen Brummkreisel vergessen: Stillstand bedeute Untergang.

Gründer, der seine Schule nicht ungern als Firma verstanden wusste, würde das Brummkreisel-Gleichnis in seiner nächsten Ansprache verwenden. Er pflichtete Smutek in allen Punkten bei und lobte den Plan, zunächst eine Erweiterung der existierenden Anlage ins Auge zu fassen. Gern erklärte Smutek sich bereit, Gründers hervorragende Ideen auf der nächsten Lehrerkonferenz zu präsentieren. Die Schulleitung würde begeistert sein. Dessen war er völlig sicher.

Masuren bestand aus großen blauen Wasser-Augen, umgeben von rotbraunem Laub. Frau Smutek mähte Gras und backte Kuchen aus den letzten, gelblichen Schrumpfköpfen in den fast kahlen Zweigen des Apfelbaums. Smutek besserte das Dach aus und imprägnierte Fensterläden. Auf der Terrasse, einem mit handverlegten Steinplatten gepflasterten Gartenstück, trafen sie sich am frühen Nachmittag zum ersten Drink. Die Sonne stieg und sank auf Polnisch, bleich und melancholisch, ihren Zweck nur halb erfüllend und immer ein bisschen beleidigt. Am Abend deckte dünner Nebel den Wasserspiegel zu. In Seemannspullovern standen sie am Grill und brieten Fische, aßen im Stehen und liebten sich auf der Kellertreppe. Zwei Wochen zerflossen zu einem einzigen Tag und einer langen Nacht, erfüllt vom Geruch getrockneten Grases und feuchter Erde, von schüchternem Vogelzirpen, lauer Luft und kühlen Sonnenstrahlen. Auf der Rückfahrt sprachen sie kein Wort, als wäre alles, was es zu bereden gab, in dem kleinen Haus am See zurückgeblieben.

Am ersten Schultag nach den Ferien schickte Gründer einen Schüler, um Smutek in sein Büro zu holen, und nannte ihm eine Summe, die keine großen Sprünge, wohl aber erste Schritte erlauben würde.

Auch bei Ada beginnt Alltägliches zu geschehen

Indessen weigerte Ada sich standhaft, den ihr angetragenen Plänen zur Erweiterung der Schülerband zuzustimmen und ein weiteres Mal ans Mikrophon zu treten. Dafür erschien sie regelmäßig zu den Proben und rauchte in den Pausen häufig vor der Tür des Fahrradkellers, wo die Bandmitglieder sich trafen wie Kaninchen am Eingang ihres Baus. Manchmal kamen die *Ohren* mit ihren fettigen Haaren und bunt bedruckten Lederkutten zu einem Gegenbesuch auf den Raucherhof, grüßten Ada wie einen Mann mit Handschlag hoch in der Luft, schnorrten die zerbrechlichste Prinzessin um Zigaretten an und ließen sie gleich darauf stehen, um eins ihrer üblichen Gespräche zu beginnen. Ob Lyrik bereits durch Lyrics ersetzt werde wie das Theater vom Film und ob die Menschheit durch die Angst vor Veränderungen dermaßen imprägniert sei, dass diese Entwicklung wieder einmal erst fünfzig Jahre später im Rückblick festgestellt werden könne.

Die anderen Schüler hielten Abstand, als wären Ada und die *Ohren* ein Grüppchen Birken inmitten eines verdreckten Parkstücks. Die Mitgliedschaft in einer Randgruppe genoss Ada in vollen Zügen. Seit man sie in Gesellschaft der Band sah, hatte niemand mehr ›Marionette‹ zu ihr gesagt.

Die Klassenarbeiten zeigten, dass Adas Leistungen in allen Fächern am oberen Rand des Spektrums lagen. Bei Höfi verbrachte sie nach wie vor viel Zeit vor der Tür und begriff jeden neuen Rauswurf sowie die Tatsache, dass er dazu übergegangen war, sie ›Klotzkopf‹ zu nennen, als einen Beweis seiner Freundschaft, ja seines Respekts.

Wenn ein Lehrer wissen wollte, wo Olaf sei, fragte er Ada nach ›ihrem Freund‹. Sie ließ es widerspruchslos geschehen.

Außerhalb von Schulzeit und Proben verbrachten sie unaufgeregte Stunden am Rhein oder fuhren mit dem Bus in die Innenstadt, um am Hauptbahnhof Haschisch für Rocket zu kaufen, der beim nächsten BTMG-Delikt mit einer Jugendstrafe zu rechnen hatte. Bei schlechtem Wetter lagen sie in Olafs Zimmer auf dem Boden und durchforsteten seine umfangreiche Musiksammlung, hockten eng beieinander vor dem Notebook des Vaters, um raubkopierte Filme im DIVX-Format anzuschauen, oder lasen sich gegenseitig aus der Zeitung vor. Bei allem, was sie machten, hatte Ada das Gefühl, ebenso gut mit Zinnsoldaten oder Matchboxautos spielen zu können. Dass Olaf ein Jahr älter war als sie, musste auf einem Berechnungsfehler der Natur beruhen. Hätte sich eines Tages herausgestellt, dass er aufgrund eines Seitensprungs seiner Mutter ihr drei Jahre jüngerer Bruder war – sie hätte sich kaum gewundert. Seine Eltern behandelten Adas Anwesenheit mit der gleichen Selbstverständlichkeit, mit der sie zuvor ihre Abwesenheit behandelt hatten. Es war unmöglich, sich dabei nicht wohl zu fühlen.

Manchmal kam Olaf zum Sportplatz und sah ihr beim Laufen zu. Er setzte sich im Schneidersitz auf die Wiese, stützte das Kinn in die Hände und umfasste mit weitwinkligem Blick das Gelände, auf dem seine Wahlschwester ihre Runden drehte. Wenn sie fertig war, hatte er dunkle Flecken auf dem Hosenboden. Die Tage wurden kürzer, der Boden feucht.

Mit der Fähre fuhren sie auf die andere Rheinseite, setzten sich in ein Ausflugslokal und freuten sich über nikotingelbe Spitzengardinen, geblümte Plastiktischdecken und die Speisekarte mit Goldschnitt und grausamen Rechtschreibfehlern in allen drei Sprachen. Immer bestellten sie gebratene Champignons und Pommes frites. Weil der Pächter des Lokals aus Bosnien stammte, servierte er nur die Hüte der Pilze, in Öl schwimmend und von gummiartiger Konsistenz. Wenn man sie mit der Unterseite auf den Teller presste, pfropften sie sich wie Saugnäpfe fest, und weil es nur Olaf gelang, alle Champignons auf diese Art an den Teller zu kleben, ohne dass einer hinunterfiel, zahlte Ada jedes gemeinsame Essen als verlorenen Wetteinsatz. Sie glaubte nicht, dass Olaf sie liebte. Sie glaubte, dass er genauso über sie dachte wie sie über ihn, nur gewissermaßen von der anderen Straßenseite aus.

Eines Tages bat Olaf, einen Blick auf Adas Zuhause werfen zu dürfen. Draußen war gerade eine westdeutsche Sonne mit unerwarteter Schärfe durch die Wolkendecke gebrochen, staubiger Lichtnebel hüllte das Flusspanorama ein, Lichtfähren schwammen auf Lichtpfützen, an dessen Rand Freizeitfischer in hohen Gummistiefeln im Wasser standen. Keine Hochglanzvilla, kein bepflanzter Vorgarten und keine Scheißfamiliensituation würden Olaf schrecken.

Ada schwieg. Seit Selma hatte sie niemanden mehr mit nach Hause gebracht. Sie drehte ihre Zigarette im Aschenbecher, und Olaf sah dabei zu und wartete darauf, dass die Kippe ausging, bevor Ada einmal daran gezogen hatte. Längst wollte er die Sache auf sich beruhen lassen, als Ada aufstand. Gehen wir.

Sie setzten mit der Fähre über und liefen flussabwärts bis kurz hinter die Villa Kahn. Sie durchquerten ein Wohnviertel aus Einfamilienhäusern, das mit winzigen Treppenaufgängen, Miniatursäulen, geschwungenen Gitterchen und kleinen Zäunen wie die geschrumpfte Kopie eines Amsterdamer Stadtteils wirkte. Eine stark befahrene Tangente, an deren südlichen Ausläufern Ernst-Bloch gelegen war, schoss heran und verschwand in der Bonner Innenstadt. Dahinter begann das Villenviertel. Trauerweiden beugten ihre sauber gestutzten Beatles-Frisuren über massives Mauerwerk, Jugendstilornamente drechselten an den Ecken der Fenster in die Höhe, dezent verschwanden geräumige Terrassen um Häuserecken im Garten, Tannen wippten, Birken raschelten, ein Eichelhäher meldete das Kommen von Fremden.

Der Vorgarten vor Adas Haus trug einen gepflegten Dreitagebart, der Springbrunnen war außer Betrieb. Hinter dem Haus gab es Gras und Bäume auf geschwungenem Untergrund. Adas Fenster? Ganz oben, nach hinten raus. Im Erdgeschoss wohnte der Nachbar. Was für ein Nachbar? Ein Nachbar eben. So einer, der alles weiß und nichts versteht.

Ada klingelte und schloss gleichzeitig die Haustür auf. Man hörte es von oben herunterschrillen, eine Sekunde lang erstarrte das ganze Haus unter dem gellenden Geräusch. Oben beugte sich die Mutter übers schwarzhölzerne Treppengeländer, die Hände um zwei Schnörkel gelegt, die blank waren vom häufigen Warten. Auf den Stufen lag Teppich. Hinter der Mutter fiel künstliches Licht aus der Wohnungstür, trotz des goldenen Herbstnachmittags vor den Fenstern.

Hey, Kids.

Ada schaute sie verwundert an. Sie hatte noch nie ›Hey‹ gesagt und schon gar nicht ›Kids‹. Olaf gab Pfötchen und neigte höflich den Kopf. Nur im ersten Augenblick hatte er Schwierigkeiten, Adas Mutter ins Gesicht zu sehen, gleich darauf hatte er sich an die Schichten verschiedener Altersstufen gewöhnt, die dort übereinander lagen und nur im Schnitt die Zahl Fünfundvierzig ergaben. Die schwarz gefärbte Frisur mit glattem Pony und kinnlangem Helm zitierte eine zeitlose Kleopatra, die Augenbrauen waren ausrasiert, die Lippen korrigiert, die Ohrringe zu groß, die Haut gleichzeitig perfekt gepflegt und welk. Unter dem langärmligen roten T-Shirt mit frechem Aufdruck über der Brust zeigte sich ein ausgehungerter Körper, mit dem es die Natur einst besser gemeint hatte. Am Ende der dünnen Arme entdeckte Olaf Adas Hände und erschrak wie vor einer unappetitlichen Photomontage.

Hinter der Tür zog Ada die Schuhe aus, nahm Olaf die Jacke ab und bewegte sich vorsichtig wie ein Gast, der nicht sicher weiß, ob er willkommen ist. Wohn- und Esszimmer waren durch eine Flügeltür verbunden und ergaben gemeinsam fast einen Saal. Zu dritt setzten sie sich an einen Tisch, der verloren wirkte auf dem endlos spiegelnden Parkett. Ohne Einleitung begann die Mutter zu reden, ganz als führte sie ein Gespräch fort, das beim letzten gemeinsamen Treffen unterbrochen worden war. Jetzt gebe es bald doch noch Krieg im Irak. Den Bush möge sie gar nicht, und den Schröder ebenso wenig. Alles Machtmenschen, nicht? Nicht gerade warm draußen, aber schön.

Bei keinem Thema konnte sie länger als zwei Minuten verweilen. Wenn sie Olaf nach seinen Eltern und seinen Lieblingsfächern fragte, war ihr die Anstrengung beim Abwarten der Antwort anzumerken. Sie lobte seine Heavy-Metal-Kutte. Ein eigener Stil sei das Wichtigste. Auch Ada habe mal einen gehabt, aber das sei lange her. Es folgten noch einige Geschichten aus Adas Kindheit sowie Anekdoten von der Küste, erzählt im Platt eines echten Wattmädchens, denn die Mutter war, wie sie gern betonte, ein Fischkopf und hier auf dem Festland, an das die Männer sie gezogen hatten, stets ein wenig atemlos.

Als Ada sah, dass Olaf gleichmütig lächelte, einsilbige Antworten gab, die völlig ausreichten, um das Gespräch in Gang zu halten, und keinerlei Anzeichen von Überdruss oder peinlicher Bedrängnis zeigte, entspannte sie sich ein wenig. Olaf begegnete Menschen mit der immer gleichen, neutralen Grundeinstellung, die es ihm ermöglichte, in fast allen Lagen Ruhe zu bewahren. Am meisten genoss er dabei, dass ihn der überwiegende Teil der Menschheit nichts anging und dass die Menge der Menschen, für die er sich interessierte, im Vergleich zur Gesamtbevölkerung gegen null tendierte. Solange das gewährleistet war, ertrug er auch überspannte Einzelexemplare.

Dann wollte Ada ihm ihr Zimmer zeigen. Sofort standen alle drei auf, und Olaf rechnete damit, dass sie sich feierlich die Hände schütteln würden. Die Mutter ging in die Küche, nahm eine Flasche Cola aus dem Kühlschrank und überreichte sie mit bedeutungsvoller Miene, als handelte es sich um Kronjuwelen. Nehmt ruhig, zur Feier des Tages. Sie waren schon auf der Wendeltreppe, als sie ihnen nachrief. Ob Olaf zum Fernsehen bleiben wolle? Da Ada ihren Besuch niemals ankündige, habe sie gar nicht darauf geachtet, was heute gesendet werde. Adas Freundin zum Beispiel, die habe nichts angeschaut außer Zeichentrickfilmen und schon bei den Nachrichten manchmal zu weinen begonnen. Ob es bei Olaf so ähnlich sei?

Keine Umstände, sagte Olaf, er werde zu Hause erwartet.

Ruf deine Eltern an, sagte Adas Mutter, wenn sie nicht erlauben, dass du zum Fernsehen bleibst, werde ich mit ihnen sprechen.

Am oberen Ende der Treppe verdrehte Ada die Augen zum Himmel, dass in den Schlitzen nur noch Weißes zu sehen war.

Ob Olaf vielleicht noch einmal herunterkommen wolle, mit Blick auf das Fernsehprogramm könne man doch gemeinsam ...

Ada winkte ihn mit herrischer Handbewegung an sich vorbei und deutete den Flur entlang auf die letzte Tür.

Mutter, sagte sie langsam und streng, es reicht jetzt. Olaf wird erwartet. Er bedankt sich.

Schon gut, ist ja schon gut.

Unten ging die Rede hörbar weiter, während Ada die Zimmertür schloss und sich mit beiden Händen die Wangen rieb. In spätestens zehn Minuten wird sie hier drin stehen, weißt du. So ist es immer und jetzt besonders, denn du bist eine Sensation. Wenn ich mich mit Büchern und Zigaretten auf dem Klo einschließe, steht sie manchmal vor der Tür und redet mit mir. Ich kann gut lesen, während jemand spricht. Ich schlage ein Buch auf, und alles, was ich höre, wird zu einem unverständlichen, geschlechtslosen Geräusch. Wind, der Zweige gegen die Scheibe peitscht. Vielleicht ein Presslufthammer direkt vor dem Haus. So geht es. Aber schön ist das nicht.

Olaf hatte sie selten so lang am Stück reden hören, er freute sich und fühlte gleichzeitig seine Kräfte schwinden. Um ihn herum versuchten große, mit indischen Mustern bedruckte Tücher das Kinderzimmermobiliar zu verstecken. Keine Bilder an den Wänden, stattdessen Tücher. Schrank und Regal mit Stoffen verhängt. Der Teppichboden war mit einem Tuch bedeckt, das unter den Füßen verrutschte und sicher viele Male am Tag geradegezogen werden musste. Über dem Schreibtisch lag ein Tuch, ein ähnliches über dem Bett, ein weiteres ersetzte die Vorhänge. Es gab keine Sitzgelegenheiten. Olaf ließ sich auf dem Boden nieder. Ada zog einen Aschenbecher unter dem Regal hervor und öffnete das Fenster. Die kleine Stereoanlage stand auf einer leeren Obstkiste, darunter lagen ein paar selbst bespielte Kassetten und drei CDs.

Die Schritte auf der Wendeltreppe waren deutlich zu hören, scharf knallten die Absätze aufs Holz. Die Mutter trat ohne Anklopfen ein, sprach nur mit Olaf und würdigte Ada, die mit dem kleinen Finger sinnlose Linien in den Aschenbecher zeichnete, keines Blickes. Man sah, dass sie geheult hatte, unter den Augen lagen schwarze Flecken verwischter Schminke. Sie zählte Gerichte auf, die sich mit dem vorgefundenen Kühlschrankinhalt zubereiten ließen, erwog Vor- und Nachteile, wischte Olafs zaghafte Zustimmung mit immer neuen Gesten beiseite und fing von vorne an. Olaf ertrug den Vortrag ohne die geringste Verunsicherung, wartete, bis Adas Mutter sich mit sich selbst auf eine Variante geeinigt hatte, und hob grüßend die Hand, als sie zufrieden das Zimmer verließ.

»Du kannst das gut.« Ada schaute ihn an, und es kam ihm vor, als hätten ihre Augen die seinen noch nie zuvor so direkt getroffen. »Jetzt wird sie sich unten in der Küche an die Arbeit machen, dabei leise singen und eine halbe Stunde lang glücklich sein. Weil sie für den Freund der Tochter ein leckeres Mahl zubereitet, das alle gemeinsam einnehmen werden. Danach zusammen fernsehen. Eine verkrüppelte, aber moderne und letztlich ganz normale Familie. Das ist allein dir zu verdanken.«

»Manchmal«, sagte Olaf und senkte den Blick, um von Adas grauen Augen freizukommen, »ist dein Zynismus schwer zu ertragen.« Weil er zu Boden schaute, konnte er nicht sehen, dass sie erschrak.

»Nein, nein«, sagte sie und fasste nach seiner Hand, mit der er sich auf den Boden stützte. Ihre Finger waren eiskalt, Durchblutungsstörungen.

»Ich habe es ernst gemeint«, sagte sie. »Danke.«

Auf einmal hielt er sie in den Armen und wiegte sie wie ein kleines Kind. Sie sank gegen ihn und lag wie tot, die Augen offen und in die Ferne gerichtet.

»Ist schon gut, ist gut«, flüsterte er, als ob er sie trösten müsste, dabei sah sie nicht aus wie jemand, der in der Lage ist, Trost zu empfangen.

Weihnachten Eins

So verging der Jahresrest. Smutek und seine Frau feierten Weihnachten zu zweit vor einem kleinen Tannenbaum, beschaulich, bescheiden, umwölkt von Lebkuchen- und Fischgeruch und ein bisschen grundloser Traurigkeit. Ada und ihre Mutter feierten Weihnachten zu zweit vor einem kleinen Tannenbaum, beschaulich, bescheiden, die Mutter weinte viel, wobei Gründe seit längerem keine Rolle mehr spielten. Olaf und seine Eltern feierten zu dritt, die große Schwester war dieses Jahr nicht gekommen, weil sie ein Auslandssemester in Moskau verbrachte, der Schnee dort zu hoch war und der Weg zu weit. Der Tannenbaum reichte bis unter die Decke und trug echte Wachskerzen, und Olaf wusste wenigstens, warum er traurig war. Seine Schwester hatte einen Brief geschrieben, in dem sie ausführlich die politischen Verhältnisse in der Russischen Föderation analysierte. Außerdem enthielt der Umschlag einen weiteren, in dem ein noch kleinerer steckte, und immer so weiter nach dem Matrioschkaprinzip, alle diese Umschläge waren für Olaf, und im letzten stand, dass sie ihn vermisse. Es gab Geschenke und mehr zu essen als sonst.

Höfi und seine Frau feierten Weihnachten vor einer Vase mit Tannenzweigen, die Frau lag auf der Couch zurechtgebettet, eingewickelt wie eine Made, und lächelte aus den Decken heraus in die bunten Kugeln, in denen sich Kerzenlicht und weitwinklig verbogene Miniaturen ihrer Gesichter spiegelten. Es gab keine Geschenke, Höfi hielt den ganzen Abend die Hand seiner Frau, und es wurde eigentlich mehr gelacht als geweint.

Silvester verging, ohne dass wir etwas davon wissen müssten. Das neue Jahr sah dem alten zum Verwechseln ähnlich.

Ada las sechs Bände der *Menschlichen Komödie*, fühlte sich körperlich unwohl, als hätte sie eine Balzac-Vergiftung, und war froh, als nach dem Besuch der Heiligen Drei Könige, die für ein paar alberne Süßigkeiten ihre Kreidezeichen an den Türbalken malten, im Januar die Schule wieder begann.

Am ersten frostfreien Tag im März fuhren Smuteks Planierraupen vor und zogen binnen weniger Stunden eine zweite, ovale Umlaufbahn. Abends betrachtete Smutek das sandige Bett der geplanten Laufstrecke mit Erstaunen, es sah aus wie die Trasse einer kleinen, im Kreis führenden Autobahn. Teuter hatte die Strategie begriffen, sein Mäntelchen nach dem Wind gehängt und die Idee auf der Lehrerkonferenz so überschwänglich gelobt, dass Smutek es nur als Kampfansage verstehen konnte. Aus Prinzip waren dem Schulträger drei neue Rechner für den Computerraum abgetrotzt worden, weil mediale Bildung ebenso wichtig war wie Sport. Damit kam die Angelegenheit vom Tisch. Eine Woche später fielen die ersten Bomben auf den Irak.

Idee und Vorbereitung zu Olafs Entjungferung

Die Idee zu Olafs Entjungferung stammte von Rocket. Er hatte selbst noch nie eine Freundin gehabt, ging dafür regelmäßig ins örtliche Bordell und bezahlte die immer gleiche junge Frau für eine Handreichung, die preiswert und für seine Bedürfnisse völlig ausreichend war. Im Juni sollte Olaf seinen sechzehnten Geburtstag feiern, und Rocket fand, dass es an der Zeit war, ihn aus der Ruhe zu bringen. Olaf sprach nie über Sex, man konnte nicht einmal ahnen, woran er beim Onanieren dachte. Wurde in seiner Gegenwart über Frauen gefachsimpelt oder gelacht, hielt er ein buddhistisches Lächeln bereit, das den Unerleuchteten verzieh und Rocket auf die Palme brachte. Rocket war sicher, dass Olaf einen Geschenkgutschein für den Puff niemals einlösen würde. Als er Ada um Rat fragte, gab diese zu bedenken, dass Olaf sich über die neue, schwer zu beschaffende CD einer skandinavischen Heavy-Metal-Band wahrscheinlich mehr freuen würde als über eine noch so gut organisierte Geburtstagsnummer. Aber Rocket war wie immer fest entschlossen und stellte eine Respektsperson dar, der man nicht mehr als einmal widersprach.

Die Schule war aus, der Hof leer gefegt, der überwiegende Teil der Schüler trudelte in diversen Elternhäusern ein, verlangte zu wissen, was es zu essen gebe, und wies Fragen über den Verlauf des Schultags streng zurück. Mit Fledermausohren hätte man die Küchengeräusche aus den offenen Fenstern der Internatsetage hören können. Es war der bislang wärmste Tag im Jahr, Ada und Rocket trugen kurzärmlige T-Shirts, hatten die Schnürsenkel ihrer Springerstiefel gelöst und die Schäfte auseinander gezogen, um Luft an die Füße zu lassen. Sie lehnten nebeneinander am Stamm der dicken Eiche, die ein eigenes, aus dem Schulhofasphalt ausgespartes Rondell mit flacher Mauer besaß, was bedeuten mochte, dass sie schon vor dem Schulgebäude hier gestanden hatte. Von weitem wirkten Ada und Rocket wie Teilnehmer an einem per Annonce verabredeten Stelldichein. Aus der Nähe war Gleichmut in ihren Gesichtern zu lesen, ein freundschaftliches, durchaus warmherziges Desinteresse an der jeweils anderen Person. Sie unterhielten sich, ohne einander anzusehen, stattdessen die gleiche Blickrichtung teilend.

Fünfzehn Minuten lang hatten sie über das Thema verhandelt, als Ada anbot, sich der Sache anzunehmen. Dieser Vorschlag entsprang eher rhetorischer Notwendigkeit und der Dramaturgie des Gesprächs als einer ernsthaften Überlegung. Kaum war er aber ausgesprochen, teilte er das Schicksal der meisten Dinge, die Ada äußerte: Sie nahmen den Charakter von Selbstverständlichkeiten an. Weil sie so selten sprach, sahen die wenigen Sätze sich gezwungen, mit gesteigerter Feierlichkeit an der Aufrechterhaltung ihrer äußeren Persönlichkeit mitzuwirken.

Vor den Konsequenzen ihres ungewollt doktrinären Sprechens fürchtete Ada sich nicht – sie fühlte sich im reinsten Sinne des Wortes zu allem fähig. Das Geheimnis der Skrupellosigkeit lag darin, sich selbst keine Gründe abzuverlangen. Die größte Geißel der Menschheit war aus ›Warum?‹ gemacht, und man tat gut daran, den Einsatzbereich dieser Frage so weit wie möglich zu begrenzen. Grundsätzlich hatte Ada nichts gegen moralische Erwägungen; solange kein neueres, besseres Mittel erfunden wurde, erfüllte Moral eine unverzichtbare Ordnungsfunktion im großen Miteinander. Für den Einzelnen hingegen kam es mehr darauf an, dass der Körper aufstand und um den Tisch lief, sowie ihm das Gehirn den Auftrag dazu erteilte. Komplizierter war menschliches Handeln noch nie gewesen. Dank dieses einfachen Zusammenhangs konnte Ada mit hoher Geschwindigkeit zwanzig Kilometer rennen und spürte die Anstrengung als einen abstrakten Zustand, nicht aber als Grund für eine Verlangsamung des Tempos. Auf diese Weise, so glaubte sie, konnte man alles tun, was körperlich möglich war: Das Gehirn gab Befehle, und der Körper führte sie aus. Man durfte nur nicht nach Gründen fragen.

Rocket nahm das überraschende Angebot gelassen zur Kenntnis. Er fragte nach Adas Erfahrungsstand auf dem einschlägigen Sektor.

Niente, nada, ništa, nic. Bisher seien ihre zwischenmenschlichen Kontakte eher von Gewalt als von Zärtlichkeit geprägt gewesen, was sie nicht als Ausdruck einer defätistischen Weltsicht verstanden wissen wollte. Warum eigentlich fingen die Wörter für ›Nein‹ und ›Nacht‹ in allen Sprachen mit ›N‹ an?

Rocket wollte erst das eine Thema abhandeln, bevor er sich dem nächsten zuwandte.

Mit ein bisschen Vorbereitung, meinte Ada, lasse die Sache sich in den Griff bekommen. Die Existenz eines Unterschieds zwischen Theorie und Praxis sei ihr bewusst, andererseits gehe es letztlich nicht darum, einen Spaceshuttle zu fliegen.

Insoweit pflichtete Rocket ihr bei. Falls sie noch Anschauungsmaterial brauche, könne er ihr ein paar Softpornos aus der Videothek besorgen und in seiner Eigenschaft als Bandleader den Schlüssel zum Vorführraum organisieren.

Gute Idee, sagte Ada.

Na dann. Warum Nein und Nacht mit ›N‹ begännen, könne er auch nicht sagen. Bevor sie sich trennten, fasste er Ada am Arm und versuchte erfolglos, sie zu zwingen, ihm in die Augen zu sehen. Sie hob einen Fuß, als wollte sie ihm mit der Stahlkappe ihres Stiefels vors Schienbein treten.

»Hör zu und beantworte die folgende Frage: Liebst du Olaf?«

Sie lachte ihn aus, von Herzen, und presste dabei die Unterarme vor den Bauch. Bewundernd sah Rocket ihr zu. Sie war vier Jahre jünger als er und schlug ihn um Längen an Kaltblütigkeit. Fast bedauerte er es, sich nicht in sie verknallt zu haben. Möglicherweise hätten sie es zu einer harten, katastrophalen Beziehung gebracht, die seines und ihres Talents sowie der Welt, in der sie lebten, durchaus würdig gewesen wäre. Weniger wie Bonnie und Clyde, mehr wie Natural Born Killers.

Eine Woche später überreichte Rocket ihr nach der Schule eine Plastiktüte, in der sich drei VHS-Kassetten befanden, denen in ihrer Plumpheit und Größe schon wenige Jahre nach dem Erscheinen des DVD-Formats etwas Altmodisches anhaftete. Er bot seine Gesellschaft an, wobei nichts als Galanterie in seiner Miene zu lesen war, und Ada lehnte ab. Sie wollte keine körperliche Erregung neben sich, während sie einen Lehrfilm sah.

Der Vorführraum war groß wie ein Klassenzimmer. Ada setzte sich in die erste Reihe dicht vor den Fernseher, um die Lautstärke auf ein Minimum absenken zu können. Obwohl die elektrischen Jalousien heruntergelassen waren, drang der Nachmittag mit seinen Verkehrsgeräuschen durch alle Ritzen, verkündete etwas von Einkaufsbummel und vorgezogenem Feierabend, von Bürgersteigen und Kinderhänden, die pralle weiße Beeren von der Hecke am Lehrerparkplatz zupften und zwischen den Fingern zerplatzen ließen. Auch das Schulgebäude machte sich mit einem speziellen Schweigen bemerkbar, das nach Unterrichtsende und nicht nach leeren, nächtlichen Räumen klang, in denen die Gegenstände zu einem neuen Wesen fanden, das mit den menschlichen Zwecken nichts mehr zu tun hatte. Weder Zeit noch Ort ließen sich aussperren, und Ada fühlte sich schlecht wie der einzige Gast einer Nachmittagskinovorstellung, der sich schon während des Films vor dem Moment fürchtet, in dem er mit zusammenzuckenden Pupillen hinaustreten muss in eine Welt, die sich inzwischen um zwei Stunden weitergedreht und einen Vorsprung erworben hat, den er sein Lebtag nicht mehr aufholen kann.

Nicht nach Gründen fragen. Mit strenger innerer Stimme gab Ada sich selbst den Befehl, sitzen zu bleiben und das Videoband nicht gleich wieder anzuhalten, nachdem ihr klar geworden war, dass der Film die üblichen Turnübungen auf den

Privatsendern an Peinlichkeit bei weitem überbot. Er war in Episoden unterteilt, an denen immer dieselben zwei Frauen und ein Mann beteiligt waren. Schon nach zwanzig Minuten drehten die Bilder Schleifen in Adas Kopf und hatten sich jeder noch so trivialen Bedeutung entleert. Genauso gut hätte sie einen Tierfilm über das Paarungsverhalten irgendeiner Amphibienart anschauen können.

So ging es nicht. Im Schnellvorlauf suchte sie nach einer Episode, in der möglichst wenig zwischen den beiden Frauen geschah, weil es sie irritierte, wie die Blonde und die Brünette einander mit nassen Mündern küssten und sich gegenseitig Finger in die rasierten Geschlechter tauchten. Es lenkte vom Eigentlichen ab. Sie wählte eine Szene, die sich in erster Linie auf oralen Verkehr konzentrierte, was ihr gleich als die passende Methode für ihren Auftrag erschienen war. Der viel zu muskulöse, unappetitlich sonnengebräunte Schauspieler betrat ein Maklerbüro. Hinter einem Schreibtisch, der besser in das Büro eines Vorstandsvorsitzenden gepasst hätte, wartete die Blondine auf ihn, gekleidet in ein streng sitzendes Nadelstreifenkostüm, dem es nicht ganz gelang, ihre Oberweite zusammenzuhalten. Hinter dem Rücken des Klienten drehte die junge Assistentin, brünett und im Minirock, den Schlüssel um.

»Ich möchte eine Wohnung mieten«, sagte der Kunde. Die Kamera unternahm eine Fahrt über die Lippen der Maklerin und schwenkte ungeschickt auf die Pobacken der Assistentin, die sich nach dem zu Boden gefallenen Schlüssel bückte und unter dem Minirock unbekleidet war.

»Meine Stärke ist es, einen Kunden auf den ersten Blick – einschätzen zu können«, verkündete die Maklerin. »Sie suchen einen Ort, den sie ganz – ausfüllen können, und Sie wissen, was es bedeutet, rundum – verwöhnt zu werden. Bei uns sind Sie richtig.«

Sehnerv, dachte Ada, ich sehe was, das du nicht siehst, und verzog verächtlich den Mund.

Nach diesen Worten schob die Blonde den Chefsessel zurück, stellte die Füße in hochhackigen Pumps links und rechts auf die Schreibtischkante und spreizte die Beine, um Kamera und Kunden den Blick auf ihr intimstes Stück zu eröffnen, das, gemessen an der Enge unter dem Nadelstreifenrock, erstaunlich gut ausgeleuchtet war. Der Kunde trat einen Schritt näher und hielt sich an der Tischkante fest, um nicht in Ohnmacht zu fallen. Als er nach dem rechten Unterschenkel der Maklerin griff, wurde er sanft von der Assistentin gestoppt, die sich zwischen ihn und den Schreibtisch kniete. Während sie ihm Gürtel und Reißverschluss öffnete, befreite sich die Maklerin mit drei Handgriffen von ihrer Kostümjacke, unter der die großen Brüste ins Freie drängten, und begann sogleich, die Warzen mit je zwei Fingern zu kneten, während sie beobachtete, wie ihre Assistentin den Schwanz des Kunden auspackte. Der Kunde verdrehte stöhnend die Augen, als sich der rot bemalte Mund der Assistentin seiner Eichel näherte, und richtete den Blick wie ein Ertrinkender auf das immer noch zwischen gespreizten Schenkeln sichtbare und eindeutig feucht gewordene Geschlecht der Chefin, die sich selbst bediente. Die für Ada interessante Passage bestand in einem minutenlangen Blowjob. Sie ließ die Szene mehrmals zurücklaufen und erneut abspielen, studierte Kopf- und Körperhaltung der Assistentin und prägte sich den Winkel ein, in den sie den Schaft des Kunden zu ihrem Gesicht brachte, da die geometrischen Details dieser Technik etwas mit der Vermeidung von Würgereiz und Atemnot zu tun haben mussten. Am besten gefiel ihr der Moment, in dem die Assistentin den Schwanz mit einer Hand an der Spitze hielt, mit den Fingern der anderen einen Ring um die Wurzel schloss und die Zunge von unten nach oben daran entlanggleiten ließ. Die rauchigen Rundum-Service-Sprüche der Maklerin störten das Schauspiel mehr, als es zu befördern. Im Weiteren stritten die Frauen darüber, welche von ihnen den Fall zu einem gelungenen Abschluss bringen sollte, wobei die Assistentin, die Gefallen am Kunden fand und sich bereits kniend auf seinem rechten Fuß niedergelassen hatte, um sich an der Oberseite seines Lackschuhs zu reiben, der dominanten Chefin sogleich unterlag. Diese kam über den Schreibtisch gekrochen und brachte sich in Position. Der Rest ging wie von selbst, und danach war die Episode zu Ende.

Nach der siebten Wiederholung hatte Ada genug, die anderen Videokassetten blieben unangetastet in den weißen Einheitshüllen. Als die Jalousien in ihre Ausgangsposition brummten, flutete nervtötender Nachmittag ins Zimmer, und Ada fühlte sich förmlich bespuckt vom gelben Sonnenlicht. Sie verließ den Videoraum mit hochgezogenen Schultern wie ein Dieb, befahl sich auf dem Flur, den Rücken zu straffen und das Kinn hoch zu tragen, und verließ mit ihrer Tüte, die mit dem Logo des größten Buchhändlers der Stadt bedruckt war, das Schulgebäude.

Zu Hause konnte sie nicht anders, als sich rittlings auf der Kante ihres Bettes Erleichterung zu verschaffen, wobei sie den Kopf schräg hielt und ein Ohr zur Tür wandte, um den Schritt der Mutter auf der Treppe nicht zu verpassen. Danach schob sie die Plastiktüte hinter das Regal, schloss sich mit Balzac auf der Toilette ein und fragte nicht nach Gründen.

Olafs Entjungferung

Später wurde es schwieriger, die Frage zu vermeiden, ob sie genau das beabsichtigt hatte: Demontage und Kaputtschlagen aus blanker Zerstörungswut, aus Unfähigkeit, die Dinge so zu lassen, wie sie waren, vor allem, wenn sie gut oder auch nur erträglich schienen. Hier lag wohl die Grenze von Adas Apathie. Alles musste in Bewegung bleiben, voranschreiten, dem eigenen Untergang entgegen, weil es naturgemäß keine andere Richtung gab, für Menschen nicht und nicht für Dinge. Gegebenenfalls musste man nachhelfen, zum Beispiel mit einem Schlagring. Trat irgendwo ein Moment von Gleichgewicht und Stabilität ein, kroch gleich ein Zwang zur Verwüstung das Rückenmark hinauf, befiel die Gehirnwindungen, färbte die Gedanken, stellte Weichen und traf Entscheidungen. Ada wusste von der Existenz winziger Insekten, die sich in die Ganglien eines Wirtstiers setzen und dessen Körper bedienen wie ein Sternenkrieger sein futuristisches Fahrzeug. Das war die Herrschaft des Kleinsten über das Größte, die stets zerstörerischen Zwecken dient, während zum Erreichen des Guten immer das Größte dem Kleinsten diktieren muss. Oder vielleicht war es genau umgekehrt. Die meisten Fragen von Gewicht entpuppten sich bei näherer Betrachtung als ein rhetorisches Problem.

Im Nachhinein redete Ada sich darauf hinaus, es tue ihr am meisten für die Mutter leid, die sich den netten Olaf für ihr Mädchen gewünscht hatte und keine gewichtigen, sondern all jene leichten Fragen stellte, die Ada sich verbot: Will er nicht mal wieder kommen? Was ist denn mit ihm, wie geht es ihm? Habt ihr euch gestritten, seid ihr nicht mehr zusammen? Ada brachte es nicht übers Herz, ihr zu antworten, dass es niemals ein ›Zusammen‹ gegeben habe, sondern nur ein einigermaßen erfolgreiches Nebeneinander, und dass Olaf sie nicht mehr sehen wolle, weil sie ihm auf seiner Geburtstagsfeier einen geblasen hatte und er ihr seitdem nicht mehr ins Gesicht sehen konnte, als fürchtete er, die angetrockneten Überreste seines Spermas darin zu entdecken.

Mehr als alle Fragen verfolgte Ada in Wahrheit der Gedanke an Olafs Blick im entscheidenden Moment des Begreifens. Er hatte sie angesehen mit den Augen eines Tiers, das von der Hand seines geliebten Herrn niedergestochen wird, nachdem es ihm treu und vertrauensvoll auf die Schlachtbank gefolgt ist Das Bild dieses Gesichtsausdrucks wollte lebendig bleiben, es sträubte sich dagegen, in Stücke analysiert zu werden, es sträubte sich gegen eine Beerdigung auf dem Friedhof des Gewesenen und belästigte Ada mehrmals täglich mit seiner Wiederkehr. Es verlangte, eine echte Erinnerung zu werden.

Gefeiert hatten sie bei Rocket, der als Einziger der *Ohren* nicht mehr bei den Eltern lebte. Außer den *Ohren* und Ada kam keiner der Gäste von Ernst-Bloch. Sie waren Metaller und Dark Waver von verschiedenen Schulen der Stadt, alle langhaarig, alle entweder zu dünn mit knochigen Hüften oder zu dick mit fleischigen Gliedern, alle mit dunklen Ringen verwischter Wimperntusche unter den Augen. Es war Adas erste Party seit dem fatalen Sommerfest auf Nikolaus-Kopernikus, das sich für sie zu einer privaten Abschiedsfeier entwickelt hatte. Sie achtete darauf, wenig zu sprechen und gutartig dreinzuschauen und beruhigte sich mit der Feststellung, dass es ausgerechnet unter Metallern, die in der Regel harmlose, im Herzen tief bürgerliche Gemütsmenschen waren, kaum zu einer Situation kommen würde, die sich nicht auf sozialübliche Weise bewältigen ließ. Sie blieb in Olafs Nähe, stand neben ihm und lächelte, wenn er mit anderen sprach, trank wenig und hielt sich von den Musikboxen fern.

Um Mitternacht flüsterte Rocket Olaf ins Ohr, dass dieser

sein Geburtstagsgeschenk im Nebenzimmer erhalten werde, und zwar von Adas Hand überreicht. Olaf folgte selig, das Sektglas in der Hand, verwirrt von Bier und *Dream Theater* und den Rauchschwaden aus einem blauen Plastikeimer, der in der Mitte des Wohnzimmers zwischen ein paar Jungen und Mädchen stand und Geräusche von sich gab wie ein kaputtes Klo, sobald jemand am Gummischlauch saugte. Väterlich legte Rocket ihnen die Arme um die Schultern, schob sie in die kleine Schlafkammer und löschte das Deckenlicht. Olaf stand angetrunken unter der verloschenen Glühbirne, leicht schwankend und mit sichelförmigem Blick.

»Sechzehn«, sagte er. »Ada, jetzt bin ich sechzehn, das klingt so alt. Ich weiß noch genau, wie ich mich vor zehn Jahren fragte, was ich mit sechzehn einmal machen würde. Und was mache ich?« Er lachte. »Nichts!«

Was er sich denn damals vorgestellt habe? Das wusste er nicht. Mit Sicherheit nicht das, dachte Ada, was nun passieren würde.

»Wie geht es dir?«, flüsterte sie.

»Mir ist ein bisschen dunkel«, flüsterte er zurück.

Das war für immer der letzte frei gesprochene Satz, den sie von ihm zu hören bekommen würde.

Das wenige Licht im Zimmer kam von einer winzigen Klemmleuchte, die neben Rockets Matratze auf dem Boden lag, mit der Glühbirne zur Wand gedreht, so dass sie einen weißen, vollmondförmigen Kreis auf die Tapete malte. Offensichtlich besaß Rocket weder Kleidung noch Bücher; falls doch, bewahrte er sie woanders auf. An der langen Seite des Raums stand eine Phalanx leerer Bierflaschen in Reih und Glied wie braune Glassoldaten. Ein paar obligatorische Aschenbecher, natürlich überquellend, und drei elektrische Gitarren, die Rocket aus dem Wohnzimmer entfernt hatte, um sie vor der Party in Sicherheit zu bringen. Weil zwischen Tür und Matratze nur ein schmaler Streifen blieb, standen Ada und Olaf einander dicht gegenüber. Olaf lächelte strahlend. Er saß in seiner Unschuld wie in einer Raumkapsel.

Zerstören. Das luftleere Universum würde ihn gierig hinaussaugen.

»Wo ist mein Geschenk?«

Zu Hause hatte Ada geübt, ihr T-Shirt mit überkreuzten Armen und einer einzigen Bewegung über den Kopf zu ziehen. Darunter war sie nackt.

»Hier.«

Ein paar Sekunden lang starrte er sie verständnislos an, sah nicht auf ihren Körper, sondern nur in ihr Gesicht, bis etwas durchbrach, zusammenbrach, bis das Lächeln herunterfiel, als wären die Fäden durchtrennt worden, an denen es hing. Entsetzen streckte seine Tentakeln aus, gefolgt von Ablehnung, Trauer und schließlich Verzweiflung. Auf Adas Armen stellten sich die Haare auf.

Mit einem Ruck wies sie das alles von sich. Bis zu jenem Moment hatte sie Rührung empfunden, dazu etwas wie Mitleid oder Bedauern. Nun aber stieg der Adrenalinspiegel in ihrer Bauchhöhle, und sie begann Olaf zu hassen wie einen Hund, der die Ohren hängen lässt und mit eingeklemmtem Schwanz wedelt, während er geschlagen wird. Sein Blick suchte Halt an ihren Augen, die voller Nebel waren, rutschte schließlich ab und blieb an ihren Brüsten hängen. Ada griff ihm in den Schritt und merkte sofort, dass er reagierte, wie er sollte. Als sie auf den Knien lag und mit beiden Händen seine Gürtelschnalle öffnete, umfasste er ihre Handgelenke und versuchte, sie daran in die Höhe zu ziehen. Nicht, nein, Ada, bitte nicht. Sie hatte gewusst, dass sie stärker sein würde als er, sie war wütend, und er wehrte sich nur mit halber Kraft. Als sie die Hose offen hatte, ließ er die Arme sinken, legte den Kopf in den Nacken und schaute zur Zimmerdecke, wo es absolut nichts zu sehen gab. Sie zog ihm Jeans und Unterhose in einer dicken Rolle zu den Fußknöcheln hinunter. Alles war an seinem Platz. Weniger lang als im Film, das hatte sie erwartet, dafür von überraschendem Umfang. Ada brachte ihn mit einer Hand in die richtige Position, holte Luft und entspannte die Kehle, während sie ihn so weit wie möglich in den

Mund schob. Er füllte den Rachenraum aus, stieß ihr hinten an den Gaumen, so dass sie den Kopf ein wenig heben musste, um Luft zu bekommen und ihn nicht mit den Zähnen zu verletzen. Es war nicht unangenehm. Er war sehr warm. Sie würde die Sache ohne Probleme erledigen.

Es blieb wenig Zeit, darüber nachzudenken. Plötzlich klatschten seine Hände hart gegen ihre Stirn, er schob sie von sich und zog sich zurück, und als er seinen Schwanz gerade aus ihrem Mund herausgebracht hatte, spritzte er ab und traf sie mitten ins Gesicht. Es war ihr nicht gelungen, die Hände rechtzeitig hochzunehmen. Sie hielt die Augen geschlossen, während ihr sein Sperma von der Stirn und über die linke Wange lief, und tastete blind nach ihrem T-Shirt, um sich damit abzuwischen. Als sie die Augen wieder öffnete, kauerte Olaf neben ihr, seine Lippen und Kiefer bewegten sich, als ob er stumm ein widerspenstiges Knorpelstück zerkaute. Er nahm ihr das T-Shirt aus den Händen, wollte mit einem Zipfel ihren Mund betupfen und ließ es gleich wieder fallen. Er sprang auf und wäre fast gestürzt, während er Hose und Unterhose hochzog und gleichzeitig zu laufen begann. Sich mit beiden Händen den Gürtel schließend, verließ er das Zimmer wie ein Mann, der in aller Eile einen Klogang beendet.

Ada überlegte noch, wie sie mit schmutzigem T-Shirt und verschmiertem Gesicht ungesehen über den Flur ins Badezimmer gelangen sollte, als Rocket den Kopf zur Tür hereinschob. Er sah sie am Boden sitzen, erstarrte und trat schnell ein.

»Manometer«, sagte er anerkennend. »Zieh dir was über.«

»Er hat mich voll gespritzt«, sagte Ada, ihr T-Shirt wie ein *corpus delicti* in die Luft hebend. Rocket lachte.

»Das hätte ich unserem Kleinen gar nicht zugetraut.«

»Es war keine Absicht.«

»Verstehe.« Er dachte kurz nach, verschwand und kehrte gleich darauf zurück. Vom Türrahmen aus warf er Ada ein dunkles Kleidungsstück zu.

»Nimm das. Ein paar der Chicken tragen immer gleich mehrere übereinander.«

Ada entwirrte das Trägerhemd und zog es über. Rocket wartete, bis sie einigermaßen verhüllt war, fasste ihr Kinn mit einer kräftigen Linken, spuckte auf den Ärmel seines Hemds und rieb ihr Wangen und Mundwinkel wie eine Mutter, die das Gesicht des Kindes von Schokoladenresten befreit. Dann legte er ihr einen Arm um die Schultern und drückte sie an sich.

»Das ist ein dummer Junge«, sagte er. »Ein verdammt dummer Junge.«

Sie verließen gemeinsam das Zimmer. Von Olaf keine Spur. Die Party störte sich nicht an der Abwesenheit des Geburtstagskinds. Als Rocket ihr den Gummischlauch seines Plastikeimers reichte, öffnete Ada die Lippen und nahm ein paar tiefe Züge. Das Adrenalin verflüchtigte sich, die Schleusen waren leer, das Ereignis lag mehr als fünf Minuten zurück und gehörte damit jenen Bereichen der Vergangenheit an, mit denen man sich nicht weiter beschäftigen musste.

Als eine der Letzten verließ Ada das Geburtstagsfest. Der Mond steckte im Himmel fest wie ein Stück Falschgeld im Zigarettenautomaten, oxidierte in Minutenschnelle und war plötzlich verschwunden, heruntergebröselt oder doch noch vom Nachthimmel geschluckt. Hatte sie das wirklich gesehen? Wie ein Stück Falschgeld im Zigarettenautomaten. Das wollte sie ›An Selma‹ ins Buch schreiben, wenn sie es bis zum Morgen behalten konnte.

Es roch nach nächtlichem Regen. Ein Müllwagen bog um die Ecke und trank Mülltonnen auf ex. Hinter dem Dächerhorizont dämmerte es. Ada ahnte, dass Olafs Gesicht sie nicht schlafen lassen würde.

Die Füße zwischen die Streben des Geländers setzend, hangelte sie sich an der Wendeltreppe ins obere Stockwerk, um das Knacken der Stufen zu vermeiden. Sicher war die Mutter ohnehin wach und seit Stunden damit beschäftigt, auf Adas Heimkehr zu warten. Dass sie jetzt nicht aus ihrem Zimmer trat, um die Uhrzeit und den Verlauf der Nacht zu diskutieren, lag entweder an der Hochachtung vor Olafs Geburtstag oder daran, dass Ada schon verloren gegeben war. Bevor Ada im Hemd des fremden Mädchens zu Bett ging, flüsterte sie fast tonlos vor der Elternschlafzimmertür: Danke, Mutter.

Wo ist Olaf? – Ada versprach, es werde alles in Ordnung kommen. Wenn nicht die Sache mit Olaf und ihr, so doch wenigstens der ganze Rest der Welt. Die Sommerferien unterbrachen alle Abläufe und blockierten sämtliche Fragen. Ada begleitete den Brigadegeneral auf einer vierwöchigen Segeltour in der Adria.

Zu Beginn des neuen Schuljahrs kam Alev auf Ernst-Bloch.

Alev

Er war in der Nähe von Kairo geboren. Er hatte die Proportionen eines großen Mannes mit breiten Handgelenken, kräftigem Schädel und den Schultern eines Holzfällers, war dabei aber von geringer Körperhöhe. Seine Augen, deren Winkel wie bei einer Sphinx auf die Schläfen zielten, waren leicht geschlitzt. Die Brauen bildeten breite, schwarze, seitlich aufwärtsstrebende Striche, die Fingernägel der rechten Hand trug er lang und pflegte sie mit einer Feile. Sein Mund war groß und immer zum Lachen bereit. Plötzlich saß er auf Adas Platz direkt neben der Tür. Sie wechselte auf die andere Zimmerseite, zog sich in die hinterste Ecke zurück und setzte sich mit dem Rücken zur Fensterfront. Die Geographie des Raumes hatte sich verändert wie nach einer plattentektonischen Verschiebung, die Klassen waren aufgelöst und von Leistungskursstrukturen durcheinander geschüttelt worden. Willkommen in der Oberstufe.

Vorne stand Smutek und informierte den Kurs darüber, dass er ab jetzt verpflichtet sei, die Schüler zu siezen, falls sie nicht einstimmig das ›Du‹ erlaubten. Auf die Frage, wer auf dem förmlichen ›Sie‹ bestehe, herrschte ein paar Sekunden Schweigen, dann ging Alevs Finger im dramaturgisch perfekten Augenblick in die Höhe. Smutek warf einen Blick ins Klassenbuch.

»Sie sind neu. Herr El Qamar, nehme ich an? Sie ziehen es vor, gesiezt zu werden?« Alev kippte auf den hinteren Stuhlbeinen zurück, lehnte sich mit ausgebreiteten Armen an die Wand und lächelte breit wie ein Popstar, nachdem er zu Beginn der Show an den vorderen Bühnenrand gelaufen ist.

»Tak jest, panie Smutek«, sagte er.

Smutek gab sich keine Mühe, sein Erstaunen zu verbergen.

»Sie beherrschen die polnische Sprache?«

»Ich habe mich als Kind entschlossen, das Diktum Babels nicht zu akzeptieren«, sagte Alev. »Wie Sie bestimmt wissen, sind die meisten Dinge im Leben eine Frage des Willens. Des Willens zur Macht.«

»Inshallah«, erwiderte Smutek und erntete das Lachen all jener, die Alev auf den ersten Blick unsympathisch fanden. Ada merkte erst, dass sie ihn anstarrte, als sein Blick sie traf, frei und unbefangen und mitten ins Gesicht. Es war sofort klar, dass sie es war, die als Erste die Augen abwenden musste, wenn sie nicht wollte, dass sie am Nachmittag immer noch dort säßen, einander im geleerten Klassenzimmer fixierend wie Panther und Puma in getrennten Käfigen.

»Was hielten Sie davon, wenn wir uns auf ›Sie‹ und Vornamen einigten?«

»Einverstanden.« Alev nickte ernsthaft, ließ sich samt Stuhl wieder nach vorne fallen und tat so, als notierte er etwas in seinen Unterlagen. »Alev mein Name. Hinten mit ›V‹ wie Vanitas.«

»Wenn Sie gerade dabei sind, sich vorzustellen«, sagte Smutek, »fahren Sie doch gleich fort und erzählen uns ein bisschen über sich selbst.«

»Gern.« Er beendete seine angeblichen Notizen, schraubte die Kappe auf den schweren Mont Blanc jenes Typs, mit dem Teuter sich gegen die Zähne zu klopfen pflegte, und erhob sich. Die Hände stellte er mit steif abgespreizten Fingern wie kleine, fünfbeinige Tiere auf der Tischplatte ab.

»Alev El Qamar, Halb-Ägypter, Viertel-Franzose, aufgewachsen in Deutschland, Österreich, Irak, den Vereinigten Staaten und Bosnien-Herzegowina, derzeit wohnhaft in einer Godesberger Pension. Achtzehn Jahre, zehn Schulen, kein Rausschmiss, zweimal sitzen geblieben. Warum ich in dieser Stadt und auf Ernst-Bloch gelandet bin, habe ich selbst nicht hundertprozentig verstanden. Ich denke, dieses Institut steht im Ruf einer Wiederaufbereitungsanlage für verlorene Seelen.«

In der Klasse wurde gelacht. Alevs Körperenergie war enorm, er hatte eine Ausstrahlung, die einen Raum von dieser Größe mühelos beherrschte; selbst vor fünfmal größerem Publikum hätte er nur die Arme ausbreiten müssen, um denselben Effekt zu erzielen. Er stand in der Haltung eines geübten Redners, das Gewicht des Oberkörpers schwer auf die Arme gestützt, langsam wippend, sich neigend und aufrichtend mit der Melodie der eigenen Sprache wie ein Klavierspieler vor seinem Instrument. An betonten Stellen ging er in die Knie, brachte den Schwerpunkt hinter die Senkrechte und balancierte einen Moment auf den Fersen, bevor er sich wieder aufrichtete und dabei um zehn Zentimeter zu wachsen schien. Der ganze Leib war Sprechwerkzeug. Die Prinzessinnen musterten ihn schamlos mit leicht offen stehenden Lippen, fuhren mit Blicken an den Nähten seiner beigefarbenen Hose hinauf, maßen Breite der Handgelenke und Halsumfang, prüften die Temperatur seiner Augen wie das Wasser eines Badesees, wühlten im krausen Haar, das die Farbe, Länge und Struktur von Schamhaaren besaß. Die Jungen saßen zurückgelehnt mit verschränkten Armen und bemühten sich, weil es auch in ihnen um Alevs Aufmerksamkeit buhlte, um äußere Versteinerung. Nach wenigen Minuten bestand kein Zweifel mehr daran, dass er zu jenen Wesen gehörte, denen die Menschen gehorchen wie das Wasser den Worten des Hexenmeisters.

»Hobbys: Nachdenken, Atheismus, leichte Drogen. Gute Eigenschaften: Keine, jedenfalls keine menschlichen. Schlechte Eigenschaften: Auch keine, jedenfalls keine unmenschlichen. Ich freue mich, hier zu sein. Vielen Dank.«

Smutek wies darauf hin, dass einige von Alevs Hobbys ganz besonders auf dem Gelände von Ernst-Bloch verboten seien, und hieß ihn willkommen.

Während Smutek weitere einleitende Sätze zum Schuljahresbeginn sprach, bemerkte Ada, dass Olaf beobachtete, wie sie Alev beobachtete. Es entstand ein Delta aus Blickachsen zwischen drei Ecken des Raums: Vor Olaf spreizte sich der rechte Winkel, zwischen Ada und Alev schnitt die Hypotenuse das Klassenzimmer in zwei gleich große Teile. Smutek war in die vierte Ecke getreten, um in seiner Tasche auf der Fensterbank nach der Literaturliste zu suchen.

Die restliche Stunde über hockte Alev friedlich auf seinem Platz und machte nur einmal den Mund auf, um einen Vorschlag zur Auswahl möglicher Texte beizusteuern, die im Deutschleistungskurs besprochen werden sollten. *Der Mann ohne Eigenschaften.* Smuteks Miene hellte sich auf, als wäre die Sonne an einem Morgen in Zielona Góra über die Bergkämme gekrochen, um ihn mit ihrem ersten Licht zu küssen. Mir scheint, Sie pflegen mehr Hobbys, als Sie uns verraten haben. Nein, Herr Smutek, nur die genannten. Alles andere sind Obsessionen.

In der Pause stand Alev auf dem Flur von einer Gruppe Prinzessinnen umgeben, ein paar Jungen bildeten einen widerwilligen äußeren Ring. Ich kann behaupten, an allen Orten gewesen zu sein, die von den Amerikanern während der letzten fünf Jahre bombardiert worden sind. Ada ging vorbei, eine Zigarette drehend, und zwang ihre Schritte den Gang hinunter Richtung Mädchenklo. Sie fühlte sich, als hätte sie etwas Falsches gegessen. Etwas war passiert, etwas passierte, etwas würde passieren. Ich freue mich, Sie in meinem Deutschleistungskurs zu sehen, hatte Smutek ihr nachgerufen, als sie den Raum verließ. In ihrem Kopf warf die American Air Force Bomben auf staubige Städte, in ihrem Kopf nahmen Army und Navy verwaiste Gebiete ein, in ihrem Kopf wurde gerannt, geschrien und gestorben.

Etwas gerät aus der Ordnung, ohne sich fassen zu lassen; es folgen taube Wochen

Die folgenden Wochen vergingen in seltsam tauber Routine. Sie bestanden aus einer Aneinanderreihung von Tätigkeiten, die die Menschen mechanisch ausführten, obwohl sie an ihren Sinn und Nutzen nicht mehr zu glauben schienen. Den ganzen August über hatte eine infernalische Hitze ihnen die Köpfe verbrannt. Nach dem Flutjahr 2002 wirkte die Dürre 2003 wie ein weiterer biblischer Vorbote des Jüngsten Gerichts, auch wenn sie vielleicht nur zu jener Sorte von Wettererscheinungen gehörte, die vor einem Hintergrund aus klimatisierten Familienkombis und atmungsaktiven Sportjacken wie groteske Bedrohungen wirken mussten. Jedenfalls war auch in diesem Jahr die Welt wieder nicht untergegangen, und die europäische Menschheit taumelte betäubt von der Ruhe nach einem verpassten Sturm auf ihrem Stück des Planeten umher. Schulhöfe, Straßenkreuzungen, Einkaufszentren und Kaffeeküchen waren zur Ausstattung einer Versuchsanordnung geworden, in der die Laborratten taten, was man von ihnen verlangte. Irgendjemand hoch oben machte sich Notizen.

Smutek versammelte fünfzehn Schüler zur ersten Staffel von freiwilligen Trainingseinheiten auf der neuen Laufbahn. Sie saßen im Gras, das ihnen Muster in die Unterseiten der gegrätschten Beine drückte, dehnten verkürzte Sehnen, hielten einander an den Fußknöcheln fest und falteten die Körper mit den Bauchmuskeln zusammen. Sie trabten als fußlahme Herde von Nachzüglern ohne Vorreiter rings um die Bahn, auf der das Laufen trotz des frischen Tartanbelags nicht weniger anstrengend war.

Obwohl Smutek sich freute, dass so viele Schüler teilnehmen wollten, fühlte er sich bei ihrem Anblick müde und leer. Er begann sich zu fragen, ob das die Belohnung für den ganzen Ärger sei, für Streit mit Teuter, für Konferenzen und Diskussionen und zähe Planungsgespräche, bei denen er sich in Gründers Büro über eiförmige Zeichnungen auf Millimeterpapier gebeugt hatte. Smutek fühlte sich wie die übereifrige Laborratte, der alle Prämien und Zuwendungen gekürzt werden, um zu sehen, ob sie ihre Anstrengungen einstellt oder nicht. Es würde Monate, wenn nicht Jahre dauern, bis sich diese Kriechtiere in eine Herde junger Gazellen verwandelt hatten.

Ada war entgegen ihres Versprechens nicht gekommen. Smutek glaubte nicht, dass sie die Lust verloren hatte, und auch nicht, dass sie ein Mensch war, der leicht wortbrüchig wurde. Er glaubte, dass etwas nicht stimmte, dass die Menschen in diesen Tagen von Außerirdischen ferngesteuert wurden, dass eine Gaswolke über der Stadt lag, die sie alle langsam vergiftete. Teuter hatte ihn seit Ende der Ferien kein einziges Mal in sein Büro gebeten. Frau Smutek war einsilbig und schob ihn von sich, wenn er mit ihr schlafen wollte. Höfi wirkte zwar auf den ersten Blick völlig normal, wenn er mit einem Stapel Bücher unter dem Arm, die er mit Sicherheit nicht für den Unterricht brauchte, halslos durch die Gänge krabbelte. Aber er sprach seit Tagen nur noch vom versäumten Moment der Revolte, vom verpassten Epochenende und vertrödelten Umsturz und davon, dass sie alle wie Fahrgäste, die den Moment zum Umsteigen verschlafen hatten, in einem Zug säßen, der mit dem Schild ›Dienstfahrt‹ auf der Stirn ins Nirgendwo brauste. Wünschte man ihm auf dem Gang einen guten Morgen, begann er sogleich einen Kurzvortrag: Spätestens alle fünfzig Jahre gebe es auf diesem Kontinent eine soziale Katastrophe. Krieg oder Revolution oder beides. Man sei überfällig. Daher das Vakuum. Wo nichts ende, könne nichts beginnen. – Man ließ ihn stehen.

Die *Ohren* probten im Fahrradkeller. Die *Ohren* trafen sich in den Pausen. Ada sprach mit niemandem und rauchte allein auf dem Mädchenklo. Seit neuestem sah man sie gelegentlich nach Ende der Schulstunden am unteren Ende der Freitreppe stehen, eine Stufe oberhalb von Alev, mit dem sie sich bedächtig unterhielt. Das wiederum gefiel Smutek nicht. Obwohl oder weil Alev als wahrscheinlich erster Schüler in der Geschichte von Ernst-Bloch den *Mann ohne Eigenschaften* gelesen hatte, blieb er verdächtig. Er hatte die Intelligenz und Härte eines Wahnsinnigen an sich.

Tagelang spürte Smutek überdeutlich, dass niemand in der Nähe war, mit dem er reden konnte. Seine Studienfreunde waren in Berlin geblieben oder ins Ausland gegangen. Eigentlich hätte er auch nicht gewusst, was er ihnen erzählen sollte. Sie kannten Ada nicht und hätten nicht verstanden, was es bedeutete, wenn die einzige Schülerin, die laufen konnte, nicht an der neu gegründeten Leichtathletikgruppe teilnahm. Sie hätten nicht verstanden, dass Smutek einen Sinn im Leben suchte. Sinnsuche, die man bei sich selbst für ein legitimes Anliegen hält, wirkt bei anderen Menschen überdreht und verrannt.

In diesen Tagen ließ sich vielfach beobachten, wie Passanten zielstrebig eine Straße hinunterkamen, plötzlich stehen blieben, als wäre ihnen etwas Wichtiges eingefallen, einige Momente lang in die Luft über ihren Köpfen lauschten oder den Boden unter den Füßen mit kritischen Blicken betrachteten, schließlich auf dem Absatz kehrtmachten und in die Richtung davongingen, aus der sie gekommen waren. Etwas war aus der Ordnung geraten, und es gab nichts und niemanden, keinen Menschen, keinen Ort, keine Idee, keinen Zeitpunkt und keine Überzeugung, wohin Smutek sich hätte wenden können.

Ada will mit Olaf reden und erzählt ihm stattdessen vom menschlichen Bewusstsein

Es wird dich nicht beeindrucken, aber es ist das erste Mal in meinem Leben, dass ich jemanden um eine Unterredung bitte.«

Mit diesen Worten begann Ada das Gespräch, nachdem sie Olaf auf dem Weg zur Bandprobe abgefangen hatte. Die Route, die er über den Parkplatz nahm, kannte sie auswendig, immer die gleiche Abfolge von rechts und links zwischen den Reihen parkender Autos. Jetzt standen sie im Schatten eines Kleintransporters und sahen aneinander vorbei.

»Das glaube ich dir aufs Wort.«

Er sagte es mit so verbissener Ironie, als hätte Ada mit den einleitenden Worten die finstersten Seiten ihres Charakters offenbart und damit im Voraus alle Fragen beantwortet, so dass sie beide sich ebenso gut wieder trennen und ihrer Wege gehen konnten.

»Vielleicht gelingt es uns, ein paar Minuten normal miteinander zu reden.«

Gegen ihre Ruhe kam er nicht an. Sie wirkte nicht einmal unterkühlt, sondern mehr wie das Ergebnis bedürfnisloser Geduld. Ada war nicht zum Zweck einer Abrechnung gekommen, sie wollte nichts kitten, keine Wiedergutmachung, weder Versöhnung noch Rache. Sie wollte etwas wissen. Das nahm Olaf den Wind aus den Segeln und ließ ihn von neuem die zähe Trauer spüren, von der er geglaubt hatte, sie sei im Lauf der Ferien unter der Hitze vertrocknet wie eine Schnecke ohne Haus.

»Okay«, sagte er. »Was gibt's?«

»Ich würde dich gerne fragen, was passiert ist, aber für

diese Frage war es schon vor sechs Wochen zu spät, und jetzt könnte ich mich nur noch lächerlich machen. Stimmt's?«

»Das stimmt.«

»Gut. Stattdessen möchte ich wissen, warum du meinen Anblick nicht mehr erträgst, während du Rocket weiterhin in jeder Pause treffen und mit den *Ohren* proben kannst, als wäre nichts geschehen.«

Olaf schaute zu Boden. Diese Frage hatte er sich selbst einige Male gestellt, und er wusste, dass Ada ihm das ansah.

»Es war Rockets Idee«, sagte sie.

»Ich weiß.«

Die richtige Antwort lautete: Es ist so, wie es ist. Das menschliche Gefühl ist kein Geburtsort der Gerechtigkeit. Ada stand auf der anderen Seite einer kilometertiefen Schlucht, Olaf konnte nicht mehr zu ihr hinüber, ein Versuch hatte nicht den geringsten Zweck. Weil er nicht wusste, was er ihr sagen sollte, wählte er die Wahrheit.

»Ich hatte geglaubt, wir seien Freunde.«

»Das waren wir. Und?«

Aber die Wahrheit war ein Fisch, der sofort starb, wenn man ihn aus der Flüssigkeit herausnahm, in der er schwamm. Was du getan hast. Und als wir uns. Weißt du nicht mehr, was damals passiert war. Wie du geweint hast. Wie Joes Rächer dich angefasst haben.

»Was du gemacht hast«, sagte er laut, »gehört zu den Dingen, vor denen ich dich beschützen wollte. Das hatte ich mir vorgenommen.«

Jetzt verstanden sie beide. Ada hatte sich unwillkürlich abgewandt, als wollte sie weglaufen, blieb aber stehen und lehnte sich gegen die Seitentür des Transporters, der warm war von der Sonne wie ein lebendiges Tier. Plötzlich schauten sie sich an, ganz unmittelbar, als wäre nichts Trennendes zwischen ihnen, keine Mauer, keine Luft, nicht einmal Haut, Fleisch, Blut und Knochen. Olaf war älter geworden. Wahrscheinlich hatte er innerhalb weniger Wochen ein paar Jahre zurückgelegt, und was er empfand, waren nicht Trauer oder

Verzweiflung, sondern Wachstumsschmerzen und das nervtötende Sausen beschleunigter Zeit.

»Was bist du denn für ein Mensch?« Er schluchzte fast.

»Wonach fragst du mich da?«

»Ich weiß nicht. Was denkst du. Was fühlst du. Hast du Gedanken und Gefühle?«

»Fragst du nach meinem Bewusstsein?«

»Von mir aus auch das.«

Zitterte er? Aus Gründen der Logik müssen wir annehmen: Er zitterte bestimmt. Die ersten Erfahrungen mit den hermetisch geschlossenen Grenzen zwischen Menschen sind hart. Langwierige Verhandlungen von Freizügigkeitsabkommen werden meist nur im Anschluss an große Krisen aufgenommen, und bis dahin steht der Mensch da, weiß nicht, ob er als Herdentier oder Einzelgänger zur Welt gebracht wurde und muss seine diesbezügliche Verwirrung auch noch vom Schandbegriff ›Pubertät‹ banalisieren lassen. Olaf zitterte, weil ihm gar nichts anderes übrig blieb.

Der richtige Augenblick, falls ein solcher zwischen ihnen noch vorrätig war, ging vorbei, während sie schweigend nebeneinander herumlungerten. Olaf schob mit einer Geste, die er vor dem Spiegel einstudiert hatte, die Lippen vor und steckte eine Haarsträhne im Pferdeschwanz fest. Ada zog den Blick aus seinem Gesicht wie ein Messer aus einem Stück Butter, legte den Kopf in den Nacken und hielt nach ziehenden Wolken Ausschau. Es gab keine ziehenden Wolken. Der Hochsommer lag im Sterben, der Himmel war blass wie von einer Kreislaufstörung, ein ungesunder Wind rieselte in kleinen Stößen durch das Gebüsch am Straßenrand.

»Stell dir ein leeres Zimmer vor«, sagte sie schließlich. »Möbliert, offensichtlich benutzt, auf dem Nachttisch drei aufgeschlagene Bücher, ein abgegessener Teller neben der Computertastatur. Der Schreibtisch am Fenster, das Fenster gekippt. Getragene Hemden über der Sessellehne. Vielleicht, in Extremfällen, läuft ein Radio oder Fernsehgerät. Die Tür steht einen Spalt offen. Du schaust hinein und versuchst dir vorzustellen, wer hier lebt. Einiges wirst du schnell herausfinden. Das Geschlecht der Person, ihr ungefähres Alter, möglicherweise den Beruf. Manches ist schwer zu erkennen, anderes überhaupt nicht. – DAS …«, Ada hob die Stimme wie ein Prediger, »nämlich der Blick in dieses Zimmer, das ist die Frage nach dem Bewusstsein.«

Wie Franziskus hatte sie hinauf zu den Vögeln gesprochen, die im diesigen Hellblau kreisten und viel zu weit weg waren, um ihr zuzuhören. Als sie den Kopf wieder senkte, blieb ihr Blick an Olafs Stirn hängen wie ein altes, schlecht haftendes Stück Klebeband.

»Okay«, sagte er. »Tschüs, Ada.«

Und ließ sie stehen. Trottete mit schlaksigem Gang, der immer noch dem kleinen Jungen gehörte, der vom Fußballspielen nach Hause kommt, auf gewohntem Zick-Zack-Kurs zwischen den Autos Richtung Fahrradkeller, und die Bassgitarre saß ihm wie ein schwarzer Dämon im Rücken.

Es war zu heiß zum Laufen, viel zu heiß. Schweiß trat bei der kleinsten Bewegung aus den Poren an Rücken und Stirn. Während Ada und der Brigadegeneral auf der Adria kreuzten, hatten deutsche Zeitungen wochenlang die Dürre besungen, das Verderben der Ernte und Vertrocknen der Wälder, das Schreien der Kinder und Sterben der Alten. Schließlich waren sie des Wehklagens müde geworden; möglicherweise war es auch dafür zu heiß.

In Kroatien hatte niemand geklagt. Dafür brannten die Küsten. Schwarze Wolken verdunkelten gleißende Nachmittage und imitierten ein nahes Gewitter, von dem keine Rede sein konnte. Offene Flugzeuge, klein wie Zeichentrickminiaturen in einem Cartoon, stachen zu zweien oder dreien in die giftigen Wände aus Asche und Rauch, entleerten nah überm Boden das Innere ihrer Bäuche direkt in die Flammen und kehrten aufs offene Meer zurück, um beim kurzen Eintauchen die Wassertanks zu füllen. Es waren nur Tropfen auf glühenden Steinen, sie unterbrachen die Linien des kniehohen Feuers nicht, das kilometerlang über die Hänge des

Karstgebirges marschierte. Es vergingen zwei Wochen des Segelns, in Takte geschnitten durch kurze Landgänge zum Einkaufen von Milch und Brot; vierzehn Tage, die Ada und der Brigadegeneral schweigend verbrachten, abgesehen von einzelnen Wörtern zur Verständigung, einander zugerufen mit abgewandten Gesichtern, und vierzehn Nächte, in denen sie selbst gefangene Fische auf dem schmalen Achterdeck grillten, Weißwein aus einem Zehnliterkanister tranken und dabei redeten und redeten, als müssten alle verpassten Sätze, nicht formulierten Gedanken, halb vergessenen Begebenheiten und nicht gerissenen Witze des letzten Jahres zusammengetrieben werden wie eine verirrte Rinderherde, die schließlich in großer Stampede in die vorgegebene Richtung braust.

Dann wollte Ada laufen, und der Brigadegeneral versuchte gar nicht erst, es ihr auszureden. Sie suchten ein Küstenstück, das nicht brannte, und gingen bei Trstenik vor Anker. Ada durchquerte den kleinen Hafen, lief längs der Küste in die Weinberge und zwischen niedrigen Rebstöcken auf felsigen Wegen immer Richtung Südosten, unter einer Mittagssonne, die diesen Namen kaum noch verdiente, die als weißglühender Stein viel Platz auf dem Himmel einnahm und die metallisch glänzende Oberfläche des Meeres, hellhäutige Felsen und schwergrüne Pinienballungen mit tausend Zungen beleckte. Nach anderthalb Stunden, als ihr das Blut mit Hämmern gegen die Schädeldecke schlug, drehte sie um und kehrte in leichtem Trab am Rand des Fahrwegs auf der Anhöhe in die Stadt zurück.

Am Abend war ihr Körper dicht an dicht mit stecknadelkopfgroßen Wasserblasen bedeckt, die platzten, wenn sie mit den Fingerspitzen darüber strich, und so sehr nässten, dass Brust, Rücken und Schultern ständig feucht waren, als wäre sie gerade aus der Dusche gestiegen. Die Lymphknoten schwollen, und nach dem Essen erbrach Ada den selbst gefangenen Fisch über die Reling. Der Brigadegeneral trug sie zu ihrer Koje, sagte nichts und deckte sie zu. Sie hatten einander stets respektvoll behandelt, schon damals, als er in die Familie eintrat und Ada noch ein kleines Mädchen war. Wahrscheinlich hatte er ihr höflich den Kopf gestreichelt und sie zuvorkommend zum Kinderarzt gefahren. Es dauerte vier Tage, bis Ada sich vom Hitzeschock erholt hatte.

Jetzt war es fast ebenso heiß wie vor drei Wochen an der Adria, und Ada wollte etwas Ähnliches nicht noch einmal erleben. Aber die Sportschuhe steckten sichtbar in den Seitentaschen des Armeerucksacks, den sie sich zum Schuljahresbeginn gekauft hatte, und in ihrem Kopf begann Olafs Antlitz mit dem gekränkten Hundeblick sich um sich selbst zu drehen wie Wasser über dem offenen Abfluss, es brauchte nur noch einen kleinen Todesstoß. Ada überquerte die Straße bei Rot, drang im Laufschritt in den Park ein und war schon außer Atem, als sie Smuteks neue Tartanbahn erreichte. Der frische Belag warf das Sonnenlicht zurück, die weißen Streifen der Spurbegrenzungen schmerzten in den Augen. Falls das menschliche Bewusstsein ein leeres Zimmer war, gingen in diesem die Jalousien herunter und das Licht aus, als Ada zu rennen begann.

Die tauben Wochen dauern an.
Ada hat Probleme mit der Großen Liebe.
Das Erbe der Postmoderne ist ein Haufen
übereinander rutschenden Zitatenschutts

Sechs Wochen gestand Ada sich zu, bevor sie eine Entscheidung treffen wollte, und am Fristende hatte sich nichts, absolut nichts verändert. Eine Entscheidung setzte zwei Optionen voraus, zwischen denen man wählen konnte, und Ada war nicht mal eine Möglichkeit in den Sinn gekommen. Sie fühlte sich krank. Morgens nach dem Aufstehen wurde ihr schlecht, und weil sie schwerlich mit Mund und Wangen ein Kind von Olaf empfangen haben konnte, dachte sie darüber nach, ob im weiteren Verlauf der Geburtstagsfeier etwas passiert sein könne, an das sie sich nicht erinnerte. Mehr als unwahrscheinlich. Die andere Erklärung war ihr bei weitem unheimlicher als eine Schwangerschaft. Kinder konnte man abtreiben, Besessenheiten nicht.

Sie befürchtete, dass die Ursache für ihren Zustand in den täglichen Begegnungen mit Alev bestehe, dass seine Nähe sie krank mache wie die Nähe des verkleideten Teufels einen klugen Hund, der sich winselnd hinter der Tür verkriecht, weil seine Instinkte besser funktionieren als die seines Herrn. Beständig stürzten ihre Gedanken sich auf Alev, als hätten sie nur darauf gewartet, endlich einen Gegenstand zu finden, den sie umkreisen durften wie ein Fliegenschwarm frischen Kot, begierig, sich niederzulassen, zu naschen, zu streiten, wieder aufzusteigen. Wo kam er her, wo ging er hin, wie war er drauf. Der Gedanke an ihn war ein Ohrwurm, der sich nicht vertreiben ließ. Mit einem Mal fehlte es ihr an Themen und Fragen, über die sie grübeln konnte; plötzlich vermisste sie all die Erinnerungen, die sie bekämpft hatte. Nichts war in

Reichweite, das Ablenkung versprach. Das Heer toter Autoren, deren Bücher sie zu lesen pflegte, unterlag kampflos einem einzigen Feind. Wenn sie mit einem Werk von Balzac auf dem Rand der Badewanne saß, entstand kein Bild vor ihrem geistigen Auge, kein festlicher Ball, kein Kerzenlicht auf runden Frauenschultern, kein toter Vogel, der zum Servieren wieder im eigenen Federkleid steckte. Das alles war lächerlich, das alles besaß nicht die geringste Bedeutung. Gleich nach dem ersten Schultag war Ada vor die Bücherregale getreten und hatte auf Anhieb gefunden, was sie suchte: den *Mann ohne Eigenschaften*. Ihn las sie Wort für Wort, schaffte wenige Seiten in der Stunde, und es war Alevs Stimme, die aus dem Buch zu ihr sprach.

Selbst zum Laufen fühlte sie sich zu schwach. Von Smuteks neuer Trainingsgruppe hatte sie gehört, aber sie fand auf einem fernen Planeten statt. Seit neuestem wohnte hinter ihrer Stirn ein Schmerz, der bei jeder Bewegung aufbrauste und erst wieder abebbte, wenn sie still saß. Er schien von einer vergifteten Stelle herzurühren, um die der Körper wie die Auster ums Sandkorn eine harte Schale zu bilden versuchte. Dort saß das Zentrum allen Übels, ließ sich von Schlägen mit dem Handballen nicht beeindrucken und färbte die Welt in einem neuen Ton. Mit diesem veränderten Blick ertrug Ada den Anblick des eigenen Körpers nicht mehr. Plötzlich war die Haut im Gesicht und an den Schultern von kleinen und mittelgroßen Pickeln besetzt, und bei genauer Betrachtung gab es kaum eine Pore an Stirn und Wangen, die nicht krank aussah, Fehlfunktionen ausführend, anstatt unauffällig und klein an ihrem Platz zu sitzen und die Gesamtabläufe nicht zu stören. Die Haare fielen aus und kitzelten an Rücken und Seiten unter der Kleidung, weiter unten produzierten die Nagelränder zu viel Haut, die es mit Zähnen und Fingernägeln abzureißen galt, und die Schleimhäute der Nase bildeten Verkrustungen, die alle paar Stunden entfernt werden mussten. Wenn Ada auf die Toilette ging, wischte sie sich mit meterlangen Bahnen von Klopapier den Hintern ab, weil der Vorgang nicht ordentlich abschloss und immer etwas hängen blieb. Überhaupt war sie im Ganzen für ihre Größe zu schwer. Alles an ihr war robust und kräftig, gemacht für ein Wesen, das täglich gebückt durchs Unterholz rennt und sich das Futter mit bloßen Händen fängt. Arroganz hatte sie immer daran gehindert, dem eigenen Körper mehr als die nötigste Beachtung zu schenken. Nun kam die pausenlose Selbstbeobachtung im Schlepptau der Gedanken an Alev.

Es ärgerte sie, dass jeder neutrale Beobachter, sie selbst eingeschlossen, die klassischen Symptome der ersten Großen Liebe an ihr diagnostizieren musste. Sie spürte förmlich klopfende Hände auf den Schultern: Bleib ruhig, Mädchen, das geht vorbei. Man kann ohnehin nichts dagegen machen. Genieß es. Friss oder stirb. Ada wusste sogar, dass jede erste Große Liebe sich standhaft weigerte, als solche zu gelten, und dass sie mit Erklärungen und Entschuldigungen bewehrt war wie ein Igel mit Stacheln.

X war neu auf der Schule und bekam das Pult dicht bei der Tür. Y saß am Fenster, und als ihre Augen sich trafen, dachte Y: Gut, dass ich heute meine neuen, knallengen Jeans und die orangefarbene Bluse angezogen habe. Denn in diesen Sachen sah Y wirklich süß aus.

So nicht, so keinesfalls. Jede Große Liebe nahm sich selber ernst, war anders, als es die Vorurteile versprachen, war schädlich, gesundheitsbedrohend oder Schlimmeres. Und Ada wusste, die höchstmögliche Stufe paradoxer Erkenntnis erklimmend, dass die Große Liebe genau in diesem Anderssein alle Kriterien des Schemas erfüllte. Aber auch wenn im Zeitalter der Zitate die Wirklichkeit längst angefangen hatte, ihre Abbilder zu kopieren; auch wenn glückliche Schicksale und schreckliche Tragödien unzählige Male vorgelebt worden waren in Büchern und Filmen und nur noch als Reproduktionen, als Plagiate oder Parodien existierten; wenn inzwischen alles als etwas identifizierbar war und man beim Herumirren im Spiegelkabinett nur noch zufällig über Wirkliches stolperte, sich die Zehen blutig stieß und ausrief: Nanu, das war kein Zitat, das lag im Weg!; wenn es beim Auffüllen der gängigen Muster nur noch so viel Freiraum gab wie beim Malen nach Zahlen – was Ada erlebte, war dennoch anders. Es war nicht die Große Liebe.

Vielmehr war Ada hinter etwas her, das Alev gehörte. Vielleicht war ein Irrtum unterlaufen in den jahrtausendeweiten Vorausberechnungen der Menschheit, vertauschte DNA, ein Pfusch am Kunden, und nun besaß Alev jene geheimnisvolle Aura, jene nicht unmenschliche, nicht übermenschliche, aber gewissermaßen antimenschliche Fehlerlosigkeit in allen seinen Bewegungen, die Ada gleich in erster Sekunde für sich selbst reklamiert hatte. Rings um ihn lag ein Territorium, das ihr den einzig möglichen Platz zum Leben versprach. Wofür sie einen solchen brauchte, begriff sie selber nicht. Wer keinen Baum pflanzte, brauchte keine Erde, und wer kein Haus baute, keinen Stein. Fest stand allein, dass sie etwas wollte, das Alev sein Eigen nannte. Das war nicht Liebe, sondern Annexionsbestreben auf den ersten Blick.

Näher kam sie an das Problem nicht heran. Es reichte so schon, um keine ruhige Minute mehr zu haben. Ein paar von Smuteks Theorien zum Großen Stillstand hätten ihr Erleichterung gebracht: die Sackgasse im Zeitstrahl, ein chaostheoretischer Stau im Kreisverkehr der Schicksale, postkoitale Traurigkeit nach vollzogener Millenniumwende – denn nichts ist schöner als überindividuelle Verantwortlichkeit. Zu diesem Zweck hat Gott das Wetter erfunden.

Ada macht sich an Alev ran

Das Wetter aber war nach Jahrhundertflut und Jahrtausendsommer in philiströse Bahnen zurückgekehrt. Der elfte September jährte sich zum zweiten Mal, der Irakkrieg wurde nach seinem offiziellen Ende inoffiziell fortgesetzt, und Schröder verlor an Beliebtheitsprozenten, weil er der Hitze nicht mit Bundeswehrtruppen auf den Hals zu rücken verstand. Anfang Oktober lagen die Temperaturen bei durchschnittlichen fünfzehn Grad. Es war für die Jahreszeit weder zu warm noch zu kalt. Das Wetter lieferte keine Alibis.

Da es keine Entscheidungsmöglichkeiten gab, tat Ada, was sich ohne Entscheidung tun ließ: Sie hielt sich in Alevs Nähe. Im Gegensatz zu früheren Gewohnheiten erschien sie pünktlich zum Unterricht, lehnte im Flur neben der Klassenzimmertür, ein Bein angewinkelt, die Stiefelsohle gegen die Wand gestellt, und las in der Zeitung, bis Alev den Gang hinunterkam. Meist folgte ihm eine Eskorte von Mädchen und Jungen, die sich einen halben Schritt hinter ihm hielten und seinen Worten lauschten. Es beruhigte Ada zu sehen, dass es selten an zwei aufeinander folgenden Tagen dieselben Verehrer waren. Wenn Alev an ihr vorbeiging, grüßte er sie mit ausgesuchter Höflichkeit, und manchmal blieb er stehen und beendete einen Vortrag, der seinem Gefolge galt, mitten in ihr Gesicht.

»Ada.« Sie hatte ihm ihren Namen niemals genannt. »Das Schöne am Leben ist, dass es nichts mehr zu verlieren gibt, wenn man einmal akzeptiert hat, dass es früher oder später zu Ende geht. Dunkelheit, Geburt, Fressen, Ficken, Kämpfen, Fade Out. Solange wir daran nichts Schlimmes finden, gibt es absolut nichts zu fürchten. Die größte Gabe des Menschen ist seine Fähigkeit zum Freitod. Frei durch Tod. Wenn uns etwas nicht passt, können wir gehen. Wo soll das Problem sein?«

Ada hatte das deutliche Gefühl, dass er nur über sie beide sprach, und verschränkte die Finger hinter dem Rücken an der Wand, um nicht versehentlich eine Hand nach ihm auszustrecken.

»Im Sinn vielleicht?«, fragte sie ironisch.

Bislang hatte sie jede Bemerkung, die sie in seine Richtung schickte, nur mit Hilfe von Ironie herausgebracht. Alev reagierte nicht darauf. Meist fand er es besser, die Waffen seines Gegenübers zu ignorieren. Für ihn war jeder Gesprächspartner ein Gegner und jede Unterhaltung eine Schlacht.

»Die Suche nach Sinn ist reine Selbstbeschäftigung«, sagte er. Sein Tonfall war freundlich-belehrend, als spräche er mit einem kleinen Kind. Trotzdem gelang es ihm, mit Blicken und Gesten klarzustellen, dass er die versteinerte Ada an der Wand für ein mindestens ebenbürtiges Wesen und die Unterhaltung im Einverständnis mit ihr für einen Scherz hielt. »Die Sinnsuche ist einem Kreuzworträtsel vergleichbar, in das der erste Begriff mit Absicht falsch eingetragen wurde. Eine Patience mit unvollständigem Kartenspiel. Man kann sich damit die Zeit vertreiben. Man kann es auch sein lassen.«

Ada stieg auf das Spiel ein und übernahm die Rolle eines besorgten Fragenstellers, während Alevs Gefolge im Halbkreis zum Auditorium wurde.

»Hast du kein Ziel? Gibt es nichts, was du wünschst? Einen Beruf? Eine Frau? Wie wär's mit Geld?«

»Wir sind gar nicht fähig, etwas zu wünschen, das wir nicht längst besitzen oder besitzen könnten. Das liegt im Wesen des Wünschens. Ich persönlich lehne es ab, auf diese Weise die Zeit totzuschlagen. Zeit ist das Einzige, was dem Menschen wirklich fehlt.« Er beugte sich vor und schaute sie aus geringer Distanz mit seinen geschlitzten Augen an. Halb erwartete sie, er würde ihr in der nächsten Sekunde ein Rätsel stellen: Was geht erst auf vier Beinen, dann auf zweien und schließlich auf dreien. »Das Einzige, was der Mensch besitzt und was ihm ständig fehlt, ist Zeit. Darüber hinaus gibt es nur Simulationen von Besitz, sei es an Gefühlen, Schönheit oder Geld. Alle diese Dinge sind der Zeit unterworfen. Von ihr gehört uns ein kleines Stück. Ich werde es nicht verschwenden.«

»Was willst du damit anfangen?«

»Nichts. Nichtstun und Nichtswollen ist die einzig würdige Art, dem Zeitgott zu huldigen. Wie soll man die Reinheit dieses Geschenks erkennen, wenn man ständig Dinge hineinschüttet wie Unrat in einen kristallklaren Bach?«

Anders als bei anderen Menschen, die ähnliche Schwachheiten auf weniger eloquente Weise von sich gaben, verspürte Ada kein Bedürfnis, ihn zu entlarven und das letzte Wort zu behalten. Seine Angeberei und seine kindlichen Inszenierungen brachten sie am Ende zum Lachen, und ihr Lachen war wie die ringförmigen Wellen auf der Oberfläche eines Sees, nachdem ein Stein hineingefallen ist und in die Tiefe sinkt. Alev war derartig überzeugt von seinen Worten, dass diese Überzeugung sich zu Wahrheit verdichtete, so wie unendlich oft wiederholte Spiegelungen von Realität schließlich Wirklichkeit ergaben. Wie immer lag das Eigentliche in der Form, Inhalte waren austauschbar. Wenn Ada länger zuhörte, würde sie ihm eines Tages glauben, ganz gleich, was er erzählte. Es machte ihr nichts aus, das zu erkennen. Der eigene Verstand war ihr weniger heilig als ein gutes Buch und dabei größer als jeder Mülleimer.

Die Schulklingel entband sie von der Antwortpflicht, und sie genoss es, Alev eine Sekunde zu lang gegenüberzustehen, während das Gefolge die gespitzten Ohren einfaltete, offene Münder schloss und sich ins Klassenzimmer hinein zerstreute, um die Plätze einzunehmen. Adas Lachen wurde zu einem maliziösen Lächeln der Sorte ›Dies kann dir mehr sagen als tausend Worte, wenn du nur klug genug bist, es zu deuten‹, und sie trug ihren Kopf in den Klassenraum, froh, dass er festgewachsen war und sich nicht wie mit Gas gefüllt unter die Decke heften konnte, stecken geblieben auf dem Weg in den Himmel.

Hielt Alev nicht vor ihr an, ließ Ada ihn und seine Jünger vorbei und zählte langsam bis zwanzig, bevor sie folgte und sich in ihre Ecke am Fenster zurückzog. In den Pausen trödelte sie in den Gängen herum, bis Alev sich in Bewegung gesetzt hatte, und folgte im Abstand von einigen Metern. Sie nahm an keinem Gespräch teil, begegnete keinem Blick, wandte der Gruppe, in der Alev sich befand, den Rücken zu und blieb in Hörweite. Sie benahm sich wie ein Spitzel oder wie ein heimlicher Leibwächter, der immer in Bereitschaft steht und eines Tages bezahlt werden wird für das Warten auf die Stunde Null.

Über dem Luftraum Ernst-Blochs befindet sich eine andere Welt

Als Alev sie darauf ansprach, zögerte sie nicht, eine möglichst zutreffende Antwort zu geben. Ich weiß nicht genau, warum ich dir nachlaufe, wahrscheinlich weil mir nicht einfällt, was ich sonst machen soll.

Die Antwort gefiel ihm. Dann sag doch was! Er lachte. Bei dieser Beschäftigung kann ich dir ausgesprochen nützlich sein.

In der nächsten großen Pause nahm er sie mit ins Internat, das wie ein abgeschotteter Staat seine Visumpolitik an die Einladung eines Einwohners knüpfte. Wer keine Freunde besaß, gelangte niemals hinauf.

Während sie Treppe um Treppe aufwärts stiegen, kam es Ada vor, als verließen sie gemeinsam das Schulgelände. Auf Höhe der Zimmerdecken des fünften Stocks endete der Luftraum von Ernst-Bloch mit seinen üblichen Durchflugrechten und ging in etwas anderes über, einen Himmel, eine Hölle, eine fremde Welt auf der Wolkendecke. Schon im Treppenhaus empfing man die olfaktorischen Botschaften der Großraumküche, vermischt mit einem Hauch von Kaffee, Fußpilzmittel und Anti-Schimmel-Spray, und hinter der Milchglastür am Eingang der sechsten Etage roch es nach Gemeinschaftsdusche, Großraumklo und dem Zusammenleben von Menschen auf engstem Raum. Der Flur war mit dem gleichen bordeauxroten Linoleum ausgelegt wie die Gänge in den unteren Stockwerken, wurde jedoch der vollen Länge nach von einem abgetretenen Läufer aus blauer Baumwolle bedeckt. An den Zimmertüren hingen Musik- und Filmplakate, am Ende des Flurs standen zwei staubige Gummipflanzen und ein Servierwagen aus Aluminium, gebraucht erworben vom Stadtkrankenhaus. Das waren die Attribute, die den Internatsflur von allen anderen Etagen des Schulgebäudes unterschieden.

Alev klopfte an die erste Tür neben der Küche. An ungeraden Tagen war Erich wachhabender Offizier, während die zweite Erzieherin namens Amelie Ausgang hatte. Zwei Externe mit Einladung von Grüttel und Bastian. Nur für die Pause? Geht in Ordnung. Adas Füße wollten nicht recht vorwärts, als gingen sie auf einem Laufband gegen die Marschrichtung. Sie hatte das Gefühl, durch einen fremden Vorgarten zu stapfen, das enge, halb militärisch, halb inzestuös organisierte Menschennest stieß Fremde ab wie Öl einen Wassertropfen. Nur Alev hatte sich sofort zu Hause gefühlt, ganz Herr der Szene, ganz Missionar auf neuem Einsatzgebiet.

Energisch legte er Ada die Hände ins Kreuz und schob sie voran. Fest und temperaturlos lagen seine Finger zwischen ihren Schulterblättern und passten perfekt dorthin, als wären sie angewachsen wie zwei Engelsflügel. Ihr Nervensystem meldete Schmerz, extremes Wohlbefinden, Hitze und Kälte zur gleichen Zeit, und da wusste sie, dass sie Recht gehabt hatte: Alev allein trug schuld an ihrem Unwohlsein, an der Schwäche und den schrecklichen Denkschleifen der vergangenen Wochen. Er besaß jene Kraftmenge, die ihr abhanden gekommen war, und seine Berührung glich einer Rückzahlung von zwei Cent bei einem Schuldenberg von zehn Millionen. Am liebsten hätte sie seine Hände abgeschnitten und behalten. Sobald er losgelassen hatte, um auf Grüttels Tür zu deuten, kehrte ihr Körper in den Zustand der Befehlsverweigerung zurück, gehorchte träge oder gar nicht, und sie hatte Schwierigkeiten, die Fäuste zu schließen, als wäre sie soeben nach zwölfstündigem Schlaf erwacht. Immerhin wusste Ada jetzt, dass sie nicht an den Nachwirkungen des kroatischen Hitzeschlags litt und weder krank noch schwanger war.

Der Raum, in dem sie sich wiederfanden, war L-förmig geschnitten und wurde offensichtlich von zwei Bewohnern geteilt. In jeder Zimmerhälfte standen ein Bett, ein Schrank sowie Tisch und Stuhl. Dem Mobiliar war anzumerken, dass es über die Jahre hinweg aus Restbeständen zusammengeklaubt war. Am Nachtschränkchen ein aus Holz geschnitzter Löwenfuß. Dort ein kleiner, unpraktischer Waschtisch, hier ein Kerzenhalter an der Wand, der einst gemeinsam mit einem verloren gegangenen Zwilling das Notenbrett eines Klaviers flankiert hatte. Eine von drei Gardinenstangen aus Kupfer, ansonsten viel schäbiges Furnier, das sich an den Ecken mit den Fingernägeln abheben ließ. Das innenarchitektonische Quodlibet verbreitete eine trostlose Atmosphäre, in der sich die Internatsbewohner präsentierten wie übergroße, bizarre Käfer in einem Terrarium.

Drei männliche Exemplare saßen am Boden, einen Aschenbecher in ihrer Mitte wie ein Gesellschaftsspiel. Sie gehörten nicht zu den Tausendschönen, sondern pflegten wertbeständige Neunziger-Jahre-Coolness in weiten, abgetragenen Jeans und engen, teuren Pullovern. Träge blinzelten sie zu Ada hinauf.

»Freundin von dir?«

Jeder an der Schule kannte Grüttel und Bastian, und hiervon machte nicht einmal Ada eine Ausnahme. Grüttel war über eins achtzig groß, wie alle seine Freunde, besaß bleiches, glattes Haar, das er sich beim Reden alle paar Sekunden aus der Stirn zu streichen pflegte, dazu eine Sammlung von Sonnenbrillen sowie den Zahlencode zum Safe seines Vaters, der in Düsseldorf eine gut gehende Galerie betrieb. Mit einer bestimmten Summe, die er dem Tresor monatlich entnahm, versorgte er seinen Freundeskreis mit Spaß und der dazu notwendigen Unterhaltungspharmazeutik. Seinen Eltern war es gleichgültig, oder vielleicht betrachteten sie den regelmäßigen Schwund eingelagerten Bargelds als ein natürliches Phänomen, ähnlich dem Gewichtsverlust von zum Trocknen ausgelegtem Obst. Bastian, der neben ihm saß, erhielt eine vergleichbare Summe als monatliche Gegenleistung dafür, dass er seine Familie ausschließlich zu festlichen Anlässen besuchte. Er hatte ungewöhnlich fleischige, aufgestülpte Lippen und gab in den Umfragen des Berufsinformationszentrums ›Pornostar‹ als Ausbildungsziel an. Der dritte Junge wurde Ada vorgestellt: Toni, dick und aknegeplagt. Er trug das lange Haar offen und eine Bürste in der Hosentasche, mit der er sich in jeder Pause kämmte. Zusammen ergaben sie eine Clique, in deren Gegenwart niemand sprach, ohne gefragt zu werden. Sie hatten in den Disziplinen Coolness, Geld und Rücksichtslosigkeit die unangefochtene Vormachtstellung inne.

»Das klügste Mädchen der Schule«, sagte Alev, indem er auf Ada zeigte, und straffte die Schultern in dem Bewusstsein, als einziger Mensch auf Ernst-Bloch einen solchen Satz äußern zu können, ohne sich lächerlich zu machen.

»Angenehm«, sagte Bastian und winkte mit seiner filterlosen Zigarette. »Was macht dich so klug?«

»Die Fähigkeit, an den richtigen Stellen zu schweigen«, sagte Ada, »und ansonsten Dinge zu sagen, von denen jeder glaubt, er müsste sie verstehen, obwohl sie absolut keinen Sinn ergeben.«

Alle drei nickten, obwohl sie nichts begriffen, und Alev lachte aus vollem Hals.

»Seht ihr!«, rief er fröhlich. »So macht sie es mit allen. Sie ist das Mädchen mit der Amerikadiskussion.«

Jetzt wusste Ada, warum sie hier war.

Die Amerikadebatte

Es lag an Höfis USA-Diskussion. Unter Androhung schärfster Konsequenzen hatte Teuter nach dem Ausbruch des neuesten Golfkriegs das Tragen von Plaketten und Anstecknadeln verboten und die Behandlung der Irakfrage im Unterricht als unerwünscht erklärt. Höfi hatte abgewartet, bis nach den Sommerferien das Wort ›Kriegslüge‹ gesellschaftsfähig geworden war, gab dem Schuljahr noch einen Vorsprung von mehreren Wochen und eröffnete eine Doppelstunde im Geschichtsleistungskurs mit der These, dass der Krieg im Irak genauso viel mit dem Anschlag auf das World Trade Center zu tun habe wie der Erste Weltkrieg mit der Ermordung des österreichischen Thronfolgers.

Es habe in der Geschichte noch keine militärische Auseinandersetzung gegeben, die kein Eroberungskrieg sei. Die hohe Politik, so Höfi, sei in letzter Konsequenz immer pragmatisch, während die Ideologie den außerstaatlichen Akteuren vorbehalten bleibe. Diese nenne man ›Menschenrechtsschützer‹, ›Umweltaktivisten‹ oder ›Zivilgesellschaft‹, solange sie unblutig vorgingen, und ›terroristische Netzwerke‹, wenn sie zu den falschen Mitteln griffen.

In der Klasse wurde geraunt. Joe schüttelte die Lockenmähne und erhob sich halb von ihrem Stuhl.

»Wollen Sie Greenpeace mit der Al Qaida vergleichen?«

Höfi antwortete mit einem vorsichtigen »Ja«. Es gehe ihm um stahlklares Denken, nüchternen Vergleich und eine Betrachtungsweise, die den Medientrampelpfad verlasse. Er spreche von Strukturen. Von kleinen Gruppen, die in Gegnerschaft zu staatlichen Einrichtungen stünden, von Netzwerken, Finanzquellen, Lobbyarbeit und dem Tonfall der Selbstpräsentation.

Das folgende Chaos war ganz nach Höfis Geschmack. Er saß eingerollt wie ein Igel auf seinem Stuhl, schnellte den rechten Arm vor, um einzelne Schüler aufzurufen, und hielt mit der anderen Hand die Klasse im Zaum. Die Wangen über dem gestutzten Backenbart leuchteten rosig, es fehlten nur noch ein Zauberstab und ein umgedrehter Stuhl, um ihn zum Magier und Dompteur in einer Person zu küren. Jeder bekam nur wenige Sekunden für einen Beitrag, dann war der nächste dran. Jungen und Mädchen abwechselnd.

Alev beteiligte sich nicht an der Diskussion. Er wartete, lächelnd, zurückgelehnt, auf den rechten Moment für die Machtergreifung. Ada sagte nichts, weil er nichts sagte. So wie sie den räumlichen Abstand zwischen sich und ihm möglichst klein zu halten suchte, blieb neuerdings auch ihr Verhalten in der Nähe des seinen. Erst als Höfi ihr einen Blick zuwarf unter gerunzelten Brauen, hob sie den Arm. Sogleich rief er sie auf; das Zusammenspiel klappte perfekt wie auf dem Handballplatz.

»Der Westen«, sagte sie, »hat in der Tat ein strukturelles Problem. Man könnte auch sagen: ein dramaturgisches.« Ihre Stimme war eine halbe Oktave in den Keller gerutscht und vibrierte unten im Brustkorb, als wollte sie die Werbeansage für eine Erotik-Hotline auf Band sprechen. Dieser Klang besaß eine Autorität, die ihr selber fremd war. »Guckt ihr keine Hollywoodfilme? Wer sind denn die Gefährten im Lord of the Rings? Sie marschieren als Einzelkämpfer gegen ein wohlorganisiertes, hochgerüstetes Staatswesen. Man könnte auch sagen: Sie sind Terroristen.« Als die Klasse aufheulte, fuhr Höfi dazwischen und ebnete ihr akustisch den Weg. »Dann sage ich eben: Terroristen des Guten, wenn euch das besser gefällt. Reine Definitionsfrage. Worauf es ankommt, ist die Form: Ein paar Insurgenten, die sich todesmutig ins Zentrum der Macht stürzen, sind nach den Gesetzen Hollywoods strukturell im Recht.« Durch die plötzliche Stille marschierten Adas Worte wie die Armeen eines unbesiegbaren Herrschers. »Ich sage: todesmutig, zum Beispiel mit einem

Flugzeug, ins Zentrum der Macht. Das ist David gegen Goliath, Luke Skywalker gegen den Todesstern. Panem et circenses!«

Dem Schweigen war anzumerken, wie es die eigenen Gründe austauschte: Erst schwieg man aus Überraschung, dann aus Verwirrung, schließlich wandelte sich halbes Verstehen zu aufkeimendem Hass. Aus purer Überheblichkeit gab Ada mit wirbelnder Geste das Wort an die Klasse zurück und wartete ein paar Sekunden darauf, bis es von selbst in ihre Hand zurückkehrte. Höfi, den Kopf in halb ernster, halb ironischer Pose lauschend in die linke Hand gestützt, winkte *da capo*.

»Die Nervosität der Vereinigten Staaten und das laute, weltweite Geschrei rühren daher, dass die angreifende Supermacht Angst hat und sich heimlich im Unrecht glaubt. Hollywood und Bibel sind die Träger der amerikanischen Kultur, und beide Quellen lehren, dass David siegt und Mordor untergehen muss. Wer sich nicht im Recht fühlt, ist gefährlich, wenn er trotzdem handelt. Sehr gefährlich.«

Ada war fertig und die Luft draußen. Die Schüler saßen mit verschränkten Armen, manche begannen zu tuscheln, andere kramten sinnlos in ihren Unterlagen oder gaben vor, irgendetwas Interessantes vor dem Fenster zu beobachten. Als Adas und Alevs Blicke sich trafen, schaute dieser zum ersten Mal weg. Sie hatte ihm die Show gestohlen; er wusste, dass sie das wusste, und brauchte ein paar Minuten, um seine Souveränität wiederzufinden. Höfi ging dazu über, ein kleines Tatsachenfundament anzulegen, und war beim Vietnamkrieg angelangt, als es zur kleinen Pause klingelte. Auf dem Gang fing er Ada ab, die Alev zu den Toiletten folgen wollte.

»Woher hast du das?«

Höfi hatte nicht aufgehört, die Schüler zu duzen, obwohl Alev auch in seiner Einführungsveranstaltung inszeniert hatte, was inzwischen den Titel ›El-Qamar-Theater‹ trug. Höfis Antwort war typisch gewesen: Es sei ihm wohl bekannt, was in den Schulregeln stehe. Alev habe ein Recht darauf, gesiezt zu werden, und dieses Recht werde er, Höfi, konsequent ignorieren. Falls Alev Krach schlagen wolle, sei ihm das freigestellt. Falls er sich für guten Unterricht ohne Fisimatenten entscheiden wolle, so werde er einen solchen erhalten. – Damit war Höfi der erste Lehrer, der Alev mit einem klaren Sieg nach Punkten zum Schweigen gebracht hatte.

»Nicht zuletzt von Ihnen«, sagte Ada. »Ansonsten zusammengeklaubt im eigenen Kopf.«

»Glaube ich nicht.«

Sie zuckte die Achseln. Ihr Blick warf ihm eine warme Hand voll Verachtung zwischen die Augen; dann ließ sie ihn stehen.

Die Konferenz folgte vierundzwanzig Stunden später auf die Telephonanrufe einiger Mütter und Väter, deren Kinder auf Ernst-Bloch gelernt hatten, dass Al Qaida das Gleiche wie Greenpeace sei. Die Grenzen zwischen den Lagern im Lehrerzimmer waren klar gezogen, die Wortführer dieselben wie immer: Der junge Geschichtslehrer Klinger, bekennender Homosexueller, sprang Höfi bei und wurde von Smutek verhalten unterstützt, während Teuter sich vor allem auf Lindenhauer verlassen konnte, der seine Karriere als Kernphysiker vor dreißig Jahren nach einem Autounfall hatte beenden müssen und inzwischen als einer der ältesten Lehrer auf Ernst-Bloch unterrichtete. Das Neuartige an der Situation bestand in dem Gefühl, dass diesmal mehr als altbewährte Feindschaften das Feuer schürte. Hinter dem Streit stand ein fremder Geist. Ada schwebte im Raum.

Ja nee, Herr Höfling, Sie unterrichten Geschichte und nicht Politik, und auch der letztgenannte Fachbereich dient keineswegs dem Vergnügen von Lehrern, die ihre Schüler für die Entwicklung präpotenter Ideen missbrauchen.

Und Ihr Fachbereich, Herr Teuter, heißt Schulleitung und nicht Lehrplangestaltung, und auch das letztgenannte Gebiet dient nicht dem Ausleben halbvergorener Napoleonkomplexe. Lassen Sie sich vom Ministerium erklären, dass politische Bildung ein Querschnittsinhalt ist.

Ja nee, Herr Höfling, was Sie betreiben, hat bestenfalls mit Querschnittslähmung zu tun.

An dieser Stelle wurden die ersten Zwischenrufe laut. Höfi, der klein und verwachsen in seinem Armstuhl kauerte, rührte sich nicht von der Stelle und sah stur vor sich hin wie ein ausländischer Angeklagter, dem man vor Gericht keinen Dolmetscher beigeordnet hat. Nur seine Augen röteten sich, und als Smutek das sah, stand er auf, trug seinen Stuhl um den Tisch herum und setzte sich neben ihn.

Um die Lage zu retten, sprach Teuter hartnäckig weiter. Ja nee, diese Ada sei ein schwieriges Mädchen. Man befinde sich in einer hochkomplexen weltpolitischen Lage. Man dürfe nicht zulassen, dass der neue Geist die Schützlinge vergifte. Ernst-Bloch sei ein geschützter Raum.

Aber, Herr Teuter.

Die Wangen des jungen Klinger waren fleckig vor Wut, längst saß er nicht mehr, sondern schritt aufgeregt vor der Fensterreihe auf und ab. Als er sich vor dem Direktor aufbaute, zitterte er wie ein Pappelblatt.

Auch so ein Mädchen darf seine Meinung sagen!

Meinung!, schrie Lindenhauer. Das ist linksextreme Propaganda!

In der folgenden Stille dröhnte Höfis Stimme unnatürlich laut, sie schien ihm nicht aus dem Mund, sondern direkt aus dem verkrümmten Rückgrat zu kommen.

Halten wir fest, rief er, dass niemand hier verstanden hat, worum es in Adas Redebeitrag ging. Es gibt auf alles eine Vogel- und eine Froschperspektive. Wer FROSCH bleiben will, dem sei das vergönnt!

Als Teuter klein und nach Luft schnappend vor ihm stand und mit der rechten Hand an den Fingern der linken zog, um die Gelenke zum Knacken zu bringen, fügte Höfi flüsternd hinzu: Nur zu, Kollege, ich habe eins Komma fünf Sekunden Zeit, um in Notwehr zurückzuschlagen.

Ein Schwuler, ein Frosch, ein Kernphysiker und ein Krüppel. Und ein Pole. Als Smutek sich langsam, beide Hände auf die Tischkante gestützt, in die Höhe schraubte, bewies er den alten Grundsatz, dass am Schluss nicht Argumente siegen, sondern körperliche Präsenz. Sekundenlang stand er schweigend zwischen den anderen, überragte jeden von ihnen um Haupteslänge, sagte kein Wort und verzog keine Miene. Die Raumtemperatur schien um mehrere Grade zu sinken. Teuter ordnete sein tadellos sitzendes Jackett. Höfi hatte den Blick noch immer nicht von der Tischplatte gewandt. Klinger sah aus, als bräche er demnächst in Tränen aus. Die Konferenz war beendet.

Niemand wusste, auf welche Art solche Ereignisse die Runde machten, aber am nächsten Vormittag war jeder Schüler auf Ernst-Bloch darüber informiert, dass im Geschichtsleistungskurs Diskussionen geführt wurden, die gewalttätige Auseinandersetzungen im Lehrerzimmer verursachten. Als Alev am Morgen an der wartenden Ada vorbeiflanierte, blieb er kurz stehen.

»Schon von Höfi und Teuter gehört?«

»Sicher. Panem et circenses.«

»Mit deinen Worten würde ich sagen: Höfi ist strukturell im Recht. Nicht wahr?«

Sie hatten sich angelächelt, und jetzt stand Ada in Grüttels Zimmer.

Alev ist impotent und stolz darauf

»Du solltest etwas über die Jungs erfahren.«

Vielleicht war ein Knurren zu hören, vielleicht war das Einbildung, ein von der Wahrnehmung hinzugedichtetes Symptom, das zur längst erstellten Diagnose passte: Adas und Alevs Anwesenheit begann Stress im Zimmer zu verbreiten. Sie standen zwischen den liegenden und hockenden Internatsbewohnern wie Wärter auf Besuch im Raubtierkäfig, zu stark, um angegriffen zu werden, nicht stark genug, um Furcht einzuflößen, außerhalb der Fütterungszeiten erschienen, so dass nicht klar war, was sie planten. Grüttel und seine Freunde rutschten unruhig hin und her, einer streckte die Beine, der andere winkelte sie an, während der nächste sich auf die Seite sinken ließ, den Ellenbogen als tragenden Pfeiler unter den Körper gestemmt.

»Was soll sie groß über uns erfahren?«

»Der hier mit den hellen Haaren ist Grüttel.«

Der Genannte hob zwei Finger zum Victory-Zeichen über den Kopf.

»Ein Siegertyp. Er gewinnt mit Abstand jedes Wettwichsen, und das schon seit Wochen.«

»Zielgenauigkeit, Entfernung oder Geschwindigkeit?«

»Geschwindigkeit. Du legst ihm ein beliebiges Pin-up vor, eine Titelmutti vom Playboy oder das Sonntagsgirl in der BamS, und er spritzt ab, bevor die anderen die Hosen offen haben.«

»Seid ihr nicht ein bisschen zu alt fürs Wettwichsen?«

»Ach was. Diese Sportart betreibt ein Mann sein Leben lang.«

»Und wie hast du abgeschnitten?«

»Ich kriege keinen hoch. Leider impotent.«

An dieser Stelle gab Grüttel, der, während über ihn gesprochen wurde, zusehends das Aussehen eines großformatigen Gemäldes angenommen hatte, ein zischendes Lachen von sich, wobei sein Oberkörper sich auf dem Ellenbogen ein paar Zentimeter hob und gleich wieder in die Ursprungslage zurücksackte.

»Sonstige Qualitäten?«

»Nicht dass ich wüsste. Ach, Ada!« Alev sprach im Tonfall einer märchenerzählenden Mutter, die nicht erwartet, dass ihr Kind vor dem Einschlafen weit über das Es-war-einmal hinauskommen wird. »Grüttel hat reiche Eltern. Er verbringt derzeit, tragischerweise ohne es zu wissen, die besten Monate seines Lebens. Danach kann es nur noch langweiliger werden, als es ohnehin schon ist.«

Unter dem Vorwand, sich eine weitere Zigarette anzuzünden, hatte Grüttel sich erneut aufgerichtet.

»Es reicht, Alev«, sagte er. Die drei anderen starrten apathisch vor sich hin.

»Waaas?« Beim breiten ›A‹ klaffte Alevs Mund wie zum Beißen auseinander. Er wandte sich von Ada ab und richtete die geschlitzten Augen auf Grüttel. »Es gibt also tatsächlich Dinge, die dir reichen?«

Ada sah Alev von der Seite an, betrachtete seinen langen Nasenrücken, der flach und in fast senkrechter Linie nach unten wies, die breiten Nasenflügel, deren Form an die Hinterschenkel einer sitzenden Katze erinnerte, die schwarzen Augenbrauen, weit in die Schläfen gezogen, als wären sie mit Bügeln hinter den Ohren aufgehängt. Mit dieser Physiognomie gelang es ihm, trotz geringer Körpergröße auf jedes Gegenüber herabzuschauen. Sie erkannte, dass er ein Profi war, nur wusste sie nicht, in welcher Disziplin. Offensichtlich wohnte sie soeben einer Präsentation seiner Fähigkeiten bei, die eigens für sie begonnen worden war.

Grüttel wusste nichts zu antworten, und Bastian schaute zur Seite, als säße er im Wartezimmer eines Zahnarztes und hoffte, als Letzter dranzukommen.

»Bastian ist die dunkelhaarige Ausführung desselben Modells, abgesehen davon, dass er beim Wettwichsen verliert. Angeblich ein guter Surfer. Er hat einen schönen Stapel Photos von seinem letzten Aufenthalt am Pazifik. Nicht wahr, Bastian?«

»Fick dich, Alev.«

»Womit denn, frage ich dich, womit? Etwa mit dem schlappen Stück Fleisch, das ich meinen Schwanz nenne und das durch nichts in der Welt zum Aufstand bewegt wird? Ich werd mich nicht ficken, Bastian, sicher nicht.«

Diesmal knurrte Bastian deutlich hörbar, nahm Grüttel ungeduldig die Zigarettenschachtel weg und zog eine weitere mit den Zähnen aus der Packung. Tröpfchenweise wie Kondenswasser schlug sich an den Scheiben von Adas Verstand eine Idee davon nieder, worin Alevs Methode bestand. Wenn sie schon nicht begriff, *was* er da tat, so doch wenigstens, *wie*. Alev drang als Fremdkörper in geschlossene Systeme ein, ohne ihre Bedingungen zu akzeptieren, zerrte ihre Rituale ans Tageslicht und gab sie der Lächerlichkeit preis, während er selbst durch das Eingeständnis seiner Schwäche unangreifbar blieb. Forsches Auftreten und Eloquenz verhinderten, dass er sofort wieder hinausgeworfen wurde. Auf diese Weise konnte er sich in zwischenmenschlichen Zusammenhängen bewegen, ohne ihr Bestandteil zu werden. Im Verhältnis zu ihm verwandelten sich die von der üblichen hierarchischen Routine geprägten Strukturen in einen leblosen Raum und ihre Angehörigen in Möbelstücke, während Alev Mensch blieb und damit ihr Benutzer, und niemand war in der Lage, sich gegen ihn aufzulehnen, so wenig wie ein Sessel denjenigen vertreiben kann, der tagein, tagaus auf ihm sitzt. Mitten in Grüttels L-förmigem Reich sprach Alev breitbeinig mit der Führungselite der Schule, mit jenem harten Kern von Leuten, dem man sich gewöhnlich nicht aus eigenem Willen näherte, sondern wartete, bis man gerufen wurde. Alev hatte zu viele Sprachen gelernt und an zu vielen Orten gelebt, um in Kontexten zu denken. Auch er war wie Ada ein Außenseiter, beschäftigte sich aber wie ein Forscher mit einzelnen Artgenossen, während sie stets bemüht war, dem Ganzen fernzubleiben.

»Vielleicht hast du Lust, uns deine Photos zu zeigen?«

Unter Alevs Moderatorenfinger wurde Bastian zum nächsten Stillleben, das die Rezension durch einen Kunstexperten zu ertragen hat.

»Schöne Photos«, sagte Alev. »Man sieht Bastian an der kalifornischen Küste, das Surfbrett unter dem Arm. Manchmal steht ein Traummädel im String-Tanga neben ihm, mit Pobacken und Brüsten, die wie polierte Früchte glänzen.«

Draußen ventilierte der lange Flur Erichs Stimme in alle Zimmer. Ende des Frühstücks, Männer und Mäuse. Schleppt euch und eure Sachen die Treppen runter.

»Hier oben hört man die Schulklingel nicht so gut«, erklärte Toni, offensichtlich erleichtert, das Thema zu wechseln. »Als das Internat eingerichtet wurde, haben sie vergessen, eine anzubringen. Das ist wie mit ausgebrannten Glühbirnen, die man nicht gleich wechselt: Es bleibt für immer dunkel.«

»Das hast du schön philosophisch beschrieben, Toni. Eines Tages wirst du kapieren, dass du mehr von der Welt weißt als so ein Strahlemann, der Stunden vor dem Rechner verbringt, um eine schöne Frau in seine Arme hineinzukopieren. Photoshop macht's möglich, was, Bastian?«

Der Angesprochene hatte die Beine unter den Leib gezogen, erhob sich zu voller Größe und wischte die Hände an den Hosenbeinen ab wie ein Kind, das dreckig vom Spielen nach Hause kommt.

»Keine Ahnung«, meinte er gleichmütig, »sag selbst. Was glaubst du?«

»Natürlich sieht man die Ränder.« Alev war schon an der Tür. »Niemals wäre jemand wirklich darauf reingefallen. Wir sind, und das darf keinesfalls vergessen werden, wir sind alle Amateure. Hörst du, Ada, Kleinchen? Alles Amateure. Auch du und ich. Vielleicht etwas weniger als der Rest.«

Er fasste sie am Ellenbogen und geleitete sie aus dem Zimmer, galant wie ein Kavalier aus dem vorletzten Jahrhundert. Sie war froh, dass er sie führte. Allein wäre sie in die falsche Richtung losgegangen, zwischen Gummibäumen und Rollwagen von der Fensterscheibe gestoppt worden und wie ein großer Nachtfalter gegen das Glas gestoßen. Sie genoss das Treppensteigen neben ihm, verfolgt von Grüttels, Bastians und Tonis schwerfälligen Schritten, die irgendwann auf anderen Etagen verhallten. Sie genoss die leichte Gänsehaut auf dem Unterarm, verursacht von der Berührung der fünf lang gewachsenen Fingernägel, tote Endpunkte eines äußerst lebendigen Körpers. Sie genoss, dass Alev sie nicht losließ, während sie sich dem Klassenzimmer näherten. Olaf war schon auf seinem Platz und schaute zu, wie Alev ihr beim Betreten des Raums den Vortritt gewährte.

Als sie saß, atmete Ada tief durch und streckte die Beine. Sie fühlte sich kräftig, am Nachmittag würde sie laufen. Es war Anfang Oktober, der Sommer hatte seine glühende Umklammerung gelöst, war abgefallen von der Stadt wie eine vollgesogene Zecke und langsam über den Horizont gen Süden davongekrochen.

Smutek beendet die tauben Wochen oder nimmt ihr Ende wenigstens seismographisch zur Kenntnis. Vielleicht hat der Mann ohne Eigenschaften *damit zu tun*

Mit schwungvollen Schritten betrat Smutek die Klasse, den *Mann ohne Eigenschaften* wie ein kleines Surfbrett unter den Arm geklemmt. Er fühlte sich großartig. Zu Beginn der letzten großen Pause hatte er mit einem Mal den Kopf gehoben. Er meinte, dass etwas sich verändert habe. Ein kaum wahrnehmbares Störgeräusch hatte ausgesetzt, oder vielleicht war das Licht heller geworden. Ein Rundblick durchs Lehrerzimmer ergab, dass alles so aussah wie in der Sekunde zuvor. Lindenhauer saß zwei Plätze weiter, weil er sehen wollte, was Smutek machte, sich im fast leeren Raum aber nicht direkt neben ihn setzen konnte. In einer Ecke hockte Klinger und versuchte auszusehen, als wäre er nicht da. Höfi hingegen war wirklich nicht da; seit der Konferenz verbrachte er die Pausen in einem nahe gelegenen Café in der Gesellschaft von braun gekleideten Omas, die mit winzigen Löffeln in rosa- und türkisfarbene Tortenstücke stachen. Nichts war anders als sonst. Trotzdem gelang Smutek der erste tiefe Atemzug seit Tagen. Er holte gleich noch einmal Luft und dehnte den Rücken. Das war der Augenblick, in dem Alev, vier Stockwerke über ihm, die Hände in Adas Kreuz drückte, um sie über den Gang zu schieben. Und plötzlich sah Klinger auf und erwiderte ein Lächeln, das Smutek gar nicht ausgesendet hatte.

Ganz eindeutig ging es ihm besser. Etwas hatte sich gelöst, Vektoren richteten sich auf, die Raum-Zeit-Koordinaten streckten die Achsen, Chronos begab sich zu Tisch und setzte seine kannibalische Mahlzeit fort. Smuteks gefühltes Körpergewicht verringerte sich um zwanzig Pfund. Heute würde er Ada fragen, ab wann sie zum Lauftraining käme. Außerdem wurde es höchste Zeit, die traditionelle Klassenfahrt vorzubereiten, die jeder frisch gebackene Leistungskurs im ersten Halbjahr der Oberstufe unternahm. Er war gespannt, was sein Kurs zu Robert Musil sagen würde, und bei Musil fiel ihm ein, wohin die Reise gehen sollte. Nach Wien.

Sechs vergangene Wochen hauchten innerhalb weniger Sekunden ihr Leben aus und verschwanden im Nichts, für immer getilgt. Was waren schon ein paar Wochen angesichts des immensen Reichtums an Zeit! Wie viel konnte man den Menschen jeden Monat stehlen, ohne dass sie es auch nur zur Kenntnis nahmen? Smutek stellte sich vor, dass sie das übermäßige Abnehmen von Zeit als ein natürliches Phänomen betrachten würden, ähnlich dem Gewichtsverlust von zum Trocknen ausgelegtem Obst. Gleich darauf fragte er sich, woher er dieses seltsame Gleichnis habe, das nicht recht zu seiner Denkweise passen wollte. Es musste aus den Internatsstockwerken zu ihm herabgesunken sein.

Jedenfalls war er mit einem Mal sicher, dass die tauben Wochen soeben ihr Ende fanden, und er war froh darüber. Während er die Unterlagen für die nächste Stunde sortierte, ahnte er nicht, dass es sich um jene amtliche Frist gehandelt hatte, in der jeder vom Schicksal Betroffene sich gegen ein bevorstehendes Ereignis entscheiden kann und Gelegenheit erhält, das Steuer herumzureißen und seinem Fahrzeug im Blindflug eine neue Richtung zu geben. Wenige haben die Chance je genutzt. Es handelt sich eher um eine Formalität.

Guten Morgen, die Herrschaften. Guten Morgen, Herr Smutek.

Die Schüler wirkten lebhafter, ihre Haltungen auf den hölzernen Stühlen straffer, die Haare glänzender. Jemand hatte die Fenster gekippt, und Smutek konnte deutlich den Geschmack der Luft unterscheiden, die von draußen hereinwehte und nicht nur anders roch als die Luft auf Ernst-Bloch, sondern sich in einem ganz anderen Aggregatzustand befand. Frisch wie Wasser floss sie herein, brachte den Duft der Linden mit, die längst aufgehört hatten, Autodächer und Bürgersteige mit flüssigem Klebstoff zu beträufeln, und bereits eine Ahnung von Fäulnis und Feuchtigkeit in sich trugen. Die Natur bereitete sich auf Regengüsse und Herbststürme vor, die ihr das gelb gewordene Gewand vom Leib reißen und in den Schmutz werfen würden. Fünfundzwanzig Augenpaare in Blau, Grün, Braun und Grau folgten Smutek zum Fenster, sahen zu, wie er die Nase an den Spalt hielt und den Atem einmal tief bis zum Magen hinuntersog. Der Herbst war schon immer seine liebste Jahreszeit gewesen, moja ulubiona pora roku, wie Edyta Bartosiewicz sang, deren Texte zu den letzten Resten von Lyrik gehörten, die das vergangene Jahrzehnt, Wurmfortsatz eines auslaufenden Jahrtausends, hervorgebracht hatte. Zumindest solange man sie mit Musik konsumierte.

»Vielleicht sollte ich versuchen, Ihnen zwischendurch ein Stück polnischer Kultur nahe zu bringen«, sprach er zum Fenster hinaus und hörte selbst, wie unpassend die Bemerkung war, aus einer anderen Abteilung seines Denkens in die Deutschstunde hinübergeschwappt. Die Schüler würden ihn fragen, ob polnische Bauern überhaupt lesen und schreiben konnten, und ihm davon erzählen, dass es in seinem Heimatland nur Plumpsklos gebe und keinen Handyempfang. Er konnte es ihnen nicht einmal verübeln.

»Das ist eine hervorragende Idee«, sagte jemand in die Stille hinein, und auch wenn Smutek die Stimme nicht erkannt hätte, wäre ihm klar gewesen, dass Ada gesprochen hatte, weil niemand außer ihr das Wort ›hervorragend‹ benutzte. Er schaute auf, sah, dass auch ihre Wangen weniger anämisch wirkten als sonst, wurde von einer Welle Zuneigung erfasst und konnte ein strahlendes Lächeln nicht aufhalten, das sich durch seine Gesichtsmuskulatur grub und ihn wie einen Idioten vor der Klasse stehen ließ, leuchtturmgroß, deplatziert wie ein voll ausgerüsteter Christbaum an einem Sommertag.

Als er den Kopf wandte, begegnete er Alevs schwarzen Augen und wusste sogleich, dass er sich nicht getäuscht hatte: Etwas war anders, ein neues Energiefeld hatte sich gebildet, verlief diagonal von der Tür bis zur hinteren Ecke an der Fensterfront und erfasste den gesamten Raum. Die Schüler hatten sich neu ausgerichtet gleich den stäbchenförmigen Energieträgern eines frisch gekämmten Magnetfelds. Er konnte darauf verzichten, Ada um Teilnahme am Lauftraining zu bitten, er wusste jetzt, dass sie von selbst erscheinen würde. Etwas Neues stand im Begriff zu beginnen, und Smutek freute sich darüber wie ein Masttier über die frische Luft, während es zum Schlachter geführt wird.

»Okay«, sagte er, überwand den unerklärlichen Glücksmoment und bekam seinen Gesichtausdruck wieder in den Griff. »Vielleicht bei Gelegenheit.«

Er fing an, von Robert Musil zu sprechen, vom Wien der vorletzten Jahrhundertwende und der Hochphase der Moderne. Er sprach von der bevorstehenden Auflösung im Ersten Weltkrieg, an die niemand geglaubt, die niemand vorhergesehen und die doch alles mit dem Flugsand des drohenden Untergangs überzogen hatte. Er sprach vom Verlust des Glaubens, vom Bröckeln der Werte, vom Freischärlertum eines entfesselten Geistes und der hysterischen Suche nach dem, was in längst vergangenen Tagen ›die Seele‹ getauft worden war. Er erklärte Musils außergewöhnliche Gabe des absoluten Gehörs für Worte, die ihn befähigte, die einmal geschaute Welt in Sprache nachzuspielen, so leicht und fehlerfrei, als steckte keine Arbeit dahinter, sondern nichts als Inspiration.

In Musils Texten, behauptete Smutek, lägen Wahrheiten unter dem Staub der Jahre verborgen wie Gegenstände in einem Trödelladen, die, kaum dass man sie in die Hand nahm, in der Sonne zu glänzen begannen, und diesmal sank das verwendete Sinnbild nicht von der Decke herunter, sondern stieg direkt aus der Peristaltik seines Denkens herauf. Er sagte der Klasse, dass er mit ihr nach Wien fahren wolle, zu den mausoleenhaften Prachtbauten, zu schnörkligen Jugendstilcafés und schmuddligen Künstlerkneipen und zum fremdenfeindlichen Konservatismus einer Vielvölkerkapitale a. D.

Während er immer weiterredete, begann völlig zusammenhanglos Edytas Songs von der Lieblingsjahreszeit in seinem Kopf zu erklingen. Nasz dom, bez drzwi bez okien zasnął, by w śnie zimowym wiecznie trwać. Er würde es für sie übersetzen. Für wen, ›sie‹? Für sie, die Schüler, oder für sie, Ada. Vielleicht konnte man den Text wegen des vielen Schnees, der Irrwege und überhaupt der ganzen unaufgelösten Bildsprache in einen Exkurs über romantische Traditionen einkleiden. Unser Haus, ohne Türen, ohne Fenster, entschlummert vor langer Zeit, ewig zu überdauern in winterlichem Traum, und so weiter.

Er riss sich zusammen. Die Stunde lief gut. Ein Mechanismus hatte sich in Gang gesetzt, ein wenig träge noch, und würde Wochen brauchen, um die vorgesehene Geschwindigkeit zu erreichen. Eine große Maschine, die niemand aufhalten konnte, wenn sie erst einmal lief.

Ada ist wirklich schnell

Es war kühl. Schräg stehendes Licht verlieh allem und jedem trügerische Jugend, verwandelte den Fluss in ein Transportband für flüssiges Blei, zeichnete die Seelen der Menschen als lange, biegsame Schatten auf den Boden und frischte dem Rasen den Teint auf, dass er in geborgtem Frühlingsgrün das chemisch leuchtende Rot der Tartanbahn umlagerte. Ada kam eine halbe Stunde zu spät, um die lästigen Aufwärmübungen zu versäumen, und näherte sich langsam, den Riemen der Sporttasche quer über dem Leib wie einen Sicherheitsgurt. Smutek sah ihr über die Köpfe der Schüler hinweg entgegen und wandte sich genau in jener Sekunde wieder der Gruppe zu, da er hätte winken oder grüßen müssen. Eine Hand voll junger Prinzessinnen, die nie zuvor auf die Idee verfallen waren, ihre zierlichen Körper zu sportlicher Ertüchtigung zu zwingen, umringten ihn dicht an dicht, trugen knappe, babyfarbene Höschen mit weißen Streifen an den Seiten und lauschten den Worten des Trainers mit weit geöffneten Augen und Ohren. Auf die Entfernung sah Smutek beinahe wie einer von ihnen aus. Die Stirnhaare hingen frech in die Augen, unter dem eng sitzenden T-Shirt waren die voll ausmodellierten Muskeln an Brust und Rücken deutlich zu sehen.

Als Ada begriffen hatte, was die Prinzessinnen anlockte, bekam sie Lust, wieder zu gehen. Wie der umgehende Plumpsack auf einem Kindergeburtstag umrundete sie die Gruppe und schaute sich von allen Seiten an, wie der hübsche Herr Smutek mit angewinkelten Armen auf der Stelle hüpfte und dabei über Lehrerthemen sprach. Kräfteeinteilung auf Mittelstreckendistanz. Statik, Dynamik, Gravitation. Laufen ist Fallen. Ada setzte die Sporttasche ab und zog ihre Jeans wie immer mitten auf der Wiese aus.

»Ada«, sagte Smutek, »wollen Sie mitmachen?«

Wie am selben Faden gezogen wandten alle Mitglieder der Gruppe sich um. Das ›Sie‹ hallte nach, ein falsch angespielter Ton im Eröffnungsakkord.

»Ich bin zum Laufen hier.«

»Das trifft sich gut«, sagte Smutek freundlich. »Wir auch.«

Während er seine Erklärungen fortsetzte, warf er heimliche Blicke auf Ada, die in ihre Sporthose stieg, danach unbeteiligt herumstand und mit zusammengekniffenen Augen den blauen Himmel prüfte. Er konnte es nicht erwarten, sie rennen zu sehen. Sie würde sich nicht an die vorgegebenen Distanzen halten. Sie würde nicht mit der Gruppe laufen, und wahrscheinlich konnte er sie bis ans Ende aller Tage zu keiner Dehnübung zwingen. Immerhin hatte sie den MP3-Player in der Tasche gelassen.

Smutek bat um Verständnis dafür, dass er zur Einschätzung des Leistungsniveaus der Neuen zunächst ein paar Runden an ihrer Seite drehen wollte. Wie ein Zirkuspferd bei den ersten Klängen von Marschmusik rannte Ada ohne Aufforderung los, vom Rasen auf die Bahn, und war schon die lange Seite hinunter, bevor die Prinzessinnen auf bleiernen Füßen zur Startlinie getrottet waren. Sie plauderten mit den älteren Schülern und verzichteten darauf, die Füße in die Blöcke zu stellen. Smutek gab das Zeichen mit der Stoppuhr, wartete, bis die Gruppe sich eine halbe Runde entfernt hatte, und stellte die Uhr zurück auf null. Als Ada zum zweiten Mal die Ziellinie überquerte, setzte er den Zeitmesser erneut in Gang und rannte ihr nach.

Ihr Tempo schien ihm langsamer als beim letzten Mal, vielleicht richtete sie sich auf eine längere Distanz ein. Neben ihr trabend, bat Smutek, die Geschwindigkeit zu erhöhen, mit dreitausend Metern zu rechnen und für die letzte Runde eine Sprintreserve zu bewahren, die sie auf sein Kommando freisetzen sollte. Ada wurde nicht schneller, sie wandte nicht einmal den Kopf. Smutek ließ sich zurückfallen, zog dann dicht an ihr vorbei und rannte vorneweg, ohne dass sie es zur

Kenntnis genommen hätte. Gleichmäßig wie die Kolben einer Maschine flogen ihre schweren Beine durch die Luft, die Füße berührten nur für winzige Momente den Boden, als eilten sie ohne Schuhe und Strümpfe über glühend heißes Metall. Die Vorstellung, ein Mädchen wie Ada bei der nächsten Kreismeisterschaft zu melden, begeisterte und ängstigte Smutek in gleichem Maße. Es kam ihm vor, als wollte er ein Pony ins Derby schicken, auf dass es klein und robust, die Augen kaum über dem Tor der Startbox, mit dicker Mähne zwischen lauter langbeinigen, nervösen Vierjährigen stünde. Wenn er Ada im Geiste als Erste das Zielband durchtrennen ließ, kribbelte sein Zwerchfell auf eine Weise, wie er es zuletzt im Alter von vierzehn Jahren beim Spielen der Luftgitarre vor dem Garderobenspiegel erlebt hatte. Klein gegen Groß. Er war noch dabei, sich zu fragen, wie er sie zu einem höheren Tempo bewegen könne, als er merkte, dass sie schneller wurde.

Es war keineswegs Smuteks Gegenwart, die sie vorantrieb, sondern der Gedanke an einen gewissen Jemand, der sich seit Wochen wie ein Parasit von ihren Kräften ernährte. Alev mit den Sphinxaugen. Alev mit dem unverschämten Lachen. Alev mit den zu kurz geratenen Gliedmaßen und den Fingernägeln einer Frau. Als Ada in die Knie gegangen war, um ihre Sportschuhe zu schnüren, hatten die Gelenke geknackt wie Eiswürfel in einem Glas warmen Wassers. Wochenlang war sie nicht gelaufen, hatte mit lahmen Knochen und schmerzendem Kopf auf der Lauer gelegen, ohne zu wissen, worauf sie wartete und wann es heraustreten würde aufs offene Feld. Heute aber hatte sich plötzlich etwas am Horizont bewegt. Ada hatte ein paar Schüsse abgegeben, vielleicht hatte sie getroffen, und was sie jetzt vorwärts trieb, waren Jagdfieber und Gier.

Sie war nicht dumm genug, um dem Druck langer Fingernägel auf ihrem Arm zu glauben. Sie glaubte auch nicht an Alevs Hände zwischen ihren Schulterblättern und nicht an die Art, in der er vom klügsten Mädchen der Schule sprach.

Ada war kein Mensch, der an etwas glaubt. Zu deutlich sah sie, welcher Natur Alevs Interesse war. Es war das Interesse eines ehrgeizigen Schachspielers an einem gut positionierten Springer. Nicht sein Herzblut hatte sie gekostet, sondern den Geschmack von Kampf und Sieg. Grüttels zittrige Finger am Feuerzeug. Bastians nervöses Warten. Tonis Unterwürfigkeit. Alev hatte ihr etwas vorgeführt, sie hatte geschaut und verstanden. Gemeinsam quetschten sie leichthändig süßen Saft aus den Gemütern der Opfer. Ada hatte begriffen, dass jenes höchste Stockwerk der Macht, in das er sie gebracht hatte, um ihr mit großer Geste das umliegende Land zu zeigen, für ihn allein ebenso unzugänglich war wie für sie. Zu zweit hingegen spazierten sie ohne Mühe hinauf. Sie sehnte sich nach der Sekunde, in der er sie für den Angriff einteilen würde.

Zweimal pro Runde kam ihnen die Laufgruppe entgegen, lang gezogen wie Kaugummi, zwei Jungen an der Spitze, die sich bereits anschickten, die Nachhut zu überholen. Nach der fünften Runde begann Adas Rhythmus, sich den fremden Schritten an ihrer Seite anzupassen. Jemand lief neben ihr und redete unentwegt. In wellenförmigem Laut und Leise drang Smuteks Stimme zu ihr heran, wenn sie aus der Unterwasserwelt ihrer Gedanken auftauchte und wie ein Seehund die Ohren öffnete. Smutek sprach von Polen, genauer gesagt, von seiner polnischen Frau und einem polnischen Gedicht, das zu einer Erkennungsmelodie, zu einem wortreichen Motto des gemeinsamen Lebens geworden war. Während Ada sich fragte, was sie das angehe, wurde sie langsamer, wodurch Smutek, der in der festen Überzeugung auf sie einsprach, durch seine Beredungskünste ihr Tempo zu steigern, dazu veranlasst wurde, Zbigniew Herbert auf Polnisch zu zitieren.

Lasy płonęły / a oni / na szyjach splatali ręce / jak bukiety róż / do końca byli mężni / do końca byli wierni / do końca byli podobni / jak dwie krople / zatrzymane na skraju twarzy.

Das Gedicht wurde eher vom Takt der Atemzüge als von

Versmaß und Betonung gegliedert, und es entspannte Adas Verstand, der seinen eigenen Wegen folgen musste, während der Körper kämpfte. Die Füße gehorchten dem Atemmaß und gewannen Geschwindigkeit. Smutek loopte die letzten Zeilen, do koń-ca by-li męż-ni do koń-ca by-li wier-ni, und wurde schneller, vorsichtig, um den Faden nicht zu zerreißen, an dem er Ada hinter sich herzog, die jetzt in vollem Tempo rannte, stampfend, schnell, blind bis auf das kleine Stück Welt direkt vor ihren Füßen. Indem sie sich der Ziellinie näherten, wechselte Smutek ins Deutsche. Er hatte die Arme fest an den Körper genommen und den Kopf zurückgebogen, griff mit langen Beinen in die Luft und bekam die Silben nur noch stoßweise heraus.

Wälder brannten / aber sie / banden ihre hände um die hälse / wie rosensträuße zusammen / sie waren tapfer bis zum schluß / sie waren treu bis zum schluß / sie glichen sich bis zum schluß / wie zwei tropfen / angehalten am rand des gesichts.

Seine Finger fanden die Stoppuhr zu spät. Mindestens sechs Sekunden würde er abziehen müssen. Selbst wenn er nur drei oder vier abgezogen hätte – die Zeit blieb grandios. Seine Schläfen pochten, als hätten Blut und Hirnmasse beschlossen, sich einen Weg ins Freie zu suchen. Er sah Ada hinterher, die weiterlief, lockerer, gemächlich, mit halb geschlossenen Augen, immer mit dem Uhrzeigersinn, und war nicht sicher, ob sie auch nur eins seiner Worte gehört hatte.

Alevs Innenleben. Erste Berührungen und eine Art Gespräch

Nach Adas Besuch im Internat mussten vierzehn Tage verstreichen, bevor Alev sich ihr erneut zuwenden konnte. Warum das so war und warum es so unverbrüchlich feststand, wusste er selbst nicht genau. Die Fahrpläne seines internen Nahverkehrssystems wurden von einer Instanz erstellt, deren Gesetze ihm nicht verständlich waren. Sie diktierte eine Strategie des Vor und Zurück, als gälte es, ein Rudel hartnäckiger Verfolger zu verwirren. Sie verbot ihm, Prioritäten zu setzen. Er durfte niemals die Wahrheit, sondern höchstens das Gegenteil des Gegenteils der Wahrheit behaupten. Alev arbeitete wie ein Nachrichtendienst, der den Gesamtplan hinter seinen Aufträgen nicht kennt.

Ein Zwischenziel bestand darin, Adas Fähigkeiten in seine Dienste zu nehmen. Ihr Schweigen war eine Deckung, aus der heraus er zielen konnte mit aller gebotenen Ruhe und Präzision. Ihre Mauern waren hart und kalt und würden Angriffen trotzen, denen Alev allein nicht standhalten konnte. Allein war er ein Partisane, zusammen waren sie eine Armee. Er hatte ihr etwas gezeigt, und sie hatte verstanden. Sie hatte seine Berührung beantwortet. Nach diesem Erfolg war es an der Zeit, sie warten zu lassen. Er musste sich anderen Dingen zuwenden und die eigene Aufmerksamkeit zerstreuen. Es gab viele Figuren im Spiel und viele denkbare Gründe für die Befehle, die Alev erhielt. Es war wichtig, das geheime Ziel zu vertuschen, vor allem vor sich selbst.

Dieses Mal ging Alev mit besonderer Sorgfalt vor. Ganz deutlich spürte er, dass er sich nunmehr der Verwirklichung einer Absicht näherte, für die alles Bisherige nur Vorübung gewesen war. Auf verschiedenen Schulen hatte er gelernt, innerhalb kürzester Zeit die Zentren der Macht zu identifizieren und dort einzudringen, Kontakte zu knüpfen, Intrigen zu schmieden, Interessen auszukundschaften und zu instrumentalisieren, Seilschaften zu sprengen und neu zusammenzufügen. Immer wenn es ihm gelungen war, ein Netzwerk zu errichten, das auf den kleinsten Anstoß seiner Hände sensibel reagierte, so dass er ohne weiteres in der Lage gewesen wäre, eine schulinterne Revolution auszulösen, eine Bank zu überfallen oder einen Kinofilm zu drehen, hatte er die Stadt verlassen und an anderem Ort neu anfangen müssen. In diesem Fall sollte es anders werden. Er hatte seinen Eltern den Entschluss unterbreitet, bis zum Abitur oder Rausschmiss auf Ernst-Bloch bleiben zu wollen, und das unabhängig von der Frage, wo sie sich ihrerseits herumtrieben. Eine Antwort stand noch aus. Es konnte nicht schaden, sich frühzeitig aufs Internat zu konzentrieren, das ihm zudem gut gefiel, hoch unterm Dach, ein Taubenschlag für Freaks und Favoriten.

Es würde nicht lange dauern, bis er dort zum gefürchteten und begehrten Mittelpunkt des Geschehens avanciert war, zu einem König ohne Volk, dem die Untertanen in Scharen nachliefen, gerade weil er sich weigerte, ihre Gefolgschaft zu akzeptieren. Er hatte das Spiel an verschiedenen Orten der Welt gewonnen, und in diesem Land war es erfahrungsgemäß leichter als überall sonst. Hier lebte eine Nation ohne Väter, ohne Vorbilder, Meister, Könige oder Götter, ohne Überzeugungen, Wünsche für die Zukunft, sogar ohne brauchbare Erinnerungen an die Vergangenheit. Alevs Einschätzung nach würden die Lehrer und Schüler auf Ernst-Bloch leichter zu gängeln sein als eine Schafherde nach Verlust des Leithammels. Er brauchte nur ein wenig Zeit, um die Regeln *ex usu* zu erlernen, jeden möglichen Zug zu versuchen und die Figuren in Stellung zu bringen. Anders ließ sich ein Spiel ohne identifizierbare Ziele, ohne bekannte Gegner und ohne geschriebenes Regelwerk kaum in Gang bringen.

Zwei Wochen lang würdigte er Ada keines Blickes, hielt nicht vor ihr an, wenn sie vor dem Klassenzimmer auf ihn wartete, gab die Bälle nicht zurück, die sie ihm im Verlauf von Höfis Debatten zuspielte, und ignorierte ihre Äußerungen, die erste forschende Schritte auf seinem gedanklichen Territorium meldeten. Sie würde warten. Sie würde keinen Millimeter zurückweichen und ihrem Anliegen keine neue Richtung geben. Für eine Weile hatte er sie sicher.

Einstweilen machte Alev sich die Erde untertan. Grüttel und Bastian, die sich langweilten, gern über seine Witze lachten und ihn gratis mit Alkohol und Drogen versorgten, boten eine optimale Plattform für eine Neuordnung der Schaltzentralen und Schnittstellen schulischer Macht. In ihrem Dunstkreis existierte eine Junta aus männlichen Parteigängern, die in ihrem jeweiligen Wirkungsbereich die Rolle des Alphatiers innehatten und Alev unbesehen aus der Hand fraßen, sobald sie bemerkten, dass er im Begriff stand, sich zum König ihrer Könige aufzuschwingen. Auf dem weiblichen Sektor hatte er noch leichteres Spiel. Er sammelte Liebeserklärungen von Prinzessinnen aller Altersstufen, die ihre kleinen Erwachsenengesichter zu Fratzen kindlichen Schmerzes verzogen, wenn er seine Finger auf ihren Hälsen, Schultern und Wangen spielen ließ und mit Bedauern erklärte, dass ihn die Vielzahl der Angebote entscheidungsunfähig mache. Daneben gab es außer den Mädchen, die bereit waren, in Internatsbetten für die vorübergehende Zugehörigkeit zum Kreis der Auserwählten genauso viel zu tun wie ein Junkie für den nächsten Schuss, einige handverlesene weibliche Exemplare, die sich in Ikonen verwandelt hatten, von den Mächtigen mittelmäßig beachtet, vom Rest der Schule vergöttert und beneidet. Das Auftauchen eines Freischärlers erleichterte ihnen das Martyrium der Exklusivität.

Als genug Zeit verstrichen war, stellte er sich nach Schulschluss auf die dritte Stufe der Treppe zum Hauptportal. Es dauerte kaum eine halbe Minute, bis Ada neben ihm stand. Er reichte ihr eine selbst gedrehte Zigarette, die er während der letzten Stunde aus einem geborgten Tabaksbeutel für sie vorbereitet hatte, gab Feuer und begleitete sie, über Nichtigkeiten plaudernd, auf dem Heimweg durchs Villenviertel. Um ihn zu testen, verhielt sie an der letzten Kreuzung den Schritt und schickte sich an, in die falsche Seitenstraße abzubiegen. Er jedoch fasste sie lachend am Arm, natürlich wusste er längst, wo sie wohnte. Das vertraute Gebäude erschien ihr in seiner Gegenwart mit einem Mal völlig fremd. Alev verwehrte ihr das Öffnen des Gartentors, zog sie weiter die Straße hinunter, einmal links um die Ecke und auf den nördlichen Rand des Villenviertels zu. Vor einem kleinen Haus blieben sie stehen. Es war im schmucklosen Stil der fünfziger Jahre erbaut und bei weitem nicht so herrschaftlich wie die Prachtanwesen in Adas unmittelbarer Nachbarschaft. Am unteren Rand eines nachträglich angesetzten Balkons hing ein schmales Schild: PENSION. Alev lächelte wie ein Magier nach gelungenem Zaubertrick. Während sie den Eingangsflur einer fremden Familie durchquerten, vorbei an Rattanmöbeln, Trockenblumen und einer angelehnten Küchentür, durch die der Geruch eines vegetarischen Mittagessens drang, dachte Ada darüber nach, was es bedeuten mochte, dass sie jede Nacht den Kopf auf ein Kissen gebettet hatte, das nicht mehr als fünfhundert Meter Luftlinie von Alevs Bett entfernt lag. In Alevs Nähe schien alles Zeichen oder Wunder.

Die Pensionszimmer lagen im ersten Stock. Flüchtig öffnete Alev die erste Tür und ließ Ada hineinsehen. An den langen Wänden stand je eine schmale Liege. Ein Armstuhl ertrank unter Kaskaden abgeworfener Kleidungsstücke, auf einem antiken Tischchen rutschten Bücherstapel übereinander und ließen keinen Platz zum Lesen oder Schreiben. Ada entdeckte ein paar alte Bekannte, Machiavelli, Nietzsche und Derrida. Überall standen volle Aschenbecher. Am Boden zählte Ada fünf einzelne Springerstiefel, die zu groß waren, um Alev zu gehören. Das Fenster ließ sich nicht öffnen, weil eine würfelförmige Stereoanlage das Fensterbrett blockierten. Ada stellte sich vor, in diesem Zimmer auf Alev zu warten, beide Ellenbogen auf die Musikanlage gestützt, die hässliche Gardine als Brautschleier über dem Kopf. Sie würde die

Nase in den beiden Hälften des großen Kopfhörers vergraben und den Geruch seiner Haare einsaugen, bis sie trunken aufs Bett fiele, versehentlich eine Schale mit Zigarettenkippen umwerfend, und dort zwischen Asche und Kissen liegen bliebe, ohne Leben, weich und warm und unterbeschäftigt wie eine Wohnungskatze.

»Ich wusste nicht, dass du einen Bruder hast.«

»Du weißt wenig über mich, und so wird es bleiben.«

Weil Ada sich am Rahmen festhielt, konnte er die Tür nicht schließen.

»In Ordnung«, lachte er. »Maurice ist drei Jahre jünger und wirklich schön. Groß, weißt du, lange Schenkel. Langes, lockiges Haar. Vielleicht stammt er von einem anderen Mann.«

»Wo ist er?«

»Er hat die Angewohnheit, sich zu Beginn des Schuljahrs ein Mädchen aus gutem Hause zu suchen. Sie verliebt sich in ihn, er besucht ihre Eltern und gibt sich selbst zur Adoption frei. So ist er überall zu Hause. Er ist anders als ich. Manchmal spielen wir Schach. Er hat noch kein einziges Mal gewonnen.«

Er zog sie zurück auf den Flur.

»Zieh die Schuhe aus.«

Weil Ada breitbeinig stand wie ein Seemann, unter dessen Füßen der Boden zum Schwanken neigt, kamen auch ihre abgelegten Stiefel auf diese Weise zum Stehen, schulterbreit voneinander entfernt, die Spitzen nach außen gekehrt, als steckte eine zweite, unsichtbare Ada darin und bliebe wartend im Flur, bis der sichtbare Teil wiederkäme, um gemeinsam davonzugehen. Mit drei Knöcheln klopfte Alev an den Türrahmen, wartete mit schief gelegtem Kopf und drückte die Klinke.

Drinnen saß ein sanftes Gespenst auf der Couch, die Beine im Damensitz zur Seite gefaltet, den Rücken über ein paar Unterlagen gebeugt.

»Amila.«

Bis sie den Kopf hob, kam eine filmreife Pause zustande,

just a moment, je viens, ein sorgfältiges Lächeln in Bordeauxrot. Das Gesicht von feinen Falten durchzogen, die Backen prall und die Augen groß wie bei einem jungen Mädchen. Das helle Kopftuch zog eine exakte Linie rund um Stirn und Wangen, verdeckte sauber Haaransatz und Ohren und fiel, sich mit den übrigen Gewändern mischend, bis zu den Füßen. Die Haut war weiß gepudert, die Augen blau, die geschwärzten Wimpern und Brauen von Natur aus wahrscheinlich blond. Amila war eine Puppe. Im Nebenberuf war sie Alevs Mutter.

»Das ist Ada.«

Amila stand auf, streckte eine Hand aus, die seltsam nackt aus der Seide ragte, und fasste zu wie ein Mann.

»Freut mich.«

Die beiden Wörter reichten aus, um zu klären, dass sie Deutsche war. Sie sprach mit bayerischem Akzent. Ihre Hand, nach der Begrüßung freigekommen, stieg in die Höhe, als wäre sie leichter als Luft, näherte sich Adas Stirn, ein Finger schnappte heraus und fuhr mit der Kuppe die Brauen entlang.

»Schön«, sagte sie. »Stark und dunkel wie das Herz. Sonst bringt Alev immer ausrasierte Ricken.«

»Amila, Herzblatt«, sagte dieser mahnend, »du bist selbst am ganzen Körper rasiert.«

Trocken lachte sie auf, trat neben Ada und legte ihr leicht den Arm um die Schultern.

»Hör nicht auf den kleinen Mann«, sagte sie ihr ins Ohr. »Die Kerle in dieser Familie sind alle geistesgestört. Vermutlich ist das meine Schuld. Ich bitte dich im Voraus um Verzeihung.«

»Bisher«, sagte Ada, »war immer ich es, der man verzeihen musste.«

Amila suchte einen Blick in den grauen Augen und fand nichts.

»Du könntest recht haben«, sagte sie. »Das wäre eine gute Nachricht. Ich sehe einen Verstand, scharf wie hundert Messer, und einen Willen, hart wie ein Schlachtblock. Eine Seele sehe ich nicht.«

»An manchen Tagen«, sagte Alev, »hält Amila sich für ein Röntgengerät, das in alle Menschen hineinsehen kann.«

»Wo ist dein Vater?«, fragte Ada.

»Im Sudan«, sagte Amila, »und bald gehen wir auch dorthin.«

»Ich nicht«, sagte Alev, und Ada, die dicht neben ihm stand, berührte hauchzart mit dem Handrücken seine Finger; es konnte ein Versehen sein, vielleicht auch Absicht.

»Was macht er?«

»Geschäfte«, erwiderte Amila streng, wie zu einem Kind, das nicht nach dem Beruf der Eltern fragen soll. »Seit dem elften September ist die Branche extrem beschäftigt. Ach, wir verdienen Geld!«

»Okay«, sagte Alev, »das ist genug. Wir gehen rüber.«

Zum Abschied wurde Ada auf beide Wangen geküsst und fand sich gleich darauf im Nebenzimmer wieder, einen ihrer Stiefel in jeder Hand. Polternd fiel das Schuhwerk zu Boden. Alev drückte sie auf Maurice' Bett.

»Sitz«, sagte er. »Wir brauchen eine Zigarette.«

Weil er nirgends eine volle Schachtel fand, machte Ada sich ans Drehen.

»Ist dein Vater Moslem?«

»Grundsätzlich ja, gleichzeitig Gewohnheitsatheist.« Er sprang auf, um die Stereoanlage in Betrieb zu nehmen. »Es war ihre eigene Entscheidung. Wenn eine Frau viel allein ist, braucht sie Allah. So hat sie etwas, das nur ihr gehört. Jedenfalls in Deutschland. In arabischen Ländern legt Amila den Tschador ab. Sie will keinen Gott, der schon Millionen anderer Frauen besitzt.« Zwei Orchester schienen gleichzeitig verschiedene Stücke zu spielen, daneben sangen ein gewalttätiger Bass und eine arrogante Gitarre. Ada hatte die Zigaretten fertig gestellt, warf eine auf das gegenüberliegende Bett und steckte die andere an. Alev kam nicht zur Ruhe, rannte hierhin und dorthin und verbreitete einen Störton, den Amilas

Gegenwart in ihm erzeugte. Wenn sie in der Nähe war, verstand er seine Befehle nicht mehr, und dafür hasste er sie wie einen Betonklotz, der ihm die freie Durchfahrt verwehrte. Am Schreibtisch wühlte er in Büchern und drückte Ada eins in die Hand, als wäre sie eine lästige Studentin, die sich vom enervierten Professor mit etwas Literatur abspeisen lässt. Ada legte es ohne einen Blick auf den Titel beiseite.

»Ich hasse Zeitverschwendung«, sagte sie.

»Alle Männer haben ein erotisches Problem mit ihren Müttern. Das ist sehr anstrengend. Bei Amila besonders.«

»Verlorene Zeit«, betonte sie störrisch, »ist wie tausend kleine Tode.«

Er hatte Adas Widerstand erwartet und sich darauf gefreut. Aber ihr Kampf gegen ihn, gegen seine Mutter und gegen die überhebliche, traurige, verdorbene Extravaganz dieser Unterkunft besaß einen Geschmack, auf den er nicht vorbereitet war. Ada zeigte sich nicht im mindesten beeindruckt vom Märchenduft einer semiorientalischen Vagabundenfamilie. Sie war überaus stur, kein verspieltes, widerspenstiges Jungtier, sondern klumpfüßig und bullig, mit einer Gegenwehr bewaffnet, die ihn innerlich zusammenschrumpfen ließ, bis sein Verstand sich schmerzhaft von der zu groß gewordenen Hülle löste. Wenn es nicht gelang, dem eingefädelten Nachmittag eine andere Richtung zu geben, würde Ada eine Möglichkeit aufspüren, ihn zu verachten. Unter dem Kopfkissen entdeckte er ein Plastiktütchen mit Kürbiskernen. Jetzt saß er neben ihr, seine rechte Hüfte an ihrer linken, knackte die Kerne geschickt wie ein Eichhörnchen mit den Vorderzähnen und spie Schalen auf den Teppich.

»Bei Zeitverschwendung, Alev«, sagte Ada, und es war das erste Mal, dass sie ihn mit Namen ansprach, »gerate ich in Panik. Eine Stunde im Wartezimmer eines Internisten, und ich bin bereit zu töten. Egal wen. Auch Kinder.«

»Das klingt sehr schön, Kleinchen«, sagte er, »aber es ist unökonomisch.«

Das ›Kleinchen‹ war gut gewählt, es machte sie glücklich.

»Es geht nicht um Ökonomie. Meine Glieder führen Kommandos aus, die ich ihnen nicht diktiert habe. Wenn die Möglichkeit besteht, gehe ich auf die Tartanbahn. Oder ich schlage etwas kaputt.«

»Und was verteidigst du«, fragte er, »während du ständig gegen die Zeit kämpfst?«

»Nichts. Ich bin einfach sterblich, wie andere Leute erkältet sind. In jeder Sekunde spüre ich die Symptome.«

»Dass du eine Verurteilte bist, wusste ich gleich, als ich dich zum ersten Mal sah.«

Einen Moment lang hing die Vorstellung im Raum, dass es diese Begegnung sein könnte, die Begegnung zwischen Ada und Alev, die zu verteidigen sich eines Tages lohnen würde. Dann spuckte Alev den nächsten Kürbiskern.

»Einmal sagte ich dir, dass Zeit der einzig wahre Besitz des Menschen sei. Warum versuchst du jetzt, mich auf diesem Pfad zu überholen?«

»Weil ich dir etwas Wichtiges mitteilen will.« Sie nahm ihm die Tüte weg, holte aus und schleuderte sie so heftig gegen die Wand, dass ein prasselnder Regen aus Kernen niederging, während der Plastikbeutel hinter den Büchertisch rutschte und zu Boden fiel. »Es handelt sich um Folgendes. Was auch immer wir in Zukunft miteinander zu tun haben werden, verschwende niemals meine Zeit. Verstanden?«

Er nahm ihre rechte Hand, die geworfen hatte, in die seine, führte sie an die Lippen und entließ einen kaum spürbaren Kuss auf die Knöchel.

»Verstanden. Was verlangst du?«

»Erklär mir, warum du mich hierher gebracht hast.«

Er stand auf, hielt die Musik an und sah, wie Ada erleichtert aufatmete. Sie löschte die Zigarette, füllte Wasser aus einer offenen Flasche in ein schmutziges Glas, trank und ließ sich auf den Rücken sinken.

»Vermutlich wollte ich ein paar Andeutungen machen, die das Fundament meiner Persönlichkeit betreffen.«

»Okay.« Das Glas hielt sie auf der Brust, so dass der Wasserspiegel im Takt der Herzschläge zuckte. Sie war erschöpft wie ein Kontinentaleuropäer nach seinem ersten Tag im britischen Linksverkehr. Was auch immer in ihren Gesprächen passierte – es kam von der falschen Seite.

»Wenn du mich etwas wissen lassen willst, dann sprich.«

Alev erzählt Wesentliches aus seiner Kindheit

Und er begann zu sprechen. Ganz entgegen seiner Gewohnheit machte er Pausen dabei, als lauschte er am Telephon auf die Erwiderung eines unsichtbaren Gesprächspartners. Ab und zu schob er den Kugelschreiber, mit dem er in der Luft gestikulierte, unter die aufgerollten Ärmel seines Hemds und kratzte sich in den Achselhöhlen.

Als Kind war ich seltsam. Meine Mutter ertappte mich im Badezimmer, wie ich ein zusammengedrehtes Handtuch gegen die Wand schlug. Das ist böse, rief ich, böse!, böse! Das Handtuch war dreimal vom Haken gefallen und musste bestraft werden. Als meine Mutter fragte, wie man eine Sache bestrafen könne, die doch an nichts schuld sei, fing ich an zu brüllen. Nicht schuld? Jedes Handtuch weiß, dass es am Haken hängen soll! Ich war ein Vielvölkerstaat und wollte den Bürgerkrieg in meinem Inneren durch strenges Reglement unter Kontrolle bringen.

Und so ging es fort. Ada holte sich die zweite Zigarette, die er verschmäht hatte, vom anderen Bett, ohne dass Alev seine Ausführungen unterbrochen hätte. Er stand mitten im Zimmer und sprach zu Decke und Wänden, die aufmerksam zuhörten. Ob er frei phantasierte oder tatsächliche Begebenheiten in seltsame Gewänder kleidete, war nicht zu unterscheiden. Offensichtlich wollte er auf etwas hinaus und wählte schlicht den Weg mit der schönsten Aussicht. Ada konnte nicht wissen, dass er in dem Moment, als sie die Kürbiskerntüte warf, seinen nächsten Befehl erhalten hatte. Er lautete: Schenk ihr etwas von dir, das sie mit sich herumtragen kann wie einen bizarr geformten Stein. Etwas, das nur ihr gehören wird. – Sie legte sich wieder aufs Bett.

Als Kind suchte ich Hilfe gegen Dinge, die ich nicht verstand. Meine Mutter kam mir mit verschiedenen Religionen, aber diese glichen einer Sammlung von Fabeln, deren einziger Zweck darin bestand, zwischen Gut und Böse zu unterscheiden. Die Entscheidung zwischen Gut und Böse aber war die simpelste Sache der Welt, für die ich keinen Ratgeber benötigte: Gut war alles, was dem Überleben diente, und schlecht, was es zu zerstören drohte. Die Sehnsucht nach Gott war bloß der Wunsch nach einem netten Chef. Mir fehlte etwas anderes.

Die Erkenntnis kam in Gestalt eines Autounfalls, der mir alles darüber verriet, was der Mensch ist. Danach gab es keine geprügelten Handtücher mehr. Danach hörten die Bomben auf zu fallen. Danach war der kleine Alev ein Mann geworden. Ein Mann von zehn Jahren.

Im Jahr 1995 pflegte ich mit meinem Vater im Auto durch Belgrad zu fahren. Er hatte einen rührend kleinen Sportwagen vom Typ Alfa Giulia Spider ins Land gebracht, drehte das hölzerne Lenkrad mit einer Hand, und wir glitten mit heruntergelassenem Verdeck wie in einem exotischen Segelboot durch das stinkende Meer osteuropäischer Wagen. Der große El Qamar zog an Fäden, die ihn mit dem bevorstehenden Friedensschluss verbanden. Der kleine El Qamar durfte vorne sitzen, weil der Zweisitzer über keine Rückbank verfügte, und bettelte deshalb um Mitnahme zu jedem Gesprächstermin. Meine Schultern fühlten sich breit an auf dem ledernen Beifahrersitz, und wenn ich mit dem Hintern bis auf die Kante rutschte, erreichten die Füße den abgeschrägten Boden des Fußraums. Der Vater ließ mich die linke Hand auf den Schaltknüppel stützen, legte seine großen Finger über meine, und wir wechselten gemeinsam die Gänge.

Beim Verlassen eines Parkhauses in der Innenstadt rollten wir durch enge Betontunnel auf die schwarzgelben Schranken zu. Der Vater hatte den Parkzettel zwischen die Lippen geklemmt und den Ellenbogen auf den Rand der Fahrertür gelegt. Es war Sonntag, beide Ausfahrtmöglichkeiten waren leer, kein weiterer Wagen in Sicht. Wenige Meter vor der Haltelinie teilte sich die Spur. Der Vater ging nicht vom Gas. In mäßigem Tempo fuhren wir auf dem Trennstrich, weder auf der linken noch auf der rechten Seite, sondern genau in der Mitte, und bevor ich Zeit hatte, etwas zu sagen, zu schreien oder auch nur die Augen aufzureißen, krachte der Wagen frontal gegen den Betonpfosten, der die beiden Schleusen voneinander trennte. Scheinwerferglas splitterte, der Pfeiler drückte dem kleinen Spider eine tiefe Hasenscharte ins Gesicht. Ich wurde gegen das Holz der Armatur geschleudert.

Ohne einen Kratzer, aber stumm vor Entsetzen richtete ich mich auf, saß reglos und starr und sah abwechselnd auf schwarzgelben Stahl, viel zu dicht vor der Windschutzscheibe, und auf den Vater. Der hielt die Hände auf dem Lenkrad, blickte geradeaus und machte eine gleichzeitig verwunderte und belustigte Miene, als könnte er nicht glauben, was eben geschehen war. Von links näherte sich ein Mann in blauer Uniform. Als dieser schon nah herangekommen war, neigte sich der Vater mir zu.

»Weißt du, was passiert ist?«, flüsterte er und sah noch immer nach vorn auf Beton und zerdrücktes Metall. »Plötzlich konnte ich mich nicht entscheiden. In Wahrheit gibt es kein Für und Wider, keine Gründe für rechts oder links. Merk dir das, Söhnchen. Was die Menschen täglich ihre Entscheidungen nennen, ist nichts weiter als ein gut einstudiertes Spiel. Es tut mir leid.«

»Macht nichts«, flüsterte ich schnell zurück, während sich die rosafarbenen Hände des blau Uniformierten auf die Beifahrertür legten. Man hatte mit mir wie zu einem Erwachsenen gesprochen. Ich hatte verstanden. Bis zum Abend hatte ich den Wortlaut der Wahrheit auswendig gelernt. Es gibt kein Für und Wider, keine Gründe für rechts oder links. Die menschliche Entscheidung ist nichts weiter als ein vortrefflich einstudiertes Spiel.

Die letzten Silben sprach Alev direkt in Adas Gesicht. Er kniete vor dem Bett. Sie hatte die Augen geschlossen. Fremder Atem strich ihr über die Lippen, um sich mit dem eigenen zu mischen. Sie sog ihn ein und blies ihn wieder hinaus.

»Das«, sagte Alev und fasste ihren Arm, »war alles.«

Sofort stand sie auf, stieg in ihre Stiefel, ohne die Schnürsenkel zu knoten, griff nach dem Rucksack und wurde von Alev auf den Flur und die Stiege hinuntergedrängt. Schon auf den Eingangsstufen schloss er ihre Finger um die Kanten des Buchs, das er auf dem Tisch für sie gesucht hatte, und presste es gegen ihren Körper. Stumm begrub er ihre Gesichtszüge unter seinen Fingern, die einst für einen größeren Mann entworfen worden waren, und berührte ihre Lippen mit seinen, ohne Druck, ohne Kuss, nur ein Streichen, ein Hauch. Sie ging die Treppe hinunter und die Gasse entlang, hielt das Buch weiter vor dem Bauch und wusste, dass er ihr nicht nachschaute, sondern längst im Inneren des Hauses verschwunden war.

Ada spricht mit ihrer Mutter und zupft sich die Augenbrauen

Der Weg nach Hause nahm kaum zwei Minuten in Anspruch. Das Gartentor erreichte sie mit dem unklaren Gefühl, dass alles hier um eine Winzigkeit verändert war. Warum plätscherte der Springbrunnen? War er nicht seit Wochen ausgeschaltet, weil herabfallende Blätter die Pumpe verstopften? Hing schon immer ein Vogelhaus in der Tanne? Ada glaubte nicht, dass jemals eine Vogelfamilie im Garten genistet hatte. Bei Sonnenuntergang schnaufte manchmal ein fetter Igel durchs Gras, trug Blätter und kleine Zweige auf seinen Stacheln und holte sich mit lautem Schmatzen ertrunkene Nacktschnecken aus den Biergläsern in der Rabatte. War die Fassade schon immer in einem so rötlichen Farbton gestrichen, oder kam das vom frühen Abendlicht? Hing der Himmel seit jeher so tief überm First? Vor allem fehlte etwas Entscheidendes. Es fehlte das Schild PENSION. Denn auch in diesem Haus waren die Menschen immer zu Gast und niemals zu Hause.

Auf dem Plattenweg zum Hauseingang schrak Ada zusammen, als es im Vorgarten heftig raschelte. Die Einmischung eines Hortensienbuschs hatte den gebückten Nachbarn ihren Blicken entzogen. Nun richtete er sich auf und lüftete einen albernen Strohhut, den er heute über dem Anwaltsgesicht trug.

»Fräulein Ada!«, rief er scherzhaft. Seit sie denken konnte, nannte er sie so, und seit sie denken konnte, bewohnte er mit einem Haufen Fachbücher die untere Etage. »Zeig mal her. Was liest du denn da?«

»Keine Ahnung.«

»Du trägst ein Buch mit dir rum, dessen Titel du nicht kennst?«

»Streuen Sie Schneckengift?«

»Unter anderem. Warum?«

»Wissen Sie, dass Schneckengift auch Igel tötet?«

Er hatte ihr das Buch aus der Hand genommen, betrachtete das Titelblatt und las den Klappentext.

»Wer solche Bücher spazieren trägt, sollte keine Probleme mit toten Igeln haben.« Als sie es wieder an sich nehmen wollte, hielt er es hoch in die Luft, um sie zu necken. Ada machte keine Anstalten, danach zu springen wie ein Hund nach der Wurst.

»Im Vergleich zum Großteil der Menschheit«, sagte sie, »scheinen mir Igel die moralisch einwandfreien Wesen zu sein. Und jetzt geben Sie mir das Scheißbuch zurück.«

Er ließ es fallen, und sie fing es mit beiden Händen, bevor es auf den erdigen Boden schlug.

»*Evolution of Cooperation*«, las sie. »Was ist das?«

»Spieltheorie«, sagte er. »Abgesehen von ein paar Mathematikern gibt es nicht viele Leute, die das verstehen.«

»Aber Sie schon?«

Er zuckte die Achseln. »Einem Juristen kann es nicht schaden, etwas über die rechnerischen Spielregeln menschlichen Verhaltens zu wissen. Viel Spaß damit.«

Im Treppenhaus stand am oberen Absatz die Mutter.

Wo warst du denn. Bei Alev. Wer ist Alev? Der Neue in unserer Klasse. Wo kommt er her? Halb-Ägypter.

Ada drängte sich an ihr vorbei in die Wohnung, streifte die Schuhe ab und schob das Buch unter die Klappe des Armeerucksacks. Auf dem Weg zur Wendeltreppe hielt die Mutter sie auf. Komm erst mal zu Tisch. Sie erschien mit Brotkorb und einem kleinen Tablett in der Küchendurchreiche. Das ist Gänseleberpastete. Gab es bei PENNY, ich hab es heute früh in der Zeitung gelesen. Man muss sich auch mal was Gutes tun, nicht?

Ada balancierte auf der vordersten Kante des Stuhls und bestrich dünn geschnittene Brotscheiben mit rosig grauer Paste.

»Ist er netter als Olaf?«

»Bei Alev ist ›nett‹ nicht die richtige Kategorie.«

»Werdet ihr euch ineinander verlieben?«

Inständige Hoffnung verlieh der Frage der Mutter den beschwörenden Klang einer Prophezeiung. Ada erlaubte sich ein kurzes Ziehen in der Magengrube, drei bis vier beschleunigte Herzschläge und ein scheues Lächeln. Warum nicht, nur für ein paar Sekunden, es gab sonst so wenig, das Bewegung verursachte. Immerhin, dachte sie, leben wir alle von den Irrtümern, die unsere Mitmenschen über uns hegen.

»Weißt du, was der Unterschied zwischen uns ist?« Ada sprach mit vollem Mund. »Du glaubst nicht an die Liebe, weil dein Mann dich verlassen hat.«

»Er hat mich nicht verlassen. Ich habe ihn rausgeworfen.«

»Und ich glaube nicht an die Liebe, weil ich keinerlei Glaubensfähigkeit besitze.«

»Das ist seine Schuld!«

Der Mund der Mutter grimassierte unendlichen Schmerz, rasch rötete sich das Weiße der Augen. Seit sie Kontaktlinsen trug, weinte sie noch häufiger als früher.

»Mit meiner Unfähigkeit zu glauben hat der Brigadegeneral weniger zu tun als Immanuel Kant. Wahrscheinlich bin ich ohne Glauben zur Welt gekommen, wie andere Leute ohne Arme oder Augenlicht geboren werden. Man lebt ein bisschen anders als der Rest und kommt trotzdem klar.«

»Das Gleiche hätte er auch geantwortet, nicht? Du bist völlig von ihm besessen.«

»Mutter. Wir hatten über Alev gesprochen.«

Richtig. Wann kommt er zu Besuch? Ich weiß nicht, ob er kommt. Er ist nicht nett, und er ist schwer einzuschätzen. So ist es am Anfang immer, das musst du genießen. Mutter, du verstehst nichts.

»Sag nicht immer, dass ich nichts verstehe! Du irrst.«

Ada konnte sich nicht erinnern, das Wort ›irren‹ früher schon einmal aus dem Mund der Mutter gehört zu haben. Irren setzte die Nichtidentität von Wirklichkeit und eigener

Vorstellung voraus und verlangte damit einen Kontext, welcher der Mutter völlig fremd war. Jetzt fragte Ada sich, ob es sein könne, dass sie selbst sich irrte, und zwar in dem einzigen Menschen, mit dem sie tagein, tagaus auf engstem Raum zusammenlebte. Vielleicht verstand die Mutter alles, und sie, Ada, verstand überhaupt nichts.

»Ich wollte dich um etwas bitten. Könntest du mir zeigen, wie man Augenbrauen zupft?«

»Klar.«

Ihre Laufschuhe hätte sie darauf verwettet, dass die Mutter diese Bitte ausschlachten würde als ersten Bodengewinn im jahrelangen Kampf um den Körper der Tochter. Aber nichts. Sie hockten am Esstisch, der für eine Gesellschaft von zehn Personen zugeschnitten war, und das müde Sonnenlicht füllte wie etwas Gegenständliches den Raum. So oft hatten sie hier schon zusammengesessen, dass das Tischtuch mit dem Rosenmuster abgeschabte Flecken hätte aufweisen müssen, an den Stellen, wo die Mutter mit immer gleicher Bewegung über den Stoff strich, während sie Ada ermahnte, das süße Erbgut ihres natürlichen Vaters gegen den intellektuellen Einfluss des Brigadegenerals zu verteidigen, der betörend und verderblich sei wie eine Droge. Bei solchen Gelegenheiten pflegte Ada die Zeitungsbeilage *Prisma* aufzuschlagen und das Mädchen der Woche zu betrachten, wie es, anständig bekleidet und mit bürgerlichem Lächeln, das Zitat der Woche präsentierte. Man muss ins Gelingen verliebt sein, nicht ins Scheitern. Es kommt darauf an, das Hoffen zu lernen. Wenn wir zu hoffen aufhören, kommt, was wir befürchten, bestimmt.

Ada pflegte zu hoffen, durch intensives Starren in den hübschen, mageren Körper und den ebenso hübschen und mageren Verstand des Mädchens der Woche schlüpfen zu können und im nächsten Moment von unten aus der Zeitung herauszustarren. Nie hatte es geklappt. Auf den langen Vorhängen inszenierten die schwankenden Arme der Kastanie ein unverständliches Schattenspiel, die Tageszeiten wechselten einander ab, das Mädchen der Woche ließ sich nicht aus der zementierten Umklammerung des Magazins herauslösen. Ada wunderte sich, dass ihr der Esstisch nie in bösen Träumen erschienen war.

Jetzt stand die Mutter auf, selbstverständlich und leicht, als hätte es nie ein Problem damit gegeben, sich von diesem Tisch zu erheben und einfach wegzugehen. Mit beschwingten Schritten lief sie voraus, die Treppe hinauf und ins Badezimmer.

Halt die Pinzette ganz vorn, jetzt das Haar an der Wurzel packen, im rechten Winkel zur Stirn. Gemeinsam beugten sie sich über das Waschbecken und stießen mit den Nasen fast an die Oberfläche des Spiegels. Ein Ruck! Schnelligkeit schützt vor Schmerzen.

Ja. Schnelligkeit schützte vor Schmerzen. Dankbar lächelte Ada die Mutter an, und diese lächelte zurück, froh, dass sie beide sich im Badezimmer wie normale Menschen verhielten. Schnelligkeit schützt. Der Satz kam wie bestellt. Vielleicht hatte Alev ihn geschickt. Vielleicht wusste er, wie man eine Welt errichtet, in der Sprache nicht wie ein gigantischer Spucknapf funktioniert, in den Milliarden von Menschen rotzen, um hinterher daraus saufen zu können. Vielleicht kannte er eine Welt, in der man intelligente Sätze im Mund wie Rauchringe formt, sie behutsam ausstößt und gemeinsam zusieht, wie sie um sich selbst wirbelnd zergehen. Eine solche Welt hatte Ada sich immer gewünscht.

Das Zupfen ging leicht. Tränen wurden im Augenwinkel geboren, wuchsen und rannen über die Wange zum Kinn, wo sie einen Moment schwankend aushielten, bis sie fallen konnten. Was hatte Smutek gesagt? Sie waren tapfer bis zum schluß / sie waren treu bis zum schluß / sie glichen sich bis zum schluß / wie zwei tropfen / angehalten am rand des gesichts. Ada wusste wenig darüber. Sie hatte schon lange nicht mehr geweint.

Als sie fertig war, sah sie verändert aus. Das Gesicht wirkte zarter, fast puppenhaft mit den dünnen, hochgewölbten Brauen, jünger und älter zugleich. Sie lief die Treppe hinunter, mit einem Mal fröhlich, um sich zu zeigen. Die Mutter saß am Tisch und las in der *Prisma*. Gut gemacht, steht dir.

Eine innere Unruhe trieb Ada hinaus, das neue Gesicht wollte herumgetragen werden. Sie lief durch die Straßen des Viertels und himmelte Häuser an, die sie seit ihrer Kindheit kannte und nicht einmal genauer angesehen hatte. Die Häuser standen auf breiten Füßen, nichts würde sie wegtragen oder umkippen, und verzogen keine Miene, wer auch vorbeiging, obwohl sie die Gedanken jedes Passanten zu lesen vermochten. Geordnet war die Godesberger Welt. Jeder und jedes hatte seine Aufgabe. Die Häuser horchten, der Fluss trug auf seinen Rippen die ersten Strahlen des Mondlichts gen Norden. Die Autos hielten unter ihren Rädern die Erdrotation in Gang. Der Wind schmeichelte, das Laternenlicht summte. Der Anwalt im Erdgeschoss löste Fälle. Ada dachte über ihre eigene Aufgabe nach und dann über die der Mutter und erschrak. Es gab keine. Sie waren wie abgeschossene Pfeile, die ihr Ziel verfehlt hatten und im Unterholz liegen geblieben waren. Vielleicht war nun jemand vorbeigekommen, hatte Ada durch Zufall entdeckt und in den Köcher geschoben. Sie gierte danach, auf eine Sehne gespannt zu werden. Zu zielen. Zu fliegen.

Als sie heimkam, saß der Igel auf dem Plattenweg. Ada legte die Jacke ab, um ihn damit aufzuheben, und trug ihn über den Bürgersteig, die Straße hinunter, suchte ihm den größten Garten hinter dem schönsten Haus, in Waldnähe, nicht weit zum Rhein, lief quer über fremden Rasen und setzte ihn sanft unter das dichteste aller Gebüsche. Weit weg vom Schneckengift.

Ein, tapp, tapp, tapp, aus, tapp, tapp, tapp. Smaragdblau wird zu Saphirgrau

Die folgende Woche war kühl und smaragdblau, an den Rändern mit einer bösen Vorahnung von Winter verziert, der die frische Luft gefährlich würzte und die Lungenlappen kitzelte in erster Ankündigung jener Nadeln und Klingen, die im Januar jeden Atemzug in eine Attacke verwandeln würden. Ohne um Erlaubnis zu fragen, hatte Smutek das ›Sie‹ fallen lassen und redete Ada in kumpelhaftem Ton an wie eine alte Studienkollegin. Himmelherrgott, Ada, bei solchem Wetter kann man Runde um Runde drehen, und die Luft füttert einen wie Muttermilch.

Begeistert probierte er sein neues Spielzeug aus, schneller, langsamer, Sprint und Ausdauer, und Ada tat gutmütig mit, weil sein Ehrgeiz sie belebte und weil es nicht viele Menschen gab, die ein Ziel im Leben kannten. Am Ende der Trainingsstunden entließ er die Gruppe, die sich beineschlenkernd, die Sporttaschen geschultert, auf den Parkwegen zerstreute, und setzte noch einmal die Stoppuhr in Gang. Zwei Prinzessinnen waren nicht wiedergekommen, weil sie glaubten, dass Smutek scharf auf Adas dicke Beine sei. Adas Zeiten wurden besser, was nicht am Training lag, sondern daran, dass sie bei ihren ersten gemeinsamen Runden noch lange nicht alles gegeben hatte. Smutek hatte sich angewöhnt, neben ihr zu rennen, inzwischen synchronisierten Schritte und Atmung sich wie von selbst. Ein, tapp, tapp, tapp, aus, tapp, tapp, tapp. Und immer wusste er etwas zu erzählen. Von seinem Haus in Masuren, vom Herbst und von taumelnden Blättern, die sich im Fallen einem Zwilling näherten, der im gleichen bunten Gewand aus der Tiefe des Sees heraufstieg, bis sie sich auf der Wasseroberfläche begegneten. Er berichtete von den verschiedenen

Gerüchen des Holzstapels an der Außenwand seines Hauses, vom kränklichen Atem des Dachstuhls, der zum Modern neigte, von der Küche, in der alles, Spüle, Schränke und Tisch, Produkt seiner eigenen Hände war, und von den Hausspinnen, die in den Winkeln der Fensterrahmen kleine Höhlen bauten aus dichtem Fadengewirr. Alles roch, alles war feucht in Erwartung des Winters, und der See war ein Waschbrett, an dem die Luft sich rieb. An einem solchen Ort konnte man ohne weiteres seine Seele aufbewahren. Ob Ada sich das vorstellen könne? Konnte sie nicht, da er auf Polnisch zu ihr sprach. Er erklärte den Duft der Haare seiner Frau, wenn sie das Gras gemäht hatte und von draußen hereinkam, um in der Küche Kaffee zu kochen, den Anblick ihrer langen, weißen Mädchenschenkel, die an die abschraubbaren Beine einer Schaufensterpuppe erinnerten, wenn sie sich mit Sofakissen und Buch auf den Boden der Terrasse setzte, um noch ein wenig Sonne an den Körper zu lassen, bevor der Winter kam. Ach, übrigens, was hast du mit deinen Augenbrauen gemacht?

Smutek schöpfte mit vollen Händen aus seinem Innersten. Er glaubte, die Schwelle zu jenem Leben überschritten zu haben, das seit langem für ihn bereitgehalten wurde und das zu suchen jahrelang seine Aufgabe gewesen war. Teuter ließ ihn in Ruhe und konzentrierte seine Energien auf die Pläne des Ministeriums zur Streichung des dreizehnten Schuljahrs. Manchmal nahm Höfi ihn mit in das Omacafé, das anstelle des Lehrerzimmers auf Ernst-Bloch zu seiner zweiten Heimat geworden war, und bremste Smuteks Euphorie für eine Klassenfahrt nach Wien mit dem schlichten Hinweis, dass die Leistungskurse traditionell ins nahe gelegene Dahlem führten, wo es feste Preisabsprachen gab. Aus dem Irak wurde genauso viel Unverständliches berichtet wie aus Afghanistan, Tschetschenien und dem Kosovo. Frau Smutek war gut gelaunt, sprach mit der Stimme eines kleinen Mädchens und krallte sich in sein Kopfhaar, wenn sie miteinander schliefen. Es war eine smaragdblaue Woche, überdacht von reglos aufgetürmten Himmeln. Eine Woche voll sanfter, folgenloser Irrtümer, ähnlich jenem über die Farbe von Smaragden oder die Anzahl von Himmeln.

Morgens brachte Ada mit einem freundlichen Gruß Olafs aufgewühltes Kindergesicht zum Schweigen. Alev und sie wechselten keinen Blick, und niemand außer ihnen bemerkte, welche Innigkeit sich im gegenseitigen Desinteresse auszubreiten begann. Die Mutter ließ sie während einer nie dagewesenen Serie von aufeinander folgenden Tagen in Frieden. Am Donnerstagnachmittag saß Ada plötzlich auf der Couch im Proberaum, lauschte mit geschlossenen Augen den *Ohren* und kämpfte, ungewöhnlich genug, gegen Tränen, ohne sagen zu können, was so traurig war. Rocket fragte höflich, ob sie beim Abiturientenfest im Mai ein oder zwei Lieder singen wolle. Olaf stand neben ihm, und Ada erwiderte, sie werde es sich überlegen. Am Wochenende schloss sie sich im Badezimmer ein, setzte sich auf den Wannenrand und schlug Alevs Buch auf. *Evolution of Cooperation.*

Kaum hatte sie zu lesen begonnen, ging es ihr schlecht. Sie konnte sich nicht konzentrieren. Die blaue Woche war vorüber, es galt, den Preis zu entrichten. Ihr Verstand hatte weggehört bei den Verhandlungen, die tagelang hinter repräsentativen Himmeln geführt worden waren, nun wurde das Ergebnis dröhnend in ihrem Kopf verkündet. Es wäre einfacher gewesen, Alev irgendwelche Geständnisse zu machen als sich selbst. Erfahrungsgemäß gab es Dinge nicht, an die man nicht glaubte, sie hörten prompt zu existieren auf oder fingen gar nicht erst damit an. Aber dies hier war eine Ausnahme. Adas ganzes Wollen war eingerastet auf dem Bild einer einzigen Person, auf zwei spitzwinkligen Augen mit dunklen Balken darüber, einem breiten, zum Lachen geneigten Mund. Darin war nichts Vertrautes, nichts, das Wärme versprach, kein Glück und keine Ahnung von Glück. Am Samstagabend war sie bereit, sich damit abzufinden, bereit, Kraft zu schöpfen aus dem Erdulden, bereit, nicht zu kämpfen, egal wofür oder gegen was. Am Sonntag besuchte sie den Brigadegeneral und diskutierte Einsatzstrategien des amerikanischen Militärs. Am Montag lagen dunkle, hässliche Schatten nachwachsender Haare unter den gezupften Augenbrauen, und Alev stand an der Ecke, um den Schulweg gemeinsam zurückzulegen. Die Himmel hatten sich verfinstert und zerquetschten die Stadt unter einer geballten Ladung Saphirgrau.

Erster Blick in die Spielregeln

»Wie gefällt dir das Buch?«

Weil Elend und Selbsterkenntnis sich schlecht mit der englischen Sprache vertrugen, hatte Ada nicht mehr geschafft als das Vorwort und die ersten zwanzig Seiten. Zudem verlangte die Mathematik Zugang zu Abteilungen ihres Gehirns, die vollauf mit der Neuberechnung ihrer Persönlichkeit beschäftigt waren. Das sagte sie ihm.

»Macht nichts. Du brauchst nur ein paar Grundbegriffe, damit wir weiterreden können. Ein kluger Kopf wie deiner wird selbst die Pfade finden, auf denen er sich am besten bewegen kann.«

In dem Stadtviertel, auf dessen Territorium sie beide ein Bett besaßen, ging es an jedem gewöhnlichen Werktagsmorgen auf feierliche Weise geschäftig zu wie am Weihnachtstag. Liebende Frauen, dezent gepudert und in schmalen Kleidern, verabschiedeten ihre Männer auf den Eingangstreppen der Häuser. Teure Autotüren schmatzten satt ins Schloss. Kinder winkten, die kleinen Tornister auf den Rücken. Hausmeister rollten vor Morgengrauen geleerte Mülltonnen zurück in die Vorgärten. Durch all das spazierte Alev gemessenen Schrittes wie ein Herrscher durch das emsige Treiben in seinem Reich und erklärte den einführenden Teil der *Evolution of Cooperation*.

Fangen wir ganz vorne an. Um ein Spiel in Gang zu setzen, braucht man zunächst einen Gegner. Du meinst, die Welt sei voller Gegner? Triff einen von ihnen, setzt euch in die Kneipe, und ihr werdet feststellen, dass ihr euch bestens versteht. Nur ein künstlicher Gegner ist ein echter Gegner. Er darf nicht unbesiegbar sein, er muss in Echtzeit agieren, und seine Aktionen dürfen nicht zu leicht durchschaubar sein.

Klar?

Klar.

Bei Planung und Einsatz der Strategien muss das Wissen des jeweiligen Gegners berücksichtigt werden, aber nicht über eine gewisse Stufe hinaus. Ahnst du schon, was sonst passiert? Stell dich hin. Wir spielen ›Welche Hand willst du‹.

Er fasste Ada an den Oberarmen, presste sie gegen die nächstbeste Gartenmauer, warf eine Münze, nahm sie in die Faust und versteckte beide Hände hinter dem Rücken.

Nun. Du sagst »Rechts«, das war falsch. Nächster Durchgang. Ich glaube, dass du die andere Hand probieren wirst, und behalte die Münze deshalb in der rechten. Weil ich aber weiß, dass wir beide nicht dumm sind, gehe ich davon aus, dass du mich genauso einschätzt, und wechsele die Münze doch in die linke. Aber auch diesen Gedankengang hast du nachvollzogen, weshalb ich vermute, dass du erst recht auf die linke tippen wirst, also geht die Münze zurück, und auch das hast du gewusst, und so fort. Was bedeutet das?

»Es gibt kein Für und Wider«, sagt Ada, »keine Gründe für rechts oder links. Die menschliche Entscheidung ist nichts weiter als ein vortrefflich einstudiertes Spiel.«

Wieder griff er nach ihren Oberarmen, riss den Mund zum Lachen auf und kam ihr für eine Sekunde so nah, als ob er sie küssen oder beißen wollte, setzte sie aber nur in die Spur zurück und zwang sie zum Weitergehen.

Du hast es auswendig gelernt, wie ich! Kluges Kleinchen. In der *Cooperation* verwenden sie ein komplizierteres Beispiel.

Grundschulkinder auf kleinen Fahrrädern. Kindergartenkinder an den Händen ihrer Mütter. Kleine weiße Hunde an dünnen roten Leinen. Geplauder über gelb gewordene Hecken hinweg. Guten Morgen! Wie geht's? Es muss, nicht wahr, es muss.

Alev kündigt für die kommende Woche einen Überraschungsbesuch bei Ada an.

Erschrocken überlegte sie, wie ein Aufeinandertreffen

zwischen ihm und der Mutter zu gestalten wäre, und war einen Moment abgelenkt. Hör mir zu!

Die Woche geht von Samstag bis Samstag. Ada denkt: Wenn es Freitag wird und er ist noch nicht gekommen, dann kommt er gar nicht mehr, denn es bliebe nur der Samstag übrig, und das wäre kein überraschender Besuch.

Erleichtertes Nicken, ein Schrittfehler, als ihnen eine schwarze Katze über die Füße flitzte.

Wenn der Donnerstag ohne einen Besuch vergangen ist, könnte Alev nur noch am Freitag kommen, da Samstag, wie gesagt, nicht überraschend wäre, aber damit ist auch ein Überraschungsbesuch am Freitag nicht möglich, weil vorhersehbar. Wäre er bis Mittwochabend nicht gekommen, bliebe nur der Donnerstag, und auch das könnte keine Überraschung sein, wenn Freitag und Samstag ohnehin nicht in Frage kommen. Und so weiter. Ada gelangt zu der Überzeugung, dass überraschende Besuche innerhalb eines abgesteckten Zeitrahmens überhaupt nicht möglich sind.

»Weggerechnet«, sagte sie. »Achilles und die Schildkröte.«

Schräg blitzte ein verärgerter Blick aus geschlitztem Augenwinkel. Über Achilles konnte sie die richtige Antwort auf seine nächste Frage bereits gefunden haben und den Zaubertrick verderben. Also, was geschähe in Wirklichkeit?

»Das weiß ich nicht.«

Auf ihre Art war Ada ein gutmütiges Wesen. Sie erreichten die Hauptverkehrsstraße, auf der eingekapselte Menschen in Autos langsam hintereinander krochen. Der Gehweg wurde breiter, sie beschleunigten den Schritt, entspannt nebeneinander gehend, zufällige Berührungen weder erzwingend noch vermeidend.

»Okay«, sagte Alev, »dann lies noch ein bisschen in dem Buch, wenn du magst!«

Er strahlte sie an. Selbstverständlich wusste Ada, was in Wirklichkeit geschähe. Alev käme an einem Mittwoch oder Freitag oder Montag, wobei sein Besuch für Ada völlig überraschend wäre. Achilles überholt die Schildkröte mit einem einzigen Schritt, so wie das menschliche Gehirn ohne Mühe über sich selbst hinwegsteigt, sobald das Frühwarnmodul eine drohende Kollision mit der liegenden Acht meldet. Wieder einer der ungezählten Fehler im schlampig programmierten System Wirklichkeit, die sich am besten bewältigen lassen, indem man sie übersieht. Ada musste kein einziges Buch lesen, um zu wissen, dass sich Spiele genau wie das Leben nur in Gang halten ließen, sofern man bereit war, auf jede Art von Exaktheit zu verzichten.

Als das Schulgebäude in Sicht geriet, hob Alev eine grüßende Hand.

»Wir nehmen getrennte Eingänge.«

»Alev.«

Er blieb stehen. Im Film hätten sie sich jetzt lächelnd in die Augen geschaut und ein bisschen geschwiegen, bis das Lächeln vom Schweigen in einen merkwürdigen Ernst verwandelt worden wäre, über den sie die Augenlider gesenkt hätten, um die Münder einander nähern zu können. Sie hätten sich geküsst, vorsichtig erst, die Lippen wie weiche Stempelkissen gegeneinander gedrückt, dann derber, Zunge und Zähne als Waffen in einen unblutigen Kampf führend. Es wäre Adas erster richtiger Kuss geworden und somit ein Ereignis, von dem gern behauptet wird, es bleibe bis ans Ende aller Tage im Gedächtnis, auch wenn sich in Wahrheit niemand daran erinnern kann.

Aber das geschah nicht. Ada blickte durch Alev hindurch auf die Backsteinwand am Seitenflügel von Ernst-Bloch.

»Willst du mit mir spielen?«

Die Frage machte ihm nichts aus, im Gegenteil, sie gefiel ihm.

»Das ist besser, als du selber glaubst. Wenn, dann will ich MIT dir spielen, nicht gegen dich. Sonst hätte ich dir das Buch nicht gegeben.«

»Vielleicht gabst du es mir gerade deswegen. Um einen Gegner zu generieren. Künstliche Intelligenz.«

Es sollte ein Scherz sein. Niemand lachte.

»Möglich, aber nicht wahrscheinlich.«

Er entfernte sich schnell, schlug einen Bogen über den Parkplatz und näherte sich dem Gebäude von der anderen Straßenseite. Ada beobachtete, wie er die Treppenstufen zum Neubau hinauflief, plötzlich in Eile. Es waren noch zwei Minuten bis Unterrichtsbeginn. Sie zündete eine Zigarette an. Als sie das Klassenzimmer erreichte, selbst schon einige Minuten zu spät, saß er noch nicht auf seinem Platz, sondern ging irgendwo im Schulgebäude eigenen Geschäften nach. Und wieder folgten vier Wochen, in denen sie kein Wort miteinander sprachen.

Ada schwingt Macheten und weiß als einziger Mensch in der Republik, dass Erfurt ein Grund zur Freude war

Bei sorgfältiger Betrachtung von Smuteks Schädel wurde deutlich, dass sich am hinteren Ende des Scheitels die Haare zu lichten begannen. Ada fixierte die Stelle mit gehässiger Gründlichkeit und hoffte, dass sich das Stück Kopfhaut unter ihren Blicken erhitzen möge. Es war die Attraktivität von Smuteks Gemahlin, für die sie sich an seinem unschuldigen Hinterkopf zu rächen versuchte. Selbst dem üblichen Einwand, eine schöne Frau brächte durch übertriebene Hingabe an ihr Äußeres letztlich bloß eine geistlos polierte Oberfläche hervor, bot sie keine Angriffsfläche. Bei ihr kam der letzte Schliff gerade durch das Fehlen von Schliff zustande. Was aber der Mensch nicht kritisieren, korrigieren und in der Phantasie vollenden darf, dem kann er sich auch nicht nähern, weder in Gedanken noch mit dem Gefühl. Frau Smuteks Schönheit war, jedenfalls im Halbprofil, eine feindliche Absage gegenüber jedem zaghaften Annäherungsversuch. Der massive Vorhang schwarzer Haare erinnerte an das gelackte Fell eines teuren Pelztiers und besaß auch dessen Eigenleben. Den Mund sah Ada, die auf der Rückbank saß, im Spiegel an der heruntergeklappten Sonnenblende, groß, leicht geschürzt, sorgfältig ausgemalt in pfeifendem Rot. Frau Smutek war eine jener Frauen, die selbst nach einer schlaflosen Nacht bleich und niedlich aussehen und in gewöhnlichen Jeans und baumwollenem BH den Prototyp des modernen Engels abgeben. Eine wie sie konnte nicht wissen, was es bedeutete, wenn ein schlanker, beweglicher Verstand in einem stümpernden Leib gefangen war und das Äußere sich weigerte, ein Bildnis des Inneren zu werden.

Jetzt löste Frau Smutek den Sicherheitsgurt und lehnte sich mit dem Rücken an die Beifahrertür, um ihren Mann während der Fahrt von der Seite ansehen zu können. Sie sprachen polnisch miteinander. Wenn Smutek etwas sagte, schwieg seine Frau, schaute ihn dabei unverwandt an und brach plötzlich in Gelächter aus, in das er bereitwillig einstimmte.

»Das ist Ada. Sie fährt mit uns.«

Frau Smutek hatte zustimmend genickt und bei der Begrüßung Adas Hand mit ihren beiden umfasst. Weil Ada schon früher auf Kindergeburtstagen unbeteiligt herumgestanden und sich bei der Reise nach Jerusalem für den ersten fehlenden Stuhl qualifiziert hatte, nahm es nicht wunder, dass der Bus über genau einen Sitz zu wenig verfügte und es irgendwo eine Ersatzbank für sie gab – diesmal im Fond von Smuteks Volvo.

Den Schulbus hinter sich lassend, schwenkte der Wagen in großzügig bemessenem Bogen vom Sammelplatz. Nach zwanzig Minuten griff Ada zwischen den Sitzen nach vorn, stellte das Autoradio ab, in dem eine Kassette mit kubanischen Rhythmen knapp oberhalb der Hörbarkeitsschwelle vor sich hin dudelte, und stöpselte die Kopfhörer ihres MP3-Geräts in die Ohren.

My god, my tourniquet, return to me salvation.

Sofort baute sich etwas auf, das den Namen Schallmauer wirklich verdient hätte. Hinter dieser Wand aus Musik erstreckten sich seit jeher Landschaften, die, egal was in der Welt geschah, unberührt wie eine frisch gefallene Schneedecke blieben. Durch sie glitt der Volvo ohne Bodenhaftung.

Am I too lost to be saved? Am I too lost?

So wie sie saßen, vorn zwei Erwachsene, hinten ein junges Mädchen in der typischen kugelsicheren akustischen Weste der Jugend, hätten sie ohne weiteres eine Familie auf dem Weg in den Urlaub abgeben können. Eine Weile befingerte Ada diese Idee, probierte sie an wie ein neues Kleidungsstück und ließ sie fallen, als sie nicht passen wollte. Die beiden Menschen auf den vorderen Sitzen waren ihr völlig gleichgültig, alle drei gemeinsam hatten sie nicht mehr zu bedeuten als ein buntes Werbeplakat. Sei schön. Lebe glücklich. Wir helfen dir dabei. Ada zog eine beidseitig geschliffene Machete hervor, führte sie als Bihänder in den Fäusten und spaltete Frau Smuteks Kopf wie eine reife Melone, dass ihr wässriger, rosafarbener Inhalt sich mit Druck über Kopfstütze, Armaturen und Herrn Smuteks rechte Schulter ergoss, kaum dass die Schale knackend auseinander gebrochen war. Stückchen und Saft rannen an den Innenseiten der Scheiben herab. Mit Smutek verfuhr sie auf gleiche Weise, entfernte, um Platz zu schaffen, verbliebene Haut und Muskelstränge vom Rumpf und setzte die Köpfe ihrer wirklichen Eltern an die frei gewordenen Stellen. Die Mutter sah streng nach vorn, die schwarze Pagenfrisur wirkte wie festgegipst neben dem angegrauten Haupt des Brigadegenerals, das sanft im Takt einer geistreichen Rede wippte. Weil Ada beim imaginären Anblick der elterlichen Hinterköpfe nicht mehr empfand als zuvor, schlug sie auch diese vom Hals und ließ das Ehepaar Smutek in Frieden ihr Familienauto steuern.

Now I will tell you what I've done for you. 50thousand tears I've cried.

Während der Unterrichtsstunden auf Ernst-Bloch pflegte Ada gelegentlich mit ihrem Bihänder die Reihen von Schülern abzugehen und jeden von ihnen auf gleiche Weise zu enthaupten wie ein Gärtner beim Abernten einer Plantage. Der Gedanke daran, was die Psychologen, Ministerialbeamten und Journalisten zu sagen gehabt hätten, wenn ihnen eine solche Phantasie zu Ohren gekommen wäre, brachte sie zum Lächeln: ERFURT.

Ada hatte noch nie Counterstrike gespielt und schaute, seit sie zu alt für die Sendung mit der Maus geworden war, kaum noch fern. Sie fühlte sich nicht verrückt. Sie fühlte sich auch nicht übermäßig normal, was bei weitem verdächtiger gewesen wäre. Obwohl sie seit der Schlagringepisode meinte, grundsätzlich zu fast allem in der Lage zu sein, plante sie nicht, eines Tages im wirklichen Leben Köpfe von Rümpfen zu trennen. Nach dem Erfurter Massaker hatte sie wochenlang unter dem Empfinden gelitten, eine Wahrheit zu kennen, die außer ihr niemand begriff. Die Tatsache, dass ihr keine Zeitungsspalten, kein TV-Sendeplatz und keine Zwanzig-Sekunden-Fenster in den Radionachrichten zur Verfügung standen, legte sich wie Klebeband über den Mund. Sie tröstete sich damit, dass der überwältigende Teil der Menschheit keine Sprechzeit besaß. Sprechzeit gab es nur für jene, die auf egal welches Ereignis die immer gleichen Antworten parat hatten: Wir sind geschockt und tief betroffen und hoffen, dass die Regierung etwas unternimmt.

So blieb die Wahrheit ungehört. Es blieb ungesagt, dass die Nation Grund zur Freude hatte. Dass es Anlass gab für republikweiten Jubel und die Einrichtung eines Nationalfeiertags, weil sich Amokläufer wie jener aus Erfurt nicht viel häufiger durch die Welt frästen. Trotz der Rattenenge, in der man in diesem Land zu vegetieren hatte, trotz PH-neutraler Pädagogen, die selbst keinen der Werte in sich bewahrten, die zu vermitteln einst ihr Auftrag gewesen war, trotz des ewigen Missverständnisses zwischen Liberalismus und Indifferenz, trotz einer Bevölkerung, deren Hauptanliegen darin bestand, sich selbst auf die Nerven zu gehen, lebte man tagein, tagaus in relativem Frieden zusammen. Niemand bedankte sich dafür. Ada drückte sich tiefer in den Sitz, die Körperwärme baute einen bequemen Schlafsack um sie herum.

Das Behagen wurde von der Frage gestört, ob und wie sie im Schullandheim Gelegenheit zum Laufen finden würde. Zusammengesperrt mit so vielen anderen Menschen, galt es den Abstand umso aufmerksamer zu wahren und das Pensum täglichen Davonlaufens pfleglich zu verwalten, wenn sie keinen Ärger wollte.

Don't want your hand this time, I'll save myself.

Um sich abzulenken, schnallte sie ein handliches Messer ans Bein, ging mit Alev in die Stadt und geriet zufällig vor einem Geldinstitut in den letzten Akt einer scheiternden Geiselnahme, die sie durch einen waghalsigen, aller Vernunft spottenden Angriff zu einem glücklichen Ende brachte. Weil es besser als erwartet funktionierte, spielte sie die Szene noch zweimal ab und bereicherte das Bühnenbild um immer neue Details, bis sie beim dritten Mal aufgrund der erstaunlichen Hitze ein knappes Hemdchen trug, das ihre kräftigen Arme und Schultern den bewundernden Blicken der Anwesenden aussetzte. Nachdem sie gerade den dramaturgisch ausschlaggebenden Satz ausgerufen hatte: Come on guys, I'm a moving target!, bemerkte sie, dass Smutek den Innenspiegel heruntergeklappt hatte und ihr über Bande Blicke zuspielte. Ein digitales Thermometer in der Armatur maß die Temperatur der Straßenoberfläche, rot flackerte die Anzeige zwischen null und einem Grad. Frau Smutek schlief an die Scheibe des Beifahrerfensters gelehnt, Wangen und Haare zitterten von den Erschütterungen, die Straße und Volvo auf sie übertrugen. Nur Smutek wusste, wie lange er Ada schon auf diese Art überwachte. Als sie die Hände zu den Ohren hob, um die Kopfhörer abzunehmen, ließ er den Rückspiegel in die richtige Position zurückschnappen.

Im gleichen Moment flog das Ortsschild vorbei. DAHLEM. Sie waren fast da.

Man gelangt ins nordrhein-westfälische Wien und geht spazieren. Nicht alle sind mit von der Partie

Teuters Antwort auf die Einfälle zu Wien, Musil und einer Reise in die Salons des frühen zwanzigsten Jahrhunderts hatte nicht mehr als zwanzig Sekunden in Anspruch genommen.

Ja nee, den Sportplatz haben Sie, das sei Ihnen unbenommen. Aber lassen Sie sich versichern, dass ich Ihnen heute und bis in alle Ewigkeit jede Extrawurst vom Grill nehmen werde. Für einen Kommunisten mag es schwer zu begreifen sein, aber diese Schule ist ein wirtschaftliches Unternehmen!

Smutek stand wieder einmal vor der Tür, bevor er recht begriffen hatte, dass er bereits hineingegangen war. Höfi empfahl, sich nicht aufzuregen. Dahlem sei hübsch. Es habe, so meinte er wörtlich, gewisse Auswirkungen auf seine Gäste. Er musste es wissen, er fuhr zum sechsten Mal dorthin.

Weil der Volvo hinten voll gestopft war bis unters Dach und Ada es sich nicht erlauben konnte, vom eintreffenden Schulbus bei niederen Handreichungen ertappt zu werden, lief sie die Strecke zwischen Kofferraum und Eingangshalle dreimal so oft wie Frau Smutek, die langsam ging und jeden Gegenstand einzeln trug. Acht Bildbände über Wien. Postkarten bei Tag, Postkarten bei Nacht, Schönbrunn, Opernring und Südbahnhof. Bücher von Schnitzler, Freud und Ernst Mach, mit denen kein Schüler sich jemals beschäftigen würde. Klimt und Schiele auf DIN A3. Mozartkugeln und Donauwalzer. Ehrgeizig hatte Smutek zusammengerafft, was sich finden ließ, er transportierte eine große Stadt in eine kleine und war ganz Händereiben, als er nach Begrüßung der Herbergseltern aus dem Haus gerannt kam, um beim Tragen der letzten Stücke zu helfen. Tief sog er den Geruch des nahenden Winters, der aus den Wäldern heranwehte, in die Lungen.

Ada hatte gerade ein beliebiges Zimmer gewählt und eines von sechs Betten belegt, als der Schulbus seine Ladung wie eine platzende Schote über die gekieste Auffahrt entleerte. Nach den ungeschriebenen Gesetzen der Gruppenzugehörigkeit fanden die Schüler mühelos zu sechswertigen Sozialmolekülen zusammen, eingeteilt nach Geschlecht, Wichtigkeit und Schönheit. Das kleine Abenteuer Ortswechsel lärmte vielstimmig durch die Gänge, dann wurde es ruhig, und die Übriggebliebenen tröpfelten zu Ada ins Zimmer. Sie lag mit einem Buch auf dem Bett und schaffte es, selbst unter Außenseitern eine Außenseiterin zu bleiben.

Während der Wanderung am Nachmittag hielt sie sich in Höfis Nähe, ging in einigem Abstand neben ihm, stand füßescharrend dabei, wenn er mit Smutek sprach, und lachte laut, sobald er einen Witz machte. Von Alev war wenig zu sehen. Er trieb sich mit Internatsschülern herum, rauchte und redete und war immer schon fort, wenn Ada sein scharfkantiges Gesicht mit Blicken suchte.

Höfi redete viel. Er kannte die Bäume mit Namen, sah in allen Erdhügeln Relikte einer historischen Schlacht, identifizierte die überwachsenen Krater fehlgegangener Bomben im Wald und examinierte nebenher jeden, der in seine Nähe geriet, über historische Detailfragen. Nur wenn Ada ihm zu nahe kam, schlug er mit der flachen Hand nach ihr wie nach einem lästigen Insekt und erwischte sie einmal klatschend am Hinterkopf, dass ihr die blonden Haarfransen von rechts und links über die Ohren flogen.

»Verschwinde!«, rief er anstelle einer Entschuldigung, »misch dich unters Jungvolk. Du bist Randgruppe, also nutz die Scheißfahrt und integrier dich gefälligst.«

»Meinen Bemühungen«, rief sie zurück, »leisten Sie erbitterten Widerstand.«

»Wir sind Lehrer«, sagte er. »Aus deiner Perspektive gesichtslos und so gut wie tot. Geh und spiel mit den anderen Kindern.«

»Die anderen Kinder«, sagte Ada, »beschweren sich prätentiös über zu viel körperliche Anstrengung und witzeln darüber, ob wir auf diesem Weg wenigstens nach Bitburg gelangen.«

Höfi hatte den ganzen Oberkörper nach hinten gelehnt, um mit zusammengekniffenen Augen den Flug eines Eichelhähers zu verfolgen. Ada nutzte die Gelegenheit, um näher heranzukommen, und sprach weiter, als er wieder senkrecht stand.

»Können Sie das?« Sie legte einen Arm über den Scheitel, so dass die rechte Hand das linke Ohr bedeckte. Als der halslose Höfi es ihr nachtat, spreizten sich die Jackettschöße und gaben ein Stück karierten Oberhemds frei. Für einen Moment schaute sein Gesicht verzweifelt aus den umliegenden Körper- und Kleidungsteilen heraus wie ein Weißkohl aus dem Topf.

»Das kann doch jeder«, sagte er.

»Wenn man es mit fünf Jahren schon kann, wird man vorzeitig eingeschult. Ob man gleichzeitig schon das Lesen und Schreiben beherrscht, ist demgegenüber von untergeordneter Bedeutung. Hauptsache, man erreicht das Ohr.«

»Frühreif und stolz darauf?«

»Sie bringen es auf den Punkt.«

»Und man hat dem schlauen kleinen Mädchen nicht beigebracht, dass nicht alle anderen Kinder blöd sind?«

»Man hat mir beigebracht, dass es ganz wenige Ausnahmen gibt.«

Mit ein wenig zu weit geöffneten Augen schaute sie an ihm vorbei, bis er sich umwandte, um ihrem Blick zu folgen. Seiner Miene war anzumerken, dass ihm das Verstehen wie mit Stricknadeln ins Hirn drang. Am Rand der Aussichtsplattform, genau an der Stelle, wo Höfi sich bei vergangenen Klassenfahrten aufgebaut hatte, um auf belgische und luxemburgische Baumwipfel zu zeigen und über den Zweiten Weltkrieg zu sprechen, stand Alev zwischen drei hochgeschossenen Jünglingen lässig an eine Messingplatte gelehnt, auf der eine Windrose die Lage von Blankenheim, Prüm, Malmédy und Verviers angab. Zwischen Mittel- und Ringfinger seiner rechten Hand rauchte eine vergessene Zigarette sich selbst. Seinen Zuhörern hingen die Kippenstummel schlaff von den Unterlippen, sie hatten die Hände in den geräumigen Taschen ihrer Hosen verstaut, und der Wind trieb ihnen die Slacker-Frisuren dekorativ von einer Seite zur anderen. Alev, so klein er war, stand fest und gerade wie ein Baum auf zwei Stämmen. Seine Schultern würden die Weltkugel mühelos tragen, ohne dass er bereit war, das Rückgrat dafür zu beugen. Mit seiner entspannten Haltung, in beigefarbener Anzughose und Lederschuhen, die trotz matschiger Wege noch einigermaßen schwarz waren, hätte er an viele Orte gepasst, in den Eingangstempel einer New Yorker Brokerfirma, auf die Flure eines Parlaments, neben ein Fußballfeld, an die Bar eines Spielcasinos, zwischen die Metallschränke einer Universitätsbibliothek. Er sprach vor seinen Aposteln wie ein Miniaturpriester vor übergroßen Schafen. Wahrscheinlich ging es um den Zweiten Weltkrieg.

Steif wandte Höfi sich wieder Ada zu. Als er den Arm ausstreckte, um ihr die Hand in den Nacken zu legen, etwa an die Stelle, wohin er sie eben noch geschlagen hatte, senkte sie die Stirn und ließ es geschehen, wodurch die unbeholfene Geste etwas von einer Segnung bekam.

»Du stehst im Bann unserer männlichen Sphinx«, knurrte er. »Armes Kind. Du komische, kombustible, verlorene Seele. Wäre ich dein Vater, ich hätte dich in der Badewanne ertränkt, als noch Zeit dazu war.«

Mit einem strahlenden Lächeln schickte Ada ihr eigenes Gesicht in die Kindheit zurück. Ein schöneres Kompliment hätte er ihr nicht machen können, auch wenn sie aus dem Stehgreif nicht darauf kam, was ›kombustibel‹ bedeuten mochte.

Von diesem Moment an unternahmen Smutek und Höfi

nichts mehr gegen ihre Anwesenheit. Ada versuchte nicht, sich am Gespräch zu beteiligen, achtete nur darauf, nicht abgehängt zu werden, und genoss es, wie im Windschatten der beiden Männer das aufreibende Gefühl für Alevs Gegenwart verblasste. Ihre Erleichterung erhöhte den Sauerstoffgehalt der Luft. Es bestand Hoffnung, die verbleibenden siebzig Stunden Landschulheim ohne irreversible Kollateralschäden zu überstehen.

Auf einer Waldlichtung, in deren Mitte ein gigantischer Felsbrocken lag, hielt die Gruppe an. Alev preschte vor und warf sich zu Boden, um sich vor der schwarzen Felsmasse zu verneigen. Danach stand er lachend zwischen den anderen, und die beige Hose trug einen kreisrunden, nassen Grasfleck auf jedem Knie. Die Gruppe sah zu, wie Höfi sich verrenkte, um unter Jackett und Pullover einen Kugelschreiber aus der Brusttasche seines Hemds zutage zu fördern, mit dessen Spitze er in der Moosschicht auf dem Gestein zu kratzen begann.

»Niemand«, rief Höfi mit Feldherrenstimme, »hat je herausgefunden, woher dieser Brocken stammt und wie er auf die Lichtung gekommen ist. Kommt her und fasst das Ding an, ihr müsstet euch ihm verwandt fühlen: Ein hartnäckiger Widerstand gegen alle Erkenntnisbemühungen!«

Die Streber taten wie geheißen, die hinteren Reihen lösten sich auf und schnürten in die Wiese. Irgendwo knutschten zwei Milchgesichter. Smutek lachte spöttisch und entließ mit einer Armbewegung den Rest.

»So feiert die exakteste unter den Geisteswissenschaften ihre eng gesteckten Grenzen«, sagte er und beobachtete amüsiert seinen Kollegen, der sich mürrisch über die Felswand beugte wie ein Chirurg über den toten Patienten.

»Wir Historiker«, sagte Höfi, als sie sich wieder in Bewegung setzten, »sind euch Sprach-Heinis durchaus verwandt. Wir sind die Germanisten des Weltgeschehens.« Die folgende Kunstpause gab den Zuhörern Zeit, seinen Ausspruch für eine Aphorismensammlung zu notieren. »Spotte nicht über meine Probleme mit der Wirklichkeit! Die Geisteswissenschaftler tun nichts anderes, als Geschriebenes zu lesen und in neues Geschriebenes zu verwandeln. Um historisch zu sein, muss ein Ereignis der Vergangenheit angehören. Wenn es vergangen ist, können wir nicht beiwohnen, sind also zwangsläufig auf Überlieferung angewiesen. Wir sind Verwalter der ewigen Flüsterpost. Unser Werkzeug ist die Sophistikation.«

»Dann wäre das historische Ereignis ein Oxymoron?«

»So ist es. Etwas kann *entweder* ein Ereignis *oder* historisch sein.«

»Eine nette Gedankenspielerei.«

Sie lachten sich an. Höfi kippte wie eine Eule den Kopf, um den hochgeschossenen Smutek anzuschauen, und klopfte ihm väterlich ins Kreuz. Ihre Schuhe waren mit jedem Schritt schwerer geworden vom Matsch, der an den Sohlen kleben blieb, und nun hoben sie beim Gehen die Knie wie Kaltblutpferde.

»Smutek, mein naiver Freund«, fuhr Höfi fort, »vor zwanzig Jahren hat man dich wegen einer Namensverwechslung ins Gefängnis geworfen. Du bist kein Opfer deiner Zeit, nicht des Kommunismus, nicht Jaruzelskis, nicht der Solidarność, sondern eines Irrtums. Auch deine Geschichte besteht aus dem, was andere Leute über vermeintlich Geschehenes erzählen. Genau wie die Politik ist sie nichts anderes als das Sprechen über eine angebliche Wirklichkeit.«

»Da kenne ich jemanden, der das anders sieht.«

Weil Smutek die Stimme gesenkt hatte, rückte Ada ein paar Schritte näher, bis sie den beiden Männern fast in die Fersen trat. Frau Smutek, die ein Stück vor ihnen ging, schaute wie ein Pferd aus dem Augenwinkel hinter sich, zeigte ihr edles Profil und verriet dabei, dass auch sie nicht mit der durchnässten Landschaft, sondern mit Zuhören beschäftigt war.

»Das sehen all jene anders, die sich als Opfer der Geschichte betrachten«, sagte Höfi laut genug, dass es im Umkreis von zwanzig Metern zu hören war. »Mit der Geschichte kann man nicht abrechnen, sie ist weder Ereignis noch Person. Wer in einer solchen Historie den ärgsten Feind vermutet, kann sein Leben in milder, retrospektiver Paranoia zubringen und wird dort alles finden, was er braucht, vor allem das lebensnotwendige Maß an Angst und Eigenliebe. Nur keinen Wirklichkeitssinn und sicher kein Glück.«

Höfis Arm war dünn und hart in Smuteks Sportlerpranke, die fest zugriff, als wollte sie ihn wie einen Knüppel gegen seinen Besitzer schwingen. Kein Zeichen von Schmerz oder Bedrängnis war auf Höfis Gesicht zu erkennen. Smuteks nächste Worte waren weniger zu Höfi als für seine lauschende Frau gesprochen.

»Hältst du es für legitim, das Resultat einer abstrakten Erwägung zum Maßstab für die Aburteilung deiner Mitmenschen zu machen?«

»Aburteilung!« Höfis Lachen steigerte sich wie ein Musikstück vor dem Finale. »Nach dem demokratischen Verständnis *muss* der Maßstab jeder Aburteilung abstrakt sein. Das folgt aus dem Verbot von Einzelfallgesetzen. Anders gesagt: Wozu sollte das Abstrakte uns dienen, wenn nicht als Maßstab für Aburteilungen?«

Irgendein Faden war Smutek verloren gegangen. Höfi reihte Sätze aneinander, von denen jeder einzelne ins Schwarze zu treffen schien, die aber, zusammengenommen, nur ein buntes Muster ergaben, das der Welt nicht ähnlicher sah als ein abstraktes Gemälde den Gegenständen, die es darzustellen behauptete. Im Geheimen hatte Höfi dieses Verfahren ›Kaleidosophismus‹ getauft. Er drehte ein Rädchen, und alles, was er von sich gegeben hatte, ordnete sich zu neuen Ornamenten. Die Methode half ihm dabei, am widersprüchlichen Zusammenhängen von allem mit allem nicht verrückt zu werden.

Weil Smutek nichts weiter zu sagen wusste, zog er sich auf die Rolle eines harmlosen Wanderers zurück, der ganz im Naturerlebnis aufzugehen wünscht. Dicht hinter ihnen war Adas beschleunigter Atem zu hören, der anzeigte, dass sie dringend auf eine Fortsetzung des Gesprächs wartete, während Frau Smutek den Schritt beschleunigt hatte, allerdings nicht genug, um außer Hörweite zu geraten.

»Tröste dich, tapferer Pole«, keuchte Höfi, nachdem er ein paar quer über den Weg verlaufende Wurzeln überwunden hatte, »die gerechte Strafe für alle Spitzfindigkeiten wird uns zuteil. Die Geisteswissenschaft stirbt aus und wir mit ihr.«

Wieder nahm Smutek ihn am Arm, diesmal sanft, um ihm über die nächste Wurzelstrecke hinwegzuhelfen. Die folgenden Sätze, davon war er überzeugt, würden seine naturwissenschaftlich veranlagte Gattin besänftigen.

»In unserer spezialisierten Gesellschaft ist für den Weltgeist kein Platz. Der Polyhistor klingt heute nach einem Scheuermittel, und das Denken an sich gilt nicht mehr als Tugend, sondern als Zeitverschwendung. Es wird von spezialisierten Experten erledigt, und seit das so ist, erkennen wir die Philosophie in ihrer ganzen Nutzlosigkeit. Seien wir ehrlich, mein bester Deutschlehrer: Welchen Wert kann egal welche Wissenschaft haben, die sich nur auf Sprache stützt, sich aus Sprache speist, Sprache verdaut, Sprache hervorbringt und dabei nichts als Sprache ist? Was soll dabei herauskommen, Selbsterkenntnis? Intellektueller Inzest? L'art pour l'art? Oder ein Lügengebäude, in dem alles wahr ist, solange man es nicht verlässt? Ist eine solche Wissenschaft nicht vor allem eins: überflüssig?«

»Du meinst: seit Erfindung der Dampfmaschine.«

Die Ironie machte Smuteks Körpergröße für einen Augenblick zur zwingenden Folge seiner Überlegenheit. Was ihn innerlich zu den äußeren ein Meter zweiundneunzig heranwachsen ließ, war seine Abneigung gegen professionellen Kulturpessimismus. Überhaupt hielt er Pessimismus entweder für Sünde oder für ein Zeichen von Dummheit, je nachdem, wen er vor sich hatte.

»So genau will ich es gar nicht wissen«, sagte Höfi. »Am Anfang war das Wort, am Ende das Ding. Glaub nicht, dass wir ungeschoren davonkommen, glaub nicht an die mitleidigen Kommissionsgründungen zur ethischen Begleitung politischer Fragen. Die einzige Geisteslehre mit Daseinsberechtigung ist heute die Rechtswissenschaft. Sie wird uns alle überleben.«

»Das gefällt mir!«, rief Ada von hinten. »Ein schöner Schlachtruf. Viva iudex!«

»Willst du später Jura studieren?«, fragte Smutek höflich, ohne sich umzudrehen.

»Nein«, sagte Ada mit nachgeäffter Kleinmädchenstimme, »wenn ich groß bin, werde ich Völkermörder. Dann bin ich Naturwissenschaftler und habe trotzdem eine moralische Berufung. Ich werde mich auf *ethische* Säuberungen spezialisieren.«

Sie war weggelaufen, an Frau Smutek vorbei, und ließ sich von den Schlangenlinien des Wegs im Wald verstecken, bevor einer der Männer sie zur Rechenschaft ziehen konnte. Schweigend gingen sie weiter. Nun war es die stumme Zuhörerin gewesen, die das Gespräch beendet und dadurch allem Gesagten einen adafarbenen Ton verliehen hatte. Zurück blieb das beschämende Gefühl, Rede und Widerrede nur für sie geführt, die ganze Settembrini-Castorp-Nummer für die Ohren eines Kükens inszeniert zu haben. Auf dem gesamten Rest des Weges wollte ihnen keine Bemerkung über die Farbe des Himmels oder die Struktur des Waldes einfallen, mit der sie sich aus den Tiefen ihres vorwinterlichen Schweigens zurück an die Oberfläche hätten heben können.

Sie erreichten die Herberge als Letzte, die Schüler waren längst im Gebäude verschwunden. Nacht hatte das Gelände erfasst und verwandelte Baum, Strauch und Haus in Körperteile eines einzigen, dunklen, langsam atmenden Wesens. Die Temperatur schien von Minute zu Minute zu fallen und hüllte die Köpfe in üppige Dampfwolken. Als nur noch Höfi damit beschäftigt war, seine Schuhsohlen über die Fußmatte zu bürsten, tippte Ada ihm plötzlich von hinten an die Schulter. Sie hatte hinter der Hausecke gewartet.

»Warum haben Sie Ihre Frau nicht mitgebracht? Die schöne Frau Smutek ist doch auch mit von der Partie.«

»Die schöne Frau Smutek habe ich bereits bemerkt.«

»Wo ist die Ihre?«

»Sie sitzt zu Hause.«

»Das finden Sie nicht ungerecht?«

»Gewiss. Sehr sogar.«

»Abgesehen davon, dass Ungerechtigkeit zu Ihrer bevorzugten Geisteshaltung gehört – hätte es nicht Gründe gegeben, Ihre Frau mitzubringen?«

»Es wäre ein unverhältnismäßiger Aufwand gewesen.«

Endlich drehte Höfi sich um. Einen Moment lang sahen sie sich wie Duellanten in die Augen.

»Warum?«

Er zeigte nicht die geringste Regung.

»Sie sitzt im Rollstuhl. Multiple Sklerose.«

Einmütig dachten sie an ihr kurzes Wortgefecht, seit dem fast ein halbes Jahr vergangen war. Lieben Sie Ihre Gemahlin? Gewiss, sogar sehr. Haben Sie jemals darüber nachgedacht, dass Sie diese Frau ebenso gut hassen könnten? Nein, habe ich nicht.

»Es tut mir leid«, sagte Ada und meinte ihre Bemerkungen von damals.

»Nein«, sagte Höfi, der verstand, worauf sie sich bezog. »Versuch es vielleicht doch noch mal mit den anderen Kindern.«

Er verschwand im Haus, fand Smutek an der Garderobe und schlug ihm im Vorbeigehen mit erhobenem Arm zwischen die Schulterblätter, dass der breite Rücken, ganz Resonanzkörper, wie ein Schlaginstrument dröhnte.

Ein schmaler Grat

Am Abend glaubte Ada, ihn endlich für sich allein zu haben. Im Speisesaal war ihr der Platz neben Höfi kampflos überlassen worden, die Mahlzeit ging schnell zu Ende, es wurde noch eine Weile geplaudert, im Hintergrund spielte eine Musikanlage, und irgendwann setzte Johanna sich auf einen Tisch und sang so schön zur Musik von Billy Joel, dass Ada ihr Herz wie einen Gegenstand unter den Rippen spürte. Honesty is just a lonely word. Dann verschwanden alle auf ihre Zimmer, und sie blieben einfach sitzen.

Schon während des Desserts hatte Höfi angefangen, über Werteverlust und transzendentale Obdachlosigkeit zu reden und dabei ständig auf seinen Teller geschaut, als ob es ihm gleichgültig wäre, ob jemand zuhörte oder nicht. Ada ließ ihn reden und wartete geduldig ab, worauf er hinauswollte. Ihre Meinung zum Thema, die so knapp war, dass sie in wenigen Worten Platz fand, hatte sie gleich zu Anfang geäußert. Das menschliche Bedürfnis nach Transzendenz sei eine feststehende Größe, ähnlich dem Hunger, der täglich nach einer bestimmten Kalorienmenge verlange. Wenn dieses Bedürfnis nicht befriedigt werde, laufe die menschliche Seele bettelnd durchs Land – leichte Beute für jeden Rattenfänger.

Was denn eine Seele sei, hatte Höfi gefragt und zur Antwort erhalten, die Seele sei jenes Streben im Menschen, das partout an einen Gott glauben wolle. Sie selbst, Ada, könne wenig darüber sagen, da sie etwas Derartiges nicht besitze.

Höfi verzog den Mund zu einem Das-dachte-ich-mir-Lächeln, fuhr fort, seine verzwickten Sätze zu spinnen, und wirkte dabei wie ein kreativer Vogel, der auf einem Ast vor sich hin zwitschert, ohne eine seiner Melodien ein zweites Mal wiederholen zu müssen. Ada genoss es, die Ellenbogen auf den Tisch zu stützen, mit dem Löffel auf abgegessenen Tellern herumzustochern und einem Menschen zuzuhören, dessen Intelligenz sie ebenso hoch schätzte wie die eigene. Der Gedanke an Alev entfernte sich wie ein nachlassender Schmerz aus Herz und Hirn, Alev selbst schrumpfte auf Normalformat zusammen und wurde zum gewöhnlichen Teilnehmer einer Kursfahrt, auf der es wie immer darum ging, wer sich für wen auf welche Weise interessierte.

Bis er den Speisesaal betrat. Er trug eine geöffnete Flasche und drei Weingläser unter dem Arm, die er sich nur durch schnell geknüpfte Beziehungen zum Küchenpersonal verschafft haben konnte, stellte alles auf den Tisch und setzte sich. Offensichtlich hatte er gewusst, dass sie hier beisammenhockten.

»So eine Plörre trink ich doch gar nicht«, rief Höfi, füllte sein Glas und hob es im Triumph. Er machte keine Anstalten, Ada mit ihren gerade mal fünfzehn Jahren am Rotweintrinken zu hindern. Erstaunt saß diese einem breiten Lachen gegenüber, das von gelungenen Streichen kündete, und fragte sich, ob Höfis hypnotisierendes Gezwitscher allein dem Zweck gegolten haben mochte, sie am Tisch festzuhalten. Es dauerte einige Minuten, bis sie wieder in der Lage war, dem Gespräch zu folgen.

Vom Werteverlust kamen sie zur Religion. Alev hatte seinen Tonfall in bescheidene Tücher gekleidet, die nur bei schnellen rhetorischen Bewegungen das darunter verborgene Kettenhemd sehen ließen. Er saß leicht vorgebeugt, um den buckligen Geschichtslehrer von unten anschauen zu können.

Ihm sei es stets unmöglich gewesen, sich einer Konfession anzuschließen. In seiner Familie werde beinahe jede denkbare Religion gepflegt, die meisten von seiner Mutter. Seinen Beobachtungen nach profitiere niemand vom Glauben, weder in spiritueller noch in materieller oder intellektueller Hinsicht. Nachdem er erkannt habe, dass er sich aufgrund großer Empfänglichkeit für die Anziehungskraft der Macht nicht zum Atheisten eigne, sei eine neue Vermutung in ihm aufgekeimt. Wenn es einen Gott geben sollte, den Alev nicht im Himmel über seinem Kopf, nicht in der Erde unter seinen Füßen oder im Verstand zwischen seinen Ohren aufspüren konnte, musste er es wohl selber sein. Das sei der genügsamste Gottesbeweis, den er je gehört habe, und auch das Ergebnis entspreche seinem Geschmack. Älter werdend, habe er an den Reaktionen seiner Mitmenschen erkennen können, dass er nicht Gott, sondern den Teufel verkörpere, und dies sei seit einiger Zeit auch viel eher *dernier cri*.

Höfi war ein geübter Denker, der seinen Skeptizismus gleichmäßig auf Wahrscheinliches und Unwahrscheinliches verteilte und deshalb Allgemeinplätze ebenso wie haarsträubende Behauptungen nach Belieben glauben oder bezweifeln konnte. Am meisten interessierte ihn die Frage, ob der Errichter einer schwungvoll gezogenen Kampflinie diese auch zu halten vermochte.

»Wenn du Gott wärest«, sagte er zu Alev, »müsstest du allwissend sein. Deine Schulnoten sprechen dagegen.«

»Danke für Ihre Bemühung, sich auf die natürliche Dummheit eines Schülers einzustellen. Aber ich meinte nicht den Gott aus der Kinderbibel.«

»Was dann?«

»Ein Teil von etwas, das jener Vorstellung nahe kommt, die von den Menschen ›Gott‹ oder ›Satan‹ genannt wird.«

»Gut. In welchem Jahr wurde Stalin geboren?«

»Einen Moment. Allwissend zu sein bedeutet nicht, ein riesiges Archiv aus Fakten und Faktenbruchteilen im Hirn zu tragen. Es bedeutet zu wissen, wo der Karteikasten steht.«

»Du müsstest am Schöpfungsakt beteiligt gewesen sein.«

»Glauben Sie etwa, dass eine Frau, die Pullover strickt, hinterher die genaue Lage, Farbe und Beschaffenheit jeder einzelnen Masche bestimmen kann?«

»Auf die Gefahr hin, dass du meine Unbefangenheit erneut mit getarnter Arroganz verwechselst – das Göttliche oder Teuflische habe ich mir anders vorgestellt. Nicht dass ich an weiße Bärte und Pferdefüße glauben würde. Aber noch viel weniger glaube ich an dich.«

»Das ist auch nicht nötig. Gott und der Teufel sind es gewöhnt, dass man nicht an sie glaubt. Ihre Bemerkungen scheinen mir keine Kinder des Scharfsinns zu sein.«

»Gut erkannt«, lachte Höfi, »es waren eher gedankliche Adoptivtöchter.«

»Warum, frage ich Sie«, fuhr Alev fort, »kann sich die Menschheit das Göttliche in Form eines Stiers, eines Schwans, eines blitzeschleudernden Exzentrikers, einer Wasserhose oder eines Dornbuschs vorstellen, warum bereitet es ihr keine Schwierigkeiten zu glauben, dass das Göttliche alkoholische Getränke aus reinem Wasser braut, Brot vom Himmel wirft und in albernen Wendungen zu beliebigen Auserwählten spricht, während sie das Auftreten von etwas Göttlichem in gewöhnlicher Gestalt für absolut ausgeschlossen hält?«

»Vielleicht ist es die Eloquenz, die dich eines Tages zu dem machen wird, was du heute zu sein vorgibst. Ein Vorschlag zur Güte: Ich gebe dir insoweit recht, als du genau wie die Armeen von Göttern vor dir von der Nichtbeweisbarkeit göttlicher Existenz profitierst. Und damit lassen wir es gut sein. Einverstanden?«

»Prinzipiell ja. Dem steht im Wege, dass ich noch etwas sagen will.«

»Nur zu.«

Höfi leerte das zweite Glas Wein und unterdrückte ein Gähnen. Es war nicht zu übersehen, dass er Alevs Ausführungen amüsant fand und sich freute, dem Verstand eines Schülers zuzusehen, wie er sich auf verschlungenen Pfaden durchs Dickicht schlug. Ebenso wenig aber war zu übersehen, dass er die geistige Augenhöhe seines Gegenübers im Bereich der eigenen Kniescheiben veranschlagte.

»In den letzten Wochen haben Sie sich sehr über dieses Mädchen gewundert.« Alev zeigte mit ausgestrecktem Arm auf Ada wie ein Ankläger, und sein Zeigefinger berührte fast ihr Gesicht, weil sie zu dritt nah beisammensaßen. »Niemand wird mit ihr fertig. Auch sie ist ein Teil der aktuellen Fassung vom Göttlichen und Teuflischen. Nicht wahr, Ada?«

Sie war erschrocken, nicht vom plötzlichen Ritterschlag zum übersinnlichen Wesen, sondern von der Tatsache, dass Alev sie nach Wochen des Schweigens zum ersten Mal angesprochen hatte.

»Also, was ist«, fragte Höfi, »verkörperst du ein göttliches oder satanisches Prinzip?«

Es gab keinen Ausweg, wenn sie nicht den Anschein erwecken wollte, ihre Schlagfertigkeit vollständig verloren zu haben. Das Sprechen bereitete Mühe, als ob zwei Zungen und sechsundfünfzig Zähne in ihrem Mund Platz finden müssten. Weil sie seit einer halben Stunde Mund und Hände frei hatte, trank sie schneller als die beiden anderen.

»Manchmal halte ich mich ...«, sagte sie. Höfi packte die Flasche am Hals und zog sie auf die andere Seite des Tischs. »Manchmal halte ich mich auf dem Trennstrich zwischen den Laufbahnen, der nicht breiter ist als ein Bordstein oder der Mittelstreifen einer Bundesstraße. Ich setze Fuß vor Fuß, ohne daneben zu treten, ohne zu schwanken, ohne Schwierigkeit mit dem Gleichgewicht. Dabei stelle ich mir vor, dieser Strich sei ein schmaler Grat, der lang gezogene First eines Bergmassivs, und links und rechts von mir ginge es tausend Meter in die Tiefe. Ich stelle mir vor, wie das von außen betrachtet aussähe. Ein winziger, bewegter Punkt hoch oben auf dem Kamm einer Felswand.«

»Wir machen den Weg frei«, sagte Alev, nahm Höfi die Flasche weg und goss sich nach.

»Was ich damit sagen will.« Wieder blieb Adas Zunge an der unteren Zahnreihe hängen. »Das Leben ist eine permanente Bewegung auf diesem Strich. Solange man glaubt, es handele sich um einen Farbstreifen zwischen zwei Spuren, läuft man ruhig und sicher. Sobald man erkennt, dass es ein Grat ist, der über einen bodenlosen Abgrund führt, gerät man ins Straucheln und in Lebensgefahr.«

Sie nickte zweimal, zufrieden, den Satz fehlerfrei zum Abschluss gebracht zu haben, und griff nach Alevs vollem Weinglas.

»Und du hast das erkannt?«, fragte Höfi.

»Ich leide unter einem Geburtsfehler«, erwiderte sie. »Mir fehlt die Fähigkeit, den Abgrund zu vergessen. Ich weiß nicht, ob Sie das als göttlich, teuflisch oder menschlich bezeichnen würden.«

Nach einigen Sekunden Stille, in denen das Haus knackend und knisternd zu einer eigenen Stimme fand, klopfte Höfi ihnen auf die Oberarme, um sie zum Aufstehen zu bewegen. Langsam gingen sie nebeneinander durch den weitläufigen Speisesaal. Wäre Ada nicht so betrunken gewesen, hätte ihr auffallen können, dass dies einer der glücklichsten Momente ihres Lebens war. Als sie das untere Ende der Treppe erreichten, gab Höfi ihnen förmlich die Hand.

»Alev«, sagte er, »ich will, dass du Ada bis zur Tür ihres Zimmers bringst. Natürlich gehst du nicht mit hinein. Und seid leise, damit ihr niemanden weckt. Hast du verstanden?«

Ada sah zu Alev auf, der nicht viel größer war als sie, und kippte dabei den Oberkörper nach hinten, als befände er sich in großer Höhe, vielleicht rennend auf äußerst schmalem Grat.

»Verstanden«, sagte sie.

Wenn man Gott und den Teufel ruft, antwortet niemand

In der folgenden Nacht fiel die Temperatur um fast zehn Grad, und in den Morgenstunden begann es zu schneien. Ada erwachte mit leichten Kopfschmerzen, stand auf und ging zum Fenster, bevor eins der anderen Mädchen die Augen aufschlug. Herbst und Winter waren die besten Jahreszeiten, moja ulubiona pora roku, wie Smutek sagte, das hatte sie sich gemerkt. Wenn die Natur starb, konnte der Mensch sich lebendig fühlen. Der Schnee und die Stille, das Herabschaukeln von Blättern, sterbende Tiere, Kälte und niedrige Himmel stellten keine Anforderungen an ein glückliches, postkartenbuntes Leben, das ohnehin niemand besaß.

Eine Weile beobachtete sie ihre Zimmergenossinnen beim Schlafen. Wenn das Leben ein hoher, schmaler Grat war, dann saßen diese Mädchen ganz unten und schauten nicht einmal hinauf. Ada grinste, was den Kopfschmerz verstärkte. Der hohe Grat hatte Höfi gefallen, sie hatte es ihm angesehen.

Leise suchte sie Hose und Hemd aus der Tasche und zog beides über die nackte Haut. Draußen sanken die Flocken so langsam zu Boden, als hätte über Nacht jemand an der Schwerkraft gedreht. Auch Adas Schritte erforderten nicht die geringste Kraftanstrengung, wie auf einem Luftkissen schwebte sie die Einfahrt hinunter und spürte beim Verlassen des Geländes, wie die warme, behaglich erleuchtete Herberge hinter ihr zurückblieb. Der Abstand zu den schlafenden Larven in Daunenkokons vergrößerte sich mit jedem Schritt. Die Luft roch nach Holzfeuer und Maiskolben.

Einen Kilometer verlief der Fahrweg zwischen leeren, schlammigen Feldern. Ada nahm die erste Abzweigung, hoffte, den Wald zu erreichen, wurde aber vom Zaun einer

Koppel gestoppt, auf der zwanzig Ponys in einer Ecke zusammenstanden. Als sie über den Querbalken stieg, wieherte ein schmutzig weißes verhalten. Während sie näher kam, flog ein Kopf nach dem anderen in die Höhe, schwer behufte Füße stampften das nasse Gras, Samtohren aller Farben spielten nervös und legten sich schließlich flach an die Schädel. Ada begann zu rennen. Das brachte die Herde auf, sie schien sich wie ein Schwarm riesiger Vögel ein Stück in die Luft zu erheben und galoppierte davon. Rufend und armeschwenkend lief Ada quer über das weitläufige Terrain, berauscht von der Vorstellung, in nächster Sekunde wie ein wildernder Hund von einem Jäger erschossen zu werden. Als sie genug hatte, setzte sie sich auf den oberen Holm des Zauns, sorgsam das gelbe Band vermeidend, von dem sie nicht wusste, ob es Strom führte.

Im Rückblick stand ihr der vergangene Abend viel klarer vor Augen. Ausnahmsweise funktionierte ihr Gedächtnis hervorragend, auch wenn die Sätze, die es präsentierte, keinen rechten Sinn ergaben. Konnte Alev ernsthaft behaupten, das Teuflische oder ein Stück des Teuflischen zu sein? Betrieb er etwa das ermüdende Topfschlagen der Identitätssuche, das Ada nach den ersten halbherzigen Versuchen wieder aufgegeben hatte, überzeugt, dass es dabei nichts von Bedeutung zu finden gebe?

Sie schloss die Augen und versuchte, in der Thermik ihrer Gedankengänge an Höhe zu gewinnen, um Alev, sich selbst und die Frage, was er von ihr wolle, von oben zu besichtigen. Als sie die Augen wieder öffnete, war ein Pony nah herangekommen und legte seine Schnauze in ihre zur Schale geformten Hände. Weich und warm blies der Atem. Die Hände waren leer, das Pferd wandte sich ab. Ada wusste nicht, ob sie zuvor schon einmal eine Pferdenase berührt hatte. Vielleicht als Kind. Sie hatte nicht gewusst, wie angenehm das war. Jetzt war es zu spät, sie würde ein Leben ohne Pferde führen, wahrscheinlich auch ohne Katze und ohne Hund.

Wäre man wie ein antiker Grieche daran gewöhnt, keinen

Teufel zu brauchen, weil die Götter ausreichend menschliche Züge besaßen, ihr Chef der größte Verbrecher war und zum Olymp manch ein Weg hinauf- und hinunterführte, hätte Alevs Behauptung kaum Erstaunen hervorgerufen, sondern bestenfalls den Wunsch nach Überprüfung. Wer aber auf christlichem Boden aufgewachsen war, und hiervon schloss Ada sich selbst ausnahmsweise nicht aus, dem war die Aufspaltung von gut und böse in Fleisch und Blut übergegangen, und er würde jeden, der vorgab, eine personifizierte Synthese aus Gott und Teufel zu sein, für einen Spinner halten. So viel stand fest.

Sie sog ein paar Liter pferdeduftender, grasfeuchter, irrtumsfreier Luft in sich hinein. Nicht minder stand fest, dass ihr Bedürfnis, Alev ernst zu nehmen, nicht der Ratio, sondern einem Instinkt entsprang. Seine Inszenierungen zu entlarven war derartig leicht, dass ein Versuch keinen Sinn ergab. Als sie vom Zaun sprang, hoben die Ponys erneut die Köpfe, sahen zu ihr herüber und wandten sich wieder den Halmen zu. Ada ging dicht an ihnen vorbei, ohne dass sie einen weiteren Fluchtversuch unternommen hätten. Die Jagd von eben, so schien es, war nichts als ein Spiel gewesen.

Am Nachmittag stand eine Bergbesteigung auf dem Programm, während der Ada ausreichend Zeit hatte, tastend und flüsternd nach Gott und dem Teufel zu forschen. Alev war nur eine Bewegung am Horizont, immer schon außer Sicht, bevor sie den Blick fokussieren konnte, und Höfi verriet durch keine Regung, dass er in ihr das Mädchen erkannte, mit dem er am vergangenen Abend eine Stunde bei Wein und Worten verbracht hatte. Jeder für sich wollte in Ruhe gelassen werden, und Ada war es recht.

Sie ließ sich ans Ende des Trecks zurückfallen, der sich im Zickzack an einer Flanke des Bergs hinaufquälte und dabei die Füße so vorsichtig setzte, als gälte es zu vermeiden, den Fels zu kitzeln. Das Geröll unter den Schuhen war glatt vom Schneematsch, der hölzerne Handlauf an der Felswand an vielen Stellen vermodert. Smutek und seine Frau trugen leichte Skianzüge in unterschiedlichen Farben, aber unverkennbar vom gleichen Modell. Schneller als erwartet waren die unteren Etagen der tief hängenden Wolkendecke erreicht. Nebelschwaden zogen eilig vorbei, wie man es sonst nur aus dem Flugzeugfenster sah. Ada hielt gleichmäßigen Abstand zu Frau Smuteks rotem Neoprenrücken und fühlte sich herrlich einsam, umgeben nur von Wasser in seinen verschiedenen Aggregatzuständen. Auch die schmale Frau vor ihr ging seit geraumer Weile allein. Ab und zu blieb sie stehen, zog die Schultern hoch und krümmte sich, als wollte sie etwas Kleines am Boden vor ihren Füßen betrachten. Ada war zu beschäftigt, um ihr weiter Beachtung zu schenken. Sie rief Gott und den Teufel in sich und erhielt keine Antwort.

Die Eisfee beim Nachtbad

Nichts wies auf einen Donnerstag hin. Fern von den geregelten Abläufen der Städte, fern von Schulalltag, Morgenzeitung und Abendnachrichten verloren die Namen der Wochentage mit solcher Geschwindigkeit an Bedeutung, dass man sich fragte, ob sie ihre Bezeichnungen jemals zu Recht getragen hätten. Die Zeit sprang aus ihrem Korsett, dehnte und streckte sich nach Belieben und ließ die Annahme, man sei erst anderthalb Tage zuvor in Dahlem angereist, als dummdreisten Trick des Erinnerungsvermögens erscheinen. An gefühlter Zeit waren seit der Ankunft zwei Wochen vergangen, und Ada fing bereits an, ihr gewöhnliches Leben für unglaubwürdig zu halten. Mit etwas mehr Erfahrung hätte sie im prompten Plausibilitätsverlust der eigenen Herkunft ein zeitgemäßes Talent zum Vagabundieren erkannt. So aber hielt sie den Effekt für eine Folge des ungewohnten Alleinseins unter Menschen, das sich gegenüber dem üblichen Alleinsein ohne Menschen durch spürbar höheren Kräfteverbrauch auszeichnete.

Gegen zehn am Abend beendete Smutek die Vorbereitungen zu einer fiktiven Stadtführung durch Wien. In den verschiedenen Räumen des Hauses bereiteten Schülergruppen die Darstellung von Sehenswürdigkeiten und, Oxymoron hin oder her, von wichtigen historischen Ereignissen vor, bemalten Tapeten, probten dramatische Szenen, klebten Photos und Postkarten an die Wände. Ada hatte darum gebeten, wegen mangelnder Teamfähigkeit ein Stück Musil auswendig lernen und vortragen zu dürfen. Als Smutek die Schüler mit fröhlicher Stimme und geräumigen Handbewegungen entließ, drehte sich in ihr noch immer ein Geschwader nicht zu Ende gedachter Gedanken, so dass die Aussicht, den restlichen Abend zwischen menschlichen Kapseln unbekannten Inhalts zu verbringen, unerträglich erschien. Ungesehen gelangte sie in die Eingangshalle, schnürte die Laufschuhe zu und floh ins Freie.

Die Nachtluft war frisch und klar wie Wasser. Um sich nicht zu verirren, schlug Ada den Weg ein, den sie tagsüber auf der Wanderung genommen hatten. Tief atmete sie durch die Nase ein und durch den Mund aus, und der ganze Wald mit seinen pelzigen oder gepanzerten Bewohnern, mit harsch gefrorenem Schnee, geduckten Pflanzen, schwammig voll gesogenem Moos und aufgeweichter Baumrinde blieb ihr als ein Geschmack auf der Zunge zurück. Der Mond schickte ihr den eigenen Schatten als Späher voraus. Nach wenigen Minuten wurde ihr von innen warm, eine Dampfwolke hüllte sie ein, die Erde federte, die Bäume am Wegrand verschmolzen zu schwarzen Massen, rückten näher zusammen und fassten sich hoch oben an den Händen, bis sie den Mond verdunkelten. Hinter Ada schloss sich die Finsternis zu blickdichten Wänden.

Als sich rechter Hand eine Lichtung öffnete, verlangsamte sie das Tempo und hielt schließlich an. Während des Spaziergangs am Tag hatte sie diese Stelle vom Weg aus gesehen und sich vorgestellt, wie es sein müsste, bei Nacht hierher zu kommen. Der Schauplatz war wie gemacht für Szenen aus einem Märchenfilm, ein Treffpunkt für Wolf und Hase zur Beratung über das Wesen der Dinge, ein Festanger für Elfenkinder außerhalb elterlicher Reichweite, Kulisse für den Auftritt sprechender Quellen und denkender Pilze mit großen, braunen Hüten. Das Gras stand niedrig, als würde es regelmäßig gemäht. In der Mitte befand sich ein Tümpel von Länge und Breite eines Hockeyfelds, von Bäumen umgeben, die in Grüppchen beisammenstanden wie Mannschaften beim Aushecken ihrer Strategie für die nächsten Spielminuten. Die Oberfläche des Weihers war bleich gefroren und schneebedeckt.

Ada durchquerte den Graben neben dem Weg und löste

dabei die Stacheln vertrockneter Brombeerranken so behutsam aus der Kleidung, als handelte es sich um die Hände winzigster Wesen. Quer über die Lichtung folgte sie einer undeutlichen Spur, die sie zunächst für einen schlecht besuchten Wildwechsel hielt, und fand sich jäh einem Anblick gegenüber, der ihr in die Schaltzentrale des Nervensystems drang und es für mehrere Sekunden völlig lahm legte. Unmöglich, einen Gedanken zu fassen, geschweige denn, eine Bewegung auszuführen. Sie stand still auf der mondhellen Wiese und schaute. Sie war nicht allein.

Die zweite Person befand sich im Teich, großzügig eingerahmt von den Rändern eines sternförmigen Lochs. Sie stützte die Unterarme auf den Rand der Eisdecke wie auf eine Fensterbank und ließ den Körper reglos im Wasser hängen. Ada sah das Wesen im Profil, bemerkte, dass es die Augen geöffnet und ins Leere gerichtet hielt, und glaubte ein Lächeln wahrzunehmen – die Mundwinkel waren eindeutig nach oben gebogen. Sie hatte eine Eisfee beim Nachtbad überrascht.

Als die Zeitspanne abgelaufen war, die Verstand und Gefühle brauchen, um in Momenten des Schocks zu einer Einigung zu gelangen, erkannte sie die schnurgerade Linie von Fußspuren auf dem verschneiten Eis. Die gezackten Kanten des Lochs stammten von mehreren Versuchen, sich aufgestützt aus dem Wasser zu hieven, wobei die Eisdecke jedes Mal weiter eingebrochen war. Mit wenigen Schritten gelangte Ada ans Ufer und rief die Sylphe an. Nicht der kleinste Widerschein einer Regung zeigte sich auf Frau Smuteks weißem, dämonisch lächelndem Gesicht.

Während Ada Jacke und Pullover auszog und die Schnürsenkel der Laufschuhe löste, überlegte sie, ob Gott oder der Teufel sie zwangen, bei Minusgraden ins Eiswasser zu steigen. Außer Angst und Aufregung und einem Herzen, das sich hart gegen den Brustkorb meldete, verspürte Ada eine gewisse Begeisterung, die nur der Teufel hervorgebracht haben konnte. Die Lage kürte sie schnell und zweifelsfrei zum Despoten im Ich-Staat. Ihre Befehle gab sie scharf und unmissverständlich, Schuhe aus, Hose anlassen, langsam atmen, und stellte mit Befriedigung fest, dass der Körper gleich einem gedrillten Soldaten ohne Zögern der Gefahr entgegenlief. Gott hätte vorgeschlagen, ein flinkes Beinpaar zu nutzen, um zur Herberge zurückzulaufen und Hilfe zu holen, und Gott wäre wie immer zu spät gekommen. Ada warf sich auf den Boden, wälzte wie ein junger Hund den erhitzten Leib durch den Schnee, um das bevorstehende physische Entsetzen zu mildern, sprang auf die Füße, hüpfte einige Male auf der Stelle und rannte los, das abschüssige Ufer hinunter und auf das Eis.

Schon nach zwei Metern begann es unter den Füßen zu brechen. Frau Smutek hatte den Teich von der anderen Seite betreten, wog weniger und war viel weiter gekommen. Noch ein paar Schritte trug die Geschwindigkeit Ada über splitternden Untergrund hinweg, dann brach sie ein. Das Wasser empfing sie mit elektrischen Schlägen von allen Seiten, unmöglich zu entscheiden, ob es kochend heiß war oder kalt, und diese Ungewissheit war leichter zu ertragen als der Kälteschock, den sie erwartet hatte. Noch spürte sie Grund unter den Füßen, stieß sich ab und warf sich einige Male mit dem Oberkörper auf die krachende und singende Fläche, die sofort nachgab und in dünnen Schollen auseinander trieb. Als das Wasser zu tief wurde, begannen die Beine von selbst mit hektischen kleinen Schwimmbewegungen, während die Ellenbogen vorausstießen und einen schwarzen Streifen durch die helle Fläche bahnten. Das gezackte Loch durchquerte sie mit den schnellen Zuckungen eines Nichtschwimmers, begleitet vom empörten Schaukeln und Klirren der Eisstücke um sie herum.

In der Sekunde, bevor sie Frau Smutek mit ausgestreckter Hand berühren konnte, fragte sie sich zum ersten Mal, wie sie einen solchen ausgeschalteten Leib an Land bringen sollte. Seitdem der erste Kontakt mit dem Wasser die Wut zum Aufwallen gebracht hatte, sog die Kälte unablässig Kraft aus Armen und Beinen, verwirrte die Sinne und fasste mit sanften

Fingern direkt ins Hirn. Entspann dich doch, leg dich hin, ich trag dich, es könnte so schön sein. Einen Moment später hatte Ada die Eisfee erreicht, hob einen Arm aus dem Wasser, schlug ihr auf die Schulter und spürte den kleinen, schroffen Widerstand gefrorenen Stoffs und darunter ein Körperteil, das kalt und hart war wie Stein. Mit einer langsamen, gutmütigen Bewegung drehte Frau Smutek den Kopf, zeigte ein selig erstarrtes Gesicht und wandte die Augen unter halb geschlossenen Lidern blicklos nach rechts und links.

»Nie wiedziałam, że to tak łatwo«, sagte sie, und ihre Stimme klang auf geradezu lächerliche Weise normal.

Ada verstand nicht, wusste im Voraus, dass die andere, im Halbschlaf sprechend, sich nie wieder an eins dieser Worte erinnern würde, und gab den Satz verloren. Sie packte den schmalen Oberkörper grob mit beiden Händen und zog ihn von der Eisdecke ins Wasser. Frau Smutek ging unter und kam sofort lächelnd wieder an die Luft, das schwarze Haar von Nässe glatt an den Schädel gekämmt.

»Schwimm«, brüllte Ada ihr ins Ohr, »schwimm!«

Und auch Frau Smutek gehorchte wie ein guter Soldat. Sie schwamm folgsam, mit zackigen, automatischen Bewegungen, Kopf an Kopf mit Ada, als wären sie gemeinsam an dieselbe Nervenbahn angeschlossen. Ada redete weiter, um bei Verstand zu bleiben, sprach zu ihnen beiden wie zu einer Person, brav machst du das, gutes Mädchen, schwimm einfach, verdammt noch mal, schwimm.

Aus Angst, den Faden zu zerreißen, der sie miteinander verband, wagte sie nicht, mit den Füßen nach Grund zu tasten, sondern schwamm weiter, bis der Bauch über Steine schrammte und die Hände den Schopf des Uferbewuchses zu fassen bekamen. Sie kam an Land, Frau Smutek blieb liegen, bleich im Wasser wie ein totes Reptil, und Ada bemerkte, dass sie in dünnem Hemd, Stoffhose und ohne Schuhe in den Wald gelaufen sein musste. Nirgendwo am Rand war ein Kleidungsstück zu sehen, das nicht Ada gehörte.

Mit einer Hand in den schwarzen, triefenden Haaren, die

andere unter eine Achselhöhle gekrallt, zog Ada Frau Smutek an Land. Die Verbindung war unterbrochen; Schwimmen hatte funktioniert, Aufstehen funktionierte nicht. Ada ging in die Knie und lud sich die eiskalte Fee, die plötzlich schwer wie fünf Menschen war, auf den Rücken. Abgeknickt hing ihr der fremde Kopf über die Schulter, das lange Haar reichte bis zu den Oberschenkeln und klebte sich an die Haut wie Wasserpflanzen bei Ebbe an die Uferfelsen. Ein paar Schritte konnte Ada sie schleppen, stapfte starrsinnig in der eigenen Spur voran, und von der Anstrengung wurde ihr warm. Als es nicht mehr ging, standen sie in der Mitte der Lichtung, die eine halb nackt, den Brustkorb der anderen umklammernd, schwankend und flüsternd, Stirn an Stirn wie ein irrsinniges Liebespaar. Ada verlagerte das Gewicht, um den rechten Arm freizubekommen, holte aus und fing an, Frau Smutek zu schlagen, immer ins Gesicht, einmal, viele Male, abwechselnd mit Handfläche und -rücken, und mit jedem Schlag ging es besser, bis Frau Smutek ein Wimmern von sich gab und versuchte, sich wegzudrehen.

»Lauf«, brüllte Ada, »lauf!«

Und sie lief. Auf Beinen, die sich kaum kontrollieren ließen, in stürzenden Schritten wie eine von den Seilen geschnittene Marionette, schwer mit dem Arm über Adas Schultern lastend, immer wieder einknickend und weitergeschleift. So kamen sie durch den Graben, so kamen sie auf den Weg, so kamen sie den Weg hinunter. Mal ging es besser, mal schlechter, dann brüllte Ada sie an, schlug und trat mit nackten Füßen und prügelte sie wie ein halb totes Tier die nächsten Meter voran.

Die Herberge geriet in Sicht, warm leuchtete die gläserne Eingangstür. Mit einem letzten Aufraffen warf Ada sich selbst und die andere in Richtung des Lichts, die Tür schwang auf, Helligkeit versengte die Augen, eine Phalanx von Schülerschuhen geriet in den Weg. Frau Smutek rumpelte zu Boden. Gerüche nach Menschen. Jacken am Haken. Für einen Moment sehnte Ada sich zurück in den Wald.

Dann spannte sie sich zu einer letzten Kraftanstrengung und schrie, und weil ihr kein Wort mehr einfiel, schrie sie wie vorhin: Lauf!, mit langem, heulendem Laut in der Mitte, lauf!, bis die Treppe am Ende der Eingangshalle zu dröhnen begann und Smutek von unten nach oben ins Blickfeld geriet, erst Beine, dann Hüften und Oberkörper. Hinter ihm Höfi, mit blanken Knopfaugen vor Grauen.

Frau Smutek verschwand, in die Luft gehoben, und Ada, längst in den Knien eingebrochen, rutschte gänzlich zu Boden und blieb minutenlang auf der nassen Fußmatte liegen. Befehlsverweigerung. In Armen und Beinen war nur noch Gelee ohne Knochen. Höfi, der sie nicht aufheben konnte, kauerte neben ihr, fuhr ihr mit fliegenden Fingern übers Gesicht, und als etwas Heißes ihr auf die Wange tropfte, begriff sie, dass er weinte, zusammengekrümmt wie über einem verstorbenen Kind, beweinte ein fernes Unglück oder seine eigene Schwäche, und haspelte Dinge, die sie nicht verstand. Als Smutek wieder auftauchte, war Höfi fort, verschwunden wie eine Erscheinung, und Ada schwebte hoch über dem Boden und blickte direkt auf Smuteks Kinn, auf diese fleischige, in der Mitte geteilte Zwillingspflaume.

»Danke«, flüsterte er, während er sie auf den Armen durchs Haus trug, »ich danke dir.«

»Ich habe nicht Ihnen geholfen«, sagte Ada, »sondern Ihrer Frau.«

Die Stimme klang ganz wie gewohnt, Ada erkannte sie ohne weiteres als die eigene, ohne zu wissen, wie und womit sie in ihrem Körper erzeugt wurde. Smutek blieb stehen und sah ihr aus nächster Nähe ins Gesicht. Abgesehen von der unnatürlichen Blässe sah sie nicht krank aus, sondern selbst in dieser Lage blasiert und arrogant. In Smutek erwachte der Widerstand des Deutschen gegen jede Art von Gefühlsseligkeit und kämpfte mit der Sehnsucht des Polen nach Höhen, zu denen man aufsteigen, und Tiefen, in die man stürzen konnte. Eine Weile stand er ratlos, hätte sie gern geküsst oder streng zurechtgewiesen, lief endlich weiter, Türen mit dem

Fuß aufstoßend, und sprach erst wieder, als er vor der letzten stand.

»Okay, Ada«, sagte er. »Ich danke dir hiermit im Namen meiner Frau.«

Sie nickte: Okay. Überall war dicker Wasserdampf, es gab gekachelte Wände, an denen Bäche von Kondensat herunterliefen, ein schwarzes, beschlagenes Fenster, draußen wohl Nacht. Sie befanden sich in einem der Bäder in der obersten Etage, wo das Aufsichtspersonal schlief.

Smutek setzte sie auf den Klodeckel und zog ihr die Strümpfe aus, sie waren steif gefroren und fielen wie kleine Bretter auf die Fliesen. Er befreite sie von der Unterhose, zerrte an ihrem BH, und Ada schlug schon um sich, bevor er sie erneut auf die Arme hob. Als eine Schulter in Reichweite geriet, biss sie hinein. Smutek gab ein unterdrücktes Stöhnen von sich und senkte Ada trotzdem langsam und vorsichtig in die Wanne. Das heiße Wasser schmerzte wie siedendes Öl, unerträglicher als alles, was bislang passiert war. Ada glaubte, noch immer zu schreien, und war längst still, vom Schmerz überwältigt, gerade dabei, das Bewusstsein zu verlieren, als sie doch noch etwas sagte: Hol meine Laufschuhe, bitte, die sind noch auf der Wiese ... Und endlich war auch sie – fort.

Der Tag darauf bringt einen Pakt mit No-thing

Am nächsten Morgen war alles unangenehm. An den Besuch des Notarztes und die gemeinsame Nacht mit Frau Smutek in einem Doppelbett konnte Ada sich nicht erinnern. Als sie erwachte, lag sie allein unter der Decke und fand zwei obszöne, schwabbelnde Gummiwesen neben sich, die sie angewidert von sich stieß: erkaltete Wärmflaschen. Gleich darauf erblickte sie Smuteks Antlitz einen halben Meter über sich und assoziierte das Gesicht einer grinsenden Sonne, die als Spieluhr einst über ihrem Kinderbett gehangen haben musste und vor der sie sich, wie sie jetzt glaubte, immer gefürchtet hatte. In diesem Dahlem wuchs sich das Erinnern zur reinen Plage aus. Es wurde Zeit, von hier wegzukommen.

Na, wie geht es, alles gut überstanden, okay, ja. Frau Smutek ist auch okay, wunderbar.

Ada ekelte sich vor seiner Nähe, als hätten sie in der vergangenen Nacht ein inzestuöses Verbrechen begangen. In ein Laken gewickelt, floh sie aus dem Zimmer über den Gang.

Neben ihrem eigenen Bett lag das Sportzeug auf der Heizung, alles gewaschen, ausgebreitet und schon fast trocken. Ihre Laufschuhe, die ordentlich auf einer Zeitung standen, hätte Ada aus Wiedersehensfreude am liebsten geküsst. Sie sah Smutek vor sich, wie er, ihren Spuren im Schnee folgend, über den Waldweg hetzte und die Lichtung fand, auf der Fußabdrücke und eine zerstörte Eisdecke alles erzählten, was geschehen war. Sie glaubte nicht, dass er einen Schüler losgeschickt hatte. Das also war seine Art, sich bei ihr zu bedanken, und fast tat es ihr leid, bei seinem Anblick an eine grinsende Spieluhr gedacht zu haben.

Das Zimmer war leer und unnatürlich still, die Wände kahl und zu hart, um von einem menschlichen Körper durchdrungen zu werden, die Tür geschlossen auf eine Art, die durchaus ›für immer‹ bedeuten konnte. Plötzlich sehnte Ada sich nach Alevs Armen. Sie hatte Lust, schon wieder hinauszulaufen und sich die Finger an Pferdenasen zu wärmen, sie trug erst Unterwäsche und kramte nach frischen Jeans, als es vorsichtig klopfte. Es war Höfi. Ada lächelte ihn erleichtert an.

»Ich habe Anweisung gegeben, ein paar Eier zu braten. Außerdem habe ich nachgedacht über das, was du vorgestern Abend sagtest. Das mit dem schmalen Grat. Zieh dich endlich an.«

Während des späten Frühstücks im leeren Speisesaal redete er wenig und schaute Ada zu, die fünf Spiegeleier vertilgte, ohne Brot und mit viel Salz.

»Vergessen wir die Geschichte«, sagte Ada, als sie fertig war. Höfi hielt sie zurück.

»Zwei Menschen, die, jeder auf seiner Linie, Hand in Hand durchs Leben laufen, bilden zusammen einen Vierbeiner und werden nicht stürzen, selbst wenn sie von dem Abgrund unter ihren Füßen wissen. Das ist meine Antwort auf dein Problem.« Er berührte sie am Ellenbogen und verschwand, ohne den abgegessenen Teller in die Küche zu bringen.

Den Rest des Tages verbrachte Ada auf dem Zimmer, lag angekleidet im Bett, las, sah aus dem Fenster und genoss die Ruhe, während überall im Haus an der Errichtung einer österreichischen Metropole gearbeitet wurde. Alles Räumen und Rascheln, Huschen und Tuscheln auf den Fluren ging in seltsamer Gedämpftheit vor sich. Das ganze Haus lebte wie auf Zehenspitzen.

Gegen Abend erschien Alev mit einem Essenstablett vor der Zimmertür und kam auf diese Weise an Smutek und Höfi vorbei, die strenges Besuchsverbot erlassen hatten. Ada empfing ihn mit regloser Miene. Geschickt wie eine Krankenschwester räumte er den Nachttisch leer, drückte das Kissen zu einer Rückenstütze zusammen, fasste ihr unter die Achseln, als wäre sie nicht in der Lage, sich allein aufzurichten, und setzte sich auf die Bettkante.

»Du hattest nicht recht«, sagte sie, während sie ihre Suppe löffelte.

»Womit?«

»Gott und Teufel. Ich gehöre nicht dazu.«

Er schaute aus dem Fenster, das kurz davorstand, von der Nacht in einen schwarzen Spiegel verwandelt zu werden, schüttelte missbilligend den Kopf über Adas Bemerkung oder über den langsam fallenden Regen und sah schließlich zur Zimmerdecke hinauf, als müsste er überlegen, wovon überhaupt die Rede war.

»Woher weißt du das so plötzlich?«, fragte er endlich.

»Ich habe nichts in mir gefunden.«

»Hat das mit Smuteks Frau zu tun?«

»Ach. Das war doch gar nichts.«

Alevs Blick wurde trüb vor Spott: Begeh ruhig Heldentaten, wenn du magst, aber spar dir die Koketterie.

»So meinte ich es nicht«, sagte Ada schnell, obwohl er keinen Ton von sich gegeben hatte.

»Wie dann?«

»Ich bin ihr nachgesprungen, weil es wieder mal an der Zeit war, mir selbst etwas zu beweisen. Darüber hinaus ist da kein Geheimnis. Ich habe es gern getan. Vielleicht hätte Smutek mich hinterher nicht unbedingt ausziehen müssen.«

»Er hat *was* getan?«

»Mich ausgezogen und in die Badewanne gehoben.«

»Interessant. Sogar hochinteressant.«

Das Nachdenken über diese Information absorbierte Alev für einige Sekunden, er rieb sich die Augen, als er zum eigentlichen Gespräch zurückkehrte.

»Du wirst mir nicht ausreden, dass dein Husarenstück letzte Nacht mit meiner Frage zu tun hatte.«

»Es war also eine Frage?«

»Natürlich, Kleinchen. Das weißt du doch.« Er schenkte ihr das Lächeln eines großen Bruders und machte sich daran, bröcklige Frikadellen in kleine Stücke zu zerteilen. »Wahrscheinlich bist du inzwischen auch zu dem Schluss gekommen, dass der Irrtum über Gott und den Teufel in der unbedingten Verteilung von Gut und Böse bestehen muss. Sinngemäß heißt es im *Mann ohne Eigenschaften* an einer Stelle: Der Mensch gibt der Tat den Charakter und nicht umgekehrt, wir trennen Gut und Böse und wissen doch, dass sie ein Ganzes sind. – Wichtig an diesem Satz ist, dass wir es *wissen*. Es handelt sich um einen absichtlichen Irrtum.«

»So weit war ich schon, bevor ich dich traf.«

Alev schickte sich an, ihr ein Stück aufgespießter Frikadelle in den Mund zu schieben. Sie nahm ihm die Gabel weg und aß selbst.

»Bevor wir weiterreden«, sagte er, »muss ich eine Sache klarstellen: Du bist drei Jahre jünger als ich und trotzdem klüger. Meine Fähigkeiten übertreffen die deinen auf anderem Gebiet. Ich bin nicht zum intellektuellen Armdrücken hier. Pakt?«

Ada ließ die Gabel fallen und schlug ein: »Pakt.«

Als sie das Tablett von sich schob, räumte Alev alles vom Bett auf den Boden, öffnete das Fenster und schob erst ihr, dann sich selbst eine Zigarette zwischen die Lippen. Der Deckel einer Wasserflasche diente als Aschenbecher.

»In Wahrheit interessieren Gott und der Teufel mich herzlich wenig. Als Begriffe sind sie abgenudelt wie Hitparadensongs vom letzten Jahr. Aber ich sage nichts Neues, wenn ich behaupte, dass das Leben der Menschen von gegensätzlich wirkenden Kräften bestimmt wird.«

»Also doch Gut und Böse?«

»So der landläufige Irrtum. Vergiss den christlichen Satan. Mein Teufel ist nicht die Anwesenheit von etwas, auch nicht von etwas Schlechtem, sondern dessen vollkommene Abwesenheit. Er ist *No-thing,* das Nichtvorhandensein einer Vorstellung von Richtig oder Falsch, ein leerer Zwischenraum. Die wahren Gegner heißen Nichts und Etwas.«

»Das Nichts ist nicht denkbar. Wie kann es ein Gegner sein?«

»Indem der Mensch es bekämpft. Das Nichts auf Erden

und im eigenen Kopf, das Fehlen von Gründen, von Sinn oder Zweck birgt den höchsten Schrecken. Aus Nichts und aus Etwas kann Gutes wie Schlechtes entstehen. Möglicherweise hast du Frau Smutek aus dem Eisloch gezogen, weil dir etwas fehlt.«

»Ich glaube, an etwas Ähnliches dachte ich, während ich ins Wasser stieg.«

»Siehst du.« Mit Liebe zerquetschte Alev die ausgerauchte Kippe im Inneren des Deckels. »Die Tatsache, dass du bei deinen Nachforschungen in dir selbst nichts gefunden hast, spricht nicht gegen meine Theorie. Vielleicht bist du schon auf *No-thing* gestoßen, auf eine Leerstelle, die dir nur auffallen könnte, wenn du wüsstest, was an diesem Platz bei anderen, sagen wir, bei normalen Menschen zu finden ist. Dafür muss man die Menschen studieren. Zu diesem Zweck unternehme ich Streifzüge durch unsere kleine Zivilisation auf Ernst-Bloch.«

Ada dehnte wohlig die Beine unter der Decke und kaschierte die Bewegung mit einem Gähnen. Diese Erklärung für Alevs penetrantes Eindringen in die Leutewelt gefiel ihr wesentlich besser als die Vorstellung, er sei einfach ein soziales Wesen, das täglich um den besten Platz im Rudel kämpfe.

»Wie kommst du darauf«, fragte sie, »dass uns beiden *etwas*, oder besser, dass uns *nichts* gemeinsam sein könnte?«

»Ich habe von mir auf dich geschlossen. Ein irrationales Verfahren, ausgelöst durch Unerklärliches, einen Geruch oder das Fehlen eines Geruchs oder deine Art, an den Dingen vorbeizusehen. Wahrscheinlich steckt eine kindische Sehnsucht nach meiner zweiten Hälfte dahinter. Mehrmals dachte ich schon, auf jemand Verwandtes gestoßen zu sein. Es hat sich immer als Täuschung erwiesen.«

»Mir kommen die Tränen.« Ada hatte sich gut genug unter Kontrolle, um zu verbergen, dass eine kleine Stelle direkt unter dem Solarplexus auf seine Gesänge reagierte. »Willst du hören, zu welchem Ergebnis ich beim Nachdenken gelangt bin?«

»Avec plaisir.«

»Einem Griechen oder Römer vor zweitausend Jahren wäre deine Behauptung, als ein Stück Gott oder Teufel auf Erden zu wandeln, weniger absonderlich erschienen. Warum also sollte ich dich mit den Augen eines Christen betrachten?«

»Kleinchen, ich wusste, du würdest mich verstehen.«

»Was hätte ein Polytheist dir geantwortet?«

»Klär mich darüber auf.«

»Sehr einfach: Beweis es.«

Er betrachtete sie mit Augen, die flach und blank spiegelten wie schwarze Jetons. Dann strömte Leben in seine Miene, er ließ eine Hand auf den Oberschenkel klatschen, krümmte sich und begann lautlos zu lachen.

»Das ist wunderbar«, flüsterte er, wieder bei Atem. »Du willst ein Spiel?«

»Nenn es, wie du magst. Beweise dich.«

»Okay, okay.« Alev rieb sich die Hände, strich sich durch das drahtige Haar, wollte aufstehen, blieb sitzen und ergriff Adas Hand so fest, dass sie nicht ausweichen konnte.

»Wie wäre es«, fragte er, »wenn übermorgen ein Lehrer von Ernst-Bloch flöge? Wenn deine Mutter dir kurz nach den Weihnachtsferien das Zimmer durchwühlte und Teuter versuchte, dich mit einer Disziplinarkonferenz von der Schule zu werfen?«

Ada spürte ihre Wangen kalt werden, im Magen entstand Unterdruck und sog das Blut aus dem Kopf, bis die Gedanken stockten. Sie wollte keinen weiteren Rausschmiss, nicht jetzt, nicht von Ernst-Bloch.

»Was soll das sein«, fragte sie leise, »eine Prophezeiung?«

»Nur Götter können in die Zukunft sehen. Wenn ich Recht habe, wirst du dann mit mir zusammenarbeiten?«

»An was?«

Diese simple Frage brachte ihn aus dem Konzept. Die Brauen gerunzelt, wartete er auf Antwort aus dem eigenen Kopf.

»Das weiß ich noch nicht«, sagte er schließlich, stand auf, bückte sich nach dem Tablett und war schon an der Tür. Indem er mit dem Ellenbogen die Klinke drückte, schaute er über die Schulter, kniff schelmisch ein Auge zu und ließ sie allein.

Kaum dass er die Tür geschlossen hatte, vergaß er Ada ebenso gründlich, wie er sie mit Haut und Haaren zur Kenntnis nahm, wenn er vor ihr saß und sie zum Leben erweckte wie ein batteriegetriebenes Spielzeug, das man jederzeit aus dem Regal nehmen und einschalten kann. Jedenfalls glaubte sie das. Vermutlich hatte jeder seiner Bekannten einmal am Tag für fünf Minuten das Gefühl, seinem besten Freund oder ärgsten Feind gegenüberzusitzen. Es machte sie wütend, dass es ihm immer wieder gelang, sie aus der Reserve zu locken. In einem Punkt sprach der Verstand klar wie eine Mutter zu ihr: Sie hätte besser daran getan, ihre Truppen abzuziehen und in die befriedete Festung zurückzukehren. Aber sie wollte keinen Seelenfrieden. Etwas in ihr hatte längst beschlossen, das zu werden, was Alev suchte. Selbst wenn es *nichts* war.

Während sie ruhig auf dem Rücken lag und die Wärme des Ärgers genoss, wuchs auf gründlich gepflügtem Boden die Überzeugung, dass nun bevorstand, wonach sie sich seit Wochen sehnte. Das Lauern und Tänzeln würde ein Ende finden. Etwas vollzog sich, etwas lief auf etwas hinaus. Und das war allemal besser als …

Ada beschloss, es für den Moment gut sein zu lassen, schloss die Augen und suchte in allen Winkeln des Körpers nach Müdigkeit und dem Wunsch, tief und traumlos zu schlafen.

Den letzten Tag der Kursfahrt verbrachte sie schweigend und in sich zurückgezogen. An der simulierten Stadtführung durch Wien nahm sie nicht teil, und am Sonntag trat sie als Erste mit ihrem Rucksack ins Freie, um sich einen Platz im Bus zu sichern.

Die Chemiekammer

Im Nachhinein kehrte sich das alles gegen ihn.

»Es ist mir Wunsch und Bedürfnis, das Mädchen zum Essen einzuladen«, sagte Frau Smutek. »Ich werde etwas für sie kochen. Eine polnische Spezialität.«

»Bislang konntest du gar nicht kochen«, sagte Smutek.

»Bislang konnte ich auch nicht sterben«, erwiderte sie. »Dachte ich zumindest.«

Eigentlich hasste Frau Smutek Küchenarbeit fast so sehr wie die ehemalige Volksrepublik. Dass sie nun in Erwägung zog, sich an den Herd zu stellen, war eine von vielen Veränderungen, die sich ausbreiteten wie eine Mehlfliegenplage. Zu Smuteks Erstaunen erfassten sie in kürzester Zeit das ganze gemeinsame Leben.

Frau Smutek hatte darauf bestanden, trotz des Vorfalls bis zum Schluss an der Kursfahrt teilzunehmen, und sie besiegelte ihren Entschluss mit drei Wörtern, die sie jedem entgegenzischte, der nach ihrem Befinden fragte: Nichts – ist – passiert, und je öfter Smutek diesen Satz hörte, desto unheimlicher wurde er ihm. Lauter als alle anderen hatte Frau Smutek gelacht und geklatscht, als Höfi und er auf der Abschlussfeier einen Wiener Walzer miteinander tanzten.

Seit dem Moment aber, da sie die heimatliche Wohnung betreten hatten, lag sie auf der Wohnzimmercouch unter einer bunten Patchworkdecke vergraben und schoss aus dieser Verschanzung Pfeile ab, sobald Smutek in Sichtweite geriet. Er kochte Tee, eine Kanne nach der anderen, nahm ihr die erkaltete Tasse aus den Fingern, ersetzte sie durch eine frische und verbrachte die anschließende Zeitspanne bis zum erneuten Abkühlen ratlos auf einem Küchenstuhl.

Er sei ein Versager. Er habe seine Ideale verraten, wobei Smutek sich wunderte, welche Ideale sie meinte. Er sei, und das hinterließ ihn sprachlos, nicht einmal ein richtiger Pole. Die Pfeile trafen gut, manche blieben stecken. Trotzdem waren die Angriffe immer noch besser zu ertragen als jenes knöcherne Schweigen, das ebenfalls zu ihren neuen Angewohnheiten gehörte. Nach jeder Attacke sank sie in die Kissen zurück und verbarg das Gesicht an der Sofalehne. Wenn sie sich unbeobachtet fühlte, schaute sie zum Fenster hinaus, vor dem es weder Sonne noch Regen gab. Ihr schmaler Körper war zäh und hatte die Kälte folgenlos überstanden. Aber Geist und Seele waren schwach und kränkelten, als wären sie im eisigen Wasser abgefroren.

Hätte er sie an jenem Abend nicht hinauslassen dürfen, obwohl sie mit lieblicher Hartnäckigkeit darauf bestanden hatte, sich die Beine zu vertreten – und zwar allein? Hätte er ihr heimlich folgen müssen, um zu erkennen, dass sie ohne Schuhe und Jacke in die Kälte ging? Schlimmer als alles war der Gedanke, sie zürne ihm nicht wegen des Unfalls, sondern im Gegenteil – wegen ihrer Rettung. Weil er seine Aufsichtspflicht verletzt hatte, war eine minderjährige Schülerin mitten in der Nacht durch den Wald gerannt und hatte das halb tote Schneewittchen aus dem Teich geborgen. Ein Mensch kann auf ungezählte Arten schuldig werden.

Auch bei angestrengtem Nachdenken fiel Smutek kein einziger Grund ein, aus dem seine Frau sich einen vorzeitigen Tod hätte wünschen sollen. Der Teil von ihr, der möglicherweise freiwillig in den Teich gestiegen war, hatte nicht mehr mit ihm zu tun als jede beliebige fremde Person unten auf der Straße, und Smutek plante nicht, ihn besser kennen zu lernen. Ein Selbstmordversuch wäre ein unausdenklicher Verrat an ihrem Zusammenleben gewesen, das er als glücklich definierte. Lieber trug er die Schuld an einem Unglücksfall und nahm die Bestrafung dafür entgegen.

Ungern ließ er sie am Montagmorgen allein, bat, sie möge nicht aus dem Bett aufstehen, bis er zurückkäme, und verspürte doch eine kleine, bösartige Erleichterung, nachdem er die Wohnungstür hinter sich ins Schloss gezogen hatte.

Er war nicht gut drauf. Mehrmals musste er dem aggressiven Quietschen der Nike- und Reebok-Systeme auf dem Turnhallenboden entfliehen, um sich in der Lehrerumkleide ein paar Hände voll Wasser ins Gesicht zu klatschen. Als er sich wieder einmal tief über das Waschbecken beugte, vernahm er eine Stimme, glaubte erst an akustische Fata Morganas und die Vorboten eines Nervenzusammenbruchs und entdeckte schließlich eine bucklige Gestalt im Spiegel. Höfi stand so eng an den Türrahmen geschmiegt, als könnte er sich allein nicht aufrecht halten.

»Hallo? Unter der Schädeldecke jemand zu Hause?«

»Das fragte ich mich auch gerade.« Smutek trocknete Gesicht und Hände am Handtuch an der Wand. »Hast du gerade gesagt, dass ich in der großen Pause in die Chemiekammer kommen soll?«

»Haargenau. Du weißt, wo das ist?«

Die Chemiekammer befand sich im zweiten Stock des Altbaus, am hinteren Ende eines Saals, der mit seinem Inventar aus Ernst-Blochs persönlicher Gründerzeit zu den Dingen gehörte, auf die die Schule stolz war. Dank eines komplizierten Stundenplan-Scrabbles fanden alle naturwissenschaftlichen Kurse der Oberstufe dort statt. Manch ein Liter Flüssigsauerstoff war, begleitet vom entsetzten Kreischen der Schüler, wie ein verdampfender Wassertropfen auf der Herdplatte zwischen den aufklappbaren Schulbänken umhergeflitzt. Unterhalb des erhöhten Lehrerpults war der Linoleumboden eingedellt von der jährlichen Wiederholung des simpelsten aller Experimente, bei dem Lindenhauer eine große Stahlkugel aus drei Meter Höhe fallen ließ, um die grausame Macht der Schwerkraft zu demonstrieren. Meist umzingelten Formeln den Raum, die der alte Physiklehrer mit Kreide auf die langen Schiefertafeln oder direkt aufs Mauerwerk schrieb, wobei er auf langen Beinen wie ein verrückter Storch über Tische und Stühle kletterte und auch die Türen an der kurzen Raumseite gegenüber der Haupttafel nicht verschonte. Hinter einer dieser Türen befand sich eine badezimmergroße Kammer, die vor allem Regale mit Apothekerflaschen in Giftmischerbraun enthielt. Hier kochte die Chemikerin Sonja Rosenhof seit zwanzig Jahren Kaffee in einem Erlmeierkolben. Jeden Montag in der ersten großen Pause bewirtete sie einen exklusiven Kreis von drei Lehrern, die auf ihren Klappstühlen so eng beieinander saßen, dass sie mit den Kniescheiben zusammenstießen. Der alte Singsaal hatte die Idee lustig gefunden und gelegentlich den Kopf zur Tür hereingestreckt. Teuter hingegen fürchtete die Treffen als konspirative Sitzungen eines feindlichen Geheimbunds. Seine Versuche, einen Beobachter zu entsenden, waren an der Enge der Kammer gescheitert. Smutek war sich im Klaren darüber, was die Einladung bedeuten musste: Jemand fehlte.

Nach der Sportstunde beeilte Smutek sich mit dem Duschen und Ankleiden. Vor der richtigen Tür hob er die Hand zum Anklopfen und hielt die Kreidezeichen auf dem Holz in einem Sekundenirrtum für das C+M+B der Heiligen Drei Könige. Christus Mansionem Benedicat. Auf den zweiten Blick erkannte er Einsteins $E = mc^2$. Fast hätte er die Formel als Losungswort genannt, als die Tür sich einen Spaltbreit öffnete und er sich unvermittelt Sonja Rosenhofs prüfender Miene gegenübersah. Sie war mit Ausschenken beschäftigt, trug wie jeden Tag eine ihrer unzähligen bunten Blusen, die zu ihren ebenso zahlreichen Launen passten, und hatte die rot gefärbte Mähne kokett in der Stirn. Höfi wiegte den Oberkörper wie ein hospitalistischer Pavian. Neben ihm saß Mathe-Wirger, der sich den Schülern als Würger mit ›i‹ vorzustellen pflegte, und sträubte den schwarzen Proletenschnurrbart, indem er die Oberlippe über den Schneidezähnen spannte. Wie jeder Lehrer auf Ernst-Bloch wusste Smutek, wer zur Chemiekammerbesetzung gehörte. Es entfuhr ihm anstatt einer Begrüßung: »Wo ist Klinger?«

»Seit ich hier Kaffee koche«, Sonja strich sich das rechte Auge frei, um Smutek verheißungsvoll anzusehen, »hat unsere Besetzung zweimal komplett gewechselt. Das Leben schwemmt Menschen an und trägt sie wieder fort.« Sie war in literarischer Stimmung und klang wie eine Telephonistin, die einen verärgerten Kunden von der Reklamation abzuhalten hat.

»Der kleine Klinger«, sagte Mathe-Wirger, »ist weg.«

»Wie, weg?«

Die Panik in Smuteks Blick war nicht zu übersehen. Seit Tagen belästigte ihn das Gefühl, nicht zu wissen, was als Nächstes geschah, und zwang ihn, überall nach Anzeichen einer bevorstehenden Katastrophe zu suchen, was sich jetzt zu akutem Nervenflattern steigerte. Begütigend wies Höfi auf den freien Klappstuhl.

»Nicht tot«, sagte er. »Zum Halbjahresende gekündigt und vom Dienst suspendiert. Er lässt dich grüßen. Wie geht's deiner Frau?«

»Danke. Physisch gut.«

Höfi schlürfte ohne Unterbrechung und hatte die halbe Tasse leer gesogen, bevor Smutek die seine in Händen hielt. Traditionell gab es weder Milch noch Zucker. Smutek mochte keinen schwarzen Kaffee. Sonja löschte den Bunsenbrenner.

»Während ihr in Dahlem ward«, sagte sie, »rief ein Schüler bei Teuter an. Klinger habe ihn sexuell bedrängt. Teuter hat das Ministerium unterrichtet und Klinger sofort entfernt. Er war noch in der Probezeit.«

»Wer hat ihn angeschwärzt?«, fragte Smutek und dachte an die intensiven Blicke, die ihm der Kollege gelegentlich zugeworfen hatte.

»Toni. Lange Haare und Pickel. Lebt im Internat.«

»Ach du heilige Scheiße.« Smutek strich sich mit der freien Hand den Schweiß von der Stirn. Er fühlte die Augen der Anwesenden auf sich gerichtet. Das war Nachschwitzen, ganz natürlich, vom Basketball.

»Ahnst du, warum wir dich hergebeten haben?«, fragte Sonja und lehnte sich vor, dass er die Ansätze ihres mütterlichen Busens im offenen Kragen der Bluse sehen konnte.

»Nein!«

Er sprach zu laut. Mathe-Wirger drehte seine Tasse hin und her und schaute fasziniert hinein, als bemerkte er zum ersten Mal, dass sich die Flüssigkeit im Inneren an die Gesetze der Erdanziehung hielt.

»Der Herr Höfling«, sagte Sonja und schüttelte die Schultern wie eine Sambatänzerin, »will dir etwas sagen.«

Smutek fürchtete, in der nächsten Sekunde könne ihm etwas entgleiten, die Beherrschung, die Höflichkeit, die Regeln der Vernunft. Ausgerechnet jetzt wollte die Anspannung der letzten Wochen sich entladen. Bilder zogen ihm vor dem geistigen Auge vorbei, wie man es sonst von Sterbenden behauptet. Er sah das Holzhaus in Masuren, seine Frau im hohen Gras, seine Frau bleich und kalt auf der Fußmatte eines Landschulheims, Teuters höhnisches Grinsen, die neue Sportbahn, Adas laufende, arbeitende, stampfende Beine. Sein Atem ging schnell, das Schwitzen hörte nicht auf.

»Hör zu.« Höfi sprach ruhig wie zu einem Kranken. »Vielleicht wurde dieser Toni gekauft. Oder genötigt. Vielleicht wusste Klinger zu viel, oder irgendjemand auf Ernst-Bloch hasst Schwule. Wir werden die Wahrheit nicht erfahren. Der Punkt ist, dass die Wahrheit keine Rolle spielt. Hast du verstanden, Smutek?«

Dieser schreckte aus seinen Bildern hoch, zu denen Höfis Stimme den passenden Soundtrack geliefert hatte.

»Nein!«

»Die Vernichtung eines jeden von uns«, sagte Mathe-Wirger, »braucht so viel Zeit wie ein Gedanke, um von der linken Hirnhälfte in die rechte zu gelangen. Begreifst du jetzt?«

»Frag mal in der Chefetage nach *deinem* Beliebtheitsgrad«, sagte Höfi und stellte die leer geschlürfte Tasse beiseite.

»Was soll der Scheiß?«, fragte Smutek. »Glaubt ihr, ich hätte irgendeinen Hintern angefasst?«

»Natürlich nicht«, meinte Höfi. »Aber Glauben, Wissen, Wollen und Geschehen haben nichts miteinander zu tun. Lass dir das von einem alten Historiker gesagt sein.«

Die Schulklingel drang gedämpft vom Hauptflur herein. Geräuschvoll stand die Gruppe auf und klappte ihre Stühle zusammen.

»Bis nächsten Montag«, sagte Sonja an der Tür, »gleiche Zeit, gleicher Ort.«

Obwohl Smutek losstürmte auf seinen langen Beinen, holte Höfi ihn in der Mitte des verglasten Lufttunnels ein. Er musste wie das Schreckgespenst einer Geisterbahn auf Schienen hinter ihm hergerollt sein. Höfi war ihm der liebste unter allen Kollegen, aber in dieser Sekunde hätte er die ewige Hand auf seinem Unterarm am liebsten beiseite geschleudert und wäre seiner Wege gegangen. Im Flüsterton sprach Höfi wenige Sätze in sein herabgebeugtes Ohr und lief grußlos weiter, der geheime Kurier eines mafiosen Spiels.

Der Empfänger der Botschaft blieb bleich und reglos im Lufttunnel zurück, sah zu, wie Schüler von rechts und links an ihm vorbeihasteten, geräuschlos und im Zeitraffer, was an einer vorübergehenden Verlangsamung seiner kognitiven Tätigkeiten lag. Er fühlte sich abgetrennt vom Geschehen, als lehnte er nicht mit dem Rücken an der Scheibe, sondern klebte von außen mit der Nase am Glas. Plötzlich setzte Entspannung ein und trieb Erschöpfung heran wie Herbstwind den Regen. Der große Mann aus schweren Knochen und Muskeln, mit kräftigen Beinen und behaarten Armen, glaubte mit einem Mal, nie wieder einen Schritt vor den anderen setzen zu können. Er wollte an der Wand hinunterrutschen und sich am Boden zusammenkauern, den Kopf zwischen den Knien, die Knie von den Armen umschlungen, sich einrollen zu einer menschlichen Kugel, die der Welt möglichst wenig Oberfläche bietet. Smutek war seekrank. Er hatte soeben eine jener eng gekrümmten Kurven des Schicksals durchlaufen, in denen die Ereignisse sich verdichten, während Uferwirbel den stabilsten Kahn gefährlich zum Schwanken bringen, bis alles breit und seicht in die nächste Gerade fließt.

Als der Großteil der Schüler in den Klassenräumen verschwunden war und die Flure sich leerten, klärten sich auch

Smuteks Gedanken und gaben den Blick frei auf die handelsübliche Schlichtheit der Vorgänge. Vor drei Tagen hätte er um ein Haar seine Frau verloren. Inzwischen war es Teuter gelungen, den ersten seiner Gegner, Überbleibsel aus Singsaals langer Legislaturperiode, von der Schule zu werfen. Infolgedessen bekam Smutek irrwitzige Warnungen von Seiten der Kollegen zu hören, und ausgerechnet Höfi, der genau wusste, was in Dahlem geschehen war und wem Frau Smutek ihr Leben verdankte, sprach es ihm ausdrücklich ins Ohr: Es ist zu deinem eigenen Besten. Halt dich von diesem Mädchen fern.

Das war unangenehm, aber nicht surreal. Höfi war ein Mensch und nicht von Buñuel oder Tarantino ersonnen. Er hatte es gut gemeint. Wie alle anderen machte ihn die Befürchtung nervös, dass dem Fall Klinger weitere folgen könnten. Mit Smutek oder gar mit Ada hatte das nichts zu tun.

Smutek wartete ab, bis kein Schüler mehr in Sicht- oder Hörweite war, schlug den Hinterkopf einige Male gegen die Glasscheibe, erst leicht, dann fester, drückte sich schließlich mit den Händen ab und vollführte ein paar Hocksprünge, bevor er gemessenen Schrittes weiterging, mit geringfügiger Verspätung, zur nächsten Deutschstunde.

Weihnachten Zwei

Wann laden wir sie ein? Vielleicht zu Weihnachten? Isst sie Fleisch?«

Wenn Smutek nach Hause kam, hockte Frau Smutek auf der Fensterbank und wärmte sich die Finger an einer Tasse Tee von der Sorte, die sie nicht trinken wollte, wenn er sie zubereitete. Während des Sprechens schaute sie aus dem Fenster, die Augen zu weit geöffnet, die Brauen hochgezogen, dass es schmerzen musste. Draußen stand eine lückenlose Reihe Autos, Schnauze an Hintern, unter den kahlen Bäumen der Allee. In perfektem Schulterschluss schmiegten die Altbauten sich aneinander, alle stuckverziert und auf intellektuelle Weise höher als breit. Viele Fenster waren bereits erleuchtet, obwohl die Abenddämmerung noch eine Weile auf sich warten lassen würde. In dieser Straße, die Frau Smutek seit Stunden mit ihren Blicken belästigte, lebten die glücklichsten Menschen der Stadt. Sie waren jung, hatten eine Arbeit, die ihnen gefiel, besaßen ein hübsches Auto, Kinder oder sogar einen Hund, den sie aus dem Sommerurlaub in Andalusien mitgebracht hatten. Als Smutek vor dem gemeinsamen Umzug nach Bonn eine der begehrten Wohnungen ergattert hatte, war ihm nicht bewusst gewesen, dass er im Begriff stand, ins Artenschutzreservat der letzten glücklichen Deutschen zu ziehen. Seit vier Jahren freuten Frau Smutek und er sich täglich über den blonden Holzboden, die geschnitzten Türstöcke, die etwas zu klein geratenen Räume und über die ganze, bunt gemusterte Einrichtung, die größtenteils ihrer Studentenzeit entstammte und noch immer Tassen mit abgeschlagenen Henkeln, durchgewetzte Sessel und von Freunden gemalte Bilder enthielt. Es war nicht leicht, in einer solchen Straße am Fenster einer solchen Wohnung wie ein Häftling im Hungerstreik auszusehen. Frau Smutek gelang es. Sie fragte täglich nach Adas Essensplan.

»Ich würde Fisch machen, aber das traue ich mir nicht zu.«

»Mach doch *pierogi ruskie*«, pflegte Smutek an dieser Stelle zu erwidern. »Die kennst du sicher von deiner Mutter.«

»Ich habe keine Mutter«, sagte Frau Smutek, wandte endlich den Blick vom Fenster ab und starrte ihn kampfeslustig an.

»Ich weiß. Im Gegensatz zu deiner ist meine sogar tot.«

»Das ist weniger schlimm.«

»Du spinnst«, sagte Smutek leise. »Du solltest aufhören, übers Kochen zu reden. Wir werden diese Ada nicht zu uns einladen.«

Aber Frau Smutek hörte schon nicht mehr zu, hatte sich einfach abgeschaltet, einen Hebel umgelegt, aus. Später nahm Smutek ihr die Tasse weg, von der sie nicht mehr trank, seit er das Zimmer betreten hatte, hob sie auf die Arme, trug sie ins Bett und deckte sie zu. Manchmal sah es aus, als wollte sie weinen, aber es wurde immer nur ein trockenes Flüstern daraus. Ich habe kein Land. Ich habe keine Heimat. Ich habe keine Eltern. Ich habe kein Hobby. Ich habe kein Kind ... – Du hast doch mich! – Vielleicht kann ich auch dich nicht haben, ohne Land, ohne Heimat, ohne Familie. Vielleicht habe ich nichts. Vielleicht muss das so sein, vielleicht ist das Nichts unser Schicksal, das Schicksal einer vertriebenen Generation. – Es gibt kein Schicksal, sagte Smutek. Es gibt nur uns.

Er wollte nicht kämpfen, er war schwach. Die Worte schmeckten schal auf der Zunge, egal, ob er sie auf Deutsch oder Polnisch sprach. Er ging in die Küche, nahm ein Glas aus dem Schrank und füllte es mit kaltem Rotwein aus einer Flasche, die in der Tür des Kühlschranks stand. Es gab Sackgassen, in die man versehentlich hineingeriet und die man durch bloßes Umkehren nicht wieder verlassen konnte. Smutek wusste das. Es galt abzuwarten, bis der Stadtplan des Lebens neu gefaltet wurde, das Straßennetz sich um die eigene Achse drehte und man von selbst wieder freikam. Manchmal gab es einfach nicht mehr zu tun, sosehr man es auch wünschen mochte.

An einem Tag kurz vor Weihnachten, der sich in nichts von seinen Vorgängern und Nachfolgern unterschied, erwähnte Frau Smutek die geplante Essenseinladung nicht mehr. Sie kam nie wieder darauf zurück. Aus den wenigen Worten, die sie miteinander wechselten, wurde Adas Name wie ein lästiger Schmutzfleck getilgt. Als ob kaum noch adafreie Sätze übrig wären, sprach Frau Smutek immer weniger, bis sie fast völlig verstummte. Sie verließ die Wohnung nicht mehr. Der Arzt verlängerte die Krankschreibung bis Jahresende und ermahnte Smutek, seine Gemahlin nicht beim Vergessen zu stören. Er empfahl, nicht von dieser Ada zu sprechen, nicht von Höfi, am besten gar nicht von Ernst-Bloch, auch nicht von Wasser, Kälte, Nacht oder Wald. Den Zustand des Schneewittchens nannte er ein depressives posttraumatisches Syndrom. Das brauche Zeit, Geduld und Besuche beim Psychologen nach Neujahr.

Smutek war es gewohnt, depressive Menschen als Schwächlinge zu betrachten, die sich dem Leben nicht stellen wollten. Ebenso war er gewohnt, über alles zu sprechen, was ihn beschäftigte. Selbst unwichtige Details gerieten, wenn man sie verschwieg, in die Nähe der Lüge. Das Schweigen fiel ihm schwer. Höfi hatte sich durch seine impertinente Zurechtweisung als Gesprächspartner bis auf weiteres disqualifiziert, und außerhalb von Ernst-Bloch besaß Smutek keine Freunde in der kleinen Stadt am Rhein.

So kam es, dass niemand davon erfuhr, wie sich die Arbeit mit der Leichtathletikgruppe saisonbedingt in ein einsames Lauftraining mit Ada verwandelte. Ada rannte bei jedem Wetter, und nachdem Smutek beschlossen hatte, Höfis Warnungen zu ignorieren, gab es keinen Grund, warum er sie nicht begleiten sollte.

Während sie nebeneinander den gefrorenen Boden mit Füßen traten, eingebettet in eine Dampfwolke, umgeben von einem Gemälde in allen Klassen der Farbe Weiß, entschlüpfte

Smutek der häuslichen Enge, weitete die Kehle und ließ eingesperrte Gedanken über die Zunge ins Freie rutschen. Wenn er selbst bemerkte, dass seine Reden zu persönlich gerieten, wechselte er ins Polnische. Ada reagierte ohnehin auf nichts, das er sagte. Ihr anhaltendes Schweigen machte es leicht zu glauben, dass sie seine Worte nicht zur Kenntnis nehme oder jedenfalls bis zum Ende des Trainings vergessen haben würde.

Ohne es jemals vereinbart zu haben, verhielten sie sich im Unterricht so, als hätten sie nichts Bestimmtes miteinander zu tun. Smutek siezte Ada wie alle anderen und behandelte sie mit unterschiedsloser Höflichkeit, obwohl sie sich seit neuestem durch ein ganz spezielles Verhalten hervorzutun begann. Gemeinsam mit Alev versah sie die Arbeit von Hunden, die eine Schafherde umkreisen, ohne dass der Schäfer sie dazu aufgefordert hat.

Die Erfolge des Deutschleistungskurses übertrafen alle Erwartungen und nahmen an manchen Tagen geradezu unnatürliche Formen an. Smutek gab sich nicht der Illusion hin, durch sorgfältige Vorbereitung und gekonntes Unterrichten für dieses Wunder verantwortlich zu sein. Stück für Stück hatten Ada und Alev den Kurs in die Zange genommen, gaben das Gesprächsniveau vor, belohnten Neugier und Interesse mit schmeichelhaften Bemerkungen und begegneten den Ausfällen der Witzbolde durch verbale Strafaktionen, denen niemand etwas entgegenzusetzen hatte. Alev wusste es einzurichten, das Gelächter der Gruppe stets auf seiner Seite zu haben. Smutek bewunderte die Schnelligkeit und Exaktheit, mit der sie einander Bälle zuspielten. Sie schienen jede Regung des Gegners vorauszuahnen und nahmen ihre Siege mit unterkühlter Reglosigkeit entgegen. Sorgfältig achteten sie darauf, dass Smutek nicht zwischen die Fronten geriet, zogen sich beim kleinsten Zeichen seiner Missbilligung zurück und warteten auf die Gelegenheit zum nächsten Vorstoß. Obwohl Smutek sich rühmen konnte, als wahrscheinlich erster Lehrer der Welt gewinnbringende Klassenarbeiten über den *Mann ohne Eigenschaften* zu schreiben, beschlich ihn ein ungutes Gefühl. Er konnte sich des Eindrucks nicht erwehren, dass Ada und Alev für irgendetwas trainierten.

Weihnachten stoppte den Fluss der Ereignisse. Wieder überstanden die verletzten Herzen und verdrehten Hirne im goldensten aller Zeitalter ein weiteres Fest der Freude. Höfi hielt die Hand seiner Frau, fütterte sie löffelweise mit warmem Grießbrei und aß selbst, auf der Bettkante sitzend, einen kleinen Fisch, der nach dem zappelnden Schleppnetztod einer ganzen Sippe schmeckte. Smutek flog mit seiner Frau nach Paris, das er nicht leiden konnte, und lief drei Tage lang durch die schneebepuderte Stadt. Frau Smutek sah bezaubernd aus mit ihren dunklen Haaren unter der roten Mütze, und weil Smutek sie so sehr liebte, ersparte er ihr die Frage, ob sie ein Kind von ihm wolle. Ada teilte sich am Heiligabend eine Wildschweinkeule mit der Mutter und am ersten Feiertag einen Hasenrücken mit dem Brigadegeneral und fragte sich, ob die Tiere einander gekannt haben mochten. In derselben Nacht lief sie durch Alevs Gasse und warf kleine Steinchen gegen das beleuchtete Pensionsfenster, hinter dem sich nichts abspielte außer einem gewöhnlichen Mittwochabend, bis Alev herauskam und mit ihr ums Haus herum in den düsteren Garten ging. Dort lehnte Ada sich gegen die Nacht in ihrem Rücken, das Gesicht hell vor dem schwarzen Hintergrund, und rollte zwei Zigaretten für sich und ihn. Ein keksfarbener Mond versteckte sich im Wolkengestrüpp. Sie wünschten sich frohe Weihnachten, während die Feuerzeugflamme zwischen ihnen hin und her ging, und ihre Gesichter, dicht beieinander, wurden zuckend verschönt vom tanzenden Licht. Alle Beteiligten spürten, wie ihnen das neue Jahr über die Schultern sah. Nicht alle würden es überleben. Niemanden würde es so hinterlassen, wie er zuvor gewesen war.

Der Prophezeiung zweiter Teil

Frisch prangten die Kreidezeichen der Heiligen Drei Könige am Türbalken der PENSION. Alev brauchte zwei Anläufe, um den Schlüssel ins Schloss zu schieben. Das zweite Schulhalbjahr hatte begonnen, er war aufgedreht und erschöpft wie ein Börsenmakler am ersten Handelstag nach der Weihnachtspause. Als er nach Amila sehen wollte, saß der Vater gut gelaunt auf dem Sofa, ein vierter König, Nachzügler aus dem Morgenland, und hatte einen offenen Koffer voller Geschenke neben sich. Auf einen Blick erkannte Alev die immer gleichen Uhren, Damenschuhe und schwersilbernen Schlüsselanhänger. Amila trug zur Feier des Tages ein rotes Gewand und servierte Kaffee in langstieligen Kupferkännchen auf einem kleinen Tablett.

Draußen froren weggeworfene Weihnachtsbäume am Boden fest, eine Frostschicht zog sich wie ein heller Nylonstrumpf über Straßen, Mauern, Autos und Bäume. Der Vater erkundigte sich nach Maurice, der seit Silvester nicht mehr aufgetaucht war, und verkündete seinen Entschluss, die Familie alsbald in den Sudan umzusiedeln. Alev verkündete die Entscheidung, bis auf weiteres ein angesehenes Bonner Internat zu besuchen. Es dauerte wenige Minuten, bis sie sich Auge in Auge gegenüberstanden, Alev und der Mann, dessen Hoden er angeblich die Hälfte seiner Existenz zu verdanken hatte. Als der Vater beim Rückwärtstaumeln gegen die Schrankwand stieß und eine leere Blumenvase zu Boden riss, kam die Vermieterin so schnell ins Zimmer gestürzt, als hätte sie sich vor der Tür in Bereitschaft gehalten.

Längst saß Alev wieder neben der Mutter auf dem Sofa, die weiche Sitzfläche krümmte ihnen die Wirbelsäule wie armen Büßern. Der Vater tastete mit den Händen über den Teppich, als suchte er eine Brille, die er nie getragen hatte. Die Vermieterin nahm hundert Euro für die unzerstörte Vase entgegen und wünschte ein besonders frohes neues Jahr. Als sie gegangen war, klopfte der Vater lachend den Staub von der Anzughose, legte Alev eine Hand auf die Schulter und erklärte sich bereit, drei Jahre lang für Schulgeld und Internatskosten aufzukommen. Dankend verließ Alev die Szene, um den Eltern Zeit und Raum für ihre Wiedersehensfeier zu lassen. Er hatte einen weiteren Geschäftstermin zu besorgen. Ein Lehrer war von der Schule geflogen. Nun galt es zu überprüfen, ob der zweite Teil der Prophezeiung planmäßig eingetreten war.

»Kommen Sie rein. Sie wissen ja, wie viel ich schon von Ihnen gehört habe, nicht?«

Ein schäkerndes Augenzwinkern, zu stark dosiert, Karikatur einer zweideutigen Geste und doch ernst gemeint. Adas Mutter sah aus, als hätte man sie bei einer anstrengenden Tätigkeit überrascht. Ihr Atem ging schnell, ein paar Strähnen hatten sich aus der Kleopatrafrisur gelöst und standen seitlich ab. Während sie Alev voraus in die Wohnung lief, drehte sie sich mehrmals um, als wollte sie sicherstellen, dass er tatsächlich folgte.

Alle Türen standen offen. Dort war der Esstisch, von dem Ada manchmal erzählte, während er vorgab, nicht zuzuhören. Dort war die Wendeltreppe, die zu den Szenen aus dem Privatleben hinaufführen musste. Die wenigen Möbel wirkten auf moderne Art verloren, als hätte kein Mensch sie jemals in Gebrauch gehabt. Adas Mutter trieb Alev quer über den spiegelnden Boden und wies ihm eine kleine Rattancouch in der Nähe der Terrassentür. Der nächste Sessel stand gut fünf Schritte entfernt.

»Sie sind ohne Jacke. Aber Sie haben es auch nicht weit.«

Es blieb keine Zeit, darüber nachzudenken, ob Ada tatsächlich erzählt hatte, wo er wohnte, denn in den Monologen der Mutter reichten die Themen einander den Stab wie professionelle Staffelläufer.

»Frauen unter sich!«, rief sie ohne Zusammenhang. »Wussten Sie, dass Sie der erste Mann sind, dessentwegen sie sich die Augenbrauen zupft?«

»Ich weiß nicht«, sagte Alev, damit beschäftigt, das Wort ›dessentwegen‹ zu bestaunen. Er war blind davon ausgegangen, Ada habe ihre elaborierte Ausdrucksweise von irgendeinem Vater übernommen. Er saß niedrig, Adas Mutter stand viel zu groß über ihm und lachte exaltiert.

»Olaf war ein netter Kerl, aber weniger interessant als Sie. Ihr Vater ist Araber? Was macht er so?«

Sie verschwand im Flur, so dass Alev seine Antwort leise gegen die Wände sprechen konnte.

»Im Moment vögelt oder prügelt er meine Mutter, wahrscheinlich beides abwechselnd.«

»Das habe ich mir gedacht.« Als sie wieder auftauchte, hatte sie zwei Cognacgläser und eine Flasche dabei und bat Alev einzuschenken.

»Auf die Männer!«

Der Cognac wärmte von innen, noch zwei oder drei Gläser und er würde endlich aufhören zu frieren.

»Mein Ex-Mann ist beim Verteidigungsministerium. Er hat auf den Umzug nach Berlin gehofft. Pech gehabt. So stecken wir alle fest in diesem Elendsnest, eine große Familie aus Hinterbliebenen, die sich größte Mühe geben, einander nicht zur Kenntnis zu nehmen.«

Das Kratzen eines Schlüssels in der Wohnungstür entband von jeder weiteren Antwort. Alev erkannte den harten Schritt von Adas Springerstiefeln im Eingang.

»Hier herein!«, rief die Mutter. »Schau, wer da ist.«

Mit dicker Jacke, kälteroten Wangen und von Schneeklümpchen verzierten Hosenbeinen sah Ada aus wie ein Eskimomädchen, das in eine warme Stube geraten ist und von den Rändern her zu schmelzen beginnt. Ein paar einzelne Haare standen vom Kopf, bemüht, der eben abgezogenen Mütze zu folgen. Die Halogenleuchten im Flur legten eine Art Heiligenschein über ihren Scheitel.

»Wir gehen hoch«, sagte sie und zog die Jacke aus.

»Ach was«, rief die Mutter. »Ich verschwinde in der Küche, wir schließen die Türen, dann seid ihr ungestört.« Sie schenkte Cognac nach, ohne ihr eigenes Glas angerührt zu haben.

»Den Schnaps nimmt Alev mit«, sagte Ada streng und winkte ihm, sich zu erheben.

Die Mutter schoss auf sie zu und packte hart ihren Arm.

»Alev ist mein Gast. Setz dich hin.«

Ada überließ der Mutter den Arm, als wäre diese ein Kampfhund, der fester zubeißt, wenn man sich wehrt.

»Mutter«, sagte sie sanft, »danke für alles. Wir kommen nachher runter, und Alev trinkt noch einen mit dir. Einverstanden?«

Die Lippen der Mutter bewegten sich ohne Geräusch.

»Vielen Dank für die Gastfreundschaft«, sagte Alev, der neben sie getreten war und Adas Hand fasste, die kalt und abgestorben in der seinen lag. Während er sie durch den Raum Richtung Wendeltreppe führte, stand die Mutter zwischen Couch und Sessel, bewegte noch immer den Mund in stummer Ansprache und sah ihnen mit dem Gesichtsausdruck eines Kindes hinterher, das die bekannten Monster erwartet, sobald die Eltern es am Abend allein lassen. Als sie den oberen Treppenabsatz erreicht hatten, knallte unten eine Tür ins Schloss.

Adas Zimmertür knirschte. Etwas sperrte unten im Spalt. Alev begann breit zu grinsen, aus seinem Mund schien ein kalter Luftzug zu strömen, der Adas Hals berührte und ihr Schauer über den Rücken trieb.

»Das gibt es doch nicht.«

Hintereinander zwängten sie sich durch die Tür und standen schweigend mitten im Zimmer, dicht beieinander, weil kaum Platz war, um die Füße abzusetzen, und sahen sich um. Die bunten Tücher waren heruntergerissen und lagen in Häufchen am Boden. Die Matratze war hochgeklappt, das Bettzeug abgezogen und beiseite geworfen, der Schrank stand offen. Mit einem schnellen Griff waren die unteren Fächer entleert worden, Unterwäsche mischte sich mit größeren Kleidungsstücken, Schnürsenkel und BH-Träger durchzogen und verbanden das Gewühl wie vielfarbige Würmer. Die Schubladen des Schreibtischs lagen umgekippt am Boden; Notizzettel und Büroklammern hatten es bis unter den Türspalt geschafft. Der angesammelte Kleinstplunder eines fünfzehnjährigen Lebens war durcheinander gemischt worden wie ein Kartenspiel, zusammengeschoben und auseinander gezogen zu einer Materialpfütze, die scharfkantig endete, wo man den Teppich angehoben hatte. Am schlimmsten aber ging es den Büchern. Stoßweise hatte man sie aus dem Regal genommen und hingeworfen, jedes einzelne war links und rechts am Umschlag gefasst und ausgeschüttelt worden, und nun lagen sie alle auf dem Gesicht, die Seiten unter dem Gewicht des Leibes zerknickt, ein Haufen hilfloser Wesen mit gebrochenem Genick. Alevs Grinsen war so breit geworden, dass es fast die Ohren miteinander verband, und Ada konnte nicht anders, sie fing an zu lachen.

»Und«, fragte er, »wie war ich?«

Ganz von selbst schlangen ihre Arme sich ineinander, sie standen Hüfte an Hüfte und betrachteten andächtig das Chaos zu ihren Füßen. In Adas Miene war so viel Leben, als bewegte sich ein Fischschwarm dicht unter der Oberfläche.

»Ich bin beeindruckt. Verrat mir den Trick.«

»Kennst du Odetta?«

»Du meinst die schöne Juno? Du hast sie auf der Vollversammlung im September zur Oberstufensprecherin gemacht.«

Alevs Grinsen wurde zu einem selbstgefälligen Lachen. Ohne irgendjemanden um seine Meinung zu fragen, hatte er Odetta für das Amt der Schülervertreterin vorgeschlagen und in der Aula eine flammende Wahlkampfrede für sie gehalten. Auf diese Weise sicherte er sich Einfluss bei der Selbstverwaltung, ohne an lästigen wöchentlichen Treffen auf den durchgesessenen Sofas im Schülerbüro teilnehmen zu müssen.

»Mit ein paar Anweisungen hat sie es nicht nur zur Schülersprecherin, sondern sogar zu Teuters Vertrauensperson gebracht. Deine Mutter müsste einen Anruf von der Schulleitung bekommen haben.«

»Worum ging es?«

»Drogen. Nicht mehr als ein vager Verdacht, viel zu wenig für ein offizielles Verfahren, aber Teuter lässt keine Möglichkeit ungenutzt. Was dich für ihn bemerkenswert macht, ist deine Intelligenz sowie die guten Beziehungen zu Smutek und Höfi. Verstehst du?«

»Sicher.«

Alev fasste seine Hosenbeine knapp oberhalb der Knie und hob sie ein Stück an, bevor er sich setzte und die Beine im Schneidersitz faltete. Eine Welle Körpergeruch rollte, aufgescheucht von der Bewegung, zu Ada hinüber und schlug ihr über dem Kopf zusammen. Sie ließ das Buch sinken, das sie gerade aufgenommen hatte, schloss die Augen und stand in stummer Anbetung vor dem leeren Regal. Der Geruch benetzte Lippen und Gaumen, rann die Kehle hinunter und bediente einen Hunger, mit dem sie so gut zu leben gelernt hatte, dass erst eine kleine Fütterung ihn von neuem erweckte. Auf eine Entfernung von zwei Metern konnte sie spüren, wie Alevs Haut vom Stoff seines Hemdes berührt wurde, so deutlich, als handelte es sich um ihren eigenen Körper.

»Das könnte ein Nachspiel haben«, sagte sie, ohne die Augen zu öffnen, und dachte an ihre gelegentlichen Kurierdienste für Rocket am Hauptbahnhof.

»Nichts von Bedeutung«, sagte Alev. »Wo nichts ist, kann nichts nachgewiesen werden.«

»Ex falso quodlibet«, sagte Ada.

»Was heißt das?«

»Aus Falschem folgt Beliebiges.«

Sie hörte das Stocken seiner Atmung, als er tonlos lachte.

»Darum geht es doch gar nicht«, sagte er. »Wir sitzen hier zwischen den Resultaten eines unbeholfenen Exorzismus. Man beginnt uns zu fürchten. Wir reagieren miteinander wie Phosphor und Sauerstoff.«

Das Bild von Olaf und ihrer eigenen Person, wie sie unauffällig am Bahnhof umherschlenderten und darauf warteten, von einem Amateurdealer angesprochen zu werden, wurde übermalt vom ölfarbengetränkten Pinsel der Vorstellungskraft. Menschen sprangen nach einem Phosphorbombenangriff in die Hamburger Elbe, tauchten brennend wieder auf und rangen nach Luft.

»Du erinnerst dich an unsere Dahlemer Gespräche?«

»Was dich betrifft, bin ich Autist.«

»Damals wehrtest du dich gegen Dinge, die ich dir zu erklären versuchte.«

»Ich habe eine angeborene Abneigung gegen Esoterik.«

»Das ehrt dich. Trotzdem wird uns die Verständigung ab heute leichter fallen.«

Mit geschlossenen Augen war es schwierig, das Gleichgewicht zu halten. Ada stützte die rechte Hand gegen die Wand und hörte, wie Alev sich wieder erhob.

»Ich sage dir, was wir jetzt machen. Du öffnest die Augen, suchst aus dem Müllberg einen großen Winterpullover für mich heraus und ziehst deine Jacke an. Wir gehen spazieren.«

Das Deckenlicht blendete, rote und schwarze Punkte schwirrten durch die Luft, ein paarmal musste Ada blinzeln, bis die Gegenstände das Tanzen aufgaben und fest auf ihren Plätzen lagen.

Die Mutter kam ihnen schon auf der Treppe entgegen. Ada hatte die schwarzverschmierten Tränenaugen so oft gesehen, dass sie inzwischen eine gewöhnliche Erscheinungsform des bekannten Gesichts darstellten. Die schönen, schlanken Hände flatterten wie aufgeregte Vögel um die Autos herum.

»Schon gut«, sagte Ada. »Du kannst nichts dafür. Teuter hat dich verrückt gemacht.«

»Woher weißt du das?« Der Tonfall der Mutter schwankte auf der Schwelle zur Hysterie. Für solche Situationen hatte Ada einen Knopf im Kopf, den sie drücken konnte, um sämtliche Gefühlsregungen auf den Nullpunkt herunterzufahren und das System eine Weile auf Notaggregat zu betreiben.

»Unser Direktor«, sagte Alev, »leidet unter einer paranoiden Störung. Ihre Tochter ist das klügste Mädchen der Schule und erregt bei manchen Lehrern Nervosität. Unterhalten Sie sich bei Gelegenheit mit unserem Klassenvorstand.«

Die Mutter bekam wieder Luft, Smuteks Erwähnung wirkte besser als Valium. Diesmal war es Ada, die nach Alevs Fingern griff.

»Das Missverständnis wird sich im Handumdrehen aufklären. Gute Nacht.«

Mit wenigen Flügelschlägen waren sie die restlichen Stufen hinunter und standen, verwirrt von der frühen Dunkelheit, vor dem Haus. Oben gingen der Reihe nach alle Lichter an, bis die Villa wie ein Palast am Festtag strahlte.

»Wenn du vorhast, mir deine Dankbarkeit auszudrücken«, sagte Alev, »dann hör mich an.«

Auf der Villa Kahn. Spieltrieb. Das Universum ist ein Tropfen Feuchtigkeit an der Spitze einer Hundeschnauze

Innerhalb von Minuten zogen die Winterwolken ab wie Flaggschiffe einer siegreichen Flotte. Über dem Rhein zeigte ein Mondmädchen sein hübsches Profil und blinzelte drei Halbstarken zu, die in aufgeplusterten Daunenjacken auf der Lehne einer Bank saßen, Kieselsteine nach einer leeren Red-Bull-Dose warfen und Lunas Annäherungsversuche gar nicht bemerkten. Hinter ihnen stampfte ein schwach beleuchtetes Frachtschiff der holländischen Küste entgegen, wobei es den Scheinwerferblick nicht von der Wasserstraße vor seiner Schnauze hob. Hoch oben strahlte das Petersberg-UFO nach allen Seiten in die Nacht und warb für den Ruhm der langen Tische und wichtigen Männer und für das ganze glorreiche Zeitalter der so genannten internationalen Konfliktbewältigung. Weil die Kälte jede Bewegung der beiden Spaziergänger verfolgte, gingen sie zügig flussaufwärts und hatten die eigenen Leiber fest in die Arme geschlossen.

Seit kurzem umgab ein Bauzaun das Gelände der Villa Kahn. Der neue Hausherr hatte als Schüler selbst in den Gewölben und auf den Zinnen des seltsamen Schlösschens das Kiffen und Küssen erlernt und hielt deshalb bis zum Aufmarsch der ersten Baufahrzeuge ein Loch in der Absperrung offen, durch das die jungen Gäste weiterhin Einlass in sein Grundstück fanden.

Sie sprangen durch ein Kellerfenster ins Haus. Drinnen war alles wie immer. Die Mauern atmeten einen Dunst wie von schlechten Zähnen und Verdauungsstörungen, wenig Licht fiel durch die Schächte unter der gewölbten Decke herein. In den Wänden waren auf Hüfthöhe starke Eisenringe angebracht, von denen niemand wissen wollte, was einst an ihnen befestigt gewesen war. Alev hob ein paar zerknüllte Taschentücher und Bierflaschen auf und räumte sie in eine Ecke. Er war ein Anhänger des selbstverwalteten Chaos.

Wie im Inneren eines Schneckenhauses stiegen sie die eng gewundene Wendeltreppe zum Turm hinauf. Oben zwang der Wind sie dicht zusammengekauert in einen Winkel. Die Brüstung war an einigen Stellen heruntergebrochen und gab den Blick frei auf den trägen Fluss in seinem Nachthemd aus Lichtern. Wegen der guten Akustik im Rheintal drang der schnelle Herzschlag der Dampfer in voller Lautstärke herauf.

»Wenn du weitermachen willst, musst du umdenken«, sagte Alev, während er die Hüfte vom Boden hochstemmte, um in seinen Hosentaschen zu kramen. Er förderte einen Tabaksbeutel und ein Filmdöschen mit grünem Deckel zutage. »Das Nichts ist eine Bedrohung, der Verstand lernt schnell, es vor sich selbst zu verstecken. Du musst lernen, es freizulegen.«

»Moment mal. Weitermachen womit?«

»Auf diese Frage habe ich noch immer keine Antwort. Einstweilen spielt es auch keine Rolle. Willst du oder nicht?«

Es klang, als ob er Ada auffordern wollte, eine obligatorische Mutprobe abzulegen, um Mitglied in einer Bande zu werden. Dass sie lächeln musste, konnte er nicht sehen, weil er den Blick beim Sprechen auf die kleine Baustelle zwischen seinen Knien gerichtet hielt, auf der seine Finger drei Zigarettenpapiere pyramidenförmig miteinander verklebten. Konzentriert wie beim Entschärfen einer Bombe sah er sich selbst bei der Arbeit zu.

»Ja, ich will. Sag mir, wie man etwas freilegt, das nicht vorhanden ist.«

»Durch Gedankenspiele. Stell dir eine Leiche vor.«

Ada strengte sich an und erschuf einen Toten, der gleich am Ende ihrer ausgestreckten Beine auf dem Steinboden lag. Der Mann war Mitte vierzig und nur mit einer Unterhose bekleidet. Er war mit schwarzen Flecken gescheckt wie eine Kuh und musste schon lange dort liegen. Die Kälte hatte die Aufgabe der Totenstarre übernommen. Beim bloßen Betrachten war die Steifheit seiner Glieder zu spüren, die sich nicht mehr biegen, sondern nur noch brechen ließen.

»Was empfindest du?«, fragte Alev.

»Ekel und Faszination.«

»Das ist eine Reaktion der Instinkte. Jedes Tier schreckt vor toten Artgenossen zurück. Jetzt stell dir vor, das sei dein Stiefvater.«

»Hab ich schon.«

Alevs Lachen kam von den Mauern zurück. Während er das dreiblättrige Papier mit der Zunge befeuchtete und samt Inhalt zur Form einer kleinen Schultüte rollte, betrachtete er Ada mit nach oben gedrehten Augen wie ein Tier, das aus einer Pfütze trinkt. Für gewöhnlich mied sie den Anblick seiner Zungenspitze, die über den Kleberand des Blättchens fuhr. Er brachte sie aus dem Gleichgewicht. Als die überdimensionierte Zigarette brannte, bot Alev ihr an. Es schmeckte nach Waldboden, vor lauter Würzigkeit ließ sich nicht beurteilen, was alles darin herumgekrochen war.

»Siehst du!« Alevs Augen röteten sich nach wenigen Zügen, während Ada überhaupt nichts spürte. »Es gibt Menschen, für die das Grauen einer Beerdigung darin besteht, dass sie nicht imstande sind, etwas zu empfinden. Sie erschrecken zu Tode vor dieser Leerstelle, sie schämen sich, und ihre Verwirrung wird von den Angehörigen als natürlicher Ausdruck des Verlustschmerzes missverstanden. Man spricht ihnen das herzlichste Beileid aus. Sie tragen *No-thing* in sich.«

»Und das sind alles Teufel?«

»Nein. Aber ihnen wurde beigebracht, dass das, was sie da fühlen, oder besser, nicht fühlen, böse sei.«

Alev nahm noch ein paar schnelle Züge und drückte die Zigarette aus. Als er zurück gegen die Schlossmauer sank, legte Ada den Kopf auf seinen Oberschenkel und eine Hand am Hosenbund über sein Geschlecht, von dem sie wusste, dass er es auf der linken Seite trug.

»Und wenn sie es nutzten«, fragte sie versonnen, »wären sie Mörder, Räuber und Vergewaltiger?«

»Möglich, aber nicht notwendig«, nuschelte Alev. »Ein Mord kann ebenso viele Gründe haben wie ein Akt der Güte, und ebenso wie jener kann er grundlos geschehen. Diese Menschen wären vor allem eins.« Er gähnte, was nicht zu seiner enthusiastischen Art des Sprechens passte. »Sie wären Spieler.«

Seine Rede wurde langsam und schwerfällig wie bei einem Betrunkenen, der Verstand aber spazierte leichtfüßig auf verschlungenen Wegen, die keine gerade Verbindung zwischen zwei Punkten zogen und dennoch verblüffend schnell zu den anvisierten Zielen führten. Ada las von seinen Lippen und verstand ihn wie eine Mutter ihr sprachgestörtes Kind.

Nur im Spiel sei dem Menschen echte Freiheit möglich. Das Spielen verpflichte zur Gleichheit, da allen Spielern dieselben Voraussetzungen eingeräumt würden, und verwirkliche außerdem den Gedanken der Rechtssicherheit, weil ein Spiel nur innerhalb der eigenen Regeln stattfinden könne.

»Freiheit, Gleichheit, Rechtssicherheit«, lallte Alev. »Das Spiel ist der Inbegriff demokratischer Lebensart. Es ist die letzte uns verbliebene Seinsform. Der Spieltrieb ersetzt die Religiosität, beherrscht die Börse, die Politik, die Gerichtssäle, die Pressewelt, und er ist es, der uns seit Gottes Tod mental am Leben erhält.«

»Das also bist du«, sagte Ada auf Alevs Oberschenkel. »Spieler.«

Mit den letzten Sätzen war Alevs Kraft zu Ende gegangen, er antwortete nicht mehr und hing mit offenen Augen Gedanken und Träumen nach, die er nicht im Gedächtnis behalten würde und die deshalb nur für die jeweilige Sekunde bestimmt waren. Ada strich ihm mit der flachen Hand über die Stirn, ganz leicht, als sollte er es nicht bemerken. Ab diesem Moment gehörten seine Nase, sein Mund, sein Körper, der Geruch seines Scheitels und die Wärme seiner Handflächen für eine Stunde ihr allein.

Sie schloss ihn in die Arme. Ozeangleich türmte die Kälte sich über ihnen bis zu den Sternen, die als Lichtpunkte oben auf der Dunkelheit schwammen. Wo ihre Körper sich berührten, wurde es warm. Von irgendwoher traf ein Tropfen Ada an der Stirn, sie wischte ihn nicht ab, um die Situation nicht durch eine falsche Regung zu zerstören. Nie konnte man wissen, was bei der kleinsten Bewegung alles zuschanden ging. Mit der umschatteten Hellsicht eines Übermüdeten kurz vor dem Einschlafen sah sie das Universum vor sich, die Erde ein Elektron, das gemeinsam mit verwandten Teilchen um einen Atomkern kreiste, der sie alle mit Energie versorgte und zusammenhielt. E war m mal c^2. Die Sonne im Zentrum hatte sich mit anderen Atomen zu einem Molekül zusammengeschlossen, dieses wiederum bildete mit gleichartigen Sonnensystemen eine Galaxie, vielleicht eine Zelle oder ein Kristall, und so war das, was den Menschen als Kosmos erschien, zusammengenommen nicht mehr als ein Tropfen Feuchtigkeit an der Spitze einer Hundeschnauze. Auch die Unendlichkeit war nichts als ein strukturelles Problem.

Wie sollte man sich da fühlen. Innen warm und außen kalt. Glücklich. Bizarr.

Kaum hat das neue Jahr seine Reisegeschwindigkeit erreicht, bedient es sich defätistischer Symbole

Das neue Jahr hatte sich schwerfällig in Bewegung gesetzt, geriet in den ersten Januarwochen in Fahrt und ließ einiges an Altlasten auf den weiten Feldern der Vergangenheit zurück, wie es nach jedem Jahreswechsel geschehen muss, wenn die fetter werdende Menschheitsgeschichte nicht eines Tages vom eigenen Gewicht erdrückt werden soll. Das kollektive Großreinemachen in den Gedächtnissen zum Jahreswechsel ist Bürgerpflicht.

Adas Mutter vergaß, dass ihr Kind von Drogen und Schlimmerem bedroht war, genoss die Lektüre des hervorragenden Halbjahreszeugnisses und hinterließ in Teuters Vorzimmer eine telephonische Mitteilung des Inhalts, dass ihre Tochter in jeder Hinsicht *clean* sei und sie als Mutter loyal zu ihr stehe. Smutek vergaß, dass er sich einst in einer funktionierenden Beziehung mit einer wunderbaren Frau geglaubt hatte, und wurde mühelos zu einem Mann, der sich um die Probleme seiner neurotischen Gattin kümmert. Er genoss das Laufen mit Ada und vergaß darüber seine Pläne, Ernst-Bloch zu einem Leichtathletikzentrum auszubauen. Ada vergaß, dass es einst ein Leben ohne Alev gegeben hatte und sie auch in diesem Leben morgens aufgestanden, zur Schule gegangen und am Nachmittag heimgekehrt war. Olaf vergaß, Ada auf Schleichwegen zurückgewinnen zu wollen, und beschränkte sich darauf, Alev zu hassen und das Schlimmste vorauszuahnen.

Als das Jahr Mitte Februar seine Reisegeschwindigkeit erreicht hatte, war Platz geschaffen für die Ereignisse, die da kommen sollten und bis zur Gerichtsverhandlung am Freitag, den sechzehnten Juli 2004 ihren Abschluss finden würden. Nur Alev hatte nichts vergessen. Die Stärke eines Spielers besteht darin, sich jede Einzelheit merken zu können.

Von der Disziplinarkonferenz erfuhr ausgerechnet Smutek als Letzter. Am Montagnachmittag nach der Faschingswoche bat er Ada zum Laufen und schlug vor, die üblichen Kreise zu durchbrechen und der Rheinpromenade Richtung Oberwinter zu folgen. Diesmal war er es, der vor etwas davonlaufen musste, und er konnte dabei den buckligen Dächerrücken des Schulgebäudes über den kahlen Baumkronen nicht gebrauchen. Ada war es recht. Die Wiese knirschte, als würde jedem einzelnen Grashalm unter ihren Schritten das Rückgrat gebrochen.

Die Zeiten, da der Rhein im Februar Eisschollen geführt und die Menschen tagelang mit seiner maschinenhaft röhrenden Stimme in Atem gehalten hatte, waren lang vorbei. Jetzt zogen graue Wassermassen an der Stadt vorbei und erinnerten Smutek an die Weichsel bei Krakau, die wegen Abwassereinleitungen aus den Eisenhütten Nowa Hutas seit Jahrzehnten nicht mehr gefror. Er dachte an den Moment, in dem seine Mutter nach der Mitteilung vom angeblichen Gefängnistod ihres Sohnes in die winterlichen Fluten gesprungen war, um ihr heißgelaufenes Gemüt endgültig abzukühlen. Fast war ihm, als hätte er die schreckliche Nachricht mit jahrzehntelanger Verspätung erst soeben erhalten.

Sie passierten die Anlegestelle der Fähre und den Kiosk, dessen Pächter eine Menge Geld mit Currywurst verdiente, die er mit einer Haushaltschere in Räder schnitt, bevor er rötliche Sauce aus einer Plastikflasche darüber pumpte. Sie passierten das Rheinhotel mit seinem verfallenen Pomp, das überwinternde Freibad, die nächste Fährstelle. Bei Mehlem begann Smutek zu heulen und rannte schneller als sonst, so dass Ada anderthalb Schritte machen musste, wo er einen tat. Smutek bemerkte es nicht. Wovon er berichtete, entsetzte ihn im Moment des Erzählens mehr als in den Minuten des Erlebens. Nur für eins dankte er Gott, heulend, laufend, ohne auf

Adas Anstrengung oder die Blicke der wenigen Passanten zu achten: dass seine Frau sich zu schwach gefühlt hatte, um ihn über Fasching nach Masuren zu begleiten. Er war überzeugt, dass sie andernfalls die Geschehnisse nicht überstanden hätte.

Er hatte schon im Bett gelegen, als er sie im Garten hörte, auf der handgemähten Wiese, unter den Apfelbäumen vor seinem kleinen Haus, und wenn er irgendwann, in hoffentlich besseren Zeiten, vielleicht im Frühjahr unter einer wärmenden Sonne seiner Frau davon erzählen würde, wollte er behaupten, dass es Deutsche gewesen seien, obwohl es Polen waren, polnische Neofaschisten, die ihn für einen deutschen Touristen oder für einen Überläufer oder für einen Juden oder für was auch immer hielten. Als die Scheibe der Terrassentür zersprang, war er schon zum hinteren Eingang hinaus und rannte den Fahrweg entlang zur Landstraße. Eine Weile rannten sie ihm nach. Mit ihren dicken Beinen und runden Bäuchen, mit ihren Stiefeln und abgebrochenen Schaufelstielen wären sie auch einem entspannt trabenden Smutek nicht hinterhergekommen, und Smutek war schnell gewesen, so schnell wie er jetzt war, da er Ada fast abhängte, weil er das Poltern und Keuchen der Männer ein zweites Mal hinter sich zu hören glaubte. Als er sich umgedreht hatte, waren seine Verfolger längst in der Dunkelheit untergegangen.

Auf der Rückbank eines Polizeiwagens, die lederne Jacke eines Wachtmeisters über die Schultern gelegt, war Smutek zurückgekehrt und hatte schon von der Landstraße aus den Schein eines Feuers am Horizont gesehen, ein warmes, orangefarbenes Leuchten unter einem orangefarbenen Mond, genau an der Stelle, wo sein kleines Haus gestanden hatte. Er schaute auf den See hinaus und zitterte, während sie auf die Feuerwehr warteten. Er betrachtete die kahlen Bäume am anderen Ufer, während sie die glühenden Gebeine löschten. Er sah schnell zur Seite, als schließlich das schwarze, nasse Skelett seines Häuschens in den Nachthimmel stak. Ganz aus Holz war es gewesen.

Die Polizei photographierte Hakenkreuze auf den Pfeilern

der Gartenmauer. Sie waren allesamt verkehrt herum gemalt. Man klopfte Smutek auf die Schultern. Man reichte Pflaumenschnaps in Flachmännern. Am liebsten hätte er ihnen in die mitleidsvollen Mienen geschlagen und gebrüllt, mój domek przez to nie wróci, mein Häuschen wird davon nicht zurückkehren. Stattdessen verbrachte er eine schweigende Nacht auf der Pritsche einer Gefängniszelle, deren Tür man mit Absicht sperrangelweit offen gelassen hatte. Am nächsten Morgen begriff er, welches Glück es bedeutete, dass sich der Großteil seines Gepäcks schon im Kofferraum befand, weil er vor Sonnenaufgang hatte aufbrechen wollen. Er war trotzdem nicht in der Lage, sich darüber zu freuen. Die Polizisten überließen ihm den winzigen Waschraum, um sich den Brandgeruch aus den Haaren zu duschen und die Schatten aus dem Gesicht zu rasieren. Am frühen Abend kam er zu Hause an und erzählte seinem Schneewittchen kein Sterbenswörtchen von dem, was geschehen war.

Smutek bemühte sich, an sein Haus nicht wie an einen geliebten Toten zu denken, den man immer dort erinnert, wo man ihn zuletzt gesund und glücklich sah. In der Brandnacht hatte er weggeguckt, jetzt wollte er hinschauen. Er wollte das verbrannte Gras riechen und dabei wissen, dass es, prächtig hochstehend, noch vor wenigen Monaten die Kniekehlen seiner Frau gestreichelt hatte. Er wollte im Geist über die im Aschematsch ertrunkene Terrasse gehen, auf der sie sich geliebt hatten, und die heruntergebrannten Wände betrachten, zwischen denen er Frieden und Ruhe gefunden hatte. Er brauchte einen Mitwisser, um sich selbst den Weg zu den Irrtümern abzuschneiden. Dafür gab es Ada, dafür musste sie seine Tränen sehen und seine erstickte Stimme hören. Als er fertig war, hatten sie Mehlem hinter sich gelassen und rannten Richtung Oberwinter aus der Stadt hinaus, stumm bis auf das unverständliche Gespräch ihrer Atemzüge. Irgendwann tat Ada den Mund auf und sprach zum ersten Mal während ihrer gemeinsamen Läufe ein paar Worte.

»Wenn wir die erwischen«, sagte sie, »reißen wir ihnen mit

den Zähnen die Halsschlagadern raus. Ich würde Ihnen dabei helfen.«

Sofort berührte Smutek Ada an der Schulter, und sie kehrten um. Er war erschrocken über den Ernst, mit dem sie solche absurden Brutalitäten vorbrachte, um ihm den Rücken zu stärken. Auch das ›Wir‹ erschreckte ihn und erst recht das Siezen, das ihn daran erinnerte, wer sie waren und wo. Er fing an, sich zu entschuldigen, verzeih mir, ich bin aus dem Gleichgewicht, bitte vergiss, ich hätte dir nichts erzählen dürfen. Das Schulgelände erreichten sie schweigend. Als sie sich trennten, blieb Ada einen Moment vor ihm stehen, bedeutete ihm, den Kopf zu senken, fasste mit Daumen und Zeigefinger nach seinem Kinn und drückte vorsichtig zu, die Stelle befühlend, auf die sie so oft gestarrt hatte.

»Hassen Sie ruhig«, sagte sie.

Sie schickte sich an zu gehen und wandte sich noch einmal um.

»Haben Sie sich jemals erkundigt, warum ich von meiner alten Schule geflogen bin?« Das hatte er nicht. »Ich habe einem älteren Mitschüler mit dem Schlagring die Nase zertrümmert. Es war keine Notwehr, falls Sie das fragen wollten.«

»Was willst du damit sagen?«

»Ich weiß nicht genau. Vielleicht, dass der Junge mich zeit seines Lebens hassen wird. Er hat ein Recht darauf. So ist das unter Menschen.«

Dann ließ sie ihn stehen und hatte kein Wort darüber verloren, dass ihr von Teuter am Morgen der Rausschmiss angedroht worden war.

Die Konferenz floppt

Anderntags lag ein Umschlag in Smuteks Fach. Für den übernächsten Tag sei eine außerordentliche Klassenkonferenz angesetzt. Es gab einen einzigen Tagesordnungspunkt: Disziplinarischer Schulverweis für die Stufenbeste. Smuteks Kopf sank herab, als hätte sich ein großes Tier in seinen Nacken gesetzt. Er stützte die Ellenbogen in das geöffnete Fach, als wollte er den Oberkörper in einen Gasofen schieben, und genoss für einen Moment die Dämmerung zwischen den eng stehenden Wänden. Die Kraft, um sich wieder aufzurichten, den Benachrichtigungszettel gefaltet in die Tasche zu schieben und sich auf den Weg zur ersten Klasse des heutigen Tages zu begeben, als wäre nichts geschehen, als gäbe es keine Menschen, die harmlose Holzhäuser niederbrannten, und niemanden, der sich für die Existenz einer Tartanbahn an dem Mädchen zu rächen versuchte, das am häufigsten darauf lief; als gäbe es auch keine Frau Smutek, die schweigend durch die Wohnung schlich, einen Gegenstand nach dem anderen umdrehte und zweimal in der Woche einem Psychiater erzählte, dass Smutek ein Land verkörpere, das ihr Familie und Vergangenheit genommen habe – die Kraft, einfach weiterzumachen, schöpfte Smutek aus jenem Hass, von dem Ada gesprochen hatte.

Als eine der letzten Schulen im Bundesland hatte Ernst-Bloch die halbjährliche Gesamtkonferenz abgeschafft und die entsprechenden Kompetenzen auf die Schulleitung übertragen. Zu den Dingen, für die es nach wie vor eines Konferenzbeschlusses bedurfte, gehörte ein Rausschmiss, über den die Mehrheit der Lehrer des betreffenden Schülers zu bestimmen hatte. Im Schnelldurchlauf rekapitulierte die Chemiekammerrunde die Namen von Adas Lehrern, untersuchte sie auf antagonistische Lager und die dazwischen liegende Pufferzone aus Gleichgültigkeit. Es reichte bei weitem nicht für einen Schulverweis. Teuter schoss in die Luft. Smutek dachte an durchgebissene Halsschlagadern. Auf dem Gang zupfte Höfi ihn mal wieder am Ärmel. Das ist deine Schuld, du weißt es. Du hättest sie ihn Ruhe lassen sollen.

Vom Auto aus rief er Ada auf dem Handy an. Pass auf, dies ist ein illegaler Anruf. Bitte komm nicht zum Training, bis die Sache vorbei ist. Einverstanden? Natürlich, du bist ja immer mit allem einverstanden. Hast du mit deinen Eltern gesprochen? Das dachte ich mir. Es wäre meine Pflicht, sie zu informieren. Das werde ich nicht tun. Ich wollte, dass du das weißt. Erzähl niemandem von diesem Anruf, sonst verliere ich meinen Job.

Man war gespannt auf Teuters Tatsachenvortrag wie auf einen groß angekündigten Kinofilm. Die Stimme von Kermet dem Frosch füllte minutenlang das Lehrerzimmer, dann herrschte Stille bis auf das Rauschen der Ölheizung. Die große Odetta, das glatte Haar zu einem straffen Knoten gekämmt, die Augen nicht ganz so schwarz umrandet wie gewöhnlich, saß fluchtbereit in Nähe der Tür und schaute verunsichert in die stummen Gesichter. Sie nahm zum ersten Mal als Beobachterin an einer Konferenz teil und hielt sich mit dem Gedanken bei Laune, dass sie in kaum einer Stunde ihr Haar lösen und die Treppe hinaufsteigen würde, um Alev in seinem neu bezogenen Internatszimmer bei schwermütiger Musik und Wein Bericht zu erstatten. Odetta war das, was man ein Mädchen aus gutem Hause nannte. Eine Zeit lang hatte sie darunter gelitten, selbst weniger gut als dieses Zuhause zu sein, und sich schließlich für milde Andersartigkeit entschieden. Seitdem trug sie Schwarz, schminkte sich stark und bekam dafür ein teures Internatszimmer bezahlt. Sie hielt sich für glücklich. Weil sie die Liebe zu Alev mit unzähligen anderen Mädchen teilte, hatte sie das Gefühl, etwas Richtiges zu tun. Von dem, was auf der Konferenz verhandelt wurde, war sie restlos überfordert.

Ada hatte am vergangenen Montag zu Beginn der dritten Stunde im Biologiesaal auf der Fensterbank gesessen und in einem der Bücher gelesen, mit denen Alev sie versorgte, um eine solide Grundlage für ihre Indoktrinierung zu schaffen.

»Todesangst«, hatte er gesagt, »ist ein abwegiges Ding. Was wäre von Romanfiguren zu halten, die kaum noch in der Lage sind, an ihrer Geschichte teilzunehmen, weil das sicher bevorstehende Ende der Erzählung sie lähmt?«

Als Kind, hatte Ada geantwortet, habe sie manchmal vor dem Haus gekauert, die Bahnen von Ameisen, Käfern und kleinen Spinnen beobachtet und darüber nachgedacht, dass keins von ihnen zu Beginn des Winters noch am Leben sein würde. Ihr krabbelt einen Sommer lang herum, habe sie zu ihnen gesagt, dann kommt die Kälte, ihr werdet langsamer, schwächer und seid schließlich verloschen.

»Nimm dieses Buch«, meinte Alev, »und stör dich nicht am schlechten Stil. Es ist wie die meisten Bücher für dumme Menschen geschrieben und für noch dümmere übersetzt.«

Anstelle der Biologielehrerin war Teuter im Türrahmen erschienen, um die Stunde freizugeben. Ada hatte den angefangenen Abschnitt zu Ende gelesen und war fast fertig, als ihr Name, scharf gesprochen, die heizungsmüde Luft durchschnitt.

»Ja nee, kommen Sie nach vorn und lesen Sie laut, was Ihre Aufmerksamkeit so sehr fesselt.«

»Sicher nicht«, hatte Ada gesagt, das Buch zugeklappt und sich zu ihrem Platz in der hintersten Bankreihe begeben. Die Spannung im Biologiesaal war hoch genug, um eine Glühbirne zum Leuchten zu bringen.

»Dann ist das Werk hiermit beschlagnahmt.«

Ada hatte sich nicht von der Stelle gerührt.

»Wären Sie ein Staat, würde man Sie wegen solcher Methoden als nicht beitrittsfähig zur Europäischen Union betrachten.«

Unterdrücktes Lachen in Dolby Surround. Ada ließ ihre Blickpfütze weiter auf Teuters Gestalt verschwimmen, während er auf sie losrannte, kleiner denn je, behände zwischen den Bankreihen wie ein Pinscher auf der Jagd. Einen Moment lang sah es aus, als wollte er sie ins Gesicht schlagen. Aber er bremste und nahm das Buch vom Tisch. Es war die *Satanische Bibel.*

»Ein schlechtes Buch«, sagte Ada leise. »Es ist aus der Froschperspektive geschrieben.«

»Dafür werden Sie gehen«, hatte Teuter gesagt und war verschwunden.

Mitten im Lehrerzimmer stand er nun und stützte beide Hände auf die Tischkante. Draußen neigte sich ein Wintertag seinem Ende zu. Der angekündigte Kinofilm hatte sich als schlechter Werbespot für ein unbekanntes Produkt erwiesen, man war enttäuscht. Höfi und Smutek warfen einander Blicke zu, der erste verärgert, der zweite triumphierend. Siehst du, nur heiße Luft! – Teuters ziellose Wut ist gefährlicher als jeder gerechte Zorn. – Schließlich runzelte Höfi die Brauen und griff so heftig in die Diskussion ein, als spränge er mit fuchtelnden Armen aus dem Gebüsch, um die Aufmerksamkeit einer ausgebrochenen Bestie auf sich zu lenken.

»Herr Direktor«, rief er, »womit verschwenden Sie unsere Zeit? Lesen Sie das Buch. LaVey ist ein Zirkusclown, das müsste Ihnen gefallen!«

Es wurde gemurmelt, geseufzt, protestierend gezischt.

»Ja nee, Sie halten den Kampf gegen Satanismus an unserer Schule für Zeitverschwendung?«

Höfi lachte kurz und trocken auf, ohne zu diesem Zweck seine eingesunkene Körperhaltung zu ändern.

»Das ist kein theologisches Seminar, sondern eine Disziplinarkonferenz. Was liegt vor?«

In diesem Tonfall ging es eine halbe Stunde lang weiter. Teuter erhielt Unterstützung von zwei Lehrern, die dafür bekannt waren, unter dem mangelnden Respekt ihrer Schüler wie unter ständiger Geldnot zu leiden. Ein paar enthielten sich, der Rest stimmte gegen den Antrag. Die Konferenz ging in eisigem Schweigen auseinander.

Odetta fand Alevs Zimmer verdunkelt. Er und Ada lagen in verschiedenen Ecken des Raums wie Betrunkene unter einer Brücke. Alev sprang auf die Füße und schaltete das Licht an. Adas Augen waren gerötet. Der dicke Toni, mit dem Alev sich das Zimmer zu teilen hatte, war nicht da.

»Fass das Ergebnis in einem Satz zusammen«, sagte Alev.

»Teuter will sie unbedingt weghaben, aber das wird schwierig. Sie hat Freunde.«

Ada stand auf, um hinauszusehen. Draußen senkte sich Dunkelheit, rot leuchtend stand Mars als einer der Ersten am Himmel. Sie presste die Stirn an die Scheibe, um sechs Stockwerke hinunter auf den leeren Schulhof sehen zu können. So groß der Planet auch sein mochte, Bedeutung hatte nur, was einen im jeweiligen Moment umgab. Ihre Stiefel lagen übereinandergefallen in der Nähe der Zimmertür, die Jacke hing über der Lehne von Alevs Stuhl, irgendwo war auch ihr Rucksack, wahrscheinlich auf dem Bett. Damit wohnte sie beinahe hier. Mehr Gutes konnte das Leben für sie nicht bereithalten, mehr wollte sie nicht. Alev und Odetta standen zusammen am Schreibtisch, dass ihr herabfallendes Haar die Seite seines Gesichts berührte. Das war wunderschön anzusehen, ein schwarz-blondes Elfenpaar. Alev fragte nach Smutek, immer wieder Smutek. Was hat er gesagt und wie geguckt? Macht er sich Sorgen um sie? Hat er Angst? Ein schlechtes Gewissen? Konzentrier dich, es ist wichtig.

Odetta war viel größer als er. Sie wusste nichts zu berichten. Als er ihr in den Nacken griff und zudrückte mit seinen langen Fingernägeln, gab sie einen entzückten Schmerzenslaut von sich. Hab ich dir nicht gesagt, du sollst auf Smutek achten, nur auf Smutek! Dummes Ding. Odettas Lippen standen halb offen, als erwarteten sie, geküsst zu werden. Aber Alev wandte sich Ada zu und hob die Lefzen zu einem breiten Grinsen. Hätte besser laufen können. Was soll's.

»Beschissene Show«, sagte Ada. »Verdammt überflüssige, beschissene Show.«

»Kleinchen«, sagte er, »immerhin war das der dritte Teil der Prophezeiung.«

Ada zuckte die Achseln, während sie unter gesenkten Augenlidern die angenehm kühle, langknochige Odetta betrachtete.

»So what?«, fragte sie.

Auf Alevs Gesicht malte die Wut eine Maske übertriebener Freundlichkeit. Er trat vor Ada hin und fasste sie am Kragen ihres Pullovers.

»Du«, sagte er, »solltest dein Hirn gebrauchen und Geduld üben, während ich die Spielvorbereitungen treffe. Es gibt nur eine Person, die Figuren aufs Brett stellt. Das bin ich. Also warte ab und halt die Klappe. Mehr«, plötzlich erhob er die Stimme ohne Rücksicht darauf, ob man ihn durch die Wände hören konnte, »MEHR will ich NICHT von dir.«

Ada suchte ihre Schuhe, zog die Jacke an, fand den Rucksack auf dem Bett. Damit hatte sie ihre ganze Einrichtung, ihr ganzes Wohnen aufgesammelt und stand abmarschbereit. Odetta saß vornübergebeugt und hatte das Kinn in eine Hand gestützt, dass sich die Haare auf der Tischplatte zu blonden Nestern rollten. Alev starrte das Fenster an, als ließe Adas Antwort sich aus den Sternen herauszulesen. Ada sagte nichts und ging.

Sie lief dem dicken Toni in die Arme, der unschlüssig auf dem Gang herumstand. Nein, es ist kein guter Zeitpunkt, um in dein Zimmer zurückzukehren. Gehen wir draußen eine rauchen. Hast du deine Jacke? Dann leih dir eine von Grüttel.

Nach drei Zigaretten waren Finger und Zehen steif gefroren, und die Hintern schmerzten von der schmalen Rückenlehne der Parkbank, auf der sie hockten. Toni war damit beschäftigt, seine ebenso kurze wie traurige Lebensgeschichte zu erzählen. Einstweilen gelangte Ada zu dem Schluss, dass Alevs letzter Satz aufgrund des Komparativs grammatikalisch voraussetzte, dass er *etwas* von ihr wollte. *Mehr nicht*, also immerhin etwas, was auch immer das war. Toni endete mit dem Geständnis, in Odetta verliebt zu sein, und bedauerte die Tatsache, dass alle Mädchen der Schule auf Alev standen.

»Ich nicht«, sagte Ada.

»Bei dir bin ich nicht sicher, ob du ein Mädchen bist.«

»Okay. Gute Nacht, Toni.«

Sie machte einen Umweg über die Rheinpromenade. Glatt war der Himmel aufgespannt, ein runder Mond setzte die Lichterreihe der Laternen über dem Wasser fort, Zebrastreifen aus Licht musterten dem Fluss den Rücken. Schwarz lag das Siebengebirge in stadtnahem Schlaf. Ada nahm das Telephon aus der Tasche und schrieb eine Kurznachricht an Smutek.

Gewonnen.

So schnell piepste Antwort, als hätte er auf eine Botschaft von ihr gewartet.

Es tut mir leid Ada ich weiß nicht warum aber es tut mir leid als wäre ich schuld an allem verzeih.

Sie wusste nicht genau, was er meinte, aber es war schön, verbotene Nachrichten zu erhalten. Für ein paar Sekunden existierte eine Verschwörung, und Verschwörung bedeutete Leben und Glück. Ada verließ den Fluss und begann zu rennen, nicht schnell, mehr wie im Spiel, lief armeschlenkernd wie ein kleines Mädchen. Nach Hause.

Nächtliche Telephonate Eins

Eine ungewöhnlich hohe Menge Adrenalin hatte Ameisenstraßen durch ihren Körper gelegt und hielt sie vom Schlafen ab. Seit zwei Stunden rang sie mit dem Entschluss, sich aus dem Haus zu schleichen und ein paar Kilometer durchs Viertel zu rennen, um ihr chemisches Gleichgewicht wiederherzustellen. Stattdessen tat sie gar nichts, und die Zeit verstrich. Das Klingeln des Handys ließ sie auffahren, der Adrenalinspiegel schlug für Sekunden über ihr zusammen, dann fand sie die richtige Taste.

»Da bist du ja«, sagte Alev, als hätte sie ihn angerufen und nicht umgekehrt.

»Ist Odetta weg?«

»Die sitzt noch hier.«

»Hattet ihr Sex?«

»Hab ich dir schon erzählt, dass einer meiner Körperteile in permanenter Lähmung der Gravitation ausgeliefert ist?«

»Das war nicht meine Frage. Sie lautet: Hattet ihr Sex? Gegenfragen, mein Herz, passen schlecht zu deinem Stil.«

Beim Lachen hielt er das Telephon ein Stück von sich weg. Ada wusste, dass er nicht gern telephonierte. Es beraubte ihn seiner Grimassen und Gesten und der Wirkung ausgesendeter Botenstoffe. Das Telephon schmälerte seine Macht über Menschen.

»You never expect the Spanish inquisition!«, rief er. »Kann sein, dass ich sie ein bisschen gefingert habe.«

»Wo ist Toni?«

»Sitzt auf seinem Bett und sagt nicht viel.«

»Du hast ihn zuschauen lassen?«

»Sagen wir so: Er hat zugeschaut.«

»Wusstest du, dass er in Odetta verliebt ist? Wusstest du das?«

»Wahrscheinlich. Sind wir jetzt fertig damit? Ich rufe aus einem anderen Grund an.«

»Warte mal.« Ada lauschte in die Dunkelheit. Sie hatte die Nachttischlampe nicht eingeschaltet. Kein Vogel piepste im Schlaf, selbst die Güterzüge auf der anderen Flussseite schwiegen. Es herrschte eine unnatürliche, künstliche Stille, wie sie von jemandem erzeugt wird, der sich bemüht, kein Geräusch zu verursachen.

»Da muss ich mal im Regal schauen, wo ich das Buch habe«, sagte Ada, raschelte mit dem Bettzeug und stand auf.

»Was für ein Buch?«, fragte Alev. »Steht unsere Geschichte bereits irgendwo geschrieben?«

»Warte einfach mal kurz.« Sie ging zum Regal und daran vorbei, blieb einen Moment stehen und riss die Zimmertür auf.

»Geh wieder ins Bett«, sagte sie.

Die Mutter stand so dicht vor der Tür, dass sie einander aus nächster Nähe wie ungleiche Spiegelbilder in die Augen sahen. Ihr Rücken war leicht gekrümmt, als stünde sie im Begriff, ein Ohr ans Schlüsselloch zu legen, das knöchellange, transparente Nachthemd wehte im Lufthauch, und die schwarzen Haare, elektrostatisch aufgeladen von Kissen und Schlaflosigkeit, standen einzeln in die Luft. Zwei Finger meuterten und begaben sich auf die Suche nach einer Stelle am Rücken, an der sie kratzen konnten. Der ganze Anblick schmerzte Ada wie ein körperlicher Angriff.

»Alev braucht dringend ein Bio-Buch«, sagte sie. »Über das Paarungsverhalten der Wirbellosen. So war es doch? Du betreibst Malakologie?«

Letzteres war ins Telephon, nicht zur Mutter gesprochen, die sich umwandte und den Flur hinunterging. Ada hielt Wache, bis die Toilette verstummt und die Mutter wieder in ihrem Zimmer verschwunden war.

»Einleitend möchte ich anmerken«, sagte Alev, als Ada ins

Bett zurückgekehrt und Ruhe eingetreten war, »dass es mir leid tut.«

»Höre ich richtig? Das muss die erste Entschuldigung deines Lebens sein.«

»Möglich. Behalten wir das historische Datum als Nacht des ersten Males im Gedächtnis.«

»Odetta hat nie zuvor gevögelt?«

»Auch das ist möglich.«

»Und die Finger, mit denen du das Telephon hältst, riechen nach ihrem Geschlecht?«

Alev schnupperte hörbar.

»Ich habe mir die Hände gewaschen. Außerdem wird mir nicht klar, was dein weinerliches Geschwätz von Odetta mit meinem Anruf zu tun hat. – Ada?«

Sehr zur ihrer eigenen Überraschung hatte sie zu heulen begonnen, wälzte sich vom Rücken auf die Seite und presste das Telephon ans Ohr, als wäre es die letzte Verbindung nach draußen, ein schmales, beständig schrumpfendes Fenster zur äußeren Welt. Lass mich nicht allein, schrie es in ihren Ohren, ohne dass sie wusste, wer sprach und zu wem. Sie packte sich selbst an der Kehle, so dass am anderen Ende der Leitung kein Laut, nur das Stocken der Atmung und ein gelegentliches Keuchen zu hören waren.

»Verschwindet für ein paar Minuten!« Alev redete mit den anderen. »Setzt euch zusammen auf die Couch im Fernsehraum. Das wird euch gut tun. – Ada!«

Lange schwiegen sie. Die Stille wurde unterbrochen vom Klicken eines Feuerzeugs, als Alev eine Zigarette anzündete. Ausgeatmeter Rauch strich rauschend über die Rezeptoren. Als er weitersprach, war seine Stimme weich geworden, wickelte Ada ein und wiegte sie wie etwas Zerbrechliches. Kleinchen, das darfst du nicht. Du bist hart und kalt. Tu mir das nicht an. Du bist doch nicht wie die anderen.

Sie roch gut, diese Stimme, nach dem eigenen Körper, als man noch ein Kind war, nach gebrauchtem Kopfkissen und dem Stück Raufasertapete neben dem Heizungsrohr. Wie

Soldaten marschierten die Silben über Adas Trommelfell, bis sie einzusinken begannen, eine Armee im Moor, eine Armee im Ohr, du bist nicht wie die anderen, du gehörst doch zu mir, und als sie eingedrungen waren, ließ Ada alle Waffen fallen und beruhigte sich.

»Die Nerven. War ein bisschen viel in den letzten Tagen. Dazu die kalte Jahreszeit«, sagte sie ironisch.

»Schon gut«, sagte Alev fröhlich. »Schön, dass du wieder da bist. Ich rufe wegen des Gefangenendilemmas an. Kannst du dich an Delahaye und Mathieu erinnern? Ich gab dir ihren Artikel.«

»Natürlich kann ich mich erinnern.«

Jetzt klang Adas Stimme völlig normal, vielleicht ein wenig sauberer als sonst, und die Gedanken erzeugten ein eigenes, melancholisches Nebengeräusch.

»Wunderbar.« Alev schien bestens gelaunt. »Könntest du die wesentlichen Inhalte zusammenfassen?«

»Was ist das? Ein Examen?«

»Genau. Ein spieltheoretisches Examen.«

»Ich werde tun, was du willst, aber diesmal erklärst du mir ausnahmsweise, warum.«

»Warum – oder zu welchem Zweck?«

»Warum.«

»Ich verteile Rollen, und du musst die Regeln kennen.«

»Die Rollen von Gott und Teufel?«

»Ich bereue es, diese anachronistischen Begriffe in deiner Gegenwart gebraucht zu haben. Wörter dürfen niemals zu Zeitmaschinen verkümmern. Schon gar nicht, wenn sie uns in eine Epoche vor Nietzsche zurücktransportieren.«

»Vor das *homo est deus*?«

»Ada, ich liebe deine Schnelligkeit.« Er wurde immer lauter vor Begeisterung. »Nur die Langsamen der Erkenntnis meinen, die Langsamkeit gehöre zur Erkenntnis.«

»Das ist doch auch von Nietzsche?«

»Naturellement. Nietzsche ist unser Urgroßvater, dessen Erbe wir noch heute verprassen.«

»Ich verstehe immer noch nicht, was das Begriffs-Mikado bringen soll. Nimm eins weg oder füge eins hinzu, und nichts bewegt sich?«

»Mikado. Wir nähern uns dem Thema des heutigen Examens.«

»Es ist Viertel vor zwei.«

»Morgen hast du doch die erste Stunde frei?«

Ada seufzte.

»Go ahead.«

Mit etwas Verspätung begann Ada, sich wegen Alevs Bemerkungen über Kälte, Härte und Schnelligkeit zu freuen. Eine Eigenschaft war etwas, auf das man mit dem Finger zeigen konnte, wenn man sich selber meinte. Du willst wissen, wie sie ist? Sie ist hart, kalt und schnell. Durch den Erwerb von Eigenschaften gelang noch dem Dümmsten der schwierige Akt der Selbsterschaffung. Die Methode war verlogen und reizvoll, wie alle Wege des geringsten Widerstands. Einmal hatte Alev sich im Deutschunterricht gemeldet und auf sie gezeigt: Meine Freundin Ada da hinten verfügt über erheblich weniger Eigenschaften als der Mann ohne Eigenschaften, der angeblich keine hat. Wie kann das sein? – Sogleich hatte Ada gespürt, wie die Eifersucht der Prinzessinnen sie von allen Seiten umsprudelte. Selbst Eigenschaftslosigkeit war eine Eigenschaft, um die man beneidet wurde. Härte, Kälte und Schnelligkeit waren gleich drei.

»Erklär mir das Dilemma«, forderte Alev.

Ada glaubte, er müsse ihre Gedankengänge durchs Telephon gehört haben, und brauchte eine Weile, bis sie verstand, worauf er sich bezog. Schwungvoll wälzte sie sich auf die andere Seite, als könnte sie auf diese Weise beim Denken die Gehirnhälften wechseln.

»Zwei Angeklagte werden einzeln dem Gericht vorgeführt. Jedem von ihnen schlägt der Richter einen Deal vor: Wenn du gestehst und deinen Kumpel verpfeifst, bleibst du straffrei, und der andere kriegt fünf Jahre Knast. Schweigt ihr beide, reichen die Indizien für jeweils zwei Jahre. Gesteht ihr beide, bekommt jeder vier Jahre. Sie haben keine Möglichkeit, sich abzusprechen. Richtig?«

»Sehr gut. Was wird passieren?«

»Sie berechnen beide die Lösung mit dem höchstmöglichen Vorteil bei möglichst geringem Risiko. Das heißt, sie hauen sich gegenseitig in die Pfanne. Jeder bekommt vier Jahre.«

»Und was hat der Richter gewusst?«

»Dass bei einem Nullsummenspiel mit zwei Personen keiner von beiden kooperiert, obwohl sie gemeinsam das beste Ergebnis erreichen könnten. Nämlich nur zwei Jahre Knast.«

»Ich sagte es bereits: Ich liebe deine Schnelligkeit.«

Ada rollte sich auf den Rücken, wechselte das Telephon ans andere Ohr und sog kalte Luft in die Lungen. Sie schlief auch im Winter bei offenem Fenster.

»Was wäre nun«, fuhr Alev fort, »wenn die Gefangenen wüssten, dass sie in Kürze noch einmal gemeinsam vor Gericht stehen werden, oder wenn sie in Zukunft weiter zusammenarbeiten wollten?«

»Sie würden die Zukunft mit einkalkulieren, die Möglichkeit von Rache und den späteren Schaden durch enttäuschtes Vertrauen.«

»Das heißt auf gut Mathedeutsch: Bei iterativen Entscheidungsserien ist mit Kooperation zu rechnen, während im Einzelfall Verrat begangen wird. Danke, das war's.«

Jeder kennt den Augenblick, wenn der Zug, in dem er sitzt, in einen Bahnhof einrollt. Man spürt das Verlangsamen der Geschwindigkeit, neigt den Oberkörper zur pflichtschuldigen Verbeugung vor dem Gott der Masseträgheit, bohrt sich das Kreischen der Bremsen aus den Ohren und sieht schließlich die Bahnhofshalle vor dem Fenster, wartende Menschen, Uhren, gestapeltes Gepäck. Wenn der Zug zum Stehen gekommen ist, fällt dem Reisenden ein, dass er ja aussteigen könnte. Lautsprecher nennen Umsteigeoptionen und die Namen möglicher Reiseziele. Es bedürfte nur weniger Schritte, und schon stünde er auf dem Bahnsteig und damit am Tor einer schlagartig veränderten Zukunft. Solche Umschlagplätze des Schicksals spürt der Mensch in allen Fasern. Er hat gelernt, sitzen zu bleiben, gleichgültig, was die Lautsprecher zischen. Springt wirklich einmal jemand auf und verlässt überraschend das Abteil, lächeln die Mitreisenden und schütteln die Köpfe. Ihre Phantasie folgt den Pfaden des Aussteigers, sie selbst bleiben zurück. Alles ist wie immer, sobald der Zug sich in Bewegung setzt; man lehnt sich entspannt zurück und betrachtet die Landschaft, die ordnungsgemäß an den Fenstern vorüberzieht.

Ada merkte es deutlich, das Abbremsen des Zugs. In diesem Moment hätte sie das Gespräch beenden können, alles klar, wunderbar, gute Nacht, und wäre von da an mit einer anderen Bahn weitergereist, möglicherweise in eine völlig andere Richtung. Aber sie blieb sitzen. Sah einen Moment lang ihr eigenes Gesicht in der spiegelnden Scheibe vor dunklem Hintergrund. Sah Alev, ihr gegenüber, am anderen Ende der Verbindung. Der Zug ruckte an.

Nächtliche Telephonate Zwei

Während des folgenden Schweigens vergaß Ada fast, dass sie sich soeben noch unterhalten hatten. Ähnlich wie Steine im Wasser hatten die Worte nur für Sekunden einen Abdruck in der kalten Luft hinterlassen, hatten ringförmige Schallwellen um sich herum verbreitet und waren gleich darauf für immer verschwunden. Die Leitung lag wie tot. Kein Atemzug war zu hören.

»Bist du noch dran?«

»Ja«, sagte Alev, sehr dicht an ihrem Ohr.

»Was gibt's noch?«

»Ich muss dir was sagen. Ich bin fertig.«

»Fertig? Mit den Hausaufgaben für morgen? Mit der letzten Zigarette? Mit den Nerven?«

Man muss nicht viel von einem Menschen wissen, um ihn zu durchschauen. Schon ein paar Tage konzentrierter Beobachtung genügen, um die Vorlieben und Abneigungen, Gewohnheiten und Empfindlichkeiten, Stimmtonarten und Farbschemata der Haut zu kennen, die sich um die Standarte eines Personennamens versammeln und miteinander ein Wesen formen, das ›Mensch‹ genannt wird, so wie große Mengen von Fischen ›Schwarm‹ heißen. Ada wusste genug vom Alev-Schwarm, um vorhersagen zu können, dass er jetzt auspacken wollte. Sie merkte es an der miserablen Qualität seiner Einleitung: Ich bin fertig. Er wollte gefragt werden.

»Oder meinst du: Fertig mit deinem Plan?«

»Es ist ein bisschen schwer zu erklären«, sagte er. »Deshalb würde ich mein Anliegen gern in möglichst einfacher Form präsentieren, auf die Gefahr hin, dass es primitiv klingt, vielleicht gar obszön.«

»Nur zu.«

Ada hörte, wie er Mund und Telephon mit den Händen abschirmte, um wirklich nur zu ihr zu sprechen: »Du vögelst Smutek«, sagte er, »ich mach Photos, und dann haben wir ihn in der Hand.«

Ada verkniff sich ein ›Wie bitte‹, sparte sich das Lachen und auch die Frage, ob er im Ernst spreche. Überflüssig, sich einzureden, er mache Witze. Sie bereiteten sich beide seit Wochen auf diesen Augenblick vor, und es war von Anfang an klar gewesen, dass Alev ihr nichts Harmloses oder Gewöhnliches antragen würde. Jetzt galt es auf eine Weise zu reagieren, die sich nahtlos in ihren Diskurs fügte und nicht jedes bislang zwischen ihnen gesprochene Wort Lügen strafte.

Alev war aufgeregt und deutete ihr Zögern falsch.

»Du musst es so sehen: Es ist meine Schuld, dass wir nicht längst miteinander geschlafen haben. Wenn du es in meiner Gegenwart mit einem anderen Mann tust, ist das die B-Variante von etwas, das ohnehin eingetreten wäre.«

»Was soll das bringen?«, fragte Ada.

»Würdest du es tun?«, fragte er zurück.

»Ich denke, es würde mir nicht allzu viel ausmachen.«

Dieser Satz passte hervorragend zur Alev-Ada-Attitüde, und Ada war sicher, dass er spätestens ab dem nächsten Morgen auch der Wahrheit entsprechen würde. Im Moment griff sie ins Leere auf der Suche nach dem Knopf für die richtige Geisteshaltung.

»Ich hatte mir sehr gewünscht, dass du das sagst!« Alev jubelte wie ein Kind, das ein neues Spielzeug erhalten hat und es eine Weile ans Herz drückt, bevor es am Abend temperaturlos bei den anderen liegt.

»Du hast meine Frage nicht beantwortet«, sagte Ada.

»Die Frage nach dem Warum?«

»Nein. Das war vorhin. Jetzt meine ich die Frage nach dem Wozu.«

Alev seufzte wie ein Lehrer, der einsehen muss, dass sein Schüler ihm über den Kopf wächst.

»Ich hatte gehofft, *du* könnest mir mehr darüber erzählen.«

»Du heckst einen Plan aus und erwartest, dass ich den Zweck dazu liefere?«

»Ada-Kleinchen, so plausibel dieser Einwand aus dem Mund jedes anderen klingen würde – in deinem Fall kann ich nur sagen: Stell dich nicht dumm. Du hängst genauso drin wie ich.«

»Nichts gegen pythische Andeutungen, aber wir kämen schneller voran, wenn du dich darauf beschränken könntest, den Klappentext vorzulesen.«

»Seit wir uns kennen, reden wir mehr oder weniger offen über dieselbe Sache. Nun sieh dir die Fakten an. Da ist dein immenses Lauftalent. Da ist der polnische Sportlehrer Smutek mit seinem tölpelhaften Ehrgeiz und der schönen, halb verrückten Frau. Die Dahlemer Rettungsaktion. Deine wahrscheinlich filmreife Ohnmacht und die Wiedererweckungsszene, nackt im Bade. Ada die Schweigerin, Ada die Läuferin, Ada die Retterin.«

»Ada die Schnelle.«

»Ada die Schnelle, Ada das Schulpolitikum. Weiße und schwarze Ritter besteigen die Pferde. Und schließlich, nicht wahr...«, wieder klickte hektisch sein Feuerzeug, »... geschieht all das in Gegenwart eines Showmasters im Spiel der Schicksale.«

Ada strampelte die Bettdecke vom Körper, mit einem Mal war ihr warm geworden. Das gemeinsame sophistische Sprechen hatte den unschätzbaren Vorteil, dass schnell unerheblich wurde, wovon es handelte.

»Wie könnte ich da nicht eingreifen wollen? Um deine Frage präzise zu beantworten: Es geht darum, den Ereignissen in ihre Schnürschuhe hineinzuhelfen, damit sie laufen können. Wenn du eine bessere Antwort auf die Frage kennst, wozu ein Schachspiel stattfindet und seit Tausenden von Jahren überall auf dem Planeten wieder und wieder vollzogen wird – dann gib sie dir selbst. Und teil sie mir bei Gelegenheit mit.«

»Ein Spiel«, sagte Ada, »bezweckt den eigenen Fortgang.

Das trifft nicht notwendig auf die Spieler zu. Ich will eine Selbstauskunft.«

»Du bist streng.«

»Einer muss es sein. Was willst du von Smutek? Was bringt die Erpressung?«

»Macht. Neue Entfaltungsmöglichkeiten für alle Beteiligten. Teuflisches Vergnügen. Vielleicht Geld. Vor allem aber: Befriedigung des Spieltriebs.«

»Und ein paar anderer Triebe?«

»Werd nicht plump. Mit Voyeurismus habe ich nichts am Hut. Ich gehorche dem Diktat der Gegebenheiten. Wenn du die Entwicklung der letzten Monate betrachtest, wirst du erkennen, dass sie keilförmig zuläuft wie ...«, er suchte nach Worten und klapperte mit dem Aschenbecher, »... wie ein Keil. An der Spitze liegt ein Nadelöhr. Wir sind verpflichtet hindurchzugehen. Der Sache nach hätte es auch etwas anderes sein können.«

»Es ist gut«, sagte Ada beschwichtigend. »Ich werde darüber nachdenken.«

»Aber nicht zu lang. Wir sollten schnell ein paar hymenale Vorbereitungen in Erwägung ziehen.«

»Weshalb so eilig?«

»Weil du in vier Monaten sechzehn wirst. Jeder Mensch kennt ein paar Dinge auswendig. Bei mir sind es Schillers *Glocke*, Ovids *Metamorphosen* und seit neuestem Paragraph 174, Absatz 1, Nr. 1 des Strafgesetzbuches. Wer sexuelle Handlungen an einer Person unter sechzehn Jahren, die ihm zur Erziehung, zur Ausbildung oder zur Betreuung in der Lebensführung anvertraut ist, vornimmt oder an sich von dem Schutzbefohlenen vornehmen lässt, wird mit Freiheitsstrafe bis zu fünf Jahren bestraft.«

Erst diese formelhaften Wendungen zerrissen den Schleier lyrischer Logismen und gaben den Blick frei auf weiße Rücken, verschwitztes Haar, maschinenhafte Bewegungen. Natürlich lag Smutek oben. Nach einer Schrecksekunde, die mehr der Ungewohntheit dieser Vorstellung geschuldet war als einem tief empfundenen Widerwillen, musste Ada lächeln. Es war nichts dabei. Auch hierbei war nichts. Es folgte eine stille, zutiefst friedliche Sekunde, in der sie ganz in sich selbst versunken lag. Solange Alevs Prophezeiungen in Erfüllung gingen, musste Ada nichts weiter tun, als den Dingen ihren Lauf zu lassen. Solange die Dinge auf eine Katastrophe zuzuschreiten schienen, war die Welt im Gleichgewicht. Nichts ist stabiler als die Fahrt in den Abgrund. Man konnte sich ganz und gar entspannen.

»Smutek ist kein Mann, dem es Spaß macht, ein Mädchen zu entjungfern«, sagte Alev am anderen Ende der Leitung. »Es würde ihn erschrecken. Panikreaktionen kann das Gefangenendilemma nicht gebrauchen.«

»Du setzt auf Kooperation? Dann planst du eine iterative Folge.« Ada hörte ihn lächeln, obwohl Lächeln nach landläufiger Auffassung kein Geräusch verursacht. »Eine andere Frage. Ist das Gefangenendilemma nicht ein Zwei-Personen-Spiel?«

»Luzid. Wir auf der einen, Smutek auf der anderen Seite.«

»Mir kommt es vor, als wären in dieser Konstellation Smutek und ich die Gefangenen, du hingegen der Richter.«

Mit der Antwort zögerte er, dann kam sie in Form einer Gegenfrage heraus: »Wäre das schlimm?«

Darauf wusste Ada nichts zu sagen. Ihr Körper war ausgekühlt, sie belud ihn von neuem mit der Bettdecke. Langsam wurde sie müde, die Gedanken nutzten den Moment, rissen sich los und gingen eigene Wege. Sie sah Smutek und sich selbst, ein im Passgang trabendes Doppelwesen. Sie sah Odetta, an der Alev hymenale Maßnahmen übte. Sie sah die Mutter und den Brigadegeneral, den sie in der Phantasie in ein Stück verwesenden Fleischs verwandelt hatte. Sie dachte an die Schnelligkeit. Alev verschwand spurlos aus dem Telephongerät, als hätte er niemals flüsternd darin gesessen.

Kaum dass die Verbindung unterbrochen war, klingelte es erneut. Diesmal hatte Ada den Finger innerhalb einer Bruchteilssekunde auf der richtigen Taste.

»Es ist verdammt spät.«

»Ich weiß, Ada«, sagte Smutek, »es tut mir leid.«

»Das ist nicht Ihr Ernst. Hat man den Teufel genannt, kommt er gerannt.«

»Wie meinst du das?«

»Gerade haben wir über Sie gesprochen.«

»Du und Alev?«

»Wir waren dabei, einen Plan für den natürlichen Fortgang der Dinge zu entwickeln.«

»Aus einem ähnlichen Grund rufe ich an. Bei dir war die ganze Zeit belegt, da dachte ich, du bist noch wach. Ich wollte ...« Er stockte und klang müde, so müde und verwirrt, als wüsste er kaum, mit wem er sprach.

»Sie wollten mir mitteilen, dass Sie meine Schnelligkeit lieben?«

»Was? Ach so.« Er lachte, schon etwas mehr bei sich selbst. »Natürlich liebe ich deine Schnelligkeit. In ein paar Monaten fahren wir zur Meisterschaft und zeigen es allen.«

»Wenn Alev Recht behält, werden Sie für diesen Wunsch in Kürze teuer zu bezahlen haben.«

»Auch darüber wollte ich reden. Weißt du Bescheid über den Verlauf der Konferenz?«

»Klar.«

»Die liebe Odetta. Das dachte ich mir. Seitdem denke ich darüber nach, dass wir in Zukunft nicht mehr zusammen laufen sollten. Du kannst am Training teilnehmen wie die anderen. Aber wir sollten nicht. Du weißt schon.«

»Ich laufe ohnehin. Ob Sie dabei sind oder nicht, macht einen geringfügigen Unterschied.«

Die Antwort war rüde und doch die einzig richtige, um Smutek zu erleichtern. Er klang befreit.

»Ich bin froh, dass du es so siehst. Ich hatte kein Recht, dich in meine persönlichen Angelegenheiten hineinzuziehen.«

»Es hat mir nichts ausgemacht.«

»Weiß ich. Dir macht nichts etwas aus.«

»Egal, was in Zukunft passiert – merken Sie sich eins: Es wird mir nichts ausmachen. Es ist gut möglich, dass Sie das zwischendurch vergessen werden.«

»Du bist eine große Dulderin. Wahrscheinlich bist du ein Kind deiner Zeit und deines Landes.«

»Ich bin schnell.«

Er lachte erneut, ungeniert und aus vollem Hals, so dass Ada vermutete, Frau Smutek liege in pharmazeutischem Schlaf, unfähig, sich über das nächtliche Telephonat ihres Mannes zu wundern. Bei genauem Hinhören war ein leises Quietschen zu vernehmen, das von Smuteks Zeigefinger stammte, der, beim Telephonieren selbständig geworden, etwas auf ein beschlagenes Fenster malte. Zu gern hätte Ada gewusst, was er dort schrieb. Aber er hatte aufgelegt, bevor sie ihn fragen konnte. Ada schleuderte das Telephon von sich, als hätte sie sich daran verbrannt, legte den Kopf aufs Kissen und glaubte, nicht einschlafen zu können. Im nächsten Moment aber war sie fort, ausgeschaltet wie eine Nachttischlampe, unerreichbar für sich selbst, unerreichbar für uns.

Adas Entjungferung

Bei der kurzen Vorbesprechung gab Ada zu bedenken, dass ihre Unerfahrenheit in geschlechtlichen Dingen ein Risiko darstelle, das zum Schutz des ganzen Unterfangens durch ein paar praktische Einweisungen minimiert werden sollte. Ob es nicht am klügsten sei, das Nützliche mit dem genauso Nützlichen zu verbinden und die geplante Entjungferung als Generalprobe zu gestalten?

Alev erwiderte, dass man einen Taubstummen nicht um Sprachunterricht bitten dürfe und sie deshalb auf die Fähigkeiten der Instinkte zu vertrauen habe. Die Kunst der Arterhaltung sei allem lebend Stofflichen mitgegeben, und da auch Ada ein lebend Stoffliches verkörpere, werde sie im Ernstfall wissen, wie man das mache. Allerdings sei er auch ohne weiteres bereit, ihr einen erfahrenen Deckhengst zwecks Defloration und Generalprobe zu organisieren, Bastian zum Beispiel empfehle sich in jeder Hinsicht. Ob Ada das wünsche?

Sie wollte keinen Deckhengst, sie wollte Alev und hatte sich für Sekunden den konventionellen Wunsch erlaubt, als Einziges unter allen Mädchen seine Körpermitte zum Leben erwecken zu können. Verlegen rollte sie mit der Stiefelsohle ein Steinchen auf dem Schulhofasphalt hin und her.

Weil man sich in der Mitte eines Präsentiertellers am ungestörtesten unterhalten kann, standen sie wie zwei einsame Pfähle nicht weit von der Stelle, an der Ada und Rocket vor neun Monaten über Olafs Entjungferung beraten hatten. Der Stein, mit dem Adas Stiefel spielte, gehörte zu den bunten Himmel-und-Hölle-Feldern, deren Kreidelinien sie umgaben. Aus irgendeinem Grund waren beide verstimmt. Sie einigten sich auf Sonntag zwischen zwanzig und zweiundzwanzig Uhr. Die Märztage machten noch immer früh Feierabend und nahmen gegen neunzehn Uhr jene abnehmbaren Teile der Persönlichkeit mit sich, die einem bei Tag nur im Weg standen. Falls noch Reste von Skrupeln bestanden, so jedenfalls nicht nach Einbruch der Dunkelheit. Außerdem saßen die Erzieher am Sonntagabend für zwei Stunden vor dem *Tatort* zusammen und würden nicht unangemeldet auf ein Schwätzchen oder ein paar inquisitorische Fragen vorbeischauen.

Nachdem das geklärt war, wandten Ada und Alev sich um, ließen einander stehen und strebten entgegengesetzten Enden des Schulhofs zu. Sie warfen der tief hängenden Wolkendecke wütende Blicke zu, weil sie sich nicht aufgetan hatte, um einen Ruben'schen Lichtkegel herauszulassen und ihre Häupter während der Unterredung mit Strahlenkränzen zu krönen. Der ganzen Angelegenheit wäre ein bisschen himmlischer Glanz gut bekommen. Manchmal war schwer zu ertragen, wie gleichgültig die Erdkugel sich gegenüber allen menschlichen Anstrengungen verhielt.

Der Sonntagabend wartete immerhin mit einem Gewitter auf. Es hatte die Muskeln spielen lassen, ein paar fette Regentropfen als Warnung gesandt und sich nach diesem Vorstoß mit Gegroll und Getöse Richtung Köln zurückgezogen. Die Sonntagsbevölkerung verließ ihre Verstecke unter Brücken und in Hauseingängen, streckte Handteller in die Luft und eilte, allein oder in Gruppen, nach unterbrochenem Spaziergang über nasse Straßen nach Hause. Erste leuchtende Rechtecke waren der Stadt wie Etiketten aufgeklebt. Der Lange Eugen, als Hochhaus emeritiert, stand monumentenschwarz gegen die Dämmerung, zum Zwerg gemacht vom neuen, doppelt so hohen Post-Tower, an dessen langen Flanken bunte Lichtkunst hinauf- und hinunterrannte.

Unbeeindruckt vom drohenden Regen, hatte Ada ihre Runden auf dem Sportplatz gezogen und war zum Duschen ins Internat gekommen. Eigentlich hatte sie beschlossen, sich nicht extra sorgfältig zu waschen, als stünde ein Besuch beim Gynäkologen bevor. Nun aber rieb sie sich am ganzen Körper mit Alevs Duschgel ein, massierte seinen Geruch mit den Fingerkuppen in alle Poren und hörte erst auf, als die halbe Flasche verbraucht war und die ganze Großraumdusche nach ihm roch. Sie hatte das Licht nicht angeschaltet. Im warmen, feuchten Dunkel konnte sie Alev für eine Weile bewohnen, als hätte sie unter seiner Kleidung Zuflucht gefunden, ein kleiner Parasit, Mieter einer Achselhöhle. Der Duft stand kurz davor, sich in Gestank zu verwandeln. Schon wieder floss Unmut wie eine heiße Flüssigkeit in ihre Bauchhöhle. Sie trocknete sich ab, verzichtete auf Unterwäsche und zog Pullover und Hose über, um den Internatsflur überqueren zu können.

Toni für eine Weile auszuquartieren war nicht schwieriger, als einen Hund aus dem Zimmer zu schicken. Als Alev mit ausgestrecktem Arm auf die Tür zeigte, nahm er wortlos seine Jacke von der Stuhllehne und verschwand. Kaum dass er fort war, setzte Ada sich auf die Bettkante, öffnete Knopf und Reißverschluss ihrer Jeans und hob den Hintern an, um sich die Hose über die Hüften zu streifen und in einem Knäuel auf den Boden zu werfen.

Alev lehnte am Schreibtisch und schaute die ganze Zeit hinaus, obwohl es nichts zu sehen gab. Die Fensterscheibe baute eine kastenförmige Spiegelung des Zimmers hinaus ins sechste Stockwerk der Nacht. Etwas war nicht in Ordnung. Die Stimmung war verdorben, als wäre irgendwo ein geruchloses Gas ausgetreten, das die Luft ungenießbar machte. Auf dem Tisch stand ein Dildo, schwarz, dick und zwanzig Zentimeter lang, und wirkte neben einem frischen Päckchen Taschentücher und dem Cremetopf wie bereitgelegtes Handwerkszeug. Alev ärgerte sich über die Frage, ob der Dildo unbenutzt sei, über Adas Misstrauen gegenüber dem Inhalt des Cremetopfs und erst recht über ihren Spott wegen der unschuldigen Packung Tempotaschentücher. Nein, er rechnete nicht damit, dass der Dildo ejakulieren werde. Er glaubte ebenso wenig, Ada könne zu bluten anfangen wie ein Unfallopfer, zumal nicht auszuschließen sei, dass irgendein Frauenarzt auf der Suche nach Zysten die Defloration mit seinem Ultraschallstab bereits erledigt hatte. Selbstverständlich würden sie mit einem angebrochenen Päckchen Taschentücher ebenso zurechtkommen. Es war nur so, dass Alev sich Mühe gab. Obwohl er wusste, was gute Dildos kosteten, war er extra im Sexshop gewesen, hatte seinen Personalausweis präsentiert und das unauffälligste Modell gewählt, weil er Ada nicht durch noppenbesetztes Hundespielzeug und schon gar nicht durch ein Stück Gemüse oder den Griff eines Kinderspringseils beleidigen wollte. Er hatte die professionelle Gleitcreme einer billigen Vaselinedose vorgezogen und die Taschentücher in der Apotheke gekauft. Den ganzen Tag hatte er nichts Rechtes mit sich anzufangen gewusst und lange darauf gewartet, dass sie vom Laufen zurückkäme. Jetzt saß sie mit nacktem Unterleib in einem dicken, bunt gestreiften Wollpullover auf Tonis Bett, verhöhnte seine Vorbereitungen und verhielt sich nicht anders als auf dem Schulhof oder im Klassenzimmer, abgesehen von einer unterschwelligen Feindseligkeit, die mit langen Krallen auf seinen Nerven spielte. Ihr Haar war klitschnass vom Duschen, sie hatte es nicht einmal mit dem Handtuch gerubbelt. Alev schaffte es kaum, sie anzusehen.

»Willst du dich nicht ganz ausziehen?«, fragte er die spiegelnde Fensterscheibe.

»Wozu das denn?«

Es war Wut, die ihn schließlich herumdrehte, und während er Ada anschrie, wussten weder sie noch er, was mit ihm los war. Adas Schamhaar war ebenso blond wie ihr Schopf und ähnelte einem scheuen Pelztier, das sich zwischen den geschlossenen Schenkeln zu vergraben suchte. Vielleicht brüllte er diesen Anblick an. Vielleicht schmerzte ihn etwas in der Brust, und er fühlte zum ersten Mal, dass er ein Herz besaß. Hätte es eine Möglichkeit gegeben, die Sache abzublasen, wenigstens für den heutigen Abend – er hätte es sicher getan.

»Warum machst du es überhaupt?«, schrie er.

Sie antwortete wie stets in der Sprache des ewigen Eises: »Es bist eher du, der etwas macht.«

»Du könntest es selber tun, allein im Badezimmer oder auf deinem Bett, und uns diesen peinlichen Auftritt ersparen.«

»Das wäre grotesk. Ich stelle mich deiner Idee zur Verfügung. C'est tout.«

»Ada!« Die Nähe der Erzieher wenige Türen weiter zerquetschte sein Brüllen zu einem Zischen. »Es kann dir doch nicht alles egal sein!«

»Doch. Bislang glaubte ich sogar, das gefalle dir. Im Übrigen würde ich einen anderen Begriff verwenden. Nicht egal, sondern gleich-gültig.«

Seine Erhitzung brachte ihre Kälte auf den absoluten Nullpunkt, als bildeten sie, Kompressor und Kühlspirale, Teile desselben Temperaturaggregats.

»Was meinst du damit?«

»Alev.« Endlich hob sie das Kinn, löste den Blick vom kläglichen Haufen ihrer Jeans und richtete die Augen auf seine Stirn. »Wenn du schlau genug bist, um meine Anwesenheit in diesem Raum auch nur ansatzweise zu verdienen, dann reiß dich zusammen und schalte das Großhirn wieder ein.«

Ihre Arroganz legte sich wie Balsam auf seine Nerven. Wäre das verängstigte, blonde Tier zwischen ihren Beinen nicht gewesen, hätte Ada in ihrer Halbnacktheit ebenso bekleidet und unverletzlich gewirkt wie in Stiefeln und Jeans.

»Gleich-gültig bedeutet, dass zwei Dinge gleichermaßen gelten.« Sie sprach im Tonfall eines gut geölten Diskurses. »Ich kann tun, was du von mir verlangst, und ich kann es verweigern. Für mich besitzen beide Alternativen den gleichen Wert.«

»Was willst du überhaupt?«

Sie dachte nach oder legte eine Kunstpause ein.

»Wahrscheinlich mit dir zusammen sein. Aber wenn du geglaubt hast, mit dem Ding da meine Seele entjungfern zu können, lagst du falsch. Ich habe keine Seele. Ich habe Gefühle und Verstand, und die Summe daraus ist nichts, was du mit einem Plastikschwanz erreichen könntest. Also spiel dich nicht auf, bloß weil ich keine feuchten Augen kriege.«

Behutsam stieß er sich von der Tischkante ab, ruhig ging er auf sie zu, ließ sich neben ihr nieder und schloss sie in die Arme, sorgsam jede Berührung mit dem nackten Unterleib vermeidend. Ihr nasses Haar klebte sich an seinen Hals. Viele Male strich er ihr über den Rücken und murmelte Wörter in fremden Sprachen, Beschwörungsformeln, Liebeserklärungen oder Flüche, und egal, was es war, seine Stimme klang nach einer Heimat, die nichts mit geographischen Orten zu tun hatte. Schließlich senkte er Ada rückwärts aufs Bett. Für einen Moment ließ er sie allein, um sich nach den Utensilien auf dem Schreibtisch zu strecken, und legte sich gleich wieder über sie, als gälte es, sie vor dem Erfrieren zu retten. Er küsste ihre geschlossenen Augen, wärmte die Hände wie ein Masseur am eigenen Hals und begann, das blonde Tierchen zu streicheln, als müsste er es dazu bringen, den Kopf zu heben. Nach einer Weile löste Ada den Druck ihrer Schenkel. Alev wusste, dass sie nichts dabei empfinden würde, jedenfalls keine körperliche Lust. Sie hatte ihm erzählt, dass sie zur Selbstbefriedigung keine Gegenstände einführte, sondern nur einen Zeigefinger verwendete oder sich an der Bettkante rieb. Ihrem Gesicht war anzusehen, dass der Dildo in ihrem Körper die Aussagekraft eines herzlichen Händedrucks erreichte. Trotzdem lächelte sie ein Lächeln, das er zum ersten Mal an ihr sah: glücklich.

Kniend richtete Alev sich auf, um den rechten Arm freizubekommen, und erhöhte das Tempo. Sein Atem ging schneller, die Erschütterungen versetzten Adas ganzen Körper in Bewegung. Fast wurde er überwältigt von dem Wunsch, ein paarmal mit Kraft zuzustoßen. Der Schweiß, der sich an seinem Haaransatz sammelte, kam nicht von der körperlichen Anstrengung, sondern von verbissener Selbstbeherrschung. Als er sich über sie warf, lief ihm eine Träne den Nasenrücken hinunter und wurde sogleich von den Wollfasern ihres Pullovers gefressen.

»Bestimmt kannst du dir vorstellen«, flüsterte er, »dass ich das lieber auf andere Art getan hätte.«

Ein paar Tränen passten so gut zu diesen Worten, dass Alev ihr die Augen öffnen wollte, damit sie den zweiten Tropfen bemerkte, der gerade an seiner Nasenspitze verharrte und sich noch nicht zum Fallen entschließen konnte. Stattdessen streckte sie einen Arm aus, tastete sich an ihren Körpern hinunter und griff in seinen weichen, vollkommen entspannten Schoß.

»Ein Hautsack«, sagte Alev. »Von Mutter Natur genäht, um ein paar Drüsen und Schläuche aufzubewahren.«

»Ich habe dir das nie geglaubt«, sagte Ada rauh. »Das Schlimmste ist, dass ich es immer noch nicht glaube.«

Der Dildo verursachte ein garstiges Geräusch, als er klappernd und hüpfend vom Bett auf den Boden schlug. Draußen donnerte es, das Gewitter war aus Köln zurückgekehrt. Auf Tonis Laken war ein Blutfleck. Alev öffnete die Packung Tempos und bestand darauf, Ada eigenhändig von den Resten der Creme zu säubern.

Der trommelnde Regen hoch oben auf dem Dach erinnerte an das Vergehen von Zeit und damit an Toni. Wie in einem kaputten Klo rauschte das Wasser ohne Pause durch die breiten Regenrohre, und selbst das helle Spritzen auf dem Schulhofasphalt war bis in den sechsten Stock zu hören. Ada stieg in ihre Jeans, kickte den Dildo unters Bett, nahm von Alev eine brennende Zigarette entgegen und öffnete die Tür. Toni stand im unbeleuchteten Flur in einigem Abstand an die Wand gelehnt, aus seinem langen Haar floss Wasser über das Kunststoffmaterial der Jacke. Als ihm das Licht aus dem Türspalt vor die Füße fiel, schaute er auf und in Adas Gesicht.

»Ist alles in Ordnung?«, fragte er leise.

Er sah besorgt und traurig aus, alt wie ein Mensch am Ende eines vergeigten Lebens, das nichts bewiesen hat außer der Vergeblichkeit jeder Bemühung.

»Toni«, sagte sie. »Könnte nicht besser sein. Das ist mein Ernst.«

Seine Miene hellte sich auf, er warf das nasse Haar zurück und rieb sich das Gesicht, bis Alter und Enttäuschung verschwunden waren und er ihr ein pickliges, kaum gebrauchtes, gerade neunzehnjähriges Lächeln schenken konnte.

»Ihr habt noch Tabak?«

»Komm rein«, sagte Ada. »Dein Zimmer gehört wieder dir. Tut mir leid.«

Er winkte ab.

»Mit Sicherheit nicht deine Schuld.« Am Arm zog er sie auf den Gang und trat die Tür ins Schloss. »Ich bin nicht deine Mutter und wär's auch nicht gern. Aber eins muss ich dir sagen: Lass die Finger von dem Typen.« Toni deutete auf die Wand, hinter der Alev hockte wie eine Spinne im verschlossenen Karton. »Er ist verrückt. Ich teile das Zimmer mit ihm und weiß, wovon ich spreche. Hast du verstanden?« Auch im Dunkeln war klar, dass Ada einen Punkt auf seiner Stirn fixierte. Er legte ihr beide Hände auf die Schultern. »Schon zu spät?« Sie antwortete nicht. »Es ist schon zu spät«, wiederholte er, schüttelte bedauernd den Kopf, fasste hinter Adas Rücken nach der Klinke und schob sich und sie ins Zimmer.

»Alter!« Alev lag auf seinem eigenen Bett, der Blutfleck auf Tonis Laken war verschwunden, Alev musste die Betttücher getauscht haben. Ada und er wechselten einen schnellen Blick, ein unmerkliches Nicken. »Alter, bist du nass. Setz dich, nimm dir 'nen Keks.« Er warf Toni den Tabaksbeutel zu, den dieser mit einer Hand aus der Luft fing, ohne hinzuschauen.

Raus in den Regen. Adas Haare rochen nach Alev. Ihr Pullover und die Jacke, die er ihr geliehen hatte, rochen noch mehr nach Alev als Alev selbst. Der Stoff verdichtete seinen Geruch zu einer gefährlichen Essenz, von der ihr fast übel wurde. Dringend musste sie die Unordnung in ihrem Kopf mit frischer Luft verdünnen. Hinter ihr lief Alev die Treppen hinunter und überholte sie im rechten Moment, um aufschließen und die Tür für sie halten zu können. Hintereinander traten sie auf die herrschaftlich breiten Stufen. Sie verabschiedeten sich mit Handschlag.

Eine Weile blieb Ada im Eingang stehen, um den Regen zu

betrachten, der in starken Wasserseilen vom Himmel hing. Sie konnte sich nicht gleich überwinden, in diesen flüssigen Vorhang einzudringen, der keine andere Seite hatte, nur Vorhang war, ohne etwas Schönes oder Schreckliches zu verdecken. Kein normaler Mensch war bei diesem Wetter auf der Straße.

Der Regen sperrte die Menschen ein, während ein gigantisches Reinigungsunternehmen der Welt das Gesicht abmontierte, um darunter gründlich sauber zu machen. Der Regen schloss Fenster, verriegelte Türen, löschte die Gärten aus. Autos pflügten als glotzäugige Fische vorbei, die Bürgersteige waren Stege für menschliche Scherenschnitte, für Außenseiter und Aasfresser, für die Angestellten der Niemandslandwirtschaft. Ein Stück der großen Dunkelheit, der die Städte wie leuchtender Christbaumschmuck aufgesteckt sind, war in die Straßen gesickert und teilte den wenigen, die es aushalten konnten, etwas über die Weite unbewohnter Räume mit, über das Universum und dessen vollkommene Unabhängigkeit von aller menschlichen Existenz. Ada atmete tief, als gälte es, mit einer einzigen Lungenration bis nach Hause zu tauchen, und stieß sich von der Wand ab. Als sie losrannte, hatte sie bereits eine Grenze überschritten, und alles, was geschehen war, blieb hinter ihr zurück.

Die Welt ist eine Lasagne

Währenddessen saß Höfi fünf Kilometer entfernt auf der Bettkante seiner Frau, betrachtete eine andere Abteilung desselben Regens und dachte über das Universum und dessen Unabhängigkeit von aller menschlichen Existenz nach. Nie zuvor hatte er so deutlich empfunden, dass ihn das Universum nicht das Geringste anging. Es war kein Ort für ihn. Dem Körper bot es zu viel Platz, dem Geist zu wenig. Das Gleiche galt für den Planeten, den Kontinent, Deutschland, diese Stadt und das Zimmer, in dem er sich aufhielt.

Im Zimmer befand sich eine Reihe von Gegenständen, die nicht hineingehörten. Sie passten nach Farbe, Form und Geruch nicht zur Einrichtung, die aus wenigen Nussholzmöbeln bestand, aus dicken Teppichen und aus Büchern, die den Großteil der Wandflächen täfelten. Die fremden Gegenstände waren aus Aluminium, transparentem Gummi und weißem Plastik, sie ragten hoch auf oder waren kastenförmig und schwer, hatten kugelförmige Rollen unter sich und griffen mit Schlauch-Tentakeln in die ebenfalls fremd gewordene Luft. Alles das, erkannte Höfi bei Betrachtung der Regengardine vor dem Fenster, ging ihn nichts an. Es gab nur ein Ding, das ihn betraf. Dieses Ding war seine kleine, britische Frau, die ihm schon fast unter den Händen entschwunden war, die nicht auswich, wenn er sie festhalten wollte, sondern lächelte und sich vertrauensvoll seinem Griff überließ und trotzdem immer weniger wurde, so wenig, dass die Bettdecke sie kaum noch zur Kenntnis nahm. Ihr Atem war kein Heben und Senken mehr, sondern das sporadische Zucken eines vogelknöchigen Tiers.

Unzählige Male an diesem Abend hatte Höfi geglaubt, seit dem letzten Atemzug sei ein zu langer Zeitraum vergangen.

Er hatte das Gewitter kommen und gehen und zurückkommen gehört. Er saß still, als der Regen zu fallen begann. Seine Frau und er sprachen nicht mehr. Alles Wichtige hatten sie einander gesagt, und für Unwichtiges war nicht der rechte Moment. Sie lächelte mit geschlossenen Lidern, und wenn sie ein- oder zweimal in der halben Stunde die Augen öffnete, waren sie so voller Gefühl, dass Höfi sich zwingen musste, den Blick nicht abzuwenden.

Er wartete längst nicht mehr. Seine Gedanken schweiften zu seiner achten Klasse mit den vielen magersüchtigen Mädchen, zum kleinwüchsigen Teuter, der Unglück brachte, weil er nicht wusste, was Glück war, zu Ada, mit der er grundloses Mitleid empfand seit dem Moment, da er sie und ihre nervöse Mutter zum ersten Mal gesehen hatte. Es gab so wenig Bedeutendes, an das er denken konnte. Das Leben war von Banalitäten erfüllt, es war aus ihnen erbaut, Banalitäten waren sein Baustoff, Mörtel und Putz. Selbst angesichts des Todes war man gezwungen, banale Dinge zu tun, die Telephonschnur aus der Dose zu ziehen, um sich selbst davon abzuhalten, ein Versprechen zu brechen. Ab heute werden wir nicht mehr nach einem Blaulicht telephonieren, versprich es mir, gut, ich verspreche es. Gleichgültig, mit welchen Fahnen der Freude oder Trauer das Dasein sich schmückte – es blieb banal. Vermutlich war das gesund. Vermutlich sorgte es für Bodenhaftung, vermutlich war es normal. Was normal war, musste gut sein, denn wer wollte so dumm sein, etwas Schlechtes normal zu nennen?

Höfis Denken zog Schleifen, nahm den Regen in sich auf, bis das Geräusch fallenden Wassers zum Geräusch seiner Träumereien wurde. Seine Frau öffnete die Augen und schloss sie wieder.

Zehn Autominuten entfernt in der glücklichsten Straße der Stadt lehnte Smutek am Fenster, das sich anschickte, zu seinem Stammplatz zu werden, starrte in das Gewitter, als ob sich von so viel Aggressivität etwas lernen ließe, und dachte an seine Frau, die kurz davor stand, sich von einem geliebten

Menschen in eine fremde Sache zu verwandeln. Ihre Blässe war wächsern, die schwarzen Augen matt wie Kunststoff, und ihr Haar bekämpfte jede Berührung mit elektrostatischem Knistern. Seit Wochen tropften die Wörter nur noch einzeln aus ihr heraus, und Smutek stand vor diesem Schauspiel wie einer, der duschen will und den Rohrbruch im Keller noch nicht bemerkt hat.

Früher hatte er ihr täglich von seiner Arbeit erzählt. Aus Nichtigkeiten hatte er eine Geschichte nach der anderen für sie gesponnen, war aufgesprungen, um den Gang eines Kollegen nachzuahmen, hatte Stimmen imitiert, Handlungsorte auf Papier gezeichnet, Nebenfiguren über die Bildfläche geschoben.

Und dann riss ich das Fenster auf, große Armbewegung von links nach rechts. Die Winterluft war ein Schlag ins Gesicht, patsch, und plötzlich roch es nach Bananen. Drei kleine Omas, alle schwarz gekleidet wie Dracula, überquerten in gerader Linie den Schulhof. In jedem rechten schwarzen Fausthandschuh steckte eine Banane, leuchtend gelb, Fackeln in einem rauchigen Nachmittag. Fast gleichzeitig bissen sie hinein. Halluzinationen haben keinen Geruch, nicht wahr, ebenso wenig wie Träume. Ich dachte, da gehe der Teufel in Dreiergestalt. Es ist immer ein winziges Ding, das einen Bruch in der Wirklichkeit markiert. Hänge ein Bild über einen Wasserfleck an der Wand, und es wird jedem Betrachter vorkommen, als sei es dort fehl am Platz.

Auf diese Art hatte er mit ihr gesprochen, und Frau Smutek hatte Tränen gelacht. Jetzt lag sie flach auf dem Sofa, ihr Körper war kaum in der Lage, die bunte Bettdecke zu wölben, und alles, was er erzählen wollte, hatte mit Ernst-Bloch zu tun, mit Ada oder mit dem kleinen Haus in Masuren, mit Gegenständen also, an die man seine Frau nicht erinnern oder von denen sie nichts erfahren sollte. Verblüffend leicht war jenes Band zwischen ihnen gerissen, das sie über so lange Zeit fest miteinander verbunden hatte. Ohne ein Wort des Abschieds hatte sie sich niedergelegt und befand sich seitdem in einem gläsernen Sarg. Schneewittchen schlief.

Windstöße bogen die elastischen Wasserwände mal nach links, mal nach rechts. Nun sollte er auch mit Ada nicht mehr sprechen dürfen. Nie wieder neben ihr zu laufen, schien ihm in diesem Augenblick wie ein drohender existentieller Verlust, den er, töricht genug, auch noch eigenhändig herbeigeführt hatte. Vielleicht hätte sie eines Tages geantwortet. Vielleicht hätte sie schon beim nächsten Training verraten, wie ein Kind so weit gehen konnte, einem Mitschüler das Gesicht zu zerschlagen. Vielleicht hätte sie ihm erklärt, wovor zum Teufel sie ihn warnen wollte.

Seit er Ada kannte, dachte er häufig an seine Schulzeit in Polen. Von seinen damaligen Lehrern waren die meisten nicht älter gewesen, als er es heute war. Damals hatte er sie als Angehörige einer fremden Gattung erlebt, die bloß zufällig dieselbe Sprache gebrauchte wie er selbst. Inzwischen war er einer von ihnen geworden und konnte versuchen, die Erinnerungsphantome im Nachhinein zum Leben zu erwecken, ihnen über die Jahrzehnte hinweg die Hand zu reichen, seht her, ihr ward immer schon normale Menschen, ich habe das damals nicht begriffen. Aber es gelang nicht. Sie blieben seltsam blasse Lehrergeister, während er sich noch immer den Schülern näher fühlte als ihnen. Er konnte sich nicht vorstellen, dass Ada ihn heute als ein solches Gespenst sah. Smutek kam auf die Idee, dass Vergangenheit und Gegenwart wie die gegenüberliegenden Flächen eines Würfels seien, die nie zur gleichen Zeit betrachtet werden konnten und trotzdem immer sieben ergaben. Seine Lehrer und er, er und Ada, immer die gleiche Summe. Was wusste er schon davon, wie Ada von ihm dachte. Zwei Läufer konnten am selben Fluss entlangrennen, den Blick auf dieselben Bäume und Spaziergänger gerichtet, und dennoch zwei völlig verschiedene Welten sehen. Das ließ sich nicht überprüfen. Was Ada ihm mitteilte, mochte aus vollem Hals gerufen sein und kam doch als ein unverständliches Zwitschern bei ihm an. Smutek spürte, dass er sich einer Erkenntnis näherte, aber jedes Mal, wenn er danach greifen wollte, entglitten ihm die Zusammenhänge.

Seine Frau lag auf dem Sofa. Ob sie schlief oder aus anderen Gründen still hielt, war nicht zu unterscheiden. Die letzten Sätze hatte er laut gesprochen. Kein Nicken oder Kopfschütteln zeigte an, ob auch die Teile ihres Lebens wie die gegenüberliegenden Seiten eines Würfels waren. Jetzt stand Smutek mit dem Rücken zum Fenster, seiner Frau zugewandt. Er wollte ihr etwas erklären. Die eigene Stimme klang ihm fremd in den Ohren, sie schien einen vorgefertigten Text zu verlesen, der nirgendwo geschrieben stand.

Die Zeit, musst du wissen, besteht aus unendlich vielen Schichten, von denen jede die Stärke eines Moments besitzt. Sie liegen dichter aufeinander als die Lamellen unter dem Hut eines Pilzes. Also sind alle Momente der Vergangenheit und Zukunft gleichzeitig vorhanden. Zwischen zwei Schichten entstehen immer noch weitere Ebenen, das sind die Kausalketten verschmähter Zufälle, nicht eingetretener Möglichkeiten und abgewählter Alternativen. So stapeln sich die Stockwerke in rasanter Geschwindigkeit und Ausdehnung zu einem anwachsenden Blätterteig. Auf der Suche nach seinem Weg schlingert unser Bewusstsein ständig zwischen den nächstgelegenen Etagen hin und her. Dabei erzeugt es eine Unschärfe, die wir verkraften, indem wir sie der notorischen Unvollkommenheit unseres Gedächtnisses zuschreiben. Gerät einer zu weit in fremde Schichten hinaus, glaubt er, den Boden unter den Füßen zu verlieren. Strauchelt er, stürzt und findet den Rückweg nicht mehr, wird er panisch umherirren und nichts mehr als zutreffend erkennen. Nichts passt mehr zusammen, nichts ergibt Sinn. Man wird von ihm sagen: Jener ist tragischerweise verrückt geworden, er hält sich für jemanden, der er nicht ist, und glaubt an Dinge, die niemals geschahen. Die Ärzte nennen das Schizophrenie. Sie ist die Philosophin unter den Krankheiten. Ich wollte dir sagen, dass ich in letzter Zeit häufig zwischen die Schichten geraten bin. Vielleicht geht es dir auch so und all den anderen auch. Vielleicht gab es kürzlich ein Erdbeben im Zeitgefüge.

Smutek wusste nicht genau, wovon er sprach, und vor allem: zu wem. Er fühlte sich erhoben, er spürte die Nähe aller Menschen, die ihm wichtig waren. Es war nicht auszuschließen, dass seine Frau ihm mit dem Unterbewusstsein zuhörte wie ein Wachkoma-Patient. Er wollte das Fenster aufreißen und mit lauter Stimme in die Nacht rufen: Ich habe Antwort, hört mich an! Die Welt ist eine Lasagne.

Aber es sprach nur der Regen zur Welt. Die Menschen, denen Smutek sich so nahe fühlte, saßen unerreichbar hinter den vielen Mauern der Stadt. Irgendwo hockte Höfi am Boden und krümmte seinen verwachsenen Körper wie ein krankes Kind, bis er die Innenseiten der Knie gegen die Ohren pressen konnte. Er fuhr sich ins dünne Haar und krallte die Nägel in die Kopfhaut, als könnte er auf diese Weise einen Spalt öffnen, an dem sich der Schädel auseinander klappen ließ. Dem nachlassenden Gewitter schenkte er keine Aufmerksamkeit. Er war zum nutzlosen Überbleibsel einer omnivoren Vernichtung geworden, ausgespien als ein ungenießbares Korn in einem opulenten Mahl. Irgendwo anders stakte Ada auf Cowboybeinen durch den Regen, hielt durch die steife Gangart den Jeansstoff von den wunden Lippen ihres Geschlechts fern und beobachtete einen Mann, der plötzlich ruckartig stehen blieb und in eine Pfütze starrte, an deren Grund die Titelseite einer Zeitung auf dem Asphalt klebte. Gebückt las er ein paar Zeilen und rannte davon in die Richtung, aus der er gekommen war. Vielleicht hatte das nasse Blatt ihm mitgeteilt, dass in wenigen Tagen zehn Bomben den Bahnhof einer europäischen Metropole zerreißen und den halben Kontinent in den Wahnsinn treiben würden. Vielleicht war etwas verrutscht. Ada begann zu singen, während der Regen nachließ, sang einen einzelnen Ton, der anschwoll und schriller wurde. Sie legte den Kopf zurück, heulte in die tote Nacht hinaus und erhielt keine Antwort, nicht mal ein Echo.

Smutek merkte nichts von alldem. Er begann, auf und ab zu gehen und beim Sprechen in der wehrlosen Luft zu gestikulieren.

Ich hab dir die Zeit erklärt, jetzt kommt der Raum an die Reihe. Diese ganze, aufgeblähte Täuschung, dieser maßlose Wahrnehmungsspielplatz ist in einem einzigen Punkt enthalten. Wir selbst entschachteln ihn wie die Kulissen eines Kinderbuchs, und der Motor dieser gigantischen Schöpfung ist Unterscheidungszwang, der uns zu allem das Gegenteil suchen lässt. Kein Punkt ohne Fläche, keine Winzigkeit ohne Weite. Ohne Großes gäbe es nichts Kleines, laut nicht ohne leise, keine Schönheit ohne das Hässliche. Wir sehen Schwarzes, weil es Weißes gibt, von dem es sich abheben kann. Kein Rot ohne Blau, kein Mensch ohne Tier. Vielfalt braucht Platz, und die Welt bläst sich auf wie eine Kaugummiblase. Genau wie alle denkbaren Ereignisse in einer einzigen Sekunde Platz finden könnten, wenn sie sich entschieden, gleichzeitig stattfinden zu wollen, lebt alles Örtliche in einem Punkt. Du fragst, wie denn der Mensch Teil eines Punkts sein könne?

Frau Smutek hatte nichts gefragt und nicht mit der Wimper gezuckt.

Das Geheimnis besteht darin, dass ein kleiner Teil des Menschen außerhalb des Raumpunktes bleibt. Was außerhalb des Raums liegt, befindet sich außerhalb der Zeit, womit wir beiläufig herausgefunden haben, was die unsterbliche Seele ist. Eine Instanz muss Betrachtungen anstellen und Unterscheidungen treffen und kann nicht selbst Gegenstand dieser Betrachtungen und Unterscheidungen sein. Ein Messer kann alles schneiden außer sich selbst, ein Fuß kann nach allem treten außer nach sich selbst, ein Finger auf alles zeigen außer auf sich selbst. Wenn ich mein Gesicht im Spiegel betrachte, über das eigene Bewusstsein grübele oder mich frage, wer ich sei, bleibt immer ein Teil zurück, der sich selbst nicht fassen kann. Irgendwo in uns ist dieser letzte, winzige Krümel, der immer einen Schritt zurücktritt, wenn wir meinen, einen Blick auf ihn geworfen zu haben – denn er ist es, der blickt. Das ist die Seele, sie hat die Welt erschaffen, du kannst sie Gott nennen. Sie bleibt übrig als zwingendes Subtraktionsergebnis, wenn einer von uns stirbt. Das Universum ist erklärt. Wir können schlafen gehen.

Frau Smutek rührte sich nicht. Höfi rührte sich nicht. Auch Ada hatte aufgehört, sinnlos zu heulen wie ein Wolf, der nur die eigene Stimme hören will. Smutek stand mitten im Zimmer, dort, wo das Ende seiner Ausführungen ihn zurückgelassen hatte, und rührte sich nicht mehr, konnte nur das Atmen nicht vermeiden, das ihm die Brust hob und senkte wie nach schnellem Lauf. Er wollte seine Frau wecken, sie dazu bringen, ihn anzusehen, ihm zu antworten, mit ihm zu schlafen. Er führte Selbstgespräche. Er verkraftete die Situation nicht mehr. Mit beiden Händen fuhr er sich heftig an die Stirn.

Ada schüttelte sich und lief durch die Pfützen nach Hause. Höfi kippte auf die Seite und rollte sich zusammen. Smutek wünschte, nie geboren worden zu sein, und verließ das Wohnzimmer, um ins Bett zu gehen. Im Flur, beinahe außer Hörweite, vernahm er die Stimme des Schneewittchens. Mit geschlossenen Augen sagte es, dass es ihn liebe. Er sprang mit einem Satz vor die Couch, sank in die Hocke und knetete mit beiden Händen die farbenfrohen Quadrate am Rand der Patchworkdecke, weil er nicht wagte, seine Frau zu berühren.

Am nächsten Tag kam Höfi nicht zur Arbeit, ohne sich krank gemeldet zu haben.

Wir sind die Urenkel der Nihilisten. Ein Adler löst sich vom Dach

Drei Tage nach dem Gewitter funktionierten die Himmel noch immer nicht. Der blaue Farbton wollte sich nicht einstellen, blieb stecken zwischen Hellgrau und Weiß, dann zerriss ein Windstoß die dünnen Wolkenschichten, dass sie in Fetzen hingen, zur Seite trieben und sich jenseits des Flusses am Rand der Hügelkette in großen Falten zusammenballten wie eine von der Stange gefallene Gardine. Sie gaben den Blick frei auf das dahinter liegende Nichts.

Es war Mittwochmorgen, als Höfi ohne jede Erklärung wieder zum Unterricht erschien. Kurz nach Schulschluss, genau in der Sekunde, da ein einzelner Sonnenstrahl aus dem leeren Himmel schoss und am Dachfirst von Ernst-Bloch die doppelseitige Klinge wetzte, ging Höfi in die Knie und drückte sich mit beiden Beinen ab. Es war der erste und zugleich letzte Moment seines quasimodischen Lebens, in dem er eine unvergleichliche Eleganz entfaltete. Er sprang mit ausgebreiteten Armen, den halslosen Kopf nach oben gereckt, als ob die geplante Flugbahn ihn aufwärts führen sollte, und einen Augenblick schien es tatsächlich, als würde er sich am Punkt aufgehobener Schwerkraft dafür entscheiden, nicht in die Tiefe zu stürzen, sondern ruhig auf der Luft liegen zu bleiben, um nach majestätischer Art der Adler ein oder zwei Runden über dem Schulhof zu kreisen, an Höhe zu gewinnen und über den Fluss hinweg ins Siebengebirge zu entschweben.

Ada stand seit einer Viertelstunde an der Treppe zum Haupteingang und führte eine von Alevs Anweisungen aus, indem sie auf ihn wartete. Schüler aller Altersstufen zogen an ihr vorbei, mit bunten Plastiktornistern, wetterfesten Rucksäcken oder naturledernen Ranzen, zu zweit, zu fünft, manche allein, plaudernd, lachend, einander in die Seiten stoßend. Niemand hob den Blick in den Himmel. Die Mädchen strählten mit nervösen Fingern ihre Mähnen, warfen das Haar hinter die Schultern und holten es wieder nach vorn. Die Älteren rauchten, wenige schwiegen, niemand blieb. Einstweilen trieb Alev sich im Gebäude herum, verhandelte, traf Verabredungen, fand heraus, was es herauszufinden galt. Seit drei Tagen erwachte Ada mit dem Gefühl, in einen surrealistischen Film geraten zu sein, über den sogar der Regisseur die Kontrolle verloren hatte. Sie ging mit der festen Überzeugung zur Schule, dass kein wie auch immer gearteter Plan existiere, dass ihre Entjungferung eine ausgewachsene Form des Doktorspiels dargestellt habe und Alevs Absichten hiermit an ihr Ende gelangt seien. Aber es bedurfte nur eines sardonischen Lächelns und eines Seitenblicks aus spitzwinkligen Augen, um Ada daran zu erinnern, dass Spiele, die man mit Alev spielte, andere Namen trugen. Weil sie das Gesetz des Schweigens beherrschte, wartete sie ruhig auf eine Kontaktaufnahme, die nach den ungeschriebenen Regeln ihres Zwei-Mann-Kodex ihm oblag. Sie war vorbereitet gewesen auf den Augenblick, in dem er ihr die Haare über dem rechten Ohr beiseite geschoben und flüsternd in aller Höflichkeit gebeten hatte, sie möge nach der letzten Stunde am Haupteingang stehen.

Schließlich kamen keine Schüler mehr nach, der Strom war versiegt, das Gebäude ausgeblutet, Ada war allein mit der Fläche bunt gestreiften Asphalts. Sie stand ein paar Meter von der Hauswand entfernt am Fuß der Eingangstreppe. Hätte sie den Kopf in den Nacken gelegt, wären ihr Höfis Fußspitzen aufgefallen und vielleicht auch die Spitze seiner Nase, die, in weitwinkliger Verkürzung zwischen den Schuhen gelagert, von Zeit zu Zeit über dem Rand der Regenrinne erschien, wenn er sich vorbeugte, um nachzusehen, ob endlich der Allerletzte zum Mittagessen entschwunden sei. Als besagter Sonnenstrahl die schlampige Wolkenherde teilte und die Klinkerfassade von Ernst-Bloch erfasste, so dass die Lichtatmosphäre sich wie beim Hochfahren eines Theaterscheinwerfers änderte, schaute Ada verwundert nach oben. Ein Schatten löste sich vom Dach.

Die maximale Fallgeschwindigkeit eines Menschen wird auf 250 Kilometer pro Stunde geschätzt. Wenn man wegen der vergleichsweise geringen Höhe des Dachs und Höfis ungünstiger Lage in der Luft eine durchschnittliche Geschwindigkeit von zwanzig Metern pro Sekunde annähme, wären ihm und Ada bis zum Aufschlag höchstens zwei Sekunden Zeit verblieben, um sich ein paar Dinge durch den Kopf gehen zu lassen. Wenn allerdings schon eine Sekunde allen denkbaren Ereignissen gleichzeitig Platz bieten könnte, kann in zwei Sekunden die Welt gleich doppelt bedacht werden. Über Höfis letzte innere Worte ist nichts bekannt.

Ada erkannte ihn, kaum dass seine Gestalt im Ganzen über der Kante erschien. Ihre Gedanken rekapitulierten keineswegs ihr oder sein gesamtes Leben, sondern die kleine Zeitspanne, in der sie vor kaum einer halben Stunde noch Unterricht bei diesem dunklen Vogel gehabt hatte. Er hatte wie stets hinter dem Lehrerpult gekauert und durch keine Regung, kein Dehnen des Rückens oder Strecken des Halses verraten, dass er fliegen konnte. Kein Schatten eines Flügels hatte die Wand gestreift. Sie hatten von Politik gesprochen, genauer gesagt: vom Terrorismus. Immer wieder vom Terrorismus.

Wäre Höfi nicht von Natur aus kauzig und unangepasst gewesen, hätte den Schülern auffallen können, dass er an diesem Tag offensichtlich nicht plante, eine Unterrichtsstunde abzuhalten, sondern sein Gift ohne Anknüpfung an ein bestimmtes Thema verspritzte. Die Menschheit, hatte er erklärt, habe bislang noch in jedem Zeitalter einen Weg gefunden, sich ins Unglück zu stürzen. Die neue Gewaltmode sei nicht überraschender als Sommerhosen mit Gummizug an den Beinen. Er sage hiermit voraus, dass der neue Vernichtungs-Look noch eine ganze Weile das Geschehen dominieren werde, ganz egal, mit welchen Mitteln die Autoritäten sich dagegen zu wehren versuchten. In Wahrheit wolle die

Menschheit es so. Er kündigte das nächste groß angelegte Attentat an, aller Wahrscheinlichkeit nach auf polnischem oder spanischem Boden, und verhöhnte im Voraus all jene, die sich verzweifelt und lustvoll bemühen würden, dem Unerträglichen die Namen Al Qaida, Islamismus oder *Clash of Civilizations* aufzustempeln.

Angestachelt von diesen Bemerkungen, hatte Alev erwidert, dass damit nichts Neues verkündet sei. Wenn man dem demokratischen Zeitalter Namen geben wolle, dann doch bitte nur einen: Epoche der Heuchelei. Vor nicht allzu langer Zeit habe das Oberhaupt eines Landes, das Rohstoffe brauchte, das Notwendige ohne viel Federlesen durchgeführt, während heutzutage eine pervertierte Moral jedem Machthaber das Aufstellen von fünfundneunzig Thesen auferlege, bevor dann doch getan werde, was man seit jeher tat. In diesem Zusammenhang erscheine Terrorismus als ein rhetorisches Problem. Jeder, der solche Legitimationsbestrebungen einen ethischen Fortschritt nenne, bereite ihm nichts als Brechreiz, und das umso mehr, seitdem der verlogenste Begriff aller Zeiten die postmoderne Realpolitik zu entschuldigen habe: *Sicherheit*. Denn auf einem so engen Planeten könne es Sicherheit ebenso wenig geben wie ewiges Leben, und wenn die Politik etwas anderes behaupte, lüge sie.

Höfi, der fast hinter dem Lehrerpult verschwunden war, hatte ungeduldig zugehört und reagierte grundlos aggressiv. In demokratischen Ländern halte die so genannte Politik der Gesellschaft einen Spiegel vor, und zu dieser Gesellschaft, Herr El Qamar, gehörst auch du, trotz aller höchst bemühten gegenteiligen Anstrengungen. Also frag dich, wer heuchelt.

Für einen Moment entglitt Alev die Sprache. Ada merkte es und kam ihm zu Hilfe, ohne sich zu melden: »Durch einen Spiegel, Herr Höfling, kann man die Welt nicht betrachten.«

»Genau!«, rief Alev, wieder bei Kräften, »ein Spiegel ist kein Fenster«, und merkte zu spät, dass er durch eine überflüssige Reaktion den Erfolg versalzen hatte, steinernes Schweigen und ein Lächeln hätten zum Zeichen des Beipflichtens völlig ausgereicht. Höfi hatte den tief zwischen den Schultern sitzenden Kopf gewendet und sah Ada an wie ein Stier, dessen Aufmerksamkeit durch das Hinzutreten eines zweiten Toreros abgelenkt wird.

»Liebe Ada, du bist erstaunlich viel klüger als wir alle.«

»Genau wie ihr«, antwortete Ada so schnell, als lese sie ihren Dialogpart von einem Skript ab, »habe ich von nichts eine Ahnung. Das aber mit erheblich höherer Geschwindigkeit.«

Höfis Lachen war echt und begrub das Kriegsbeil unter sich, während er die Arme wie Schwingen ausbreitete.

»Mit euch kann man nicht reden«, rief er, »ihr seid furchtbar altmodisch. Nihilisten!«

»Schlimmer«, sagte Alev, plötzlich ernst, aus der anderen Ecke des Raums. »Die Nihilisten glaubten immerhin, dass es etwas gebe, an das sie NICHT glauben konnten.«

»Wir«, sagte Ada, »sind die Urenkel der Nihilisten.«

Als Höfi sie ansah, lagen ihre Hände flach auf der Tischplatte. In der Klasse herrschte unklare Stille, keiner vermochte den Sinn des zungenfertigen Aneinander-Vorbeiredens zu verstehen. Etwas lag in der Luft, es klang wie: Ihr werdet alle sterben und es wird keine Bedeutung haben. Obwohl das niemand gesagt hatte.

Höfi kapitulierte auf seine Art. Er schlug das Geschichtsbuch auf, gab vor, nach der Stelle zu suchen, an der sie letzte Woche unterbrochen hatten, hob schließlich den Kopf und schaffte es, mit einem verschwommenen Blick allen gleichzeitig ins Gesicht zu sehen.

»Vielleicht ist es ein Glück«, sagte er sanft. »Wir haben das Ende der Religion überlebt, wir werden auch das Ende der Philosophie überleben. Vielleicht könnt ihr auf diese Weise verkraften, was auch immer geschieht. Merkt euch zwei Dinge. Wenn das Fernsehen euch sagt, etwas sei wichtig, will irgendjemand gerade ein Produkt verkaufen. Euch bleibt nur eins: *Amor fati*, die Liebe zu allem, was ist. Ich wünsche euch das Beste.«

Dann hatte er begonnen, über Bismarck zu sprechen. Wir sind die Urenkel der Nihilisten. Als es zum Schulschluss klingelte, waren dies die letzten an ihn gerichteten Worte seines Lebens.

Jetzt fiel er. Der Augenblick der Eleganz war vorbei, Höfi stürzte wie ein Stein, zog sich in der Luft zu einem Klumpen zusammen, gewann an Tempo, erreichte seine Höchstgeschwindigkeit und landete mit einem Geräusch, als prallte ein Medizinball vom Gewicht eines Kleinwagens auf den Asphalt. Er lag höchstens fünf Meter von Ada entfernt. Es hätte sie nicht gewundert, die Stelle von einem Stern aus Rissen umgeben zu sehen, angeknackst wie eine Eisdecke, die schließlich doch standgehalten hatte. Ada war sicher, dass es diesem Körper lieber gewesen wäre, in eine unbekannte Tiefe hinabzusinken und nur ein Loch im Boden zu hinterlassen, anstatt hier liegen zu bleiben, herabgewürdigt zu einem Haufen alter Kleider, die nicht mehr in den Container gepasst hatten.

Sie klappte den Mund zu, den sie zum Schreien geöffnet und dann vergessen hatte. Das Wesen vor ihr verfügte weder über Gliedmaßen noch über ein Gesicht. Alles, was es einst zum Menschen gemacht hatte, lag unter ihm selbst begraben, es war auf allen vieren gelandet wie eine Katze nach einem Sturz aus dem sechsten Stock.

Allein mit Höfi, erlebte Ada einen seltsam intimen Moment. Sie teilten einen der wichtigen, vielleicht den wichtigsten Augenblick seines Lebens. Es war ihr peinlich. Eindeutig hatte er gewollt, dass niemand ihm zusah.

Was würdest du empfinden, hatte Alev gefragt, wenn hier vor dir eine Leiche läge? – Ekel und Faszination.

Ada empfand nichts dergleichen. Sie fühlte tiefe Verbundenheit, nie zuvor war sie einem Menschen so nahe gewesen. Am liebsten hätte sie sich neben ihn gekauert und die gleiche Haltung eingenommen, den Kopf auf den Boden gepresst, Arme und Beine unter dem eigenen Leib. Nicht einen Gedanken verschwendete sie an die Frage, ob er vielleicht noch am Leben sei. Sie kam gar nicht auf die Idee, um Hilfe zu rufen, loszurennen, ihre trainierten Beine zu nutzen, um einen Lehrer, die Polizei oder den Krankenwagen zu holen. Im Gegenteil wollte sie die Zeit verlängern, die ihr mit ihm blieb, Zeit, sich zu nähern, so behutsam, wie es der Fuchs dem kleinen Prinzen beschrieben hatte, um weder ihn noch sich selbst zu erschrecken. Zeit, neben ihm zu verharren, bis sie sich aneinander gewöhnt hätten, ihm eine Hand auf die Schulter zu legen, seine Wärme zu spüren, die sich noch eine ganze Weile halten würde, das Sinken seiner Temperatur zu verfolgen, sechsunddreißig, dreiunddreißig, irgendwann abwegige fünfzehn Grad, mit ihm zu flüstern, an ihm zu riechen, und ihn schließlich irgendwann, Stunden später, wenn sie sich ganz aufeinander eingestellt hätten, vorsichtig umzudrehen.

Alev kam von der Raucherhofseite um das Gebäude. Als Ada sah, wie er seine Schritte beschleunigte, stellte sie sich neben Höfi, als müsste sie ihn verteidigen. Der Schulhof wurde zur Bühne, auf der zwei Figuren, eine stehend, die andere liegend, das Herannahen einer dritten Person erwarteten.

Ausgerechnet Höfi. Nicht Höfi. Bitte!

Erst sah es aus, als wollte Alev sich zu Boden werfen, dann beherrschte er sich. Er war blass geworden, hob mehrmals hilflos die Arme und legte sie schließlich um Ada, als ob er sie beruhigen wollte, dabei hielt er sich an ihr fest. Sie wehrte ihn ab.

Was würdest du empfinden, wenn hier vor dir eine Leiche läge?

Alev antwortete nicht. Ada trat einen Schritt zurück und brachte den Liegenden zwischen sie, während Höfi zu einer Theaterleiche wurde, zu einem bemitleidenswerten Statisten, der den ganzen Abend fürs Stillliegen bezahlt wird.

Ich nutze die Gelegenheit, dir Folgendes zu sagen. Ich kann akzeptieren, dass du mehr in der Theorie als in der Praxis lebst, aber. Zeig jetzt keine Schwäche. Gefälligst nicht vor ihm!

Ihre Wangen waren gerötet, sie sprach mit dem ganzen

Körper, als ob die aus Höfi entweichende Wut und Lebensenergie sich in ihr das nächstbeste Wirtstier gesucht hätten.

»Komm rüber«, sagte Alev, »komm auf meine Seite. Wir werden ihn gemeinsam vermissen.«

Sie stand schon neben ihm und ließ sich in die Arme schließen, als ihr der Satz einfiel, den sie eigentlich hatte sagen wollen und der das Gefühl beschrieb, welches sie so heftig gegen Alevs tölpelhaftes Entsetzen verteidigt hatte. Sie flüsterte vor sich hin, und Alev nickte, verstand: Durch das, was er getan hat, wird er zu einem von uns. Unter Höfi breitete sich eine Lache aus und war dabei, ihre Fußspitzen zu erreichen, zu hell für Blut, es war Urin und roch auch so.

Man fand sie eng umschlungen neben der zerschmetterten Leiche ihres Geschichtslehrers. Kurz darauf verwandelte das zuckende Kreiseln von Blaulicht Ernst-Blochs Fassade von einer Theater- in eine Filmkulisse. Der trübe Tag hatte keine Chance gegen die grellblauen Blitze und übernahm die Rolle eines späten Abends oder frühen Morgens vor Sonnenaufgang. Ada wandte sich ab, als fremde Hände nach Höfi fassten und ihn aufhoben, um die Bahre unter ihn zu schieben. Wild kämpfte sie gegen die Berührungen eines jungen Arztes, der den Fehler beging, ihre Ruhe mit den Folgen eines erlittenen Schocks zu verwechseln.

Auch Alev verweigerte die ärztliche Untersuchung. Sie bestanden darauf, mit auf die Polizeiwache zu fahren, saßen zwischen Linoleum, ausgetrunkenen Kaffeebechern und staubigen Blattpflanzen, die nicht künstlicher hätten aussehen können, wenn sie aus Polyethylen gepresst worden wären, und gaben ihre Angaben zu Protokoll. Nein, er wurde nicht gestoßen. Begreifen Sie doch, dass er freiwillig sprang. Warum ich so sicher bin? Weil ich es gesehen habe. Und weil ich ihn kannte.

Auf der Rückbank eines Taxis besprachen sie alles Weitere. Es war nicht nötig, ein Wort darüber zu verlieren, dass Alevs Plan nicht nur trotzdem, sondern jetzt erst recht durchgeführt werden würde. Höfi war der einzige Mensch gewesen, den keiner von ihnen hatte verlieren wollen. Mit ihm verschwand die letzte Instanz aus der Welt, die in der Lage gewesen wäre, ihnen etwas entgegenzusetzen.

Die Wahl war auf Freitag gefallen, Freitag, sechzehn Uhr, in der Turnhalle. Smutek hatte eine Vertretungsstunde bei der Volleyballmannschaft der Mittelstufe, die um Viertel vor vier endete. Grinsend garantierte Alev dafür, dass ein anonymes Volleyballmädchen die Tür zur Turnhalle zum rechten Zeitpunkt von innen öffnen würde. Ada sollte hineinschlüpfen, sich in der Lehrerumkleide verstecken und abwarten, bis Smutek die Aufräumarbeiten beendet und die Tür hinter dem letzten Schüler verriegelt hatte. Alles Weitere, versprach Alev, bleibe dem natürlichen Gang der Dinge überlassen. Geschwisterlich trocken küssten sie sich auf den Mund, als das Taxi vor der Villa hielt. Oben hing die Mutter schon aus dem Fenster.

Die Fremdheit der Menschen ist allumfassend.
Ciebie nie zapomnę

Mittwochs hatte Smutek die letzten beiden Stunden frei. In der Sekunde, da Höfi dumpf aufs Pflaster schlug, saß er bereits auf der Wohnzimmercouch und schaute lächelnd seiner Frau zu, die einen Ausflug durch die eigene Wohnung unternahm. Sie besuchte die Topfpflanzen, besichtigte das Regal und lachte über die bunten Buchrücken, die niemals farblich zusammenpassten, solange man darauf bestand, sie thematisch zu ordnen. Schließlich ging sie in die Knie, um die Fransenkante des Teppichs mit den Fingern zu kämmen.

Die bunte Patchworkdecke lag ordentlich gefaltet auf dem Sessel. Smutek beobachtete sie mit der Rührung eines Ziehvaters, der seinem Mündel bei den ersten Reitstunden zuschaut. Frau Smutek sah jünger aus denn je. Die wächserne Blässe hatte auch die kleinste Falte in Mund- und Augenwinkeln getilgt, das Haar hing dunkel und strähnig über die Schultern, und ihr Schritt war unsicher wie bei einer Wanderung auf, ja, auf zu dünnem Eis. Sie plauderte über die Möglichkeit einer Hauskatze und eines wärmeren Farbtons für die Wände. Der Nachmittag verging in friedlicher Stimmung, die ganze Wohnung roch nach heißem Tee an kalten Wintertagen. Unschuldig schwieg das Telephon auf seinem Tischchen im Flur. Als Frau Smutek sich am Abend unter ihr farbenfrohes Schachbrett legte und Smutek die Decke rings um den schmalen Leib fest stopfte, waren ihre Augen nicht mehr kalt und salzig wie die einer Teichforelle. Sie sprachen zu ihm. Ich wollte dir noch sagen, dass wir beide, ob Punkt oder Fläche, dieselben Koordinaten teilen. Dasselbe X und dasselbe Y. Smutek küsste sie auf die Stirn, schloss ihr die Augen mit einer Handfläche und setzte sich mit dem *Generalanzeiger* und einer Flasche Wein an den Küchentisch.

Eine grundlose Unruhe, die ein empfindsamer Mensch als böse Vorahnung gedeutet hätte, hielt ihn vom Lesen ab, so dass er begann, die Hohlräume der Buchstaben mit einem roten Kugelschreiber auszumalen. Penibel achtete er darauf, nicht über die Außenlinien zu fahren, als ob durch derartige Akkuratesse alles Unheil zu verhindern wäre.

Sie wird ein zweites Mal denken, sprechen und gehen lernen. Sie wird erneut heranwachsen, und die ganze Vergangenheit, Kommunismus und Katholizismus, General Jaruzelski, Tod des Vaters und das schäbige Zimmer im Studentenwohnheim, an dessen Tür ab und zu fremde junge Polen klopften und um ein paar Quadratmeter für die Gründung einer ausländischen Widerstandszelle baten – all diese Dinge würden einem vor langer Zeit geschauten Spielfilm angehören, an dessen Handlung und Figuren man sich schemenhaft erinnert. Alles wird gut.

Die Unruhe blieb. Smutek malte im Verlauf des Abends alle Buchstaben unter der Rubrik Vermischtes aus, in der am nächsten Tag die Meldung vom Freitod eines Lehrers auf dem Gelände einer anerkannten Lehranstalt erscheinen sollte, drehte die Zeitung um und machte auf der Titelseite weiter, die von Innenpolitik schwatzte und noch nicht wusste, dass eine kleine Gruppe Männer irgendwo auf dem Kontinent letzte Vorbereitungen traf, um für Wochen die Titelseiten mit Bildern von explodierten Zügen zu füllen.

Am nächsten Morgen hörte Smutek es auf dem Weg zur Arbeit im Radio. Madrid. Die Staubwolken hatten sich noch nicht gelegt, in den Taschen unzähliger Toter klingelten die Handys. Die Stimmen der Radiosprecher zitterten.

In der Nacht hatte der Winter noch einmal zugebissen, Raureif überzog die Grasbüschel vom letzten Jahr mit einer weißen Schicht. Schaltjahr ist Kaltjahr. Smutek konnte sich nicht daran erinnern, was er mit dem zusätzlichen Tag im Februar angefangen hatte. Er schaltete die Autoheizung aus und öffnete das Fenster. Ausgekühlt und nass geschwitzt kam er vor Ernst-Bloch an und blieb noch einen Moment sitzen, um die letzten Meldungen zu Ende zu hören.

Seine Klasse empfing ihn mit dem dumpfen Schweigen eines kollektiven Wesens, das mehr weiß als der Einzelne. Wie fünfundzwanzig Säulen trugen sie ein ganzes Gebäude aus Unsicherheit, Verwirrung, Entsetzen und Angst auf den geduckten Schultern. Nur zwei Personen saßen außerhalb und betrachteten Smutek durch die Schießscharten eines dicken Gemäuers aus saturierter Gelassenheit. Die Kunde von Höfis Tod hatte sich unter den Schülern schneller ausgebreitet, als offizielle Nachrichten einen Lehrer erreichen konnten.

»Ihr wisst es also schon«, sagte Smutek und fing an, in bewegten Worten Einzelheiten nachzuerzählen, die er im Radio gehört hatte. Zwei Prinzessinnen brachen in hysterisches Weinen aus und wurden von ihren Galanen aus dem Raum geführt. Man hörte ihr überschnappendes Wimmern den Gang hinunter entschwinden. Smutek selbst war nur noch entgeistertes Stammeln, als Ada sich mit der Miene einer Hinterbliebenen erhob. Durch die Geographie von Höfis Tod und durch die Tatsache, dass sie seine Entscheidung am besten verstand, hatte sie die Stelle eines Nachfahren eingenommen. Sie fasste Smutek am Ärmel und zog ihn zur Tür, so dass nur Alev, der in der vordersten Ecke saß, hören konnte, was sie ihm leise sagte. Smutek nickte, dankte bleich und schickte sie zurück auf ihren Platz.

Anders als sonst hielt er seine Stunde im Sitzen ab. Die Zeit verging mit Bleigewichten an den Füßen. Aufgrund perspektivischer Verzerrung schienen das wuchtige Unglück im entfernten Madrid und die kleine, aus unmittelbarer Nähe betrachtete Katastrophe eines Lehrerselbstmords von gleicher Größe zu sein. Ihr Aufeinanderfolgen erzeugte eine Bedrohung. Sobald die Menschen etwas nicht begreifen konnten, fielen sie dem Aberglauben zum Opfer, als wären Aufklärung, Forschung und Fortschritt oberflächliches Geklimper gewesen, das nur in guten Zeiten vom tragischen Geworfensein des Menschen ablenken konnte. Niemand wollte darüber sprechen.

In der Pause wartete Smutek in der Nähe des Mädchenklos auf Ada. Seine Augen wanderten umher, unfähig, länger als eine Sekunde auf derselben Stelle zu verweilen. Er war panisch wie ein Hund, der in einem fremden Land seinen Herrn verloren hat. Weil es gut tat, Ada wie eine frisch gebackene Witwe zu behandeln und dadurch seinen Schrecken zu ihrem zu machen, sprach er ihr auf heftige Weise sein Bedauern aus. Sie lächelte nachsichtig, als verstünde sie alles und wüsste noch mehr, und legte ihm ganz leicht eine Hand auf die Schulter.

Ist schon gut, gib dir keine Mühe, wir kommen besser damit klar als du, wir sind viel näher dran. Durch das, was er getan hat, wurde er zu einem von uns.

Als sie lachte, ging es ihm durch Mark und Bein. Sie drehte sich um und ging. Er fühlte sich zum ersten Mal seit Erhalt der Nachricht in der Lage zu weinen. Er rannte zu den Toiletten, schloss sich in einer Kabine ein und presste eine Hand voll Klopapier auf die Augen. Es kamen keine Tränen. Smutek stöhnte wie ein Betrunkener, der sich trotz alkoholschwangerer Übelkeit nicht erbrechen kann. Es fiel ihm leichter, an einen katholischen Gott zu glauben, an Osterhase oder Weihnachtsmann, als an Höfis unumkehrbares Verschwinden, auf das es absolut nichts zu erwidern gab. Man musste doch etwas tun können, man musste einen Weg finden, zurück in den gestrigen Tag, zurück zu dem Moment, in dem Smutek seine Tasche geschultert hatte und zum Parkplatz gelaufen war, glücklich über den bevorstehenden freien Nachmittag. Es konnte doch nicht sein, dass das Leben den Menschen von einer Minute zur anderen vor immer neue, vollendete Tatsachen stellte!

Weil er nicht wusste, wohin er sich wenden sollte, lief er durch den Lufttunnel zum Altbau hinüber, durchquerte den Physiksaal und riss die Tür zur Chemiekammer auf. Dort saßen ein Mann und eine Frau und verneigten sich vor einem leeren Stuhl, erwachsene Menschen mit zuckenden Hälsen und Rücken, entsetzt wie kleine Kinder über ihr erstes aus dem Nest gefallenes Vogelkind. Hatten sie Höfi so sehr geliebt? Weinten sie wegen des verlorenen Glaubens an die eigene Unsterblichkeit? Betrauerten sie im Voraus den sicheren Tod ihrer Eltern, Geschwister, Kinder, Geliebten? Absurde Spottlust ließ Smuteks Mundwinkel zucken: Schon der zweite verschwundene Geschichtslehrer aus eurem Kreis. Die Geschichte muss das gefährlichste aller Wissensgebiete sein! – Er hielt sich den Mund zu und schloss die Tür, hier hatte er nichts mehr verloren. Diese Menschen waren ihm fremd, und ihre Fremdheit widerte ihn an.

Im fünften Stock, wo sich niemand außer ihm aufzuhalten pflegte, kam Smutek zur Ruhe. Er legte die Stirn an die kühle Scheibe und genoss den Anblick der Tiefe, in die Höfi sich gestürzt hatte. War nicht auch er ihm fremd gewesen? Würde Smutek, wenn er seiner eigenen Frau überraschend auf überfüllten Straßen begegnete, nicht als Erstes gedacht haben: Sieh an, meine alte Studienfreundin spaziert hier ganz allein? Würde er nicht, wenn er sich selbst von ferne an der Flusspromenade erblickte, überrascht ausrufen: Na so was, mein bester Jugendfreund, und geht hier einfach so vorbei?

Hoch über den Dingen am Fenster stehend, glaubte Smutek, dass es unter diesen Umständen keinen rechten Grund geben könne, eine zufällige Gestalt zu beweinen, weder die eigene noch die einer anderen Person. Herr Höfling war Frau Höfling in den Tod gefolgt wie ein Schwan, dem schon die Natur den Hals zur Form eines halben Herzen gebogen hat. Er war klug genug gewesen, das Ausmaß seiner Verlorenheit zu erkennen. Das Leben war schwierig geworden, es gab nichts Großes, an das man glauben, keine Pflichten, die man erfüllen, keine Bräuche, an denen man sich freuen konnte, und was einst eine Familie gewesen war, bestand aus versprengten Einzelwesen, die man liebte oder verzweifelt bedauerte – es ließ sich kaum noch unterscheiden. Jeder wusste das. Vielleicht quälte sie alle nur das Erschrecken der Laborratten darüber, dass eine von ihnen sich zum Sterben nicht zurückgezogen, sondern ausgerechnet den Mittelpunkt der Versuchsanordnung gewählt hatte?

Der Rest des Tages verging wie von selbst. Die Schulleitung hatte einen provisorischen Vertretungsplan erarbeitet und entschieden, den Unterricht ohne Unterbrechung fortzusetzen. Schon in den letzten beiden Stunden hielt das berüchtigte Stehaufmännchen Normalität wieder Einzug in ihren Reihen. Im Autoradio wurden die Zahlen von Toten und Verletzten addiert, die politische Maschinerie lief auf Hochtouren. Nie zuvor hatte Smutek versucht, für einen Bekennerbrief der ETA zu beten. Es fiel ihm leicht.

Frau Smutek hatte eine Tablette genommen und lag still auf der Couch. Selbstmord war ohnehin das schlechteste aller Themen, zu allem Überfluss hatte sie Höfi flüchtig gekannt. Nachmittag und Abend verbrachte Smutek in der Küche, wo die angebrochene Flasche Wein noch auf dem Tisch stand, füllte die Buchstaben auf fünf weiteren Zeitungsseiten mit Kugelschreiber aus, öffnete eine neue Flasche, wohnte der einbrechenden Dunkelheit bei, schaltete das Licht nicht an und ging halb bewusstlos zu Bett, ohne seiner Frau im Wohnzimmer noch einen Besuch abzustatten.

Wider Erwarten war am nächsten Morgen alles leichter. Das Schwungrad des Lebens drehte sich behäbig, es hatte durch den vergangenen Tag kaum eine Bremsung erfahren. Morgenröte behauptete besseres Wetter, die Vögel waren sogar durch geschlossene Fenster zu hören, es roch nach Kaffee, Frau Smutek tapste barfuß in der Küche herum und küsste ihn aufs Kinn. Frühmorgens ging es ihr immer am besten. Reifenzischen auf der Straße, Autoschlüssel, Vorglühen, Kälterauch am Mund, beschlagene Fenster. Bevor Smutek aufs Gaspedal trat, schrieb er mit dem Zeigefinger etwas in den kondensierten Dampf an der Windschutzscheibe. Ciebie nie zapomnę – Dich werde ich nicht vergessen. Er stellte sich vor, wie der vom Gebläse aufgelöste Atemnebel seine Botschaft hinauftragen würde, an irgendeinen Ort, an dem Höfi sie lesen konnte.

Alles läuft nach Plan. Smutek findet eine Möglichkeit, sein bisheriges Leben weiterzuleben

Ich muss mit dir reden.«

Nichts lief nach Plan. Ada hatte nicht vorgehabt, ihn zu duzen. Sie war nervös, und auch das stand nicht im Drehbuch.

Um dreizehn Uhr fünf war die sechste Stunde zu Ende gewesen, Alev hatte sich den ganzen Tag nicht im Unterricht blicken lassen. Toni wusste nicht, wo er war, und verspürte keine Lust, mit Ada darüber zu reden. Um dreizehn Uhr zehn ließen die Zweifel sich nicht länger in Schach halten. Ada überlegte, ob sie vielleicht nur ein Rädchen in einem Getriebe war, das Antwort auf die Frage liefern sollte, zu welchen Absonderlichkeiten Alev die Menschen in seiner Umgebung bewegen konnte. Er hielt sich für eine Art Gott, und zu einem Gott hätte es gut gepasst, Ereignisse anzuzetteln und dann fernzubleiben, wenn es brenzlig wurde.

Bis zum vereinbarten Zeitpunkt waren ihr fast drei Stunden geblieben. Sportzeug und Schuhe hatte sie eigentlich für den ersehnten Augenblick des Danach eingepackt. Sie ließ sich Zeit auf dem Weg zur Tartanbahn, lief zwei Stunden mit voller Kraft und kehrte strauchelnd vor Hunger und Entkräftung zum Schulgebäude zurück. Alle paar Sekunden verengte sich das Blickfeld von den Rändern her, als würde um ihren Kopf herum ein schwarzer Samtsack zugezogen.

Um Viertel vor vier hatte sie sich gegen den großen, quadratischen Griff gelehnt, die Tür war aufgeschwungen. Einen Moment zögerte sie auf den Eingangsfliesen und hätte ihr Ohr gern ans Schlüsselloch der Werkzeugkammer gelegt, um herauszufinden, ob Alev wie besprochen zwischen Sandrechen, zusammengeklappten Biertischen und Rasenmähern kauerte. Aber sie hatte keine Zeit, sie stand kurz vor einem Kreislaufzusammenbruch. Zu erschöpft, um vorsichtig zu sein, stolperte sie den Gang zur Lehrerkabine hinunter, stieß die Tür auf, warf den Rucksack in eine Ecke und riss sich die verschwitzten Klamotten vom Leib. Wenn sie ohnehin eine halbe Stunde in der Duschkabine zu warten hatte, konnte sie auch gleich duschen.

Das abwechselnd heiße und kalte Wasser holte sie in die Wirklichkeit zurück. Smuteks Duschgel roch intensiv nach Mann und hatte weniger zu erzählen als Alevs aufdringlicher Duft. Zwanzig Minuten später drehte sie das Wasser ab. Im Seitenfach von Smuteks Sporttasche fand sie zwei Eiweißriegel. Sie zerriss das Silberpapier mit beiden Händen und verzehrte den Inhalt fast ohne Kauen.

Smutek prallte förmlich zurück, als er sie auf dem Hocker neben der Duschkabine sitzen sah, in sein großes, dunkelblaues Badetuch gewickelt, mit nassem Haar, das ihr schräg über der Stirn und an den Seiten des Halses klebte, eine brennende Zigarette im Mundwinkel. Solange die Stimmen aufräumender, duschender, sich anziehender Schüler überall zu hören waren, hatte sie nicht mit ihm gerechnet. Weil ihr auf die Schnelle nichts Sinnvolles einfiel, sprach sie jenen albernen Satz:

»Ich muss mit dir reden.« Die Zigarette hüpfte beim Sprechen.

»Bist du verrückt geworden!«, zischte Smutek, zog hastig die Tür ins Schloss und beruhigte sich wieder. Sie hatte Ringe unter den Augen und sah elend aus. »Ist was passiert?«

Erst klang die Frage vernünftig, im Nachhall bekam sie einen ironischen Beigeschmack, der Ada jeder Antwort enthob. Es war beileibe genug passiert, das bedurfte keiner weiteren Klärung.

»Warte hier.«

Smutek griff den Schlüssel zu den Ballschränken vom Tisch. Als er den engen Raum schon fast wieder verlassen hatte, vollführte er eine resignierte Geste: Ich weiß doch auch nicht mehr, was zu tun ist! Dann war er weg, sammelte Bälle ein, überwachte den Netzabbau in der Sporthalle. Um kurz vor fünf hatte der letzte Schüler die Halle verlassen. Schönes Wochenende. Smutek verriegelte die Eingangstür. Ada saß mit übergeschlagenen Beinen, hatte keine Anstalten gemacht, sich anzukleiden, und versuchte, sich das Lachen an einer Schulter vom Mund zu wischen. Ihre Nervosität war verflogen, sie fühlte sich wohl auf eine übermütige Weise, die gar nicht zu ihr passte. Die Zigarettenkippe stak im Deckel einer Wasserflasche auf dem kleinen Tisch.

»Ada! Hast du was genommen?«

Auf Smuteks Stirn und Hals trocknete der Schweiß zu einer salzigen Kruste.

»Genommen?« Sie ließ das Lachen frei, und beinahe hätte es ihn gegen seinen Willen angesteckt, weil eine lachende Ada ein seltener Anblick war. »Ich hatte kein Mittagessen und bin nach der Schule zwei Stunden wie verrückt im Kreis gerannt.«

»Ach du Scheiße.«

Engagiert kramte Smutek in seiner Sporttasche, glücklich, für den Moment eine Aufgabe zu haben. Es ging darum, den Unterzucker zu bekämpfen. Ada wirkte verändert, alle Spannung war von ihr gewichen, als hätten nur Pullover und Jeans ihren Körper fest und in Form gehalten, so dass sie jetzt, von einem Handtuch umwickelt, weich und knochenlos in sich zusammensank. Ihr übergeschlagenes Bein wippte im Takt einer lautlosen Musik, die rechte Hand schlenkerte kraftlos in der Luft, zwei Finger ausgestreckt, als ob sie eine unsichtbare Zigarette hielten. Die nassen Haare ringelten sich an den Spitzen, und noch immer wehrte sie sich gegen ein Lachen, das Smutek nicht verstand.

»Hab ich schon aufgegessen.«

Smutek warf die Tasche auf den Tisch und ließ die Arme sinken.

»Ach so? Dann ist ja gut.«

Eine Weile sahen sie sich an, und der Gesprächsstoff schien

ihnen für immer ausgegangen. Adas Augen waren wie gewohnt auf sein Kinn gerichtet, hatten aber an Farbe gewonnen, das Grau war auf dem Weg Richtung Grün. Pflichtschuldige Sätze zogen wie Untertitel zu einem bilderlosen Film durch Smuteks Kopf, Ada, ich verstehe, dass Sie zur Anregung des Kreislaufs so schnell wie möglich. Aber ich kann es nicht dulden, dass Sie ungefragt. Für Sie gelten die gleichen Regeln wie. Ziehen Sie sich an!

Während er das duschfeuchte Mädchen im dunkelblauen Handtuch betrachtete, geriet er plötzlich aus der Situation heraus, wurde wie durch ein Flugzeugfenster ins Freie gesaugt, sah von ferne sich selbst und Ada dicht beieinander in einer Umkleidekabine und begriff, dass es, von dieser Warte aus gesehen, nur eine Deutungsmöglichkeit für die Situation gab. Was sie da unsichtbar zwischen den Fingern hielt, war eine fiktive Zigarette danach. Der Gedanke krallte sich mit tausend Widerhaken in seine Hirnrinde und ließ sich keinen Millimeter mehr bewegen. Die Zeit ist eine Fläche. Einen Moment lang glaubte Smutek, er habe wieder einmal einen Sprung auf die falsche Ebene getan und nun gelte es, so schnell wie möglich den Ausgangspunkt wiederzufinden, wenn er nicht verrückt werden wollte. Plötzlich verspürte er den Drang, nach Höfi zu fragen, als gälte es zu testen, ob der Selbstmord sich wirklich ereignet hatte. Vielleicht würde sie verwundert zu ihm aufsehen: Wieso, Höfi geht's doch bestens?

»Wie gehst du damit um?«, fragte er unvermittelt.

Sie stand auf. Das war nicht, was er gewollt hatte. Das Handtuch reichte bis knapp unter die Rundung des Hinterns. Im Stehen gewann sie die gewohnte Präsenz zurück. Eine Haarsträhne hatte sich im Mundwinkel verfangen und wurde nicht beiseite gewischt. Sie schüttelte die rechte Hand, die imaginäre Zigarette flog ins Waschbecken. Smutek meinte, das Zischen im Abfluss zu hören.

»Es widerstrebt mir, eine Floskel zu verwenden«, sagte sie, »aber sie passt perfekt. Höfi hätte nicht gewollt, dass wir ihm eine Träne nachweinen. Er wollte nur eins: Respektiert werden. Nichts anderes habe ich vor.«

»Woher nimmst du diese Ruhe«, sagte Smutek leise. »Das muss doch eine Inszenierung sein.«

Sie kam zwei Schritte näher: »Es ist nicht so, dass ich nicht traurig wäre.« Und schob beide Arme unter seine Achselhöhlen, umarmte ihn und legte die Wange an seine Brust.

In Smuteks Kehle hatte sich ein Aufschrei gesammelt, der ihm als trockenes Stöhnen entfuhr. Die Arme schnappten nach Ada wie Fangeisen einer ausgelösten Falle und wollten den Anweisungen des Gehirns nicht mehr gehorchen. Als sie sich mit dem ganzen Körper gegen ihn lehnte, drückte sich sein Geschlecht, das schon fast über den Saum der Boxershorts hinausgewachsen war, in ihren Bauch. Ebenso heftig, wie er nach ihr gegriffen hatte, wollte er sie von sich stoßen, aber sie hielt ihn fest, und ihre erstaunliche Kraft war das erste Detail der ganzen Szene, das ihn nicht überraschte.

»Sssshhh«, machte sie, »sssshhh.«

Er hatte nichts davon gewusst. Er gab sich in diesem Moment an diesem Ort ein heiliges Ehrenwort, dass er nicht die leiseste Ahnung gehabt hatte. Keine Vorboten, keine Anzeichen, keine Vogelformationen, keine schwarzen Katzen, kein Ziehen in der Magengrube, keine befremdlichen Phantasien bei der Masturbation. Vielleicht passte alles zusammen, vielleicht wurde gerade einiges klar, aber auf die Schnelle konnte er unmöglich herausfinden, wie die Dinge zusammenhingen. Ein neuer Sportplatz, sein schlafendes Schneewittchen, Teuter, Klinger, Klassenkonferenz, Alev El Qamar, ein toter Geschichtslehrer. Sicher war nur, dass das Verlangen ihm das Blickfeld rot färbte, das Herz klein und hart zusammenkrampfte und den Puls auf zweihundert Schläge pro Minute ansteigen ließ, und dass eine solche Gier nicht erst in dieser Sekunde erwacht sein konnte. Er musste sie lange mit sich herumgetragen haben, eingekapselt wie einen Dorn in der Hornhaut der Fußsohle.

Während Adas Bauch den Druck seines Schwanzes erwiderte, entschied Smutek, sich bis hierher keine Vorwürfe machen zu müssen. Ohne Wissen kein Vorsatz, ohne Wissen nicht einmal Fahrlässigkeit. Er fühlte sich wie ein Bankräuber im Foyer, der, beide Hände in den Manteltaschen, den entscheidenden Satz noch nicht ganz auf der Zunge hat. Er konnte aufhören, und alles würde sein, wie es gewesen war. Smutek schob die Frage beiseite, ob er das wünschte, packte stattdessen Adas Hüften, die begonnen hatten, sich an den seinen zu reiben, und schob sie von sich. Sie ließ ihn los, das Handtuch fiel zu Boden.

Er war davon ausgegangen, Frauen mit kleinen Brüsten zu bevorzugen. Sein Schneewittchen war mit einer knabenhaften Figur ausgestattet, die er als den Inbegriff von Eleganz und Würde empfand. Adas Oberkörper hingegen bat Smuteks Hände, ihm tragen zu helfen. Der Hocker fiel um, die Sporttasche entleerte kopfüber ihren Inhalt auf den Boden. Ada war rücklings gegen die offen stehende Plastikwand der Duschkabine geprallt und wäre gestürzt, wenn er sie nicht gleich wieder eingefangen hätte. Ihre Finger griffen in sein Haar, viel zu lang war es geworden, und zogen ihm den Kopf nach unten, sein Mund berührte ihren Hals, rutschte tiefer, der Bankräuber stützte die Ellenbogen auf den Tresen, er konnte jederzeit aufhören, es bedurfte nur eines einzigen, gewaltigen Willensaktes.

Smutek hob sie auf die Arme, rannte mit ihr über den braunen Kachelboden des Flurs, durchquerte die Halle mit quietschenden Sohlen und legte Ada auf den hellblauen Mattenstapel. Sie war am ganzen Körper blond. Während er sich auszog, ließ er kein Auge von ihr, hielt sie im Blick, als könnte sie sich in Luft auflösen, wenn er auch nur für eine Sekunde zur Seite schaute. Als er nackt vor ihr stand, glaubte er, noch einmal davonzukommen, die Stand-by-Taste erwischt zu haben, sich umdrehen, die Waffe zurück in die Manteltasche schieben und einfach weglaufen zu können. Dann streckte Ada ein Bein aus und schob ihm einen Fuß zwischen die Oberschenkel.

Sie war nicht feucht, das hatte er erwartet. Er spuckte auf die rechte Hand. Er verstand das Spiel nicht; inzwischen war es ihm gleichgültig. Als er in sie eingedrungen war, wusste er, dass er genau das gewollt hatte. Er wusste sogar, dass das, was soeben geschah, keinen Ausstieg bedeutete, sondern eine Möglichkeit schuf, sein bisheriges Leben weiterzuführen, heiterer, leichter, entspannt wie ein Serienmörder in den Tagen nach dem Verbrechen. Die Zeit, sich darüber klar zu werden, war begrenzt. Er wünschte sich Hände, viel mehr Hände, um Ada gleichzeitig halten und anfassen zu können, ihre Brüste, die, während sie auf dem Rücken lag, im eigenen Gewicht zu schwimmen begannen, den weich eingesunkenen Bauch, die runden Oberarme, sogar die kleinen Ohren, er wollte den ganzen Körper dieses perfekt in sich gelagerten Lauftiers an allen Stellen zugleich berühren. Sie war zu jung für Fehler jeder Art, sie war in einem Alter, da man noch Recht hatte, egal, was man tat. Es blieb sehr wenig Zeit. Während der letzten Stöße schaute er ihr ins Gesicht, ihre Züge still, wie gemalt vor dem himmelfarbenen Hintergrund, die Augen halb geschlossen. Genauso sah sie aus, wenn sie rannte.

Als er den Kopf in den Nacken warf, erblickte er ein zweites Gesicht einen Meter hinter dem ihren. Erst schien es in der Luft zu schweben wie eine Halluzination, dann manifestierte es sich oberhalb des lederbezogenen Rückens eines Gymnastikpferds. Konzentriert, auch hier die Augen halb geschlossen, aber den Blick nicht ins Leere, sondern auf die Rückseite eines silbernen Kästchens gerichtet, dessen Vorderseite von einem einzelnen, gewölbten Glasauge beherrscht wurde und genau auf Smuteks Körpermitte zielte. Smuteks Schrei erschreckte ihn selbst. Er brach über Ada zusammen. Alev sprang auf, presste das Kästchen an die Brust und rannte um Barren und zusammengeschobene Recks herum, quer durch die Halle und an der anderen Seite hinaus. Auf Straßenschuhen mit Ledersohlen, das konnte Smutek hören.

Er raffte seine Kleider vom Boden, presste sie vor seine Blöße wie ein Junge, der beim Nacktbaden im Stadtteich überrascht wird, und lief zurück in die Lehrerumkleide. Beim Duschen produzierte er Dampf für einen ganzen nebligen Wintermorgen und bemerkte nicht, wie Ada hereinkam, ihre Sachen holte und wieder verschwand. Als er aus der Dusche stieg, war er allein in der großen Sporthalle mit ihrer sieben Meter hohen Decke. Er stellte sich unter einen Basketballkorb und schrie, bis er glaubte, man müsse ihn auf der Straße hören können. Die hellblauen Matten zeigten nicht den geringsten Abdruck.

Schläfrigkeit ist ein Geruch

Schläfrigkeit ist ein Geruch, nach dem eigenen Scheitel, ganz leicht nach Hausstaub und erhitzten Glühbirnen, nach Dunkelheit, Buchseiten und Raufasertapete. Wenn dieser Duft erst die Lungen, dann den Kopf, schließlich Bauch, Arme, Beine bis in die Finger- und Zehenspitzen erfüllt, verjüngt man sich innerhalb weniger Herzschläge ums eigene Lebensalter, liegt wieder im Gitterbettchen, krümmt die Hände ineinander, umklammert den eigenen Brustkorb, winkelt die Beine an oder streckt sie möglichst weit von sich, bemüht, die einzig richtige Haltung zu finden, fruchtwasserfreundlich, schwebetauglich, wenn auch nicht unbedingt praktisch oder gesund. Der Schlaf hingegen ist eine Farbe, schwarzrandig, aber nicht schwarz, in die wir hinter geschlossenen Lidern starren, nachdem die Augen umgekippt sind, um den Kopf von innen zu betrachten.

Seit zwei Tagen spürte Smutek vergeblich dem Geruch der Schläfrigkeit nach. Weil er den Chemieschlaf seiner Frau nicht länger neben sich ertrug, war er auf die Couch im Wohnzimmer umgezogen. Wegen überreizter Erstickungsangst, die das Nachdenken mit sich brachte, stand das Fenster offen, und die ausgekühlten Laken seiner provisorischen Bettstatt rochen nach Koriander, Waschpulver und erkaltetem Schweiß. Smutek konnte nicht schlafen. Seine Gedanken stellten die Welt auf den Kopf, lösten Fragen, mit denen Körbe voller Denker sich jahrhundertelang beschäftigt hatten, vergaßen die Antworten wieder und schlurften, eben noch schwungvoll und elegant, als kleine Kinder auf metallenen Rutschpantoffeln einher. Smutek sagte sich, dass er hier am Fenster die Welt zu bewachen habe, die nach Meinung der Philosophen nur in der Vorstellung der Menschen existierte und sich deshalb auflösen musste, wenn einmal alle zur gleichen Zeit schliefen. Smutek schaute auf die geronnene Straße, in die kahlen Kastanienkronen eines unwirtlichen Monats März, zählte die Spiegelungen von Laternen auf Autodächern, wartete darauf, dass ein Passant vorbeikäme und sich durch seine Kleidung nicht als Schichtarbeiter, sondern als ein Kollege in Sachen unfreiwilliger Nachtwache ausweisen möge. Aber draußen war niemand. Alle Fenster waren ausgeknipst, die Menschen schliefen in ihren Zimmern wie in schuhkartonförmigen Waben, aufgestapelt zu etwas, das ›Stadt‹ genannt werden wollte, und das Einzige, was es einmal pro Stunde zu hören gab, war das bestialische Geschrei zweier Katzen, die für den Frühling trainierten.

Anfangs hatte er geglaubt, die Schlaflosigkeit sei Ausdruck eines Bedürfnisses nach freier Zeit, mit der er tun und lassen konnte, was ihm beliebte. Er befand sich in einem Vorstadium des Reagierens und brauchte Zeit, um nachzudenken. Mit lautem Knall war ein Spielbrett vor ihm niedergegangen und zeigte nicht mehr als eine Ausgangsposition. Smutek hatte Schwarz. Es blieb nichts zu tun, als auf den ersten Zug des Gegners zu warten. In der ersten Nacht am offenen Fenster versuchte er, sich zu einer angemessenen Reaktion zu zwingen. Er hielt sich vor Augen, dass sein Leben im Begriff stand, vollständig pulverisiert zu werden. Das Dreigestirn aus Arbeit, Familie, Wohnung blähte sich zu einer Supernova und konnte in jedem beliebigen Moment explodieren. Trotz aller Bemühungen schaffte er es nicht, Angst oder Verzweiflung zu empfinden. Er fühlte sich besser als je zuvor, und wenn er an Ada dachte, jauchzte etwas in ihm ›Noch einmal! Noch einmal!‹, mit der schrillen Stimme eines Jungen, der vom Kettenkarussell zu den Eltern zurückkehrt. Vielleicht lag es am Schock.

Von ferne musste das Ereignis auch sein Schneewittchen erschüttert haben, dass es das Apfelstück aushustete und sich augenklimpernd aus dem gläsernen Sarg erhob. Kaum zu Hause angekommen, hatte Smutek sich mit feuchten Haaren gleich zum zweiten Mal unter die Dusche gestellt, und als er sich das heiße Wasser bei geschlossenen Augen über das Gesicht laufen ließ, wurde die Milchglastür der Kabine geöffnet. Seine Frau trat neben ihn. Der Schreck durchfuhr ihn, sie war so mager geworden. Dann begriff er, dass Adas Volumen den Raum zwischen seinen Armen erweitert hatte und sein zartes Schneewittchen jetzt zu viel Platz darin fand. Die Wärme des Wassers und die Kälte der Badezimmerluft verschweißten sie zu siamesischen Zwillingen. Sie klammerten sich so fest aneinander, als hätte eine äußere Kraft sie zu trennen versucht.

Am Sonntagnachmittag gelang es endlich, ein paar Stunden zu schlafen. Als er die Augen aufschlug, saß eine Fee auf der Sofakante, berührte seine Wange und ließ, ihm zunickend, das lange Haar über seine Brust wischen. Smutek wusste sogleich, auf was er drei freie Wünsche verwenden würde. Er wollte das letzte Jahr zurück. Er wollte, dass sie die vergangenen Monate zurückspulte, löschte und ihm das leere Band zur Verfügung stellte, damit er es erneut bespielen konnte. Wie ein Kind am Geburtstagsmorgen ein großes Glück vorausahnt, ohne noch ganz zu begreifen, worum es sich handelt, wusste Smutek, dass seine Fehler getilgt werden würden. Er schenkte der Fee ein Lächeln, das in der Lage war, Steine in Gold zu verwandeln.

»Schön, dass er dir besser geht«, sagte die Fee. »In den letzten Wochen warst du zurückgezogen wie ein Kranker, der einen verbissenen Streit mit der eigenen Schwäche führt.«

Z własną słabością. Hatte sie schon immer in dieser weichen, nasalen Sprache zu ihm gesprochen? Gab es diese Sprache überhaupt noch, oder war sie tot wie Latein, eine Erkennungsmelodie vergangener Epochen, zu Mathematik geworden, eine Sprache, in der man rechnete statt zu reden? Dann begriff er den Sinn ihrer Worte und wurde wach.

»Krank? Ich?«, fragte er. »Ich dachte, dir sei es schlecht gegangen?«

»Das ist etwas anderes«, flüsterte sie und legte eine kühle

Hand auf seine Stirn. »Jedenfalls geht es dir besser, und das freut mich. Ich koche uns einen Tee.«

In der dritten Nacht am Fenster waren die klugen Gedanken verbraucht, sie schmeckten schal wie mehrfach aufgebrühte Teebeutel in lauwarmem Wasser. Die Selbsterkenntnis näherte sich auf plumpen Füßen. Smutek fragte sich plötzlich, wie alt er sei. Ein Junge, der den Rock einer älteren Mitschülerin lüpft? Ein Greis, der auf einer Parkbank sitzt und kleine Mädchen beim Radschlagen beobachtet? Er befand sich irgendwo in der Mitte. Ihm wurde flau. Erregung und Erlösung, Aufregung und Auflösung hoben sich gegenseitig auf, eine einstündige Liebschaft annullierte eine zwanzigjährige Lebschaft und umgekehrt, alles stürzte zusammen, fiel übereinander und blieb liegen wie tot. Smutek besuchte den Garderobenspiegel im Flur und blickte hinein wie ein Gaffer in die Trümmer einer Massenkarambolage. Er kannte niemanden, der dort verstorben war. Danach stützte er keuchend die Ellenbogen auf die Fensterbank, sog gierig kalte Luft in die Lungen, als gälte es, eine innere Brandblase zu kühlen, brach Atemzüge ab, um nach dem nächsten zu schnappen, und kämpfte gegen das Ersticken wie ein Fisch in destilliertem Wasser.

Dann kehrte Ruhe ein. Das Erschrecken über das Nichts hinterließ nichts – nicht mal Erschrecken. Jetzt wollte er schlafen. Er fühlte sich zehn Jahre älter, abgeklärt, enthoben, unerreichbar für die Welt und ihre kleinlichen Racheakte. Nach zwanzig Minuten warf er die Bettdecke wieder von sich und sprang von der Couch. Er ertrug die Berührung des Stoffes nicht auf der Haut, die Polster misshandelten seinen Rücken, die Augenlider gingen auf wie an Gummischnüren gezogen.

Wenige Stunden später kontrollierte Smutek auf dem Weg zum Auto sein Äußeres in jedem spiegelnden Stück Glas. Er sah aus wie immer. Das menschliche Wesen war eine einzige Maskerade. Während er den Wagen anließ, sandte er im Geiste ein Briefchen an Höfis neue Adresse im Historikerhimmel und bedankte sich dafür, dass er durch seinen spektakulären Abgang einen Vorwand für desolate Zustände, Übermüdung und Geistesverwirrtheit geliefert hatte. Das würde notfalls auch größere Aussetzer erklären. An jeder Kreuzung musste Smutek überlegen, in welche Richtung er abzubiegen hatte.

Seit Internet und Counterstrike vollzieht sich das Böse vor allem in Netzwerken

Anstelle des üblichen Guten-Morgen-die-Herrschaften sprach Smutek in jeder Klasse ein paar Worte, die er sich im Auto zurechtgelegt hatte und die ihm, kaum in Gebrauch, wie Karamellbonbons zwischen den Zähnen klebten. Höfi war seit fünf Tagen tot, und es gelang immer noch nicht, ohne Kupplungsgeräusche zur Tagesordnung überzugehen. Ein Mensch war verschwunden, ausgelöscht, noch für kurze Zeit am Rockzipfel gehalten von Erinnerungen, deren Zugriff er sich bereits zu entwinden begann, wie ein Vater sich den schwachen Händen kleiner Kinder entzieht, die verzweifelt seinen Abschied verhindern wollen. Während Madrid längst am Stammtisch prominenter medialer Ereignisse saß, hinterließ Höfis Tod eine große Abwesenheit. Das Nichts bezog für ein paar Tage Posten vor den Toren von Ernst-Bloch.

Ada und Alev traf Smutek erst am Dienstagmorgen. Ruhig saßen sie zwischen den knisternden und knirschenden Klassenkameraden und wirkten auch ohne Trenchcoats und Sonnenbrillen wie Agenten einer fremden Macht. Smutek hatte Professionalität erwartet und war dennoch beeindruckt. Keine zweideutige Bemerkung, kein anzügliches Lächeln, kein wissender Seitenblick. Der Unterricht verlief ohne Störung. Was immer sie planten, er konnte sich auf chirurgische Sauberkeit verlassen. Das erleichterte ihn. Jeder normale Mensch lässt sich lieber im Rahmen eines wohlorganisierten Duells umbringen als durch einen Meuchelmord.

Während er am Nachmittag die Laufgruppe in der Halle trainierte und die Gymnastikmatten zum Einsatz brachte, um gleich einem gestürzten Reiter ohne Zögern wieder in den Sattel zu steigen, warteten Ada und Alev an einer verschlossenen Metalltür im Kellergeschoss unter Ernst-Bloch. Der Erzieher Erich kam pfeifend und schlüsselklimpernd die Betonstufen hinunter, gab Alev High-Five und öffnete einen Raum, der die Fläche mehrerer Klassenzimmer umfasste. Die Wände waren kahl bis auf ein schlecht verschraubtes Baumarktregal, in dessen Fächern dickleibige, notorisch veraltete Computerhandbücher übereinander fielen. Dreißig weiß furnierte Tischplatten reflektierten das Licht der Neonröhren. Plastikbecher mit Kakao- oder Kaffeeresten standen am Boden, die Luft roch nach erwärmten Kabeln, Verpackungsmaterial und alten Computergehäusen. Die quadratischen Fenster unter der niedrigen Decke waren nur mit speziellen Vierkantschlüsseln zu öffnen. Manchmal ging draußen ein Paar Schuhe vorbei, die spitzen Cowboypumps einer Vierzehnjährigen, die Lederschuhe eines Oberstufenschülers oder die unverschnürten Springerstiefel eines der *Ohren* auf dem Weg zum angrenzenden Fahrradkeller. Wenn Olafs Bass bei den Proben die Rückwand des Computerraums zum Zittern brachte, zogen die Schüler ihre Kopfhörer aus den Rucksäcken, stöpselten sie in die Audioausgänge der Tower und drehten die Lautstärke auf.

Wie immer war der Computerraum außerhalb des Informatikunterrichts schlecht besucht. Alev durchquerte den Canyon aus Tischreihen und wählte eins der hinteren Geräte, deren Bildschirme der Wand zugekehrt standen. Ein paar weitere Schüler, die zu Hause mit Hilfe einer ISDN-Anlage zum Begleichen der eigenen Telephonrechnungen gezwungen wurden, ließen sich vor den Flachbildschirmen der Pentium-4-Rechner im vorderen Bereich nieder und suchten dabei den größtmöglichen Sicherheitsabstand voneinander, wie Zuschauer im leeren Kinosaal. Kaum drangen Rockets Gitarrenläufe aus dem Fahrradkeller herüber, saßen kugelige Kopfhörer an den Schädelaußenseiten. Ada zog einen kreischenden Stuhl hinter sich her und fläzte sich halb liegend in Alevs Nähe, ohne dem hochfahrenden Rechner viel Beachtung zu schenken. Das Internet interessierte sie nicht. Es war voll gestopft mit Variationen auf die drei immer gleichen Menschheitsthemen Liebe, Geld und Krieg. Ihrer Meinung nach entstanden neuartige und weiterführende Ideen nicht in freien, öffentlichen Diskursen, sondern in möglichst verregelten und repressiven Denksystemen. Ada hatte nichts gegen Freiheit, es war nur so, dass das Internet sie langweilte. Kaufen Sie. Gucken Sie. Klicken Sie.

Ohnehin hätte es an diesem Nachmittag kein hektisches Flackern von Werbebannern gebraucht, um ihr die Laune zu verderben. Nach der Schule war sie vom waidwunden Blick der Mutter empfangen worden, die zur Großmuttergestalt gekrümmt am Esstisch saß. Ada, mein Kind, harte Zeiten stehen bevor. Mein Anwalt hat endlich. Die Scheidung.

Na und?

Mehr hatte Ada nicht zu sagen gewusst, aber es war ausreichend gewesen, um den Stöpsel aus dem immer vollen Reservoir an Sorgen und Kümmernissen zu entfernen. Alle Register wird er ziehen. Auch dich wird er bescheißen. Und dann die Richter. Versprich mir, dass du! Ich habe doch nur dich.

Alevs Fußspitze trat rhythmisch den Boden, als müsste der Computer wie eine altmodische Nähmaschine mittels eines Pedals in Gang gehalten werden. Neben ihm auf dem Tisch lag ein knittriger Zettel, geschrieben von fremder Mädchenhand, und von Zeit zu Zeit unterbrach er das Tippen, straffte das Papier mit einem Dreieck aus Fingern und beugte den Rücken wie ein Archäologe über einem hieroglyphenbedeckten Papyrus.

Ada rutschte noch ein Stück tiefer in den Stuhl und spürte, wie ein Lächeln ihre Gesichtsmuskulatur entspannte. Was machen zwei Gefangene vor Gericht? Sie hauen sich gegenseitig in die Pfanne. Im Grunde war das Scheidungsverfahren eine Art Anschauungsunterricht. Hauptsache, sie würden die Schulgebühren für Ernst-Bloch in die Unterhaltsregelung aufnehmen.

»Jetzt guck doch mal!«

Mit einem Ruck zog Alev ihren Stuhl zu sich heran, nah, noch näher, bis der Bildschirm ihre beiden Köpfe vom Rest des Raumes trennte. Die Startseite der offiziellen Homepage der Schule füllte das Fenster zur Zwischenwelt. Alevs Arm lag um ihre Schultern, sein Mund presste sich auf ihr rechtes Ohr, er roch an ihrem Haaransatz, ich hab dich vermisst, sein Flüstern ein Rauschen, seit Höfis Tod hatten sie nicht miteinander gesprochen.

Hinter der Wand hatte Olafs Bass eingesetzt, die Schüler rückten ihre Kopfhörer zurecht. Alev neigte den Oberkörper am Bildschirm vorbei und rief ein kräftiges »Heil Hitler!«. Niemand rührte sich, kein Blick glitt ab, keine Hand fuhr zum Ohr. Sie grinsten sich an: Okay. Wir sind allein.

Seiner Aktentasche entnahm Alev die Kamera und ein Kabel. Beim Anblick des silbernen Kästchens wäre Ada am liebsten rückwärts gerannt wie ein scheuendes Pferd. Ausgerechnet gegen den harmlosen Apparat empfand sie Widerwillen, während sie Smutek bei lockerer Kehle und entkrampftem Magen in die Augen geblickt hatte. So nichtssagend und flüchtig hatten sie einander angesehen, dass Ada zu zweifeln begann, ob sie wirklich beide an dasselbe dachten.

Unter gerunzelter Stirn verband Alev die Rückseite des Geräts mit dem USB-Anschluss. Dreißig Bilder flatterten in ein frisch angelegtes Verzeichnis.

»Willst du sie sehen?«

»Nein«, sagte Ada sofort.

»Wenn du gar nichts sehen willst, geh nach Hause. Es lässt sich nicht vermeiden, die ausgewählten zu öffnen.«

Ada sagte nichts und blieb sitzen. Drei der jpg-Dateien berührte Alev mit dem Mauspfeil und benannte sie um.

»Gut«, sagte er, »jetzt präparieren wir das Versteck.«

Er förderte eine Diskette zutage, schob sie ins Laufwerk und installierte ein kleines Programm. In die freien Felder des Session Profiles übertrug er Angaben, die er von seinem Zettel ablas. Host Name: Ernstbloch.de, Host Type: Automatic Detect, User ID: wiederum Ernstbloch.de.

»Und jetzt kommt's. Das hat mich tagelange Arbeit gekostet. Siehst du das?«

Am unteren Rand des Zettels stand eine sechsstellige Kombination aus Zahlen und Buchstaben, jede Stelle säuberlich in ein Kästchen des karierten Papiers notiert.

»Was ist das?«

»Ein FTP-Passwort.«

»Freie Technokratische Partei?«

»Nein. File Transfer Protocol. Es transportiert Dateien auf einen Server oder holt sie von dort ab. Eine Postkutsche auf dem Datentrampelpfad.«

»Du willst mit den Photos auf die offizielle Homepage der Schule?«

»Kleinchen, habe ich dir jemals gesagt, dass du unglaublich schnell bist?« Ein entzündliches Lächeln aus Mund- und Augenwinkeln. »Das Internet hat der Teufel erfunden, es ist genau seine Kragenweite. Informationen, Sex, Erkenntnis. Hätte es das schon vor fünfhundert Jahren gegeben, wäre Gott bereits mit Ausklang des Mittelalters ins Exil gegangen.«

Während er sprach, tippte er das Passwort in die vorgesehene Zeile, sechs Sternchen, die verbargen, was der Computer sah. OK. Auf der rechten Seite des geteilten Fensters erschien der Baum einer Verzeichnisstruktur. Alev erschuf einen neuen Ordner und taufte ihn ›ReadMe‹.

»So einfach«, sagte er. »Fertig ist die Seemannstruhe.«

»Nicht vergraben?«

»Unnötig.«

»Verschließen?«

»Die Truhe kann man nicht verschließen. Aber uns ist eine Lösung eingefallen, um ihren Inhalt zu verschlüsseln.«

»Uns?«

Alev legte die Hände in den Schoß, drehte seinen Stuhl zu Ada um und betrachtete sie eindringlich wie ein Seelendoktor.

»Was glaubst du, woher ich das Passwort habe? Dieser

Code ist Zepter und Reichsapfel im Minikönigreich einer Internetseite. So etwas bekommt man nur auf einem Weg.«

Ada beugte sich halb über ihn und griff wie beim vierhändigen Klavierspiel in die Tasten. Die Homepage der Schule entfaltete ihr frohes Orange, durchsetzt von intellektuellem Grau. Webmaster: Mail to Linda88.

»Gleicher Jahrgang wie ich.«

»Ich liebe unsere Generation«, sagte Alev. »In Kürze werden fünfzehnjährige SAP-Spezialisten die Produktionsabläufe bei Mercedes-Benz koordinieren.«

»Liebt sie dich?«

»Klar.« Er schob Ada beiseite und setzte sich wieder vor den Flachbildmonitor. »Du wirst noch begreifen, dass es das Zusammenspiel unserer Fähigkeiten ist, das uns unbesiegbar macht. Hast du übrigens Poe gelesen?«

»Sicher. Schon verstanden. Niemand guckt in ein Verzeichnis, das ReadMe heißt.«

»Zusätzlich benutzen wir das einfachste Codierungswerkzeug der Welt. Das gab es schon unter Word 6.0.« Er öffnete eine frische Datei, gab ihr ebenfalls den Namen ReadMe und aktivierte den Zugriffsschutz unter einem Kennwort. SPIELTRIEB. »Unsere Erinnerungsphotos binden wir als Graphik in die Datei ein. Festhalten, es geht los.«

Ada neigte sich vor und klemmte die Hände zwischen die Oberschenkel. Den Standort zum Photographieren hatte Alev gut gewählt. Smutek war ohne weiteres zu erkennen, auch wenn er auf ihre Brüste starrte und ihm das Stirnhaar über die Augen fiel. Ada selbst war eine Landschaft aus Haaren, Wangen, Bauch und Schenkeln, alles breit gezogen von der Schwerkraft, der Kopf wie bei einer Ohnmächtigen zur Seite gerollt. Eine mattschimmernde Fleischpfütze auf blauem Untergrund, Ada fand sich hässlich. Auf dem nächsten Bild hatte Smutek sich aufgerichtet und schaute direkt in die Kamera. Seine Arme waren angespannt, der Oberkörper zeigte eine rippige Licht-und-Schatten-Struktur, der Brustkorb war gebläht und aufgeworfen.

»Stört dich der Anblick?«

»Am schrecklichsten sollte wahrscheinlich sein, dass nichts daran mich erschreckt.«

Ada hatte eine Hand auf die Maus gelegt und klickte sich durch den Rest der Sammlung. Mit dem Fleischklumpen auf den Photos hatte sie ebenso wenig zu tun wie mit ihren eigenen Erinnerungen, und weil sie sich kannte, wusste sie, dass die fehlende Kongruenz zwischen Sein und Gewesen nicht dem Bedürfnis nach Selbstschutz, sondern eher einem technischen Problem entsprang. Kaum war ein Geschehen durchlebt, wurde es kalt und fremd wie ein kurzzeitig geborgtes und wieder abgelegtes Kleidungsstück.

»Hast du vor«, fragte Ada, »dir auf die Bilder einen runterzuholen?«

»Soll das eine Fangfrage sein?«

Sie lachten.

»Was mich an den Photos am meisten betört«, sagte Alev, »ist die Tatsache, dass sie nichts anderes zeigen als jeder durchschnittliche Pornofilm. Der Akt unterscheidet sich in nichts von seinen milliardenfachen Vorgängern und ebenso vielen künftigen Nachfolgern, egal, ob von Profis oder Anfängern vollzogen. Daran siehst du, Kleinchen, warum man die körperliche Liebe zum Teufelswerk erklärte: Sie macht die Menschen gleich, mehr als Menschenrechte, Länderfinanzausgleich und Frühjahrskollektion. Und Gleichheit ist, entgegen aller Beteuerungen, durchaus nicht erwünscht.«

Geistesabwesend schaute Ada Richtung Tür, in der Erich erschien, um sich wie jeden Tag zu vergewissern, dass niemand sich von Counterstrike oder einem anderen Egoshooter zum Partisanen, Selbstmordattentäter oder Alltagspsychopathen ausbilden ließ. Der Erzieher kam als Repräsentant der törichten Menschheit, die seit neuestem glaubte, das Böse brüte vor allem in Netzwerken. Sein pflichtbewusster Rundblick über die nächstgelegenen Monitore reizte Ada zum Lachen. Langsam begriff sie, warum Alev sein Bildmaterial ausgerechnet hierher getragen hatte, um es im Internet zu verstecken. Er bediente eine aktuelle Wahnvorstellung und war dabei, den allgemeinen Schrecken in seinen Reihen marschieren zu lassen.

Spätestens seit der ersten Folge der Matrix war jedermann bekannt, dass sich das Böse in die Softwarewelt auslagern ließ wie Sondermüll nach Osteuropa. Bits und Bytes, Viren und Bugs sollten sich bis in alle Ewigkeit im Rahmen eines virtuellen Stellvertreterkriegs gegenseitig abschlachten. Die neue Hölle bestand aus Licht, Stahl, Lack und Leder, während der freie Teil der Menschheit in den Urschlamm eines unterirdischen Paradieses abgewandert war. Deshalb wurden erhebliche Anstrengungen darauf gerichtet, die Gewalt im Inneren des Netzwerks zu halten. Nicht der kleinste Erreger, nicht der unscheinbarste Agent durfte die abgesperrten Reservate der digitalisierten Welt verlassen. Die Schotten gehörten dicht gemacht, alle Löcher gestopft, damit das Schlechte nicht in den Leib eines Unschuldigen kriechen konnte, um mit Pumpgun oder Motorsäge einen Amoklauf zu begehen. Erich, ein neues Gesetz oder eine behördliche Prüfstelle stellten sicher, dass die Wirklichkeit gut, das Internet böse und die Verbindungen zwischen beiden möglichst unpassierbar waren.

Weil Ada und Alev keine Kopfhörer trugen und den Computer gemeinsam bedienten, was eindeutig gegen einen Egoshooter sprach, ließ Erich sie in Ruhe. Sie lächelten und winkten, während dicht vor ihren Nasen die maximal vergrößerte Aufnahme von Smuteks erigiertem Geschlechtsteil den Bildschirm füllte. Die Tür fiel ins Schloss. Alev lud die erstellte Datei über das FTP-Programm auf den Server.

»Und jetzt probierst du es aus.« Er rollte mit dem Stuhl zurück, während Ada auf der Homepage von Ernst-Bloch das ReadMe-Verzeichnis aufrief und das geforderte Passwort eingab. Das Körper-Sandwich auf himmelblauem Untergrund breitete sich über den Bildschirm aus.

»Perfekt«, sagte Alev. »Die Methode garantiert, dass nicht mal unsere Webmasterin die Datei öffnen kann.«

»Alev.« Ada starrte versonnen auf den Bildschirm, bis er vor ihren Augen zu einer Ansammlung von Farbflecken verschwamm. »Du wirst es nicht hören wollen, aber ich habe immer noch nicht verstanden, was wir hier tun und warum.«

Er warf sich auf dem Stuhl nach vorn und schlug beide Hände flach auf den Tisch, dass Maus und Mauspad klappernd miteinander hüpften. Ein Kopfhörerträger schaute zu ihnen her.

»Verdammt«, rief Alev in seine Richtung, »schon wieder daneben!«

Dann senkte er die Stimme. Das vordere Glied seines Zeigefingers bog sich zurück, als er die Kuppe gegen das Display drückte und einen weißen, beweglichen Fleck direkt über Adas Gesicht hinterließ.

»Das hier wäre früher oder später sowieso passiert. Hätten wir es nicht in Szene gesetzt – jemand anderes hätte es getan, oder, noch schlimmer: Niemand. Wenn das Schicksal waltet, kommt für den Menschen nichts dabei heraus.«

»Und jetzt ist etwas dabei herausgekommen?«

»Selbstverständlich!« Alev schnitt eine unfreiwillige Grimasse, um nicht laut zu werden. »Es schmerzt mich zu sehen, wie dein Verstand sich kleiner macht, als er ist. Du kriegst noch geistige Haltungsschäden. Geh aufrecht, Kleinchen!«

Sie musste lächeln, und er fing dieses Lächeln auf und gab es zurück, bevor es sich verstecken ließ.

»Es bleibt die Frage, wer oder was uns das Recht gibt, Smutek zu einem Spiel zu zwingen.«

»Ist das eine moralische Frage?«

»Wahrscheinlich.«

»Dann wird es mir schwer fallen, darauf zu erwidern. Versuchen wir es mit einer Betrachtung von Smuteks Situation. Ab heute sieht er sich einem Sanktionsmittel gegenüber, es befindet sich hier drin.« Wieder klickte Alevs langer Fingernagel auf die Kunststoffoberfläche. »Es kann als Strafe für Fehlverhalten jederzeit eingesetzt werden. Nun lehrt uns die Spieltheorie, dass erst bei iterativen Wiederholungsfolgen die

Angst vor dem Gegner zum Tragen kommt und die Gelegenheit zur Kooperation entsteht. Ansonsten existiert nur Verrat. Daraus folgt, dass nur durch eine drohende Sanktion echte Entscheidungsmöglichkeiten eröffnet werden.«

»Du willst damit sagen, dass wir Smutek zu seiner persönlichen Freiheit verhelfen?«

»Es war nicht dumm von Gott, sich als rachsüchtiges Wesen zu konzipieren. So erschuf er den menschlichen Willen, an dem die Philosophen sich die Zähne ausgebissen haben, bis sie schließlich die Lust verloren. Smutek wird das Aufkeimen dieses Willens erleben, er wird wachsen und sich dem Druck entgegenstemmen.«

»Oder zerbrechen.«

»Das glaube ich nicht. Er bekommt eine Chance zur Menschwerdung, und somit sind wir – sein Schöpfer. Beziehungsweise ...«

»... der Teufel, ich weiß.«

»Sagen wir: sein Prometheus. Habe ich deine Frage beantwortet?«

»Nein.«

»Es gibt zwei Antworten. Erstens: Auch nach den gängigen Moralvorstellungen, mit denen sich heutzutage niemand mehr auskennt, kann es nicht problematisch sein, einen Menschen zu seinem Glück zu zwingen. Die Moral zwingt selbst, um dem Menschen zu Selbständigkeit und Freiheit zu verhelfen. Zweitens: Der Schöpfer ist kein moralisches Wesen. Er ist erhaben über Recht und Unrecht.«

»Gott ist Jurist. Er schafft Regeln und überlässt ihre Umsetzung den anderen.«

»Netter Aphorismus. Schreib ihn auf.«

»Vorsicht!«

Hinter der Wand war die Musik verstummt, und in der plötzlichen Stille erzeugten das Pochen der Heizung, Tastengeklicker, Atemgeräusche und das Quietschen der Stühle einen grotesken Krawall. Der erste Schüler nahm die Kopfhörer ab und schob sich eine Hand voll fettiger Haarsträhnen aus der Stirn. Wenn die *Ohren* ihre Probe beendeten, würde auch der Computerraum in Kürze geschlossen werden. Um achtzehn Uhr kamen alle Aktivitäten auf Ernst-Bloch zum Erliegen. Das gemeinsame Abendessen der Internatsschüler war Pflicht.

Mit flinken Fingern verschickte Alev eine elektronische Nachricht an Smutek und löschte die erstellten Dateien und Verzeichnisse von der Festplatte. Alles, was es zu bewahren galt, lag sicher auf dem Server der Schule. Angebissene Pausenbrote, Notizblöcke und CDs wanderten zurück in die Taschen, Erichs Händeklatschen trieb sie an, die Rechner herunterzufahren. Hinter Ada und Alev schloss er die Tür.

»Schweineschnitzel und Pommes«, sagte Erich zu Alev, »aber ich glaube, die Küche hat extra für dich ein muslimisches Huhn in die Röhre geschoben.«

»Beziehungen zu den Zentren der Macht sind alles«, sagte Alev. »Reicht das Huhn auch für zwei?«

»Schon gut«, sagte Ada, die ihren Rucksack an einem Riemen schlenkerte. »Ich gehe noch laufen.«

Alev schlug ihr kräftig auf die Schulter, als hätte sie an diesem Nachmittag ein Tor geschossen, das die Mannschaft dem entscheidenden Sieg ein Stück näher brachte, und ging neben Erich den hallenden Betonschacht entlang. Die Ledersohlen der Männer klapperten wie Hufe über roh gegossene Stufen und überdeckten den weichen Gummischritt von Adas Schuhen, so dass sie unhörbar wie ein Geist um die Ecke des Gebäudes verschwunden war, bevor sich jemand nach ihr umdrehen konnte.

Während Ada nach dem Laufen zwischen Granitbrocken im Dunkeln hockte und sich das Gesicht so heftig mit Rheinwasser rieb, als wollte sie Augen, Nase und Ohren herunterwaschen und mit dem nach Chemie und Hochwasser duftenden Fluss Richtung Nordsee verschicken, prüfte Smutek am Heimcomputer seinen Posteingang. Er rechnete mit einem Brief, mit Forderungen oder ersten Scherzen, fand aber nur eine Internetanschrift, die unter www.ernstbloch.de/ReadMe/ReadMe.doc auf der Homepage der Schule angesiedelt war. Darunter war ein Kennwort angegeben: SPIELTRIEB. Smutek stand auf, drehte den Schlüssel an der Arbeitszimmertür und fütterte den Browser mit der angegebenen Adresse. Als Word sich automatisch öffnete, fröstelte Smutek. Für ihn war der Computer nie mehr als eine elektrische Schreibmaschine gewesen. Er wurde nach dem Kennwort gefragt. Nachdem er die Photos betrachtet hatte, onanierte er in ein gebrauchtes T-Shirt, weinte anschließend lautlos mit rüttelnden Schultern und vors Gesicht geschlagenen Händen und ging zu Bett. Ab jetzt konnte jeder Mensch auf dem Planeten, der in den Besitz eines einfachen Codeworts gelangte, den Internetauftritt einer angesehenen Privatschule besuchen und sich eine kompromittierende Photoserie anschauen, deren unglücklicher Hauptdarsteller er selber war. Smutek schlief acht Stunden traumlos und schwer, einen Verwesungsgeruch ausströmend, dessen Reste sich am Morgen in den Laken fanden. Das Spiel hatte begonnen.

Aber sie wollen ihn selbst

Mehrmals täglich befragte er sein Mailkonto nach neu eingegangenen Nachrichten. Vergeblich. Zwei Tage später fand er etwas, mit dem er nach einem solchen Auftakt nicht gerechnet hätte. Oben in seiner Sporttasche lag ein konventioneller Zettel.

Alev gehörte zu jenen Globalisierungs-Legasthenikern, die von Kindesbeinen an fünf Sprachen erlernten – und keine davon richtig. Beim Lesen seiner Klassenarbeiten sah Smutek einen Schwergewichtsboxer vor sich, dem es nicht gelang, einen Kieselstein vom Boden aufzuheben. Auf Ernst-Bloch wurde ein großzügiges Schulgeld entrichtet, das dabei half, über derartige unverschuldete Schwierigkeiten hinwegzusehen.

Bitte erwerben sie anlaeslich hoefis beerdigung einen grossen krantz. Folgender spruch hat dass bant zu zieren: Die hoffnung stirbt zuerst.

Grundsätzlich war Smutek einverstanden mit dieser Idee. Der Kranz kostete dreihundert Euro zuzüglich der Kosten für die Lieferung. Die wenigen Besucher am Fußende des frischen Grabs entstammten überwiegend dem Kollegium. Neben dem Blumengebinde, das die Schulleitung gestiftet hatte, war Smuteks prächtiger, anonymer Kranz die einzige Gabe. Man tuschelte erleichtert. Man glaubte, der Verstorbene habe vielleicht keine engen Verwandten, wenigstens aber einen fernen Jugendfreund oder eine leicht verrückte Geliebte besessen.

Das Verlangen des zweiten Zettels war ebenso leicht zu erfüllen, und Smutek erlaubte sich in einer leichtfertigen Minute die Hoffnung, gegen schwächere Gegner zu spielen. Immerhin waren sie noch halbe Kinder, deren Spieltrieb dem einer jungen Katze glich. Die Richtigkeit dieser Annahme täuschte eine Zeit lang darüber hinweg, dass genau darin die schlimmste Bedrohung lag.

Am Ende einer Deutschstunde bat Smutek Herrn El Qamar um ein kurzes Gespräch. Ada verließ das Klassenzimmer ohne Schulterblick. Zum ersten Mal befanden sie sich allein miteinander in einem Raum. Alev hatte sich mit einem zynischen Lächeln gegen jeden Angriff gewappnet. Überdeutlich war Smutek bewusst, dass er diesem Jungen um eine Generation, zwanzig Kilo und dreißig Zentimeter Körperlänge überlegen war. Alev saß auf seinem Platz an der Tür, Smutek am Lehrerpult, so dass vier Meter und ein paar Zentner Schulmobiliar sie voneinander trennten. Smutek stellte ein paar Klassenbucheinträge fertig, während er sprach.

»Die von dir verlangte Notenverbesserung«, sagte er und bemerkte mit Genugtuung, wie Alev wegen des Duzens die Augenbrauen zu viaduktischen Bögen wölbte, »müssen wir langsam angehen. Ich schlage vor, du lässt dir von Ada Nachhilfeunterricht geben. Deine Erfolge belaufen sich auf, sagen wir, zwei Punkte bis Halbjahresende. Mehr wäre unglaubwürdig.« Er hob den Kopf und sah Alev mit ausdrucksloser Miene direkt in die Augen, wie man es bei einer Raubkatze auf keinen Fall tun sollte. »Jetzt wünsche ich dir viel Spaß und Erfolg in der großen Pause.«

Alev nickte, stand auf, wodurch er nur unwesentlich größer wurde, und verließ gemessenen Schrittes das Zimmer.

Der Rhythmus des Vormarschs war sorgfältig organisiert, wie die Tonfolge in einem minimalistischen Musikstück. Gerade fing Smutek an sich zu fragen, wann ihn die erste größere Geldforderung erreichen werde, als er zwischen den Seiten seines Notizblocks auf den dritten Zettel stieß. Er musste die Botschaft mehrmals lesen, um zu begreifen, dass sie kein Geld wollten, sondern etwas anderes, das nicht leicht zu benennen war. Am besten traf es die schlichte Zusammenfassung: Sie wollten ihn selbst.

Erst diese Nachricht führte dazu, dass er aus seinem Leben absprang wie von einem fahrenden Zug und in einen Mantel gewickelt den Bahndamm der eigenen Biographie hinunterrollte. Er stand allein im leeren Klassenzimmer, und ein erster, irrationaler Impuls ließ ihn auflachen. Freut euch, dachte er, freut euch, ihr Soziologen und Feuilletonisten – die junge Generation ist viel weniger materialistisch, als ihr es zu beklagen gewohnt seid. Sie will kein Geld, sie will etwas Besseres und verfolgt ihr Ziel auf den Wegen des klassischen Dramas. Das ist gelebte Kultur!

Sein Zynismus war kurzlebig. Als Lehrer hatte Smutek einige Erkenntnisse über die deutsche Jugend verinnerlicht, die er jetzt rekapitulierte. Das Ergebnis fiel nicht zu seinen Gunsten aus. Diese jungen Menschen hatten keine Wünsche, keine Überzeugungen, geschweige denn Ideale, sie strebten keinen bestimmten Beruf an, wollten weder politischen Einfluss noch eine glückliche Familie, keine Kinder, keine Haustiere und keine Heimat, und sehnten sich ebenso wenig nach Abenteuern und Revolten wie nach der Ruhe und dem Frieden des Althergebrachten. Überdies hatten sie aufgehört, Spaß als einen Wert zu betrachten. Freizeit und Nichtfreizeit waren gleichermaßen anstrengend und unterschieden sich in erster Linie durch die Frage, ob man Geld verdiente oder ausgab. Hobbys zum Totschlagen der Zeit waren überflüssig, da die Zeit auch von selbst verging. Fernsehen war langweilig, die Literaturszene tot, und im Kino liefen seit Jahren nur Varianten auf drei oder vier verschiedene Filme. Diskotheken waren etwas für Liebhaber von Dummheit und schlechter Musik, und auf Schostakowitsch konnte man nicht tanzen. Diese Jugend hatte aufgehört, sich für industriell geschneiderte Moden, Identitäten, Heldenfiguren und Feindbilder zu interessieren. Weniger als jede Generation vor ihrer bildete sie eine Generation. Sie war einfach da, die Sippschaft eines interimistischen Zeitalters. Wenigstens, dachte Smutek, wenigstens marschieren sie nicht mehr. Oder noch nicht.

Gelegentlich hatte er sich gefragt, woraus diese Überlebenden der Postmoderne Kraft und Antrieb schöpften. Die Antwort darauf schien das Vorglühen einer neuen Epoche anzuzeigen. Musste sie ausgerechnet ihm, einem harmlosen, nicht ausreichend geschulten Zivilisten, eröffnet werden? Einem polnischen Deutschlehrer, der stets in Dinge hineingeriet und die Dinge in ihn, ohne dass er je nach seiner Meinung gefragt worden wäre? Smutek konnte nichts anfangen mit seiner Entdeckung, und ohne den geeigneten Mann, der sie fasste, war eine Erkenntnis nichts wert. Vor Kolumbus konnten schon Wikinger, Mongolen, Irre in Faltbooten oder Schiffbrüchige auf Planken da gewesen sein – erst der Richtige war zum Entdecker geworden. Smutek war nicht geeignet für den kleinsten geistigen Zufallsfund. Fassungslos stand er vor der Auskunft, die der soeben angetroffene Zettel ihm erteilte: Alles geht, alles kommt zurück, ewig rollt das Rad des Seins. Man wollte den Selbstzweck, den Willen zur Macht. Spieltrieb. Daher also nahmen sie ihre Kraft.

Smutek neigte nicht zum Selbstmitleid und wollte in diesem Moment trotzdem wissen, warum ausgerechnet er zu einem Opfer des Monstrums werden musste. Er stürzte sich in die Suche nach einem winzigen Fehler, nach einer Bewegung, mit der er versehentlich die Starttaste betätigt haben könnte. Ein niederträchtig koketter Blick in die öligen Augen der Mutter bei ihrer ersten Begegnung auf den Fluren Ernst-Blochs? Ein kurzes Flügelschlagen beim Anblick der hoch entwickelten Brüste seiner künftigen Schülerin? Ein Hauch Arroganz gegenüber Alevs erstem Salam alaikum? Smutek kannte die traurige Wahrheit im Voraus. Er hatte keinen Fehler begangen. Wenn es ihm Spaß machte, konnte er sich darauf zurückziehen, zwischen den Mühlsteinen zweier aneinander stoßender Zeitalter zermahlen zu werden.

Zehn Minuten nach Zugang der dritten Forderung hatte Smutek die Stadien der Esoterik durchlaufen und war entschlossen, die Grübeleien abzustellen wie einen weichgespülten Song im Radio. Er wollte die aufsteigenden Fragen eine nach der anderen wieder unter die Oberfläche drücken. Er wollte nicht wissen, ob diese rätselhaften jungen Menschen, ihrem apollinischen Auftreten zum Trotz, die neuen *décadents* waren und jene verhängnisvolle Neigung zur Entwicklung dionysischer Süchte besaßen, die sich auf beinahe jeden Gegenstand richten konnte und rasante Steigerungen verlangte – und was ihm bevorstand, wenn dies zutreffen sollte. Smutek wollte weder Fragen noch Antworten hören. Er bereitete sich darauf vor zu gehorchen.

Smutek gehorcht

Pünktlich wie ein Dienstleister begab er sich am folgenden Nachmittag um siebzehn Uhr zur Turnhalle. Durch die wandhohen Fenster aus Glasbausteinen drang kein künstliches Licht nach außen. Trotzdem wusste Smutek schon beim Aufschließen, dass sie da waren, er fühlte ihre Anwesenheit wie die eines Poltergeists. Sie mussten sich während des Volleyball-Trainings eingeschlichen haben.

Smutek erblickte die vertraute Umgebung mit jener unnatürlichen Klarheit der Wahrnehmung, die für Schockzustände symptomatisch ist. Da war der grünliche Hallenboden, von den Bremsspuren unzähliger Sportschuhe beschriftet. Vier Paar Turnerringe hingen wie Requisiten einer Theaterkulisse hoch unter der Decke. Die hellhölzernen Kletterwände waren fast ungebraucht, für die Kleinen zu gefährlich, den Älteren zu langweilig. Fünf braunrückige Lederpferde standen im Stall, das eingefaltete Trampolin kam immer am letzten Schultag vor den Ferien zum Einsatz. Smutek glaubte, sogar die Unmengen von Fuß-, Volley-, Medizin-, Hand- und Basketbällen zu spüren, die in verschlossenen Metallschränken aufbewahrt wurden. Es roch nach Schweiß, Gummi und Magnesium. Vor den offenen Garagentoren des Geräteraums war ein Stativ aufgebaut und trug eine Digitalkamera, die erheblich größer war als die von letzter Woche. Auf dem Rand der obersten Matte saß Ada, barfuß, in Laufhose und T-Shirt, drückte eine tiefe Mulde in das Schaumstoffmaterial und zog fröstelnd die Schultern hoch. Keine noch so gute Heizung konnte die große Halle auf wohnliche Temperaturen bringen. Smutek stand wie angewurzelt auf der südlichen Drei-Punkte-Linie.

»Tritt näher«, sagte Alev. »Willst du sie ausziehen, oder soll sie das selber machen?«

Smutek wusste keine Antwort. Was auch immer sie mit ihm vorhatten, er konnte nicht. Es würde schief laufen. Ada mit ihren verkrampften Schultern und den zusammengepressten Knien sah aus wie ein Heimkind, das am Sonntag wieder keinen Besuch bekommen hat. Smutek hatte Angst. Er kannte den Geruch der großen Matten im Voraus, wusste um das Gefühl von Gummimaterial auf nackter Haut, und infolge des Begriffs ›Gummi‹ ergaben sich ein paar zusätzliche, unangenehme Überlegungen, die er bisher noch nicht angestrengt hatte. Alev stand in krummer Haltung und mit gespreizten Beinen wie sein Stativ, blickte abwechselnd durch den Sucher und auf das kleine Display und drehte an der Schärfe.

»Komm, spiel mit uns«, rief er fröhlich, und plötzlich gehorchten Smuteks Füße wie zwei winzige, gut gedrillte Dressurpferde, die sich auf den ersten Peitschenknall zum Pas de deux zusammenfinden. Er trat hinter Alev und sah eine Miniatur-Ada auf dem Display kauern.

»Was willst du von mir?«

Ungeduldig schaute Alev auf. Natürlich wussten beide, wie die Frage gemeint war. Ein einziges der bereits geschossenen Bilder hätte ausgereicht, um die Erpressung bis ans Ende aller Tage aufrechtzuerhalten. Was nun passieren sollte, war nicht mehr Mittel, sondern bereits Zweck.

»Nichts, was du nicht selber wollen würdest.« Alev schickte einen Blick hinterher, der klar machte, dass er sich nicht auf einen dramatischen Dialog einlassen würde wie ein Kinomörder vor der Tat. »Geh und sag Ada guten Tag.«

Smuteks Füße bockten, er bewegte sich nicht von der Stelle. Als er ein Ziehen in der Magengrube verspürte, hoffte er, es könnte ihm übel werden, und dachte konzentriert an den Geruch von Erbrochenem. Wenn er kotzend über der Kloschüssel hinge, würden sie ihn bestimmt freigeben. Aber der Schwindel ging spurlos vorüber. Ihm war nicht schlecht, er war traurig. Ganz deutlich sah er das Gesicht seiner Frau, die er liebte und die ihm mit all ihren Launen als einziger

Mensch auf dem Planeten etwas bedeutete. Sie war schön, und Hässliches, wie Smutek es gerade erlebte, musste sie früher oder später zerstören. Dann fiel Höfi ihm ein, und er wurde noch trauriger, weil Höfi am Verlust einer Frau sogar gestorben und weil er der letzte Mensch gewesen war, der hätte verhindern können, was hier geschah. Höfi hatte den letzten Rest Anstand und Ordnung mit aus der Welt genommen. Ohne Höfi regierte der Dschungel. Ohne ihn gab es keine Rettung. Smutek hätte am liebsten geheult und ekelte sich zugleich vor der eigenen Wehleidigkeit. Er stand kurz vor einem geistigen Schwächeanfall. Alev richtete sich auf, reichte ihm bis zur Brust und arbeitete dennoch daran, auf ihn hinunterzuschauen.

»Nichts ist mir mehr zuwider als drastische Deutlichkeit«, sagte er, »aber die Sonne steht schräg, und es bleibt nicht viel Zeit zum Photographieren. Pass auf: Was wir gegen dich in der Hand haben, ist fast so viel wert wie ein entführter Sohn. Der Fall ist so gelagert, dass du schlicht zu tun hast, was wir von dir verlangen. Ende des Diskurses.«

»Was *ihr* von mir verlangt?«, fragte Smutek, vernahm einen hysterischen Beiklang in der eigenen Stimme und atmete tief durch, bevor er weitersprach. »Verlangt *sie* es auch?«

Beide schauten zu Ada hinüber. Erstaunlich, wie lang ihre Haare im Lauf des Schuljahres geworden waren. Wie blutleer die Haut im Licht der Glasbausteine wirkte. Wie viel Hilflosigkeit ihre kräftige Gestalt ausstrahlen konnte, wenn sie den Körper so hängen ließ.

»Sie verlangt es auch«, sagte Alev.

»Ada?« Die Wände gaben den Namen zurück wie etwas, das sie nicht behalten wollten. Die Angesprochene hob die Hand, nickte, lachte und winkte Smutek zu, als befände er sich hundert Meter entfernt am anderen Ufer eines Flusses. Als er vor ihr stand, bohrte ihr Blick sich in seine Kniescheiben, kroch ihm die Beine hinauf, unter der Kleidung über Lenden, Bauch, Brust und Hals bis zum Kinn. Mit einer groben Bewegung riss er ihr das T-Shirt aus dem Bund der Hose und über den Kopf, sie hob willig die Arme wie ein kleines Kind. Darunter war sie nackt.

Es klappte. Wegen der Brüste, aber auch, weil er sie mochte. Er küsste die Seiten ihres Brustkorbs bis unter die Achseln, küsste ihren Hals und zum ersten Mal ihren Mund. Ihre Lippen schmeckten salzig und appetitlich, mehr nach etwas Essbarem als nach Frau. Als seine Knie zu schmerzen begannen, hob er sie mit Schwung auf einen der mehrteiligen Kästen, fragte, ob es bequem sei, und erhielt keine Antwort. Zwischen den inneren Hautfalten ihres Geschlechts fand er eine Spur Feuchtigkeit und hätte gern gewusst, ob es eine Chance gab, dass sie unter ihm käme, vielleicht, wenn Alev nicht mit Geklapper und Getrampel um sie herumgerannt wäre, um seine Kamera neu aufzubauen.

Gib mir deine Brust. Nein, beide Brüste. Spürst du mich, spürst du meinen Schwanz? Sag mir, dass es gut ist, sag mir, dass du das willst. – Ja.

Zu seiner Frau hatte Smutek beim Sex nie ein Wort gesprochen, er hätte nicht gewagt, sie auch nur darum zu bitten, die Beine ein Stück weiter zu spreizen. Sie verständigten sich ohne Worte, durch den Druck ihrer Körper, durch ein Herumwälzen, ein Schieben, durch lautes Stöhnen, wenn etwas gut war, durch Schweigen, wenn es langweilig wurde. In etwa fünf Minuten würde er sich für seine Worte schämen wie ein Betrunkener am Morgen für sein besoffenes Gestammel bei Nacht. Er wurde schneller. Ada hielt die Augen geschlossen, so dass er sie ungestört betrachten konnte. Die Lippen standen halb offen, vielleicht ein Lächeln, vielleicht die Simulation eines Lächelns, verursacht durch die gespannte Haut über ihrem nach hinten gebogenen Hals. Ihr Gesicht war friedlich, gewiegt vom Rhythmus seiner Bewegungen, vielleicht dachte sie an etwas Angenehmes, ans Laufen bei schönem Wetter, an ein gutes Buch. Oder an Alev. Der nächste Stoß fiel härter aus, sie schien es kaum zu bemerken. Er kannte sie so wenig, er hatte keine Ahnung, was in ihr vorging, mit allen zehn Fingern befühlte er ihren Schädel, als ließen sich die Gedanken in Blindenschrift ertasten. Seine nächsten Worte waren ein tonloses Flüstern. Ich liebe dich. Mehr als meine Frau, die schöner ist als du. Ich liebe dich!

Sicher hatte sie ihn gehört. Einen Moment gaben seine Knie nach, als wollte er auf den Kunststoffboden stürzen, an dem man sich Brandblasen anstelle von Schürfungen holte. Aber er blieb stehen, umfasste sie mit beiden Armen, hob sie auf seine Hüfte, drehte sich mit ihr um sich selbst, das Gesicht in ihren Haaren vergraben. Er trug sie aus Alevs Schusslinie zurück auf die Matte, legte sie vorsichtig ab und rutschte aus ihr heraus. Alev war zur Stelle mit einer Packung Tempos, fasste die Taschentücher an einem Zipfel und schüttelte sie in der Luft, um sie zu entfalten.

Smutek sah es aus dem Augenwinkel, ein weißes Flattern, als winkte ihm jemand Lebewohl. Er säuberte sich, stieg in seine Hose und ging mit großen Schritten Richtung Toilette, wo er sich über ein Waschbecken beugte. In letzter Zeit wurde es zur Gewohnheit, sich ab und zu eine Hand voll Wasser ins Gesicht zu klatschen. Als er sich mit nassen Haaren aufrichtete, lehnte Ada im Türrahmen, ebenfalls wieder angezogen, in lässiger Haltung, einen Arm über dem Kopf.

»Ist es wirklich so schlimm?«, fragte sie.

Er hielt ihren Blick im Spiegel fest. Sie spürten beide, dass sich während der vergangenen fünfzehn Minuten etwas zwischen ihnen verändert hatte.

»Du verstehst nicht«, sagte er und musste Luft durch den Hals pressen, um die Stimmbänder freizubekommen. »Ich bin nicht wie ihr.«

»Wo liegt der Unterschied?«

»Wahrscheinlich darin, dass ich etwas zu verlieren habe.«

»Ach«, sagte sie, »einen Job? Eine Frau?«

»Auch.« Smutek wurde ruhig. Das Gefühl, etwas Wahres sagen zu wollen, entspannte die Rückenmuskeln und dämpfte die Erinnerung an die soeben vergangene Szene. »Vor allem einen Glauben.«

»An Gott?«

»Nicht direkt. An mich selbst. An das Leben. Daran, dass es möglich ist, dich oder mich zu verletzen. Ihr hingegen glaubt nur, dass es nichts gibt, an das man glauben kann.«

»Nicht einmal das«, sagte Ada. »Nietzsche ist tot. Seine Nachfolger sind tot. Die Stellvertreter seiner Nachfolger sind tot. Die Wiedererwecker der Stellvertreter sind tot.«

»Der Einzige, der zur Zeit tot ist«, sagte Smutek, »ist Höfi.«

»Du bist Pole. Du kommst aus einem anderen Universum und wirst niemals verstehen.«

Ein Zwinkern, ein Augenreiben, sie war verschwunden, und auch von Alev fehlte jede Spur.

Smutek trat aus der Turnhalle ins Freie und erwartete, dass Dunkelheit gefallen sei und die Stadt vertilgt habe, diese kleine, unschuldige Stadt, die an den Ufern des wiedervereinigten Landes gestrandet war, sich tapfer in der Brandung wiegte und vorgab, einen seligen Tanz aufzuführen. Ein bisschen Nacht hätte gut zu seiner Stimmung gepasst, er fühlte sich friedlich und versöhnt wie nach einer großen körperlichen Leistung. Er wollte ein paar Schüler unter dem Glashäuschen der Bushaltestelle sehen, reglos im orangefarbenen Licht wie Fliegen in Bernstein. Aber es war noch hell. Frühlingshaftes Vogelgezwitscher trotz kalter Luft. Autos eilten geschäftig vorbei, Kinder hüpften an den lang gezogenen Armen ihrer Mütter. Smutek wollte nicht gleich nach Hause, ging um das Schulgebäude in den Park und lehnte sich über die Begrenzungsmauer. Links und rechts von Ernst-Bloch schauten die Kleinstadttempel ehemaliger Botschaften aus leeren Fenstern über den Rhein. Das verlassene Regierungsviertel, aller Bannmeilen beraubt, drückte sich in die Kniekehle des Flusses. Dahinter die Lichter des Zentrums, Kneipen, Geschäfte, Museen, Universität. Alles sprach vom Glück verflossenen Ruhmes, der alle Aufregung und Geschwätzigkeit mit sich genommen hatte.

Smutek schaute in die schmutzigen kleinen Wellen und befragte sich sorgfältig darüber, ob er nicht den Gehorsam hätte verweigern müssen, um das Spiel zu beenden, bevor es richtig angefangen hatte. Nach einer Weigerung hätte das Material in Alevs und Adas Händen nur noch den Gegenwert einer Rache besessen. Sie hätten entscheiden müssen, ob sie ihn und sich selbst in sinnloser Bestrafung vernichten oder ablassen wollten von dem, was sie so aufwendig begonnen hatten. Er war lang genug Lehrer und Kind des Kalten Krieges gewesen, um zu wissen, welch komplizierte Übung das Drohen mit gegenseitiger Auslöschung darstellte. Die Mechanismen der Abschreckung mussten in ein empfindliches Gleichgewicht aus Einschüchterung und Einlenkung gelagert werden. Das war etwas für Fortgeschrittene, während Ada und Alev draufgängerisch auf die Macht ihrer Waffen und auf Smuteks Gefügigkeit vertrauten. Sie waren unerfahren. Oder bedingungslos radikal. Smutek gestand sich ein, dass er seine Widersacher nicht einschätzen konnte. Vielleicht traf zu, was Ada ihm seit Monaten zu erklären versuchte. Sie waren Vogelfreie. Desperados ohne Wilden Westen. Guerillas ohne Krieg.

Zu allem Überfluss quälte ihn ein absurdes Verantwortungsgefühl, der Wunsch, ihnen nichts zuleide zu tun, sie sogar davon abzuhalten, sich selbst zu beschädigen. Er fühlte sich wie ein Vater, der vom eigenen Sohn mit dem Küchenmesser bedroht wird und erleben muss, dass gutes Zureden keine Wirkung mehr zeigt. Er sah Alevs breitmäuliges Gesicht und die geschlitzten Augen vor sich, empfand keinerlei Freundschaft, sondern einen neugeborenen, nackten, aufs Wachsen begierigen Hass, und kam dennoch nicht über die Feststellung hinaus, dass er den Größten Anzunehmenden Unfall nicht wollte. Er versuchte, ins Wasser zu spucken, schaffte es aber nur bis zur unteren Reihe der Befestigungssteine.

Sein Volvo wartete allein auf dem Parkplatz und begrüßte ihn auf Schlüsseldruck mit zutraulichem Blinken. Smutek setzte sich ans Steuer und klappte den Innenspiegel herunter, so dass er sich während der Fahrt in die Augen sehen konnte. Er war glücklich, ein Auto zu haben. Er war glücklich über seinen Job. Er war glücklich, in dieser Stadt zu leben, die seinem Schneewittchen so gut gefiel. Er war glücklich, nach Hause zurückkehren zu können, zu einer Dusche, einem gefüllten Kühlschrank, zu rotem Wein und einer weichen Couch. Er war zufrieden mit seinem Leben und nahm dabei an, dass es nicht viele Menschen auf der Welt gab, die das von sich behauptet hätten. Er wollte keine Veränderung.

Der erste schöne Tag im Jahr. Ada freut sich auf einen Auftritt vor Gericht

Die Sonne brüllte wie ein zahnloser Tiger vom Himmel, schoss Licht ohne Wärme in die Straßen der Stadt, blendete wintertrübe Augen, holte Staub und zerknüllte Taschentücher unter den Heizkörpern hervor, verhöhnte die schamlose Nacktheit kahler Bäume und Büsche, entdeckte Fettfingerspuren auf Windschutzscheiben und bewarf die Fenster der oberen Stockwerke mit explodierenden Blitzen. In den Rheinauen, die den Innenstadtbereich vom Stadtteil Godesberg trennten und durch die manch ein Scheidungsrichter bei schönem Wetter mit dem Rad zur Arbeit fuhr, begann der Himmel unmittelbar über dem Boden, an den Rändern mit Lichtnebel aufgefüllt. Hinter einer Hecke sang eine dünne Mädchenstimme auf Englisch etwas von der Liebe, sie steckte im Radiogerät eines Lieferwagens. Männer in blauer Baumwolle beschnitten die Büsche. Der erste schöne Tag im Jahr war eine Finte des Sommers, der heuer nicht stattfinden würde, und glich mehr einer Phototapete als einem wirklichen Morgen.

Ada war soeben aus dem Bett gekrochen und stand vor dem Badezimmerspiegel. Das Strahlengewitter traf sie von links. Obwohl der Gerichtstermin auf elf Uhr dreißig lag, hatte sie den ganzen Tag schulfrei nehmen dürfen. Immerhin kam ihr in dem bevorstehenden familiären Staatsakt eine Sprechrolle zu. Der lange Schlaf hatte ihr Gesicht gepolstert, Lippen, Augenlider und Nasenflügel schimmerten wie kleine Kissen, und das grelle Licht machte die Haut weiß und wächsern, als hätte noch kein Ausdruck von Freude oder Schmerz es gewagt, diese Miene zu berühren.

Die Momente, in denen Ada das eigene Aussehen erträglich fand, waren selten, streng rationiert und mussten für ein langes Leben reichen. Aus geistiger Eitelkeit verzichtete sie darauf, mit Puder, fettigen Cremes und Farben dem Unerreichbaren hinterherzumalen, da unterlassene Versuche leichter zu ertragen waren als ständiges Scheitern. Sie war weder zur Künstlerin noch zur Kämpferin geboren, es blieb die Laufbahn einer Dulderin.

Hätte sie sich eine Form von Schönheit aussuchen können, wäre ihre Wahl auf die Gestalt eines Kätzchens gefallen, das auf krummen, gestreiften Beinen die sechzig Quadratmeter seiner Parkett-, Teppich- und Kachelwelt erkundet und sich von jeder aufgefundenen Staubfluse begeistern lässt wie von der Entdeckung einer neuen Welt. Oder sie hätte ein Pferd sein wollen, das die graue Nase gegen den Wind stemmt und eine Steppe durchmisst, die allein dem Geräusch seiner Hufe gehört. Die Tatsache, dass wahre Schönheit mit Selbstvergessenheit zu tun hatte, passte zum seltsamen Humor des Schöpfers: Jene, die sie besaßen, wussten nichts damit anzufangen, während alle, die etwas davon verstanden, niemals in ihren Besitz gelangten. Einst hatte auch Ada ohne Gefühl für Zeit und Raum im Staub eines sonnenwarmen Kieswegs gesessen und Steinchen hin und her geschoben. Einst war sie auf eine Art über Wiesen gerannt, die jedem verständigen Menschen das Herz brechen konnte. Aber die Selbstvergessenheit galt es abzugeben am Ausgang der Kindheit, sie wurde einem irgendwo auf der Schwelle zum angeblich echten Leben heimlich weggenommen, und dieser Moment war nicht einmal von einem der blutgefleckten Taschentücher markiert, die sonst an allen wichtigen Stellen des menschlichen Lebens lagen wie Lesezeichen in einem dicken Buch. Bald nach den ersten kindlichen Verständnisschritten, die sich noch an den Sicherheitsleinen der Logik entlanggetastet hatten, war Ada aufgefallen, dass das System des Denkens einen Fehler enthielt. Man konnte es nicht anhalten. Verstehen funktionierte wie Atmen. Ada beantwortete Fragen, bevor sie gestellt wurden, das Verstehen war kein Vorgang, es war ein Zustand, um nicht zu sagen eine Krankheit. Die wenigen Dinge, die sich nicht begreifen ließen, gewannen den Stellenwert von Heiligtümern, sie waren Indizien für die Existenz eines letztverbliebenen Zufluchtsorts. Alev und ihre Reaktion auf ihn gehörten in diese Kategorie. Verstehen war schlecht für den Teint.

In den seltenen Momenten, worin Ada vor einem Spiegel ihrer Zwillingsschwester hinter Glas mit Zuneigung begegnete, stellte das Großhirn seine Arbeit ein, Weltsicht und Selbstsicht sanken in sich zusammen wie das Dach einer luftgetragenen Tennishalle nach Abschalten des Gebläses. Schräg standen die Sonnenstrahlen. Ada wurde von einem Weltall aus glitzernden Staubkörnchen umtanzt. Das Gesicht im Spiegel war ein gerahmtes Gemälde an der Kachelwand und sah aus, als wollte es in der nächsten Sekunde zu sprechen beginnen.

Das Geräusch einer ins Schloss krachenden Tür im unteren Stockwerk trat dem Zauber des Augenblicks den Schemel weg. Ada griff nach der Zahnbürste. Unter der Dusche legte sie den Kopf in den Nacken, dass die vom Wasser gestreckten Haare sich über den Rücken legten, als wären sie wirklich lang, eine zum Flattern geschaffene Mähne.

Zwanzig Minuten später stand sie in der Küche und war schon wieder stecken geblieben. An der Wand über dem Mülleimer hing ein Kalender zwischen verjährten Einkaufszetteln, Urlaubspostkarten und Kinoprogrammen und zeigte den August 2003, dazu einen Leuchtturm, weiße Vögel und Wolken wie frische Daunenkissen am Horizont. In einer Ecke des Blatts stand ein merkwürdiger Spruch: Wir müssen uns Sisyphos als einen glücklichen Menschen vorstellen. Aus irgendeinem Grund hatte niemand mehr daran gedacht, das Kalenderblatt umzuschlagen, und so hing der Monat immer noch dort, als wäre an einem schönen Augusttag die Zeitrechnung stehen geblieben, die Welt untergegangen und die Menschheit ausgestorben. Der Anblick entsetzte Ada. Wie viele Tage mussten sich ansammeln, bis Zeit sich zu Geschichte verdichtete und andere Denkmäler erbauen ließ als dieses armselige Zufallsmonument über dem Mülleimer in einer viel zu großen Chrom-und-Marmor-Küche? An einem Tag ebendieses vergangenen Monats war sie Alev zum ersten Mal begegnet. Sie nahm den Kalender vom Nagel, drehte ihn um und hängte ihn mit dem Gesicht zur Wand. Sie hatte an Sisyphos nie anders als an einen Idioten denken können. Ada beschloss, Frühstück zu machen.

Die Mutter saß mit einer Tasse löslichen Kaffees ohne Milch und Zucker über der Zeitung und hob überrascht den Blick, als die Tochter mit energischen Schritten den Tisch umrundete, aufgebackene Brötchen auf zwei Teller verteilte, Wurst, Käse und Marmelade in die Mitte schob. Ada trug ihr neuestes und sauberstes T-Shirt und hatte sich die Haare geföhnt, dass sie leicht und hell den Kopf umgaben.

Während die Mutter ihr zusah, dachte sie an sich selbst. Für gewöhnlich schlich diese Tochter in groben Jeans durch die Wohnung, ein fleischgewordener Verrat an allen Bemühungen, ihr den Umständen zum Trotz ein Heim zu errichten. Ein Verrat auch an den günstigen Erbanlagen der Mutter, die sie im Schweiße ihres Angesichts an die Nachfahrin weitergegeben hatte. Der kräftige Lebensstrom, von dem ein Nebenarm heute die Tochter zu durchfließen schien, war nämlich die Grundsubstanz des mütterlichen Naturells, nur hatten ihn die Müllverbrennungsanlagen ihrer persönlichen Geschichte nach und nach mit giftigem Unrat verseucht. In Adas Alter hatte die ungewöhnliche Energie ihr ganze Reihen von Verehrern beschert, und in der Studentenzeit war kein Sommerwochenende vergangen, an dem sie nicht, vorauseilend wie ein junger Hund, durch sonnendurchflutete Wälder oder das hohe Gras an einem Flussufer gelaufen wäre, die schützende Anwesenheit eines netten Mannes im Rücken spürend. In ihrer Gegenwart fanden die Männer Ruhe von allen No-Future-Ideen, sie fanden Einheit in einer geteilten Welt. Die Mutter hatte sich den Besten erwählt und ihn an einen überflüssigen Unfall verloren. Er hatte Ada bei ihr zurückgelassen.

Obwohl einmal verwitwet, neu verheiratet und in hoffentlich wenigen Stunden wieder geschieden, stand die Mutter noch immer vor dem Leben wie ein Kind vor den Terrarien im Zoo, an denen kleine Messingschilder mit lateinischen Namen auf Tiere hinwiesen, die man, Augen und Nase dicht am Glas, niemals zu sehen bekam. Es gab künstlich drapiertes Ast- und Blattwerk, ein Schälchen mit buntem Futter, ein kleines Holzhaus und eine Trinkvorrichtung. Die Mutter schaute und wartete, fest überzeugt, dass sich früher oder später etwas regen würde. Ada hingegen hatte sich beim Anblick der verlassenen Behälter sofort abgewandt, die Achseln gezuckt und wusste seitdem nur zu berichten, dass Leere regiere. Für die Mutter war Adas Leuchten am Scheidungsmorgen, die Art, wie sie um des schönen Anscheins willen in ein Brötchen biss, obgleich ihr anzusehen war, dass sie nichts essen wollte, eine solche Bewegung im Terrarium. Sie und ihre Tochter hatten ein gegensätzliches Verhältnis zum Nichts.

Adas ungewohnte Körperspannung rührte vor allem daher, dass sie mit leicht gespreizten Beinen auf dem Stuhl saß und sich mühte, das eigene Gewicht mit den Ellenbogen auf der Tischkante zu tragen. Ihre Körpermitte hatte sich noch immer nicht an die neue Beanspruchung gewöhnt, und zu manchen Tagesstunden litt sie an dem unstillbaren Bedürfnis, mit einer Hand in die Hose zu fahren, um dem brennenden Juckreiz abzuhelfen. Als sie die Augen der Mutter ungewohnt intensiv auf sich ruhen spürte, sah sie auf die Uhr.

Wir müssen.

Hintereinander gingen sie über den Flur zur Garderobe, Ada leichtfüßig, die Mutter mit angestrengten Bewegungen, als müsste sie die Luft wie einen harzigen Brei mit Armen und Beinen beiseite schaufeln. Ada fühlte sich, als brächen sie zu einer Veranstaltung auf, die allein für sie arrangiert wurde, während die Mutter ihr zuliebe als Begleitung mitkam. Seit zwei Jahren freute Ada sich auf die Scheidung. Sie sollte das erstarrte Warten beenden, von dem niemand mehr wusste, worauf es gerichtet war.

»Wenn es nur schon vorbei wäre«, sagte die Mutter, während sie den Mantel überzog.

»Das wird vorbeigehen wie ein Besuch von Handwerkern«, sagte Ada.

Sie war stolz, als die Mutter mit einem Lachen die Wohnungstür hinter sich schloss.

Bei Gericht arbeiten Menschen mit Menschen

Die Anwälte liefen sich mit ausgestreckten Händen entgegen, hallo, Herr Kollege!, und lachten schon miteinander, bevor die Parteien ein Wort der Begrüßung tauschen konnten. Das ist ein Wetter! Wer trägt da noch Trauer? Die Totengräber und die Juristen. – Der eine hatte die Robe über dem Arm gelegt wie ein Saunabesucher den Bademantel, der andere flatterte bereits schwarzflügelig durch die Gänge. Mann und Frau gaben einander mit gesenkten Gesichtern die Hand.

Hey, Brigadegeneral.

Während Ada den Stiefvater umarmte, schoss ihr die Frage durch den Kopf, ob sie die einzige Person sei, von der er noch angefasst wurde, abgesehen von ein wenig Mietliebe an den Wochenenden.

Kleines, du siehst besser aus denn je. – Danke, mir geht's auch gut.

Ada spürte sich strahlen, plötzlich schwiegen die Anwälte und sahen zu ihr herüber. Die Sache wurde aufgerufen, der Brigadegeneral steckte die Zigaretten, von denen er hatte anbieten wollen, ins Jackett zurück. Von hinten sahen die Eltern gut aus, aufrecht, schlank, beide noch jung. Wenn sie bei Gelegenheit, jeder für sich, über den Beginn ihrer verflossenen Beziehung sprachen, verwendeten sie Worte wie große Liebe, *amour fou*, unglaubliche Romanze. An ihren richtigen Vater konnte Ada sich nicht erinnern.

Sie blieb an der Tür stehen, deren Klinke auf Brusthöhe angebracht war. Vom anderen Ende des Gangs schallte Gepolter und Getöse herauf, das Donnern schwerer Stiefelschritte, Männerstimmen, die wie das Bellen von Hunden klangen. Im Saal wurde auch die Richterin mit Scherzen begrüßt, sie lachte und strich sich die roten Locken aus der Stirn. In dieser Versammlung gab der Brigadegeneral mit seinen fünfundvierzig Jahren den Alterspräsidenten. Neben ihm wirkten die Angestellten Justitias wie eine Studentengruppe vor dem Hörsaal. Sie nahmen ihre Plätze ein, verteilten rote Gesetzbücher und Aktenmappen auf den Tischen, und Ada begriff, dass sie Kollegen waren, sich von der Uni kannten, einander mochten oder nicht. Sie arbeiteten im selben Betrieb, in den Fälle eingeklinkt wurden wie Maschinenteile in eine Fertigungsstraße. Nichts daran war Zauberei.

Das Gepolter kam näher. Von ihrer Position aus konnte Ada in die Halle sehen, in der Treppen und Fahrstühle ankamen und alle Flure sich kreuzten. Justizbeamte führten zwei Jungen in ihrer Mitte, die nicht viel älter als Ada waren. Sie trugen Handschellen, warfen die Oberkörper nach links und rechts, traten im Gehen nach den Schienbeinen ihrer Begleiter, und gerade als sie den Gang passierten, in dem Ada stand, ließ sich einer auf den Boden fallen, rollte ein paarmal auf dem Rücken hin und her und machte sich schwer, als sie ihn unter den Armen fassten und wieder auf die Beine stellten. Hör doch auf mit dem Scheiß! Fast wären sie alle miteinander gestürzt. Die langen Haare des Jungen hatten sich aus dem Zopfgummi gelöst, mit den gefesselten Händen konnte er sie nicht zurückstreichen. Er ruckte spastisch mit dem Kopf und sah dabei aus wie Rocket, wenn er ein Gitarrensolo spielte. Ada erschrak, als ihr Blick sich mit dem des Jungen kreuzte. Da war eine Art Einverständnis, er teilte ihr etwas mit. Ordnung und Unordnung, schien er zu sagen, die in der Arena dieses Gebäudes miteinander kämpfen, rekrutieren ihre Krieger in denselben Reihen. Vielleicht hätte er es ein wenig anders ausgedrückt. Alles Schweine!, rief er jetzt.

Aus einem Grund, der sich Ada nur langsam erschloss, lag etwas Verstörendes in dieser Einsicht. In ihrer Vorstellung waren Richter Vertreter eines Prinzips, Endpunkte einer kollektiven Funktion, Saugnäpfe auf den Tentakeln des Gemeinwesens. Vorgeführte Häftlinge verbrüderten sich nicht mit zufälligen Zeugen, Staatsanwaltschaft und Verteidigung konnten einander nicht leiden. Aber natürlich war das Unsinn. Menschen konnten nichts anderes sein als Menschen. Sie zogen sich Roben an oder Handschellen und taten, was von ihnen erwartet wurde. In diesem Haus bestand ihre Aufgabe darin, den Phantomschmerz einer amputierten Werteordnung zu erzeugen.

Die Männergruppe war verschwunden. Bitte schließen Sie die Tür! Ada wusste nicht, wo sie sich hinsetzen sollte. Der Überschuss an Stühlen im Raum verbreitete den Eindruck, es gebe noch mehr Betroffene, die nicht alle zum Spektakel erschienen seien. Die klotzförmigen Tische, hinter denen Vater und Mutter mit ihren Anwälten saßen, boten Platz für drei weitere Personen, Ada belegte einen von dreißig Zuschauersitzen, und selbst hinter dem Richterpult waren links und rechts der rotlockigen Dame noch mehrere Sessel frei.

Die Richterin sprach mit ihrem Diktiergerät. Die Klägerin stellt ihren Antrag aus dem Schriftsatz vom ..., ein kurzes Nicken zur Verständigung mit dem Anwalt der Mutter, der Beklagte beantragt, Moment, Sie wollen anerkennen, in welcher Höhe?

Die Roben blätterten in ihren Akten, die helle Sonne draußen war fehl am Platz, es gab weder Vorhänge noch Jalousien, die alten Heizkörper gingen gleichmütig ihren Geschäften nach. Ada ertappte die Eltern dabei, wie sie hilflose Blicke tauschten. Gleich würden sie aufstehen, zu zweit aus dem Raum schweben, in dem die Juristen weiter blätterten und diktierten, um hinauszutreten auf die Straße ins gleißende Sonnenlicht. Dann fing sich das Geschehen, eine unsichtbare Souffleuse hatte das Stichwort getuschelt. Im Übrigen, sagte die Richterin, wird Klageabweisung beantragt.

Man schickte Ada hinaus und bat sie wieder herein, die Eltern sahen ihr schuldbewusst entgegen. In den schwimmenden Augen der Mutter bemerkte sie Anzeichen für eine theatralische Szene, nehmt mir das letzte Hemd, aber lasst mein Kind aus dem Spiel, und sie schoss einen warnenden Blick zu ihr hinüber. Man wies Ada den Stuhl in der Mitte des Raums, sie wurde sanft belehrt, dass sie, wenn sie aussage, der Wahrheit verpflichtet sei. Anders als zu Zeiten des Schlagrings war Ada inzwischen strafmündig. Der Brigadegeneral zwinkerte komisch mit den Augen, offensichtlich wollte er ihr etwas sagen, das sie nicht verstand.

»Erhalten Sie von Ihrem Stiefvater zum Monatsanfang eine regelmäßige Zahlung von vierhundertfünfzig Euro in bar?«

Ada antwortete nicht gleich. Sie malte sich aus, Alev sitze hinter ihr auf einem der Zuschauerplätze, die Beine von sich gestreckt, den Mund zu einem ägyptischen Lächeln verzogen, und kratze mit den langen Fingernägeln leicht über den Stoff seiner Hose. Seit zwei Wochen umarmte er sie und küsste sie auf den Mund, wenn sie sich morgens begrüßten, und das in aller Öffentlichkeit.

»Der Moment der Wahrheit ist immer jener, in dem man überhaupt nichts versteht«, sagte sie.

Die Richterin hob ihre gezupften Augenbrauen und sah zum Anwalt des Brigadegenerals hinüber, den sie anscheinend lieber mochte, vielleicht wusste er besser Bescheid über die Welt, auch wenn er jetzt die Schultern zuckte.

Ada legte den Kopf in den Nacken und lachte, das hätte Alev gefallen, es hätte irgendeine seiner Theorien bestätigt. Weil sie gerade dabei war, lachte sie auch vor Freude darüber, dass es ihn gab, und gleichzeitig lachte sie sich selbst aus, weil sie hoffte, dass er sich an sie gewöhnen möge wie an ein Haustier, das für einen kurzen Zeitraum in Pflege genommen wird und so schnell ans Herz wächst, dass man sich nicht mehr trennen kann. Sie lachte auch über den Schmerz zwischen ihren Beinen, der ihr allein gehörte und ein Geheimnis war, zu dem sie ›ich‹ sagen konnte. Und sie lachte aus Überzeugung, das gerade die schönste Zeit ihres Lebens begann. Es dauerte eine Weile, bis sie fertig war und sich die Tränen aus den Augenwinkeln wischte, schwarz und schweigend umringt von den Geistern der übrigen Anwesenden, die ein treues Zirkuspony inmitten der Manege verrückt werden sahen.

»So was hast du ihnen erzählt?«, sagte Ada. »Du bist mir ja einer.«

»Das soll wohl heißen, dass Sie keine Zahlungen empfangen?«

Das Wort ›empfangen‹ erinnerte sie daran, dass sie dringend einen Termin beim Frauenarzt brauchte.

»Nichts dergleichen. Tut mir leid.«

»Ihre monatlichen Beiträge auf…«, Aktenblättern, »… Ernst-Bloch sind seit einem halben Jahr nicht entrichtet worden. Ihr Vater gab an, dass das Schulgeld eigentlich in den Unterhaltsleistungen an Ihre Mutter enthalten gewesen sei, von ihr aber nicht weitergeleitet würde.«

»Wo nichts ist, kann auch nichts enthalten sein!«, rief die Mutter.

»Ihre Meinung haben wir bereits gehört.« Die Richterin wandte sich wieder an Ada. »Deshalb habe er die Summe an Sie ausgezahlt, damit die Schule ihr Geld bekommt.«

Wofür der Brigadegeneral sein Geld ausgab, wusste Ada nicht, und der Gedanke, dass er etwas damit machte, wofür er sich schämte, brachte sie aus dem Konzept. Die gute Laune von eben war schlagartig vergangen. Über Ernst-Bloch hatte sie nicht sprechen wollen, Ernst-Bloch hatte in diesem Saal nichts zu suchen. Plötzlich drängten Teuter, Smutek, Höfi, Odetta und eine Menge gesichtsloser Personen in den Raum.

»Wollen Sie unterstellen, dass Ihre Tochter das Geld unterschlägt?«

Der Blick des Brigadegenerals traf Ada ein zweites Mal, ein blaues Flackern, wie das kurze, tonlose Aufblitzen einer Polizeisirene.

»Nein«, sagte er.

Wenn Ada eine seiner typischen Gesten hätte beschreiben müssen, hätte sie den Griff der linken Hand in die Hosentasche gewählt, in der sich stets ein zusammengerolltes Bündel bunter Geldscheine befunden hatte. Solange er nicht in Uniform war, trug er Anzüge, die wie angegossen auf dem Leib saßen, mit ausreichend Luft für ein plötzliches Lossprinten oder eine überfallsartige Umarmung. Ada hatte immer geglaubt, dass er ausreichend verdiente.

»Das ist ein Fall für den Staatsanwalt!«, rief der Rechtsbeistand der Mutter.

»Spielen Sie sich nicht auf«, sagte der andere scharf.

Für ein paar Minuten Gerichtssaaltheater ließ sich die Freundschaft ohne weiteres suspendieren, das gehörte zur Professionalität. Schon wieder zogen sich schwarze Spuren über die Wangen der Mutter, Ada hatte nie verstanden, warum sie keine wasserfeste Wimperntusche benutzte. Vielleicht gehörte auch das zur Inszenierung. Der Brigadegeneral trommelte mit Fingern, die gelenkig wie die eines Klavierspielers waren, auf die Kante der Beklagtenbank. Ada fühlte sich als einziger denkender Mensch zwischen Haufen von Biomasse, in denen Herzen und Hirne auf Hochtouren arbeiteten, Drüsen pumpten, Muskeln zuckten. Als sie kräftig schluckte, blieb ein Brennen von Säure im Hals zurück. Die Mutter hatte endlich ein Taschentuch gefunden, rieb erst über die eigenen Wangen, dann über die Tischplatte und die unordentlichen Stapel bedruckten Papiers.

»Wirst du mich für einen schlechten Menschen halten?«, fragte der Brigadegeneral.

Peinlichkeit knisterte in allen Ecken, die Juristen versteckten ihr Lächeln, sie waren Schlimmeres gewohnt. Weil niemand sprach, ergriff Ada, im Zeugenstand ausgestellt wie am Pranger, erneut das Wort.

»Wenn ich dich zitieren darf«, sagte sie. »Gut und schlecht wurden vor hundert Jahren abgeschafft und durch funktionsfähig und nichtfunktionsfähig ersetzt. Werte sind zu Kriterien und die Moral zu einer Industrienorm geworden. Erinnerst du dich?«

»Ich erinnere mich.« Er lächelte schon wieder.

»Très bien. Was du ihnen aufgetischt hast, war nichtfunktionsfähig.«

»Du warst schon immer klüger als alle anderen Kinder«, sagte der Brigadegeneral.

Adas nächste Erwiderung schnitt die Richterin ab.

»Hätten wir das geklärt«, sagte sie laut. »Ich möchte Sie, Ada, noch darauf hinweisen, dass auf eine so teure Ausbildung von Gesetzes wegen kein Anspruch besteht.«

Ein paar Sekunden herrschte Schweigen, selbst die Heizung legte eine Pause ein.

»Beunruhigen Sie sich nicht«, sagte Ada schließlich. »Es gibt immer Mittel und Wege.«

Während die Richterin dem Diktiergerät erklärte, dass die Beweisaufnahme abgeschlossen sei, wuchs in Ada das Bedürfnis, noch etwas zu sagen. In Höfis Stunden hatte sie gelernt, dass es Spaß machte, Ideen aufzuwirbeln, die sonst wenig beachtet am Grund des Bewusstseins lagen. Nun gab es keine Stunden bei Höfi mehr.

»Habe ich Anspruch auf ein letztes Wort?«

Diesmal zog die Richterin nur eine Augenbraue in die Höhe und den gegenüberliegenden Mundwinkel nach unten. Ihre Mimik war beweglich wie bei einem Kabarettisten.

»Nein. Aber wenn Sie sich kurz fassen, dürfen Sie reden.«

»Vorhin auf dem Gang ist mir klar geworden, dass Sie hier Archäologie betreiben. Sie kommen mir vor wie jemand, der es bei einem Skelett mit Herzmassage und Mund-zu-Mund-Beatmung versucht. So ein Urteil muss eine nekrophile Handlung sein. Oder drücken wir es weniger morbid aus: Sie brüllen Kriegsrufe über Schlachtfelder, die von den Überlebenden längst verlassen wurden.«

»Nicht uninteressant«, sagte die Richterin höflich, »aber ich muss Sie bitten, dieses Schlachtfeld jetzt ebenfalls zu verlassen.«

»Wenn Sie das nächste Mal zu Hause sitzen und am Sinn Ihres Berufes zweifeln, werden Sie an meine Worte denken.«

»Bitte gehen Sie.«

Ada zuckte die Achseln, winkte mit kleiner Hand der Mutter zu und legte dem Brigadegeneral auf dem Weg zur Tür zwei Finger auf die Schulter. Ein geräumiges Schweigen, in dem ein groß angelegtes Stimmengewirr ohne weiteres Platz gefunden hätte, begleitete ihren Abgang.

Die Mutter kam erst am frühen Abend heim und war betrunken. Die Ponyfransen der Kleopatrafrisur hatten an Halt und Haarspray verloren und hingen viel zu lang in die Augen, die Wimperntusche war nach dem letzten Heulen nicht aufgefrischt, sondern endgültig entfernt worden, und auch vom Lippenstift war nur am Grund der feinen Längsfalten noch etwas übrig. Ada stand o-beinig und o-armig in der Küche und filetierte eine Tiefkühlpizza. Sie mochte es, wenn die Mutter sich beim Reden mit einer Hand am Türrahmen festhielt. Das war früher häufig vorgekommen, ein Zeichen der guten Zeiten.

»Du bist glücklich, nicht?«, sagte die Mutter.

»Bin ich. Willst du Pizza?«

»Danke. Du fandest es heute nicht schlimm?«

»Im Gegenteil. Du?«

»Ich auch nicht. Weil du ... Ach, du weißt schon.«

Die Mutter griff ihr mit einer Hand fest in den Nacken und schüttelte sie wie einen jungen Hund. Das war eine sportliche Geste, die nichts von der üblichen, ungesunden Zärtlichkeit hatte, die mehr Kampfmittel als ein Ausdruck von Zuneigung war. Ada drängte mit dem Pizzateller an der Mutter vorbei aus der Tür. Am Esstisch kaute sie Tomatensauce und Teig, während die Mutter Details der Verhandlung wiederbelebte, um sie anschließend zu beerdigen.

»Und am besten«, sagte sie, kurzatmig vom Lachen, »war deine semiphilosophische Einlage am Schluss. So etwas hat die Lockentussi noch nie in ihrem Gerichtssaal gehört.«

»Ohne Philosophie«, sagte Ada mit vollem Mund, »wagen nur Verbrecher, ihre Mitmenschen zu verurteilen. Die anderen legitimiert der Weltgeist.«

Ihr war klar, dass die gute Laune der Mutter weniger von semiphilosophischen Erkenntnissen kam als von der Tatsache, dass der Brigadegeneral einen schwarzen Peter nach

Hause getragen hatte, mit dem sich in Zukunft noch etwas anfangen lassen würde.

»Es ist schön«, sagte die Mutter leise und goss Cognac ins Glas, »zu sehen, wie du erwachsen wirst.«

»Du täuschst dich«, erwiderte Ada, gähnte und beschloss, dass die kommenden Worte die letzten sein würden, die sie an diesem Tag sprach. »Das Kamel war schon tot, bevor ich auf die Welt gekommen bin. Ich wurde als Löwe geboren, bin als Löwe groß geworden und werde als Löwe müde, lang vor der Zeit. Die Hoffnung, es zum Kind zu bringen, hat nie wirklich in mir gelebt.«

Die Mutter verstand nicht, schob es auf die Pubertät und hörte nicht, wie Ada »Das-hat-mit-Nietzsche-zu-tun« murmelte, während sie den Raum verließ. Als die Mutter auf dem Weg zur Toilette, wo sie sich erbrechen wollte, noch einmal nach ihr sah, schlief sie fest und reglos. Ihr heller Kopf lag eingesunken in den Kissen wie ein großes Straußen-Ei in seinem Nest.

Wenn ich Schriftsteller werden wollen würde

Was folgte, waren die schönsten Wochen in Adas Leben. Ob es an Alev lag, der unverhohlen ihre Nähe suchte, an den wenigen, dafür kunstvoll gefertigten blaugrünen Frühlingstagen, die das Jahr 2004 für die Bonner Bürger bereithielt, an Smutek, den sie in Einzelheiten zu kennen begann wie ein Forscher seinen Untersuchungsgegenstand, oder an einer jener zufälligen Umstellungen der Körperchemie, die für einen beachtlichen Teil des menschlichen Glücks und Unglücks verantwortlich sind, während die Betroffenen gern von Schicksalswenden sprechen – das war nicht gewiss. Sicher war, dass Ada sich gut fühlte. Alle Kleidungsstücke im Schrank passten wie angegossen, das Frühstück schmeckte nach Frühstück, und die Haare waren lang genug, um mit einem Küchengummi zum blonden Pinsel gebunden zu werden, mit dessen gesträubten Borsten die Finger wunderbar spielen konnten. Mit dem ersten Griff ins neue Lebensgefühl hatte sie das richtige Wort am Genick: Unanfechtbarkeit. Das Geheimnis bestand darin, nichts weiter zu tun, als jene Fähigkeit zu genießen, mit der die Natur sie am großzügigsten ausgestattet hatte: die Gleichgültigkeit der eigenen Existenz gegenüber.

Häufig dachte sie an den Mann ohne Eigenschaften, dem sie sich verwandt fühlte, als wäre sie eine Reinkarnation der wiedergefundenen Agathe. Sie waren beide nicht in der Lage, ihr Gedächtnis als eine massive Halle von Stahl und Glas zu errichten, sie reisten lieber mit leichtem Gepäck und blieben deshalb Vagabunden in den Fluren der Gegenwart. Über sie galoppierten Gewissheiten und Zweifel hinweg wie über einen steinigen Boden, der zittert und staubt, aber keine Spuren bewahrt. Ähnlich wie Ulrich hielt Ada sich weniger für ein Einzelwesen als für ein Zeitgeistdestillat. Wenn sie vor anderen agierte und sprach, kam es ihr vor, als präsentierte sie einen Prototypen, dazu geschaffen, den Schwellenmenschen vor Augen zu führen, welches nächste Etappenziel die Evolution ansteuerte, so unausweichlich, dass Pessimismus und Depression nicht mehr Bedeutung besaßen als ein modisches Hobby. Auf diese Weise war jeder Tag eine Darbietung, jede Begegnung kalt und sinnvoll, als befände sich die Glaswand einer Vitrine zwischen Ada und dem Rest der Welt. Niemand würde es wagen, ein von unsichtbaren Fäden gesichertes Ausstellungsstück zu berühren. Ada war unanfechtbar wie eine letztinstanzliche Entscheidung.

Seit neuestem ging Alev ihr morgens ein Stück entgegen und wartete an der Ecke einer schmalen Allee, die, von Einfamilienhäusern gesäumt, direkt auf den mächtigen Ziegelbau von Ernst-Bloch zuführte, dessen Dächer sich hoch und schwer über dem Wohngebiet erhoben wie das Deck eines Dampfers im Jachthafen. Einen Fuß hatte Alev in Großwildjägerpose auf seine Aktentasche gestellt, als erwartete er, im nächsten Augenblick photographiert zu werden. Während Ada sich langsam näherte, spürte sie jeden einzelnen Beinmuskel als Träger einer ungewöhnlichen Kraft, die ihr auf den leisesten Wink zur Verfügung stand. Obwohl sie ein Lächeln in sich trug, hob sie zur Begrüßung nur eine Braue, weil die Unanfechtbarkeit nicht mehr erlaubte. Wenn Alev sie an sich zog, marschierte ihr Herz bis unter die linke Achselhöhle. Sein Körpergeruch stellte noch immer die größte Sensation dar, mit der ihr Wahrnehmungsapparat sich je auseinander zu setzen gehabt hatte. Vorsichtig holte sie Luft, mit der Nase tief in seinen dunklen Haaren, die Festigkeit und Dichte einer Kleiderbürste besaßen. So bildeten sie mitten auf der Straße ein Separée, indem sie die Gesichter am Körper des anderen vor der Welt verbargen.

In den Einfamilienhäusern standen Mütter an ihren Küchenfenstern, die trotz des Tageslichts noch erleuchtet waren, und dachten jeden Morgen, was für eine wunderschöne Szene das sei und wie die beiden Kinder da draußen eines Tages heiraten würden, um selbst Kinder zu zeugen und an Küchenfenstern zu stehen, schwach von einer Sehnsucht, die sich so entschieden in die Vergangenheit richtete, als gäbe es dort etwas zu holen. Schon nach einer Woche begann man sie zu erwarten. Da ist er ja, mit seiner altmodischen Aktentasche, und da kommt sie, hübsch wie ein Tier, das nichts von sich selber weiß. Er kann sie küssen, ohne ihr Gesicht auszuwischen. Wir haben damals Make-up benutzt. – Ada ahnte nichts von der Existenz einer neoromantischen Oberfläche, die Alev und sie umschloss, gut lesbar und unzutreffend wie die Werbeaufschrift auf der Rückseite eines Cornflakeskartons, die man Morgen für Morgen beim Frühstück studiert. Weil ihr die Begabung zum Blick in Sartres Spiegel der Anderen fehlte und sie den Leuten aufs Kinn statt in die Augen sah, blieb sie für sich selbst unsichtbar wie ein Kind, das die Hände vors Gesicht schlägt und meint, das beste Versteck auf Erden gefunden zu haben. Mit fünfzehn Jahren und einem hyperaktiven Verstand im Goldfischglas besaß sie die vollkommene Disposition, um im Lauf eines nicht allzu langen Lebens nach allen Regeln der Kunst verrückt zu werden. Hätte die weibliche Zuschauerschaft davon gewusst, wäre sie keine Sekunde länger am Fenster geblieben. Sie hätte sich daran erinnert, dass jeder verklärte Blick in die Vergangenheit teuer bezahlt werden muss mit dem Alles-wird-schlechter-Gefühl, und hätte die Pausenbrote ihrer Sprösslinge an diesem Tag mit einer Mischung aus Genugtuung und Resignation bestrichen.

Unterdessen wurden die Küsse, die den Hauptbestandteil des Schauspiels bildeten, nicht wirklich ausgeteilt. Alev streifte Adas Lippen mit den seinen und begann schon zu sprechen, während er sie noch an sich drückte wie einen wiedergefundenen Koffer mit wertvollem Inhalt. Er war begierig aufs Reden, er wollte ihre Ohren, nicht ihren Mund.

»Wenn ich Schriftsteller werden wollen würde«, sagte er zum Beispiel, »würde ich eine junge Frau erschaffen.«

»Vielleicht solltest du dich bemühen, einer werden wollen zu können«, antwortete Ada und setzte sich in Bewegung, während an den Fenstern die Gardinen schwankten.

»Die junge Frau verliebt sich in einen jungen Mann. Sie hat den Großteil ihres Lebens in einer kleinen Stadt hinter dem Mond verbracht, während er viel herumgekommen ist. Im Vergleich zu ihrem bundesrepublikanischen Schneeglas kommt ihm der eigene Horizont geradezu kanadisch vor.«

»Soll mich das an jemanden erinnern?«

»Nicht doch.« Er hielt Ada am Ärmel fest, und sie ließen zwei grüne Ampelphasen verstreichen, um Zeit zu gewinnen. »Um ihn zu beeindrucken, erklärt die junge Frau, eine Weltreise unternehmen zu wollen. Sie setzt sich in einen Zug und ist fort. Wenige Tage später erreicht ihn die erste E-Mail aus London. Kurz darauf aus Paris, Lissabon, Madrid.«

»Odessa, Tbilissi, Al-Qahira und Al-Iskandariya?«

»Meinethalben auch von dort. Johannesburg. Montevideo. Fitzroy.«

»Wo ist Fitzroy?«

»Auf den Falklandinseln. Weißt du, worauf ich hinauswill?«

»Ja.«

»Wo befindet die junge Frau sich wirklich?«

»Hier.«

»Mit einer Standleitung zum Internet und einem Atlas der *New World Edition* auf dem Bett. Mein Roman würde aus den Briefen bestehen, in denen sie dem Geliebten von ihren Abenteuern erzählt. Eine Stadt nach der anderen richtet sich auf, wie sich in Pop-up-Kinderbüchern die Kulissen entfalten.«

»Du glaubst, das würde funktionieren?«

»Absolut. Eins ist überall gleich, und das sind die Unterschiede. Stadt und Land, Arm und Reich, Liebe und Hass, Mörder und Gemordete. Hat man erst einen Ausgangspunkt, kann man den Rest errechnen. Heutzutage müssen wir nicht mehr wegfahren, um von der Welt zu erzählen.«

»Das Lokalkolorit zum angeborenen Nomadengefühl gibt's im Internet.«

»Absolut. Ich würde dieses Buch in vier Sprachen schreiben. Es hieße: Letters from the World.«

So mochte es weitergehen, bis sie die Schule erreichten. Alev wich nicht von ihrer Seite, und sogar vor dem Klassenraum lehnten sie noch ein paar Augenblicke an der Wand, um ihr Gespräch fortzusetzen, mit ernsten Mienen und dezenten Gesten, wie gute Kollegen zu Beginn eines Arbeitstags voller Konferenzen, Konflikte und Konsequenzen.

Über den Verbleib der Zeit, die sie nicht gemeinsam verbrachten, legte niemand Rechenschaft ab. Wer Ada und Alev sah, hielt sie für Geliebte, beste Freunde oder Geschwister, Ada hingegen ging davon aus, dass Alev in ihrer Abwesenheit nicht mehr an sie dachte als ein Geschäftsmann auf Reisen an seine Ehefrau. Solange sie nicht auf dem Trimm-dich-Pfad der Begriffe die Stationen Liebe, Freundschaft und Treue abklapperte, vermisste sie nichts. Die neue Unanfechtbarkeit war wie flaches Wasser, das auseinander spritzt, wenn man hineintritt, und unversehrt wieder zusammenfließt. An guten Tagen schiffte die Welt in kleinen Booten darüber hinweg. An schlechten Tagen spürte Ada den Sog der Gezeiten, das Hierhin und Dorthin des Mondes, und wenn sie versuchte, in sich selbst hineinzusehen, sah sie das eigene Gesicht, wie es versuchte, in sie hineinzusehen.

Es kam ihr vor, als hätte sie zu wachsen begonnen. Die Gliedmaßen wurden länger und beweglicher, der Rücken biegsamer, die Hüften zarter. Die Beine spreizte sie ohne Schmerzen wie eine Turnerin. Sie rannte schneller denn je.

Smutek bleibt bei klarem Verstand. Sein Schneewittchen erwacht und begrüßt ihn als genesenen Kranken. Nie hat der katholische Gott sich schwächer gezeigt

Wenn der Mensch versucht, sich etwas vorzustellen, wird er notwendig irren. Vorstellung und Wirklichkeit sind nur in Ansätzen aufeinander bezogen, und der Glaube, Erstere müsse sich ständig mit Letzterer befassen, beruht auf der Tatsache, dass jene ungelöste Gleichung, die wir unser Ich nennen, genau am Schnittpunkt der beiden Koordinaten liegt. Wenn sich trotz hart erkämpfter Annäherung von beiden Seiten ein Abgrund zeigt, wird man nervös.

Smutek war nervös. Stellte er sich vor, wie es wäre, eine Affäre mit einer Schülerin zu haben, dachte er an einen Kerl, der von Besessenheit befallen ist wie von einer Krankheit, die in allen Körperzellen schlummert und von Zeit zu Zeit unter Schweißausbrüchen an die Oberfläche drängt. Er dachte an jemanden, der seinen Trieben hilflos ausgeliefert ist und nach importierten oder selbst gefangenen Opfern greift wie ein Heroinsüchtiger nach der Nadel. Solche Begierde musste wie ein Wutanfall funktionieren, der vom Magen aufsteigt, die Brust verengt, die Augen rötet und den Kopf weitet zu einem unmöblierten Raum, in dem die Gedanken obszönen Kitsch gegen leere Wände keuchen, während der Körper wie ein ausgerissener Haushund nach der Beute schnappt. Smutek aber ging zur Schule, verteilte generöse Deutschnoten, hielt sich von den Kollegen fern, woraufhin allgemein angenommen wurde, er sei über Höfis Tod nicht hinweggekommen, und wartete freitags pünktlich um fünf in der Lehrerumkleide auf seine beiden Dompteure. Den Geschlechtsverkehr vollzog er im Vollbesitz seiner geistigen Kräfte wie ein modernes Theaterstück: wenig Text, körperlich anstrengend und immer ein ästhetisches Problem. Zu seiner Frau war er offen, geduldig und einfühlsam, im Unterricht ein wenig abwesend, als spräche er aus großer Entfernung zu seinem Publikum. Anders als früher verließ er das Pult nicht mehr, um beim Reden Spaziergänge zwischen den Bankreihen zu unternehmen. Der Zettel, mit dem Alev ihm auftrug, Konflikten mit Teuter unter allen Umständen aus dem Weg zu gehen, wäre nicht nötig gewesen. Smutek zeigte in jeder Lage das Lächeln eines gealterten Revolutionärs. Wenn es geschah, dass er im Unterricht an Adas Brüste dachte, ließen die Ausläufer einer Paranoia ihn fürchten, die sündlosen Kinder könnten die Bilder in seinem Kopf wittern wie Waldtiere das Blut eines Artgenossen. Er verzichtete auf das Malen von Tafelbildern und trug lange Jackettschöße über der Jeans. Hätte er noch an das Bevorstehen eines nächsten Sommers geglaubt, wäre ihm die Aussicht auf steigende Temperaturen als echte Bedrohung erschienen.

Nachdem er aus dem Eilzug seines Lebens abgesprungen war, hatte er erst schwankend, dann mit festeren Schritten den Weg eingeschlagen, den die Erpressung vor seinen Füßen auftat, und lief seither ohne Zögern in die vorgegebene Richtung. Was es über derartige Spiele in Filmen und Büchern zu erfahren gab, war ihm bekannt. Die gut asphaltierte Straße vor ihm hielt keine Abzweigungen bereit und steuerte kurvenlos auf ein Verhängnis zu, das im übersichtlichen Gelände die ganze Zeit in Sichtweite lag. Er würde seinen Job und Frau Smutek verlieren, einige Zeit im Gefängnis verbringen oder jahrelang zweimal pro Woche einem Bewährungshelfer Bericht aus den Trümmern einer zerstörten Existenz erstatten. Er wäre vorbestraft und würde Polens Beitritt zur Europäischen Union, auf den er sich seit Jahren freute, als einen Schicksalsschlag verfluchen, weil er den Versuch erschwerte, in der großen, gesichtslosen Stadt Warschau ein neues Leben zu beginnen. Die Mühe, nach einem Ausweg zu suchen, konnte er sich sparen. Selbst wenn Ada und Alev eines Tages wie launische Kinder ihr Spielzeug fallen lassen und das Seil kappen würden, selbst wenn sie nach Erhalt des Abiturs das Interesse an der Dressur ihres Lehrers verlören, würde die Erpressung ihre Widerhaken in seinem Fleisch zurücklassen, und der Tag, an dem er sie nicht mehr spürte, war schon jetzt unwiderruflich aus seinem künftigen Lebenslauf gestrichen.

Manchmal auf dem Weg zur Schule ließ er den Volvo zufrieden brummend und mit pulsierender Warnblinkanlage vor einer Sparkassenfiliale warten, während er vor den Geldautomaten trat und die Auszahlung eines kleineren Betrags veranlasste, den er vor der ersten großen Pause in einem Umschlag unter dem Klassenbuch liegen ließ. Den wenigen Zetteln, die um Geld baten, stand die Scham in jedes Wort geschrieben, und Ada vergaß niemals, sich bei nächster Gelegenheit für die Spende zu bedanken, während die Tatsache, dass Smutek sie jeden Freitagnachmittag nicht weniger unfreiwillig begattete, niemandem ein Wort des Dankes wert war. Smutek gab gern. Es beruhigte ihn, wenn Bonnie und Clyde zwischen Perversionen und galliger Normalität Raum für ein harmloses Vergnügen fanden, ein bisschen Konsum, eine neue Hose, ein gutes Essen, Musik, Bücher oder Drogen, was auch immer man in diesem Alter mit fünfzig Euro anfing. Es half ihm, vernünftig zu sein und nicht nach dem Warum zu fragen. Es gab Menschen, denen ein Bein fehlte oder die als Kind im Gartenschuppen täglich mit einem anderen Stück Kaminholz verdroschen wurden. Die Vielfalt möglicher Heimsuchungen war unüberschaubar, Smutek war im Zoo zwischen Gottes Monsterzüchtungen ein kleiner Fisch. Für jedermann befand sich die Schwelle zur Hölle an dem Punkt, an dem er begann, mit dem Kopf gegen die Gitterstäbe zu schlagen. Smutek hatte nicht vor, in Panik zu verfallen. Nur wenn er lang vor dem Klingeln des Weckers erwachte, sich zunächst freute über die verbleibenden Mengen an rot leuchtender Digitalzeit, schließlich jedoch von ungebetenen Ideen überfallen wurde, die ihm termitengleich in Herz und Hirn krochen, stand er zittrig zwischen den Wohnzimmerfenstern und legte beide Hände flach gegen die Mauer, um sich beim Schlagen mit dem Kopf die Stirn nicht ernsthaft zu verletzen.

Ansonsten war er bei Verstand. Schule, Wohnung, Auto, Frau funktionierten nicht nur wie immer, sondern besser denn je. Smutek kam sich vor wie ein Mann, der nach dem Ablegen von Anzug, Hemd und Schuhen feststellen muss, dass jene auch ohne ihn ihren gewohnten Beschäftigungen nachgehen, mit überkreuzten Beinen am Schreibtisch sitzen, den Computer bedienen oder einen Drink mixen, ohne die Abwesenheit ihres Besitzers zur Kenntnis zu nehmen.

Inzwischen nutzte eine Grippe die Gelegenheit, sich der geschwächten Frau Smutek zu bemächtigen. Geschwollene Mandeln, wunde Bronchien und verstopfte Nebenhöhle drängten die Depression an den Rand des Schlachtfelds und gerieten ihrerseits unter dem Einsatz pharmazeutischer Massenvernichtungswaffen ins Wanken. Als der Kampf gewonnen und alle Viren getötet oder vertrieben waren, erhob sich Frau Smutek von ihrem Lager. Sie war nicht Ganz-die-Alte und nicht Wie-neugeboren. Sie war irgendein Mensch, der sich von einer Krankheit erholte und aufgrund einer Verkettung von Umständen, deren Entwirrung nicht mehr gelang, in bestimmten Zimmern lebte, die gemeinsam eine Wohnung ergaben. Im Treppenhaus standen frisch gesetzte Hyazinthen auf der Fensterbank, wurden jede Nacht einen Zentimeter höher, sprengten ihre fleischigen Knospen und erfüllten alle Stockwerke mit einem penetrant süßlichen Geruch. Die Verwandlung seiner Frau sah Smutek mit ähnlichem Erstaunen wie dieses Schauspiel. Zwei Wochen später ging sie wieder zur Arbeit, stach mit großen Spritzen in kleine Mäuse, um etwas Flüssigkeit aus ihnen zu saugen, und kehrte jeden Mittag nach Hause zurück.

Wie häufig, zeigte sich die Größe der Veränderung an Kleinigkeiten. Wenn Frau Smutek sich in der Küche beschäftigte oder die Straße betrachtete, auf der gewöhnliche Leute ihren scheinbar gewöhnlichen und doch unendlich geheimnisvollen Beschäftigungen nachgingen, sang sie leise vor sich hin. Etwas Derartiges hätte sie sich früher nie erlaubt. Als der Nervenarzt, den sie zweimal in der Woche aufsuchte, um sich vom Sinn des Lebens überzeugen zu lassen, sie beim Summen einer selbst erfundenen Melodie ertappte, geriet er in Begeisterung wie über das erste Lebenszeichen aus einem verschlossenen Turm, an dessen Mauern er seit längerem mit professioneller Hartnäckigkeit klopfte. Seiner Diagnose nach hatte Frau Smutek durch ihr dumpfes Brüten die kritische Nacht daran gehindert, Teil einer Erinnerung zu werden. Sie hatte die Produktionsstätten ihrer Persönlichkeit stillgelegt, Fließbänder voll unfertiger Gedanken blockiert und mechanische Arme gestoppt, die nun einbaubereite Fertigungsteile des nächsten Bewusstseinsschritts erstarrt in die Luft hielten. Eine Weile noch hatte Frau Smutek in der schweigenden Montagehalle gestanden und war schließlich ins Freie getreten. Dort bewegte sie sich mit vorsichtigen Schritten und geschärften Sinnen auf unvertrautem Grund. Als der Arzt ihr das zu erklären versuchte, lachte Frau Smutek und summte nie wieder in seiner Gegenwart.

An den Nachmittagen und Abenden begegnete sie ihrem Mann und fand ihn gut aussehend und liebevoll. So erhärtete sich ihr Verdacht, dass er eine Krise durchlitten habe und sich seit einiger Zeit auf dem Weg der Besserung befinde.

Smutek stand prinzengleich und mit ausgebreiteten Armen neben seinem Schneewittchen bereit, das endgültig zu erwachen schien. Wenn sie abends zusammen aßen und sich über den Tisch hinweg in die Augen schauten, hielt jeder den anderen für einen vollständig überlieferten Menschen, sich selbst aber für eine frisch fertilisierte Person, mit der es das Gegenüber vorsichtig vertraut zu machen galt. Smutek verfüllte die Bruchstellen mit behutsamer Gesprächigkeit. Weil er dabei das aberwitzige Bedürfnis unterdrücken musste, seiner Frau von Ada und Alev zu erzählen, und weil er inmitten einer Auferstehungsszenerie nicht mit Belanglosigkeiten um sich werfen wollte, zog er sich den Märchenklang der polnischen

Sprache wie Gummihandschuhe über und begann, von Höfi zu sprechen.

Manchmal geschehen Dinge, sagte er, deren tieferer Sinn uns verschlossen bleibt. Sie können uns eine geliebte Person zum Fremden machen. Eine winzige Verschiebung im Kopf, und der Mensch tut etwas, das wir niemals für möglich gehalten hätten. In dieser geheimen Unzuverlässigkeit liegt vielleicht der größte Schrecken, den die Welt für uns bereithält.

So redete Smutek und spürte dabei, wie ein anderes Gespräch von hinten aufholte, in gleicher Geschwindigkeit nebenherlief und ihn dazu verführen wollte, in vollem Lauf die Spur zu wechseln und über sich selbst zu sprechen. Frau Smutek sah ihn verwundert an. Sie spießte einzelne Erbsen auf die Gabel und schob sie in den Mund. Um den linken Zeigefinger wickelte sie eine lange Haarsträhne, bis diese eine dicke Spule ergab, ließ sie los und begann von neuem. Schon immer hatte Smutek die Fähigkeit der Frauen bewundert, mit der rechten und linken Hand völlig unterschiedlichen Beschäftigungen nachzugehen.

Wir müssen froh sein, hier zu sitzen, in unserem warm erleuchteten Käfig, während draußen, Smutek zeigte wie ein Wanderprediger zur Balkontür, an deren Scheiben sich die Nacht das schwarze Gesicht platt drückte, während draußen ein unerbittlicher Kampf tobt, der täglich einen Großteil der Menschheit verschlingt.

»Und wieder hervorbringt.«

»Wie bitte?«

Frau Smutek hatte die Gabel neben den Teller gelegt, das Gesicht zur Decke erhoben und wiederholte den Halbsatz: Und wieder hervorbringt.

Gewiss, sagte Smutek. Wir müssen glücklich sein. Wir sind aufs Glück verpflichtet, es steht in den Allgemeinen Geschäftsbedingungen zu unseren Geburtsurkunden.

Seine Frau lauschte mit schräg gelegtem Kopf in die leere Fertigungshalle in ihrem Inneren und vernahm den Widerhall von Sätzen, die von einer anderen Person zu stammen schienen. Wir sind in einen Krieg hineingeboren. Wir sind Opfer der Geschichte. Lächelnd fasste Smutek ihre Hand und drückte zu, als fasste er den Nacken eines Hundes, der endlich begriffen hat, dass er nicht bellen soll, wenn der Nachbar draußen an der Tür vorbeigeht. Seine Finger hinterließen blutleere Flecken auf ihrer Haut. Er sammelte die restlichen Erbsen auf seinem Teller mit dem Löffel ein und verklebte sie mit dem letzten Rest Kartoffelpüree. Er war seinen Verfolgern, die ihn zu einer irrsinnigen Beichte verleiten wollten, mit ein paar Haken davongerannt.

»Wir haben *uns*«, sagte er eindringlich und hatte damit die perfekte Überleitung gefunden. »Ich muss dir etwas Schreckliches mitteilen. Höfi ist tot.«

»Weiß ich«, sagte seine Frau.

Es war kaum zu vermeiden gewesen, die Notiz in der Rubrik Vermischtes zu entdecken. Die Hohlräume sämtlicher Buchstaben waren mit Kugelschreiber ausgemalt gewesen.

»Ich dachte mir gleich, dass du Zeit brauchst, um darüber zu sprechen.« Sie schob die abgegessenen Teller beiseite, stützte die Ellenbogen auf den Tisch und fasste ihm an die Wange. »Ich freue mich, dass es dir besser geht. Endlich bist du wieder du selbst.«

Endlich wieder wer?

Smutek antwortete nicht. Er hielt sich an der Tischkante fest, um sich mit Hilfe der Berührung daran zu erinnern, dass sie sich an einem gewöhnlichen Ort befanden und nicht kopfüber, kopfunter im Orbit kreisten. Er begrüßte den Einfall, dass Frau Smutek womöglich den Glauben an seine Krankheit und Heilung brauchte, um mit ihrer persönlichen Genesung zurechtzukommen. Ein Fachmann hätte einen griechischen Begriff dafür gewusst.

Sie hatten sich an einem Punkt getroffen, der beide beglückte. Was Smutek bei einem solchen Gespräch am wenigsten behinderte, war sein Gewissen. Die Überzeugung, dass die Turnübungen auf hellblauem Untergrund unter anderem dazu dienten, ihm aus seiner alten Haut herauszuhelfen und ihm die Möglichkeit zu eröffnen, das wiedererwachte Schneewittchen zum zweiten Mal kennen zu lernen, war so klar und strahlend, dass sich die nebligen moralischen Landschaften dahinter blass ausnahmen wie die umliegende Wüste hinter den Leuchtreklamen von Las Vegas. Nie hatte der katholische Gott sich schwächer gezeigt.

Ein schöner Abend

Smuteks Fünfzig-Euro-Scheine wurden nicht in Jeanshosen oder CDs investiert, sondern von Alev in einer leeren Bierflasche gesammelt, die er zertrümmerte, als genug zusammengekommen war. Am Freitag vor den Osterferien sprach Ada bei der Mutter vor und verlangte ein vogelfreies Wochenende mit Freunden. In Anerkennung der elterlichen Sorgeberechtigung beantwortete Ada einige Fragen, wer fährt noch mit – kennst du nicht, ist Alev wirklich schon volljährig – ja. Die Mutter legte den Stift auf die verrutschten Papierstapel mit römischen Ziffern, Spiegelstrichen und Paragraphen, die den Schreibtisch in ihrem Zimmer bedeckten, und lächelte listig.

»Da macht ihr euch strafbar, nicht?«

Ada stand sekundenlang wie aus Stein, bis das Lächeln der Mutter in Gelächter zerplatzte.

»Guck nicht so! In Wahrheit interessiert das doch keinen.«

Endlich hatte Ada verstanden: Alev achtzehn, sie fünfzehn, schon so wenig reichte für irgendein Strafgesetz, und sie musste mitlachen, über sich selbst und darüber, dass sie ohne zu lügen erwidern konnte: »Weißt du, wir haben gar keinen Sex.«

Die Mutter umarmte sie, wie echte Mütter echte Töchter umarmen, du bist ein kluges Kind, viel klüger als die anderen, habt Spaß am Ijsselmeer.

Auf der Rückbank saßen sie zu dritt, Alev in der Mitte, die kurzen Beine auf die teppichbeklebte Mittelkonsole gestellt. Die Wärme der Körper im engen Wagen erzeugte eine Blase aus Wohlbefinden, wie sie zwischen Kindern unter einer gemeinsamen Bettdecke entsteht. Ada saß in die Ecke der Sitzbank gelehnt, die Stirn an der Scheibe, über die der Regen zuckende Geschwindigkeitsstriche zog. Als Alevs bevorzugte Spielkameradin genoss sie Immunität, die es den anderen Jungen verbot, sie auch nur anzusprechen. Man störte sie nicht beim Nachdenken.

In den letzten Wochen war die Zeit viel zu schnell vergangen. Die Sekunden schossen auf jenen ständigen Fluchtpunkt zu, den der Mensch immer vor Augen und niemals in Reichweite hat und je nach Belieben entweder Horizont oder Zukunft nennt. Ausgerechnet Ada schien als Einzige zu bemerken, dass die freitäglichen Stelldicheins nach der vierten Wiederholung den kreidigen Geruch einer Schulstunde annahmen. Trotz handelsüblichen Phlegmas hielt sie das Gehen auf ebenem Boden nicht aus, sie brauchte abschüssigen Grund. Aber sie war nicht zuständig für die Frage, ob etwas richtig lief oder falsch. Das war Alevs Angelegenheit. Dieser wirkte entspannt wie ein Pilger, der Woche für Woche eine Etappe hinter sich bringt, zufrieden, endlich unterwegs zu sein, und noch zu weit vom Ziel entfernt, um sich zu beeilen. Ein wenig geistesabwesend klimperte er das Musikstück, das er mit so viel Mühe komponiert hatte. Um ein Abschweifen seiner Aufmerksamkeit zu verhindern, wäre Ada zu manchem bereit gewesen. Alev jedoch verlangte nur, den gefundenen Rhythmus einzuhalten: donnerstags Vorbesprechung, freitags Turnhalle, dienstags Hochladen der Bilder auf die Homepage von Ernst-Bloch.

Während sie die Rheinmagistrale Richtung Autobahn befuhren, überlegte sie, ob auch Smutek das Nachlassen in Alevs Konzentration zu spüren begann. Beim letzten Treffen war Smutek anders gewesen. Vielleicht hatte sie ihm unabsichtlich einen Hinweis zukommen lassen, dass sich das Spiel nach seiner nächsten Stufe sehnte. Oder er hatte sich für eine Taktik entschieden, die darin bestand, die Mauern nach dem schwächsten Punkt abzuklopfen. Jedenfalls war plötzlich etwas zwischen ihnen gewesen, das sich einer beidseitig schiefen Ebene vergleichen ließ, über die sie langsam aufeinander zu rutschten. Bislang hatte das Spiel aus zwei Achsen bestanden, von denen eine zwischen Ada und Alev, die andere zwischen Alev und Smutek verlief. Die Aussicht, es könne sich etwas Drittes entwickeln, das Ada selbst noch nicht verstand, brachte ihr Zwerchfell zum Kribbeln. Sie rutschte tiefer in den Sitz und streifte Alev mit einem schnellen Seitenblick. Er unterhielt sich zwischen den Sitzbänken hindurch mit Grüttel und Bastian. Toni, der rechts von ihm saß, beteiligte sich nicht am Gespräch.

Von diesen neuen, zarten, halb durchsichtigen Bewegungen hatte Alev nichts bemerkt. Als Smutek sich hingekniet hatte, um entsprechend der Anweisungen das Gesicht zwischen Adas gespreizten Beinen zu vergraben, war es ihm gelungen, unbemerkt von Alev, der hinter ihm mit der Kamera hantierte, einen seltsam eindringlichen Blick in ihre Augen zu manövrieren. Er schaute sie an, als versuchte er verzweifelt, ihr im überwachten Besuchsraum eines Gefängnisses ohne Worte etwas Wichtiges mitzuteilen: Ob er unschuldig sei oder nicht. Mehr verstand sie nicht. Die sekundenlange Besuchszeit war vorbei gewesen, als Alev etwas gesagt hatte: Falls Sie planen, über Ostern in den Urlaub zu fahren, muss ich Ihnen leider mitteilen, dass schulische Verpflichtungen entgegenstehen.

Smuteks Finger hatten sich in Adas Schenkel gekrallt, und als es ihm auffiel, tätschelte er die gequetschten Stellen wie den versehentlich misshandelten Rücken eines braven Pferds. Wahrscheinlich hatte er an sein Häuschen gedacht und daran, dass es keinen Ort mehr gab, an den er in den Ferien fahren konnte.

Als Ada wenig später die Dusche verließ, war er hinter sie getreten und hatte zu flüstern begonnen, du immer mit deinen nassen Haaren, es ist doch noch kalt draußen, so kalt. Er schloss sie fest in die Arme, dass sie sein Zittern spüren konnte, es hatte ihn am ganzen Körper erfasst, die Kniescheiben, den Brustkorb, die Lippen und natürlich die Hände. Seine Kraft erschien ihr fast maschinell. Er presste sie immer brutaler an sich, als könnte er auf diese Weise eins mit ihr werden, nicht im geschlechtlichen, sondern im mechanischen Sinn, wie man zwei Plastikteile, die nicht zueinander passen wollen, mit Gewalt und auf die Gefahr hin, dass sie zerbrechen, an ihre Plätze zwingt.

Etwas war eingeklinkt, das Zittern hatte aufgehört, und plötzlich lachten sie sich an wie Grundschulfreunde, die, alle Taschen voller Kirschen, gemeinsam dem alten Nachbarn davongelaufen sind. Während sie sich anschauten, begann Ada zu ahnen, dass etwas Größeres möglich war, ein Beherrschen, das nicht einmal Alev sich auszudenken vermochte, weil es allein in Adas Macht stand, darüber zu verfügen. Dieser große, erwachsene Mann brauchte etwas, das nur sie besaß.

Dann war auch dieser Augenblick vorbei. Smutek hatte den Kopf geschüttelt und ihr mit flacher Hand auf den Rücken geklopft, als hätte sie soeben eine neue persönliche Bestzeit erreicht.

Vergesst nicht abzuschließen.

Sie war ohne Antwort zurückgeblieben, ohne Antwort auf die Frage, ob soeben etwas zwischen ihnen geschehen sei, und wenn ja, was?

Das Auto erreichte die Ausfallstraße, Adas Gedanken lösten sich auf. Der Nieselregen draußen inszenierte eine ewig dunkle, ewig träumende Welt. Die Betonbeine der Rheinbrücke, unter der eine Ampel sie stoppte, stammten von dickhäutigen Tieren. Auf der Beschleunigungsspur fuhr Grüttel die Gänge aus, Ada überließ ihren Körper dem Konflikt zwischen Masseträgheit und Geschwindigkeit, genoss den Geruch feuchter Kleidung und das Glänzen der Scheitel unter der Innenbeleuchtung und bat um einen schnellen, sanften Tod.

Irgendwann waren sie einfach da, standen auf dem Steg eines Hausboots und warteten auf Grüttel und Bastian, die schon zum zweiten Mal jemanden in der Menge erkannt hatten und Wiedersehensfloskeln auf Englisch tauschten. Große Teile der Seitenwände des Boots waren durch Glasscheiben ersetzt worden. Im Inneren hockten die Gäste dicht beisammen und wirkten auf ihren Barhockern zusammengepfercht wie Riesenvögel in einer Straußenfarm. Toni ging voran und bahnte einen Weg durch die schmale Eingangstür.

Viele kleine Lautsprecher spielten ein Lied, das Ada früher fast so sehr gemocht hatte wie Don Camisi. Jessie, paint your pictures about how it's gonna be. Aus Gedränge und Rauchschwaden tauchte ein Mädchen auf, das noch jünger sein musste als sie selbst. Klar und starr wie ein Bilderrahmen umschloss Adas Blick dieses Gesicht, strohgelbes Haar umgab es wie Sonnenstrahlen. Ada sah kurz gekaute Fingernägel, die knallrot lackiert waren, leuchtend wie Marienkäfer ohne Punkte, und die zu zehnt aufstiegen, als das Mädchen sich mit beiden Händen die Strähnen aus der Stirn strich. Für eine Sekunde glaubte Ada, das Mädchen wolle sie begrüßen, sie mit sich ziehen, ihr etwas sagen. Jessie, you can always sell any dream to me. Dann drehte ein Junge sich um, er war in Alevs Alter, trug die Haare lang, dass sie ihm in schwarzen Spiralen über die Schultern fielen, und bewegte sich mit der verhaltenen Kraft eines Jagdtiers. Jessie! Das Mädchen duckte sich zusammen und schlüpfte an Ada vorbei Richtung Ausgang, wurde von den Rücken ihrer Begleiter vertilgt und war verschwunden. Ada blieb zurück, gebannt von einem Déjà-vu, bis Alev sie an den Ellenbogen packte und vor sich her in den überfüllten Raum schob.

Sie sprach wenig, und wenn etwas gesagt wurde, verstand sie die Bedeutung nicht. Die meiste Zeit schaute sie Alev an, als wollte sie überprüfen, ob er außerhalb der engen Stadt, in der sie ihn kennen gelernt hatte, nicht zu verblassen beginne. Grüttel und Bastian brachten Glasröhren, hielten sie wie durchsichtige Rüssel vor die Gesichter und verwandelten sich in merkwürdige Tiere mit verschlungenen Gliedmaßen, zugekniffenen Augen und Frisuren, die auf englische Weise perfekt ungeschnitten waren. Alev und Ada saßen als Königspaar auf dem einzigen Diwan, Ada durfte schweigen, auch schlafen, während Alev die Welt erklärte, Anweisungen gab, sein Gefolge zum Lachen brachte. Nach einer Weile begriff sie, dass Smuteks unfreiwillige Geschenke an diesem Abend die ganze Gruppe freihielten.

Der Nieselregen hatte sich in Nebel verwandelt. Es war Nacht, Vormittag, Nachmittag, es wollte nicht hell werden, oder vielleicht war es nicht richtig dunkel geworden. Alev brachte sie auf die Straße, die anderen waren verloren gegangen, und Ada konnte sich nicht erinnern, wann sie einen von ihnen zuletzt gesehen hatte. Die Straßenlaternen schlossen orangefarbene Blasen aus Licht um die Menschen in den Gassen, stolpernde, wispernde, rennende, lachende Menschen, die alle ein Alter teilten, jenes der inneren Obdachlosigkeit. Von der Dunkelheit geglättete Gestalten, dreckige Jeans und Federboas, Münder aus Lippenstift, die sich beim Sprechen durch die Gesichter fraßen. Alev hatte Adas Arm gefasst, sie legte den Kopf in den Nacken und ließ sich führen. Oberhalb der Laternen herrschten Ruhe und Frieden, Licht und Schatten lagerten liebend nebeneinander. Alte Häuser standen nach vorne geneigt, als wollte auch der Giebel beobachten, was sich zu seinen Füßen abspielte. Ziegeltürmchen, scharf gegen den Nachthimmel gezeichnet, durchhängende Telephonkabel, auf denen ein Eichhörnchen als schwankender Seiltänzer die nächste Gracht von Mast zu Mast überquerte.

Als Alev sie anstieß, holte Ada den Blick von den Dächern herunter und sah ihm versehentlich direkt in die Augen. Sie meinte, es müsse zu einem Kurzschluss ihrer beider Gehirne kommen, der sie in einem Klumpen verschmelzen und zurücklassen würde als erstarrtes Gebilde, in dem Gott-weißwer die Zukunft lesen mochte. Die Mülltonnen waren voller geworden, die Konzertplakate älter, die Hauseingänge feuchter. Auf mancher Stufe ein Glücklicher, die Nadel im nackten Arm wie einen fehlgegangenen Dart-Pfeil.

Hier ist es richtig. Alev hielt eine Tür auf und ließ sie eintreten. Tageszeiten müssen draußen bleiben.

Auf den abgeschabten Sofas im Raum saßen Mädchen verteilt und wirkten wie die entflohene und heruntergekommene Mittelstufenklasse eines Pensionats. Sie trugen Jeans

Größe sechsundzwanzig und kurze Hemden, keine schien wesentlich älter als fünfzehn zu sein.

»Welcome home sweethearts be our guests!«, rief eine mit rasiermesserscharfem Pony hinter der Bar und stieß dabei mit der Zunge an die Zähne, als wäre ihr gestern erst die Zahnspange entfernt worden.

»Hier wirst du dich wohl fühlen«, sagte Alev. »In gewisser Hinsicht sind sie alle wie du.«

Sie waren die einzigen Gäste. Kaum saßen sie in einer weichen Ecke, kamen die Mädchen einzeln vorbeigeschlendert. Alev verteilte Zigaretten und Fünf-Euro-Scheine zum Zeichen, dass er nichts Bestimmtes von ihnen wollte, und sie verzogen miauend die kleinen Münder, oh honey I love you!, sprachen in Songtexten, nahmen Adas Gesicht zwischen beide Hände und gaben Wespenküsse, kurz gelandet und gleich wieder vertrieben. Ada schaute in alle Gesichter, wie sie seit Monaten und Jahren in kein Gesicht geschaut hatte, es lebte und tanzte und lachte vor ihren Augen, kein Elend, kein Verderben, fröhliche Mädchen, noch nicht ganz aus dem Spielkindalter heraus, eingerichtet im leeren Raum zwischen zwei Welten, in denen jeweils eine Menge Verzweiflung und Traurigkeit auf sie wartete.

»Siehst du, Kleinchen.« Alev trank Gin. »Ein schöner Abend.«

Erschöpft lagen sie in den Polstern, vom Sofa weich umarmt, und gehörten vollständig dazu, als hätte man sie schon vor langer Zeit gemeinsam mit dem Mobiliar in die Kneipe getragen. Ein halber Liter Wein schaukelte in seiner Karaffe und ließ einen roten Lichtpunkt über die Tischplatte kreisen. Das erste Glas leerte Ada gegen den Durst. Der ungewohnte Alkohol trug ihr die Welt auf Fließbändern entgegen, Farben, die nicht das Auge, Gerüche, die nicht den Magen belästigten. Welcome home be our guest. Vergiss die Menschheit, hier hast du es mit Menschen zu tun. Die kleine Sportliche mit Irokesenfrisur, die Rothaarige, an der alles lang war, die Dunkle hinter der Bar mit den flinken Händen, die nach Gläsern wie nach flüchtenden Mäusen schnappten – sie alle hatten Eltern, vielleicht Freunde und irgendeine Sorte Zuhause, und durch ihre Köpfe wälzte sich der übliche, unausgesetzt plappernde Gedankenstrom. Draußen gab es noch sechs Milliarden weiterer solcher Gedankenströme, weibliche und männliche, die ihre Zeit auf Erden verschwatzten und schließlich, wenn sie nichts zu Papier gebracht hatten, rückstandslos verloschen. Am Ausgang des Universums musste ein Schild stehen: Bitte verlassen Sie den Raum so, wie Sie ihn vorfinden möchten. Der Widersinn der Aufforderung enthielt bereits die Unendlichkeit. Man brauchte weder Himmel noch Hölle, um körperlose menschliche Geister auf ewig zu verwahren. Man brauchte nur die ewige Wiederkehr. Ada wusste nichts von diesen Mädchen, und sie wusste nichts von den Geschichten, die sechs Milliarden Menschen sich selbst erzählten. Selbst von Alev, dem sie sich so eng verbunden fühlte, wusste sie nur, dass er einen Bruder besaß, dem sie nie begegnet war, und früher Handtücher gegen die Wand geschlagen hatte, um sie zu züchtigen. Solange er nicht sprach, hatte sie keine Ahnung, was in ihm vorging.

Das zweite Weinglas hatte sie zur Hälfte geleert, als ihr etwas auffiel. Zwischen all den Menschen, die wie Bücher mit leeren Seiten in der Rumpelkammer ihres Gedächtnisses lagen, gab es einen, über den sie etwas zu erzählen wusste. Während gemeinsam gerannter Runden hatte er unablässig von sich selbst gesprochen. Ausgerechnet Smutek war eine Geschichte mit Anfang, Mittelteil und einem Ende, das sich vorausahnen ließ.

Alev, der bis dahin die Augen geschlossen gehalten hatte, fragte, worüber sie lache.

»Ich weiß inzwischen so viel über ihn. Sein Zimmer im Asylantenheim hatte er mit Gedichten gepflastert. Er schrieb sie aus einem Buch ab, das ihm als einzige Habe verblieben war, und hängte sie wie Bilder gerahmt an die Wand. Ich kann eins der Gedichte sogar zitieren. Zbigniew Herbert.«

Alev hob eine Augenbraue und verzog den Mund, natürlich wusste er, von wem die Rede war. Seine Miene enthielt wahrlich keine Aufforderung zum Weitersprechen, aber Ada war schon mittendrin. Sie schaute zur Decke und genoss die exakte Gestalt von Wörtern und Sätzen, die ihr über die Lippen rannen.

Ada erzählt etwas, weil sie es weiß. Ein Polizeiauto beendet den schönen Abend

Das Wesen seiner künftigen Frau erkannte Smutek, als sie ihn zum ersten Mal in seiner ärmlichen Behausung besuchte und allen Protesten zum Trotz die Schuhe auszog, um Smuteks acht Quadratmeter Übergangswohnheim nicht mit feuchten Herbstblättern zu beschmutzen. Die Socken unter den schmalen Stiefeletten waren aus Wolle, blau und so abgetragen, dass die Form der Zehen hell durch das Gewebe schimmerte. Smutek wusste, was ein solches Paar Strümpfe für eine Polin bedeuten musste. Im Verlangen, die Schuhe dennoch abzulegen, lag das ganze Elend eines starken Charakters.

Sie inspizierte sein Zimmer; den metallenen Spind, der an die Schließfächer einer Sporthalle erinnerte, die Gefängnispritsche, den Kinderschreibtisch mit zwei Stühlen davor und das hüfthohe Regal, in dem eine Zahnbürste, eine Fusselrolle und Schuhputzzeug akkurat auf drei Fächer verteilt waren. Smutek stand in der Ecke und schaute ihr zu. Einige Male sah sie mit glänzenden Kohleaugen und weich geöffneten Lippen zu ihm hinüber. Verwundert lächelte er zurück, ohne zu begreifen, warum ihr diese Zelle so gut gefiel, warum sie ihn beneidete um sein Flüchtlingsleben, das ihr mannhaft und wahrhaftig erschien, während sie sich für die eigene Existenz als Deutsche nach dem Grundgesetz schämte. Aus Verlegenheit und weil er ihr etwas schenken wollte, nahm Smutek einen Rahmen von der Wand und drückte ihn ihr mit beiden Händen vor die Brust. Trzymaj, to dla Ciebie. Höflich verbarg sie ihren Ekel vor allen Devotionalien polnischer Kultur, saß eine Stunde lang auf der Pritsche mit dem Gedicht auf dem Schoß und trank Kaffee ohne Milch.

Niemals konnt ich an deine hände denken ohne zu lächeln /
und nun da sie auf dem stein wie abgeschüttelte nester liegen /
sind sie genauso schutzlos wie vorher das eben ist das Ende.

Beim nächsten Treffen forderte sie die Geschichte seiner Deportation als Eintrittskarte zu ihrem Herzen. Erst ungern, dann routiniert berichtete Smutek davon, wie man ihn nach fünfmonatiger Haft über den Gefängnishof und in einen schmutzig grauen Kastenwagen getrieben hatte. Er solle dankbar sein, rief eins der Maschinengewehre ihm zu, dass man sich seiner nicht auf andere Weise entledige, und als Smutek sich nach allen Regeln der Höflichkeit bedankte, erhielt er den wohlmeinenden Rat, Kontakte zu seiner Familie bis auf weiteres zu vermeiden.

In der totalen Dunkelheit der Fahrt ging jedes Zeitgefühl zum Teufel, alles Selbstverständliche verlor an Überzeugungskraft. Weil das Auge in der Schwärze nicht den kleinsten Anhaltspunkt fand und weil der Körper, gerüttelt von einem Untergrund, der weniger Straße als offenes Feld zu sein schien, jedes Gefühl für sich selbst verlor, wurde die eigene Existenz zum Zweifelsfall. Smutek betastete mit allen zehn Fingern das Gesicht, um herauszufinden, ob er sich wiedererkannte. Manchmal öffnete sich die hintere Tür, um etwas Luft hereinzulassen, die Smutek gierig trank. Er sah Nacht, den Lauf eines Maschinengewehrs und die Schemen eines Waldes im Hintergrund. Falls er diesen Käfig jemals wieder verlassen würde, glaubte Smutek, sich am Ausgangsort seiner Reise wiederzufinden, in einem Krakau, in dem ihn niemand mehr kannte. Er glaubte, man transportiere ihn in großem Bogen in eine ferne Zukunft oder Vergangenheit.

In Westberlin schrieb man das Jahr 1983, wie überall sonst auf der Welt. Man hatte es gut. Man glaubte noch weniger an die Wiedervereinigung als an Gott, war damit beschäftigt, den Atomkrieg zu fürchten, und verlebte das unschuldigste Jahrzehnt des zwanzigsten Jahrhunderts. Der Musikgeschmack der nachwachsenden Generation war bedrohlicher als die Vorstellung, irgendein Pole ohne einschlägige Orts-

und Sprachkenntnisse könnte zu Fuß in der großen Stadt Einzug halten. Es passierte zu viel Seltsames, um sich mit Kleinigkeiten aufzuhalten. Als Smutek den Ort erraten hatte, unter dessen Bäumen er das Licht der Welt wieder erblickte, weinte er vor Glück. Zbigniew Herbert steckte ihm hinten im Hosenbund.

Seine künftige Frau wollte nicht glauben, dass er nicht wusste, warum man ihn ins Gefängnis geworfen hatte. Sie zog es vor, die übertriebene Zurückhaltung eines heimlichen Solidarność-Kämpfers an ihm zu bewundern, feierte seine absurde Entscheidung, nicht nur Deutsch zu lernen, sondern auch ein Germanistikstudium zu beginnen, und stellte sich selbst als seine Lehrerin ein.

Die deutsche Sprache hatte sie hinter verschlossenen Türen und Fenstern gelernt. Obwohl der Großvater sich in den schlimmen Zeiten geweigert hatte, seinen Namen in die Volksliste einzutragen, obwohl er deshalb ein großindustrielles Vermögen verloren hatte und aus Łódź geflohen war, um sich erst vor den Deutschen, dann vor den Russen zu verstecken, war Frau Smuteks Mutter noch lang nach dem Krieg auf der Straße mit Steinen beworfen und in der Schule als *hitlerowiec* beschimpft worden. Als ihr Vater unter polnischem Kriegsrecht von Militärpolizisten abgeholt wurde, hatte er von der Schwelle in die still hinter ihm liegende Wohnung gerufen: Der Terror ist zurück, bringt das Kind außer Land! Das Kind war zwanzig, wollte bleiben und kämpfen, aber die Nachricht vom Tod des Vaters in Haft machte diese Worte zu seinem letzten Willen. Auf alten Hitlerautobahnen, deren angeschrägte Platten eine ewig abwärts führende Treppe ergaben, fuhr sie mit der Mutter eines Nachts Richtung Westen. Das polnische Kennzeichen klebte der weißen Limousine wie ein Schmutzfleck im Gesicht. Nachdem an zwei Grenzen die Formalitäten erledigt waren, besaß die Familie nichts mehr außer diesem Wagen und einer polnischen Stadtwohnung.

In Westberlin war ein Einzelzimmer für vier Wochen im Voraus bezahlt. Vor der Tür der Pension stampfte die Mutter ein paarmal auf den Asphalt, als prüfe sie die Tragfähigkeit einer Eisdecke. Hier, mein Kind, liegen deine Wurzeln. Das Einzige, was dir bleibt, ist dein deutscher Name. Noch einmal stampfte die Mutter auf den Boden. Unterdrückung und Flucht gehören zum Biorhythmus unseres Landes. Verfluche nicht die Wiederkehr des ewig Gleichen, das wäre unchristlich. Und dumm.

Die künftige Frau Smutek verfluchte die eigene Mutter. Sie verfluchte die polnische Erde und ihr eigenes Blut, das dem Willen eines toten Mannes gehorchte. Sie war nicht wie andere polnische Mädchen erzogen, ihr Vater hatte sie zum Krieger gemacht, ihr Platz war an der Seite der Revolutionäre, und sie würde niemals verzeihen, dass er sie in einem Moment der Schwäche aufs Abstellgleis geschoben hatte und gestorben war, ohne seine Anweisung zurückzunehmen. Das stolze Gesicht blieb unerbittlich dem weißen Morgenhimmel zugewandt, während die Mutter ihre fühllosen Wangen küsste und lautlos hinter einer unüberwindbaren Grenze verschwand, die Gegenwart und Vergangenheit für immer voneinander schied.

Smutek bewunderte und fürchtete ihren politischen Lyrismus. Mit gesenktem Kopf lauschte er den Hasstiraden auf die russische Leiche Polens und hatte den irrationalen Eindruck, dass seine künftige Frau ihn für irgendetwas schelte. Ihr Altersvorsprung von zwei Jahren lastete wie das Gewicht einer ganzen, über ihm stehenden Generation im Genick. Er ahnte noch nicht, dass er im Begriff stand, seine Mutter an eine Lüge zu verlieren.

Weil Ada eine Pause einlegte und den trockenen Hals mit Rotwein befeuchtete, schlug Alev die Augen auf.

»Warum erzählst du mir das alles?«, fragte er.

»Weil ich es weiß«, sagte Ada.

»Es ist die erbärmliche Geschichte von einem, der gern gehorcht. Hat sie ein Ende?«

»Das Ende, mein Lieber, liegt derzeit in deinen Händen. Es sollte dich interessieren, den Anfang zu hören.«

Alevs Miene hellte sich auf, geschmeichelt betrachtete er die langen Fingernägel jener Hände, in der alle Fäden zusammenliefen, packte sein Ginglas und leerte es in einem Zug. Während das Barmädchen unaufgefordert ein frisches brachte, Aschenbecher wechselte und eine Zigarette schnorrte, fragte Ada sich, ob draußen schon ein neuer Tag in voller Blüte stehe und die Mädchen heimlich in Schichten durch neue ersetzt würden, damit die Gäste nicht merkten, wie sie in dieser Höhle den Anschlusszug zurück ins Leben verpassten.

»Dann sprich weiter.« Alev lehnte sich zurück und sah gleich wieder aus, als schliefe er.

Vorsichtig hatten Smutek und seine künftige Frau begonnen, miteinander auszugehen. In den Kreuzberger Kneipen wählten sie stets jenen Tisch, der im fensterlosen Winkel zwischen Zigarettenautomat und Durchgang zur Küche stand. Von dort aus überblickten sie mit Rücken zur Wand den ganzen Raum, tranken Wein statt Wodka und behandelten einander mit ausgesuchtem Taktgefühl, das den besonderen Umständen ihrer Begegnung zu entsprechen schien. Die künftige Frau Smutek verdiente Geld durch Polnischkurse und fügte der männlichen Eigenliebe mit jeder bezahlten Zeche eine neue Schürfung zu. Ansonsten geschah nichts. Das Leben ereignete sich um sie herum in allen Facetten, ohne die Anwesenheit der beiden Zuschauer zur Kenntnis zu nehmen.

Es war ihre Idee, billig kopierte Zettel mit Hinweisen auf Partys und andere Zusammenkünfte von Stromverteilerkästen und vernagelten Haustüren abzureißen. Bald sammelten sich zwischen deutschen Lehrbüchern und Vokabelzetteln die bunten Wurfsendungen des quirligen und unzugänglichen Berlins. Sie schlugen Adressen im Stadtplan nach und redeten einander zu: Vielleicht gehen wir hin.

Nach langer Bedenkzeit fiel die Wahl auf eine Hausbesetzerparty, die orangefarbenes Papier als Grundlage für ihre Ankündigung verwendet hatte. Betäubt vom Lärm, erklommen Smutek und seine künftige Frau Stockwerk um Stockwerk eines verrotteten Stadthauses. Überall hielten Menschen sich lachend und schreiend an Wänden und Türstöcken fest. Sie tranken aus Plastikbechern, die an der aus Bierkisten errichteten Bar mit den Namen der Besitzer beschriftet wurden. Smutek und seine Begleiterin zwängten sich durch Wohn- oder Schlafzimmer, Küchen und Bäder, von denen die meisten bewohnt waren. Unbezogene Matratzen lagen in allen Ecken. Es galt, immer weiter an feuchten Wänden entlangzugehen, ein Stockwerk höher oder tiefer zu steigen, in Bewegung zu bleiben, um nicht sprach- und reglos in einer Ecke zu stranden und als das entdeckt zu werden, was sie zu sein glaubten: Eindringlinge aus einer fremden Welt. Inmitten einer Herde von Punks, Totalverweigerern und Anarchisten, deren Geschlecht sich nur bestimmen ließ, wenn sie bärtig waren oder halb nackt, fielen die beiden Polen in ihrer unausweichlichen Eleganz nicht weniger auf als ein Gruftiepärchen in einer Gruppe Frankfurter Börsenmakler.

Staunend beobachtete Smutek, wie das schneewittchengleiche Mädchen, an dessen Existenz in seinem Leben er noch immer nicht recht glaubte, durch das schmutzige Gedränge glitt. Es schien ihr zu gefallen. Weil er den Barmann nur halb verstanden hatte, trug auch ihr Plastikbecher seinen Namen. Smutek war zu verwirrt, um zu erkennen, dass es sich um ein Zeichen handelte. Als sie ihm ins Ohr schrie, dass diese urbanen Menschen ihr Gewordensein gnadenlos ausstellten, während im bäurischen Polen jedermann bemüht sei, die Fingerabdrücke der Natur durch edle Stoffe, Parfüm und Kajal zu verdecken, wusste er nichts zu antworten, nickte freundlich und ging davon aus, dass sie über kurz oder lang einen etwas weniger verwahrlosten, naturverbundenen deutschen Mann kennen lernen und in ihrer eigenen Zukunft verschwinden würde. So war das Schicksal, und nach ein paar Bechern Bier war Smutek imstande, die kurze Wegstrecke zu genießen, für die man ihm dieses Mädchen ausgeliehen hatte. Er nahm sich vor, sie unversehrt und besenrein zurückzugeben, wie er sie bekommen hatte.

Es wurde zwei Uhr. Sie hatten die Kleider durchgeschwitzt,

und alles, was Haar war, klebte am Körper. Die Wanderung durch die Etagen hatte ihre Kräfte aufgezehrt. Mit zwei frischen Bechern Bier kamen sie in einem geräumigen Zimmer des ersten Stocks zur Ruhe. Lange schauten sie durch die verschlossene Balkontür hinaus. Auch am Haus gegenüber waren die Fenster erleuchtet, die Fassade glich einem Adventskalender, dessen Türchen alle bereits geöffnet waren. Das schnaufende, schiebende, trinkende Gesamtwesen in ihrem Rücken, mit dem man nur im Ganzen Freund oder Feind sein konnte, verlor für ein paar Augenblicke an Bedeutung.

Als sie sich wieder umwandten, hatte ein Einzeltier sich aus der Herde gelöst, taumelte auf sie zu und stand vor ihnen, bevor sie auch nur einen Blick hatten wechseln können. Fast erwartete Smutek, der ganze Raum müsse sich nach ihnen umdrehen, als hätten sie plötzlich die Tarnkappen abgesetzt. Aber die Party kümmerte sich weiterhin um sich selbst und ließ sie mit ihrem Besucher allein. Der wirkte grob, wie aus Restteilen zusammengezimmert. Von oben schaute Smutek auf Kaskaden dunklen Haars, das im Licht der rot bemalten Glühbirnen glänzte.

Ihr seid doch aus Polen?

Frau Smutek antwortete in akzentfreiem Deutsch: Woher willst du das wissen?

Sieht ein Blinder mit Krückstock. Immer wie aufm Stehempfang.

Smutek bat um Übersetzung. Das nach rechts und links gleitende Gesicht ihres neuen Gesprächspartners wurde von einem Strahlen verbreitert, und er packte mit Wikingerpranken je ein nächstgelegenes Körperteil.

Poland is good. Communism! Very good.

Mit schnellem Seitenblick kontrollierte Smutek das Mienenspiel des ihm anvertrauten Schneewittchens.

Communism ist nicht immer good, sagte er.

Was hast du hier zu suchen, fragte die künftige Frau Smutek auf Polnisch, wenn du die Volksrepublik so unwiderstehlich findest?

Der späte Einfall, in die gemeinsame Sprache zu wechseln, brachte den Wikinger zum Grölen.

Hier ist einfach mehr los!, rief er. Aber am Ende geht doch nichts über die polnische Küche.

Ukrainischer Borschtsch und russische Piroggen, höhnte das Schneewittchen, und Smutek schlug leise vor, nach Hause zu gehen.

Der Wikinger hob seinen Becher und begann zu singen: Noch ist Polen nicht verloren! Marsch, marsch, Dąbrowski, wir haben von Bonaparte gelernt.

Halt's Maul, sagte das Schneewittchen.

Der Wikinger sah sie aus glasigen Augen an, als hätte man ihm mit flacher Hand über den Mund geschlagen.

Ist das deine Freundin?, fragte er Smutek.

Nein, sagte dieser.

Doch, sagte die künftige Frau Smutek. Wegen Russenhuren wie dir treiben wir uns auf versoffenen Kinderfesten herum.

Der Wikinger lachte aus vollem Hals, hob seinen Becher, als wollte er anstoßen, und kippte Frau Smutek den Inhalt über die Brust.

Und was bist du, rief er fröhlich, eine Nazinutte? Ein Deutschenmädel? Eine *hitlerowiec*?

Alles ging schnell und leicht. Smutek packte den kleinen Mann am Kragen seines Armeeparkas, hob ihn an, dass das Gesicht fast im Stoff der Jacke verschwand, und stieß ihn rücklings gegen die Balkontür. Das Glas splitterte, der Wikinger verschwand. Hinter der Scheibe fehlte der Balkon. Von unten war das Klirren von Scherben und ein dumpfer Aufprall zu hören, als schlüge ein nasser Kleidersack auf harten Boden. Einige Gäste im Raum hoben die Becher und prosteten Smutek zu, der schwankend vor der zerbrochenen Scheibe stand. Scherben bringen Glück!, rief eine Frauenstimme. Dass ein Mensch fehlte, hatte niemand bemerkt.

Auf einem Strom frischer Luft schwammen Smutek und das Schneewittchen in ein Meer aus Zuneigung, fanden sich inmitten eines Schwarms verwaschener Gesichter, die sie anredeten und grinsten, mach noch ein Fenster auf, das ist gesund, während fremde Hände sie streichelnd und tätschelnd weiterreichten, in eine neue Welt, in ein neues Leben, nach Deutschland hinein und auf den Gang, wo sie zu laufen begannen, ins Treppenhaus, die Stufen hinunter. Auf dem Bürgersteig packte das Schneewittchen Smuteks Hand und zog ihn vom Gebäude fort. Nach zweihundert Metern hörte Smutek auf, sich zu wehren, und begann zu rennen. Sie liefen im Zickzackkurs über mehrspurige Rennbahnen, durch schweigende Hinterhöfe und dunkle Parkstücke, bis sie nicht mehr konnten, bis sich die künftige Frau Smutek hinter einer Bushaltestelle in ein zugeschissenes Gebüsch erbrach. Auf dem schmalen Lager ihres Studentenzimmers, unter Zbigniew Herberts Gedicht, fanden sie im Morgengrauen dieser verrinnenden Nacht zueinander.

Ada und Alev schwiegen eine Weile. Der Wein war ausgetrunken, Ada nahm einen Schluck vom Gin und verzog das Gesicht.

»Und dann?«, fragte Alev endlich.

»Dann ist Smuteks Mutter von der Brücke gesprungen, weil man ihr erzählt hat, dass ihr Sohn im Gefängnis gestorben sei. Smutek hat seine Frau geheiratet, ist ein guter Deutscher und ein glücklicher Mann geworden. Um schließlich uns wie ein Fisch ins Netz zu gehen.«

»Soll ich weinen vor Rührung, oder reicht es, wenn ich Beifall klatsche?«

»Das Klirren dieser berstenden Balkontür muss ihm tief in die Seele gesunken sein.«

»Wie viel von alldem ist wahr, und wie viel hast du dir ausgedacht?«

»Das weiß ich nicht. Ich hab ihm immer nur mit halbem Ohr zugehört.«

Alevs Miene war unbeweglich, eine Maske aus Ablehnung und Spott. Irgendetwas gefiel ihm nicht, die ganze Geschichte hatte ihm nicht gefallen. Ein Rad war stecken geblieben, und er suchte nach Worten, um es freizusetzen und anzuschieben. Adas Augen wanderten über seinen halb liegenden Leib, als ob sie ihn schätzen wollten, seinen Umfang und Inhalt, Qualität und Gewicht, um ihn mit einem anderen zu vergleichen.

»Merk dir eins«, sagte Alev. »Zwischen Smutek und uns besteht nicht der kleinste Anflug einer Gemeinsamkeit. Das, wovon du mit so viel Begeisterung sprichst, ist eine Ausgeburt deiner eigenen Phantasie.«

»Ich bin nicht begeistert«, sagte sie.

Alev gab ein anzügliches Lächeln zurück. Langsam begann sie zu nicken, der Moment war nicht geschaffen für Widerspruch. Das letzte Stadium der Müdigkeit war überschritten, der Raum hatte an unangenehmer Klarheit gewonnen, zeigte Staub auf leeren Tischen, verschmutzte Lampenschirme und eingefallene Gesichter. Es war Zeit zu gehen. Alev legte ein paar Scheine auf die Theke, das Barmädchen begleitete sie vor die Tür. Am unteren Rand des Himmels schimmerte der Morgen.

Das Licht kam, bevor ein Geräusch zu hören war, ein blauer Schein wie Wetterleuchten über der angrenzenden Häuserreihe, dann heulte ein Motor. Es war die Schwarzhaarige mit dem gefährlichen Pony, die Ada am Arm packte und zurück in den Hauseingang zog. Alev sprang mit einem Satz hinterher. Reifenquietschen, das Heulen einer Sirene zerschnitt die absterbende Nacht in Fetzen. Und Stille. Das Klicken eines Feuerzeugs, die Augen des Mädchens ölschwarz über der Flamme.

»Relax«, zwitscherte sie. »If they drive like this, they mean somebody else.«

Ada musste sich trotzdem setzen, Feuchtigkeit unter den Fingern, den Rücken an der Wand. Alev schaute zu ihr hinunter. Er lächelte, die Spuren des Schrecks lagen als Schatten auf seinem Gesicht, als hätte eine massive Ohrfeige seine Züge durcheinander gebracht. Sie waren eben anders. Sie waren Hauskatzen, die nicht gelernt hatten, im Dreck zu leben. Hätten sie es gelernt, wären sie besser in dieser Disziplin geworden als jeder andere. Komm, wir gehen nach Hause. Er half ihr auf.

Take care.

You too.

Und es gab ein Zuhause, es war für alles gesorgt. Lange liefen sie Arm in Arm und in Schlangenlinien, die nicht daher rührten, dass der Planet sie von seinem Rücken zu schütteln versuchte, sondern allein daher, dass sie die längstmögliche Strecke bis zum Ankommen zurücklegen wollten. Sie erwachten in einem modrigen Bett, eingesponnen von den Fäden einer sich auflösenden Synthetikdecke, als wäre im Schlaf eine gigantische Spinne über sie gekrochen und hätte eilig versucht, einen Beutekokon anzulegen. Ada hatte die Nase zwischen Alevs Schulterblättern.

Ada trifft den Brigadegeneral und lehnt sich ein Stück über den Rand des Abgrunds

Sie fand es pathetisch, dass er im dunklen Vorgarten auf sie wartete. Sie hatte es pathetisch gefunden, ihr auf dem Handy hinterherzutelephonieren wie ein abgewiesener Liebhaber. Mehr aus Faulheit denn aus Kränkung oder Rache hatte sie seine Anrufe nicht entgegengenommen. Sie wusste, dass er sie liebte. Sie wusste, dass er Angst hatte. Sie war einfach zu erschöpft gewesen, um ihn zu erlösen.

Verbrechergleich trat er aus dem Schatten der Büsche auf sie zu, mehr denn je ein Mann, dem frisch geschiedene Frauen auf der Straße hinterherschauen; ein Mann, der das Überschreiten des Lebenszenits als Triumphzug und nicht als Gang nach Canossa inszenierte; einer, der geeignet war, auf fassadengroßen Werbeplakaten den modernen Königssohn zu verkörpern. Ada fragte sich, ob er auf der Hardthöhe Affären mit jungen Zeitsoldatinnen hatte. Jemand wie er musste schlichtweg ihr Typ sein. Auf einer Kinoleinwand hätte er – und nicht Smutek, der zu allem gezwungen werden musste – den diabolischen Liebhaber junger Mädchen gespielt.

Kaum zu Ende gedacht, kam ihr diese Überlegung unrichtig vor. Sie konnte nicht wissen, ob Smutek gezwungen werden MUSSTE, solange sie ihn zwangen. Alevs Prognose nach stand der Moment noch bevor, in dem Smutek frei und eigenständig zu handeln beginnen würde. Aus diesen einfachen Feststellungen folgte eine Verwirrung, die ihr dabei half, den Brigadegeneral angemessen zu empfangen. Er kam ihr mit ausgestreckten Händen entgegen wie ein Büßer.

»Tut mit leid, Kleines. Ich wollte dich nicht erschrecken.«

»Es ist schon gut. Du hast mich nicht erschreckt.«

»Seit der Gerichtsverhandlung warst du telephonisch nicht zu erreichen, und da dachte ich ...«

»Ich weiß, was du dachtest.«

Die Mutter hätte ihn nicht in die Wohnung gelassen, auch ein Brief an Ada wäre nicht angekommen, und er traute sich nicht, auf dem Festanschluss anzurufen. Als er ausgezogen war, hatte er sie gefragt, ob sie mit ihm gehen wolle. Sie hatte ihn ausgelacht und anschließend mit ihrer vernünftigsten Stimme erklärt, dass sie sich in seiner neuen Innenstadtwohnung entsetzlich auf die Nerven gehen würden. Außerdem waren alle Zimmer mit Linoleum ausgelegt. Der Brigadegeneral hatte genau gewusst, dass Ada im Gegensatz zu ihm die Familie weder verlassen konnte noch wollte, denn für sie war nichts übrig geblieben, vor dem sie hätte davonlaufen können. Ohne Ada gab es nur noch die Mutter, keinen Zustand, den man floh, sondern einen einzelnen Menschen aus Fleisch und Blut. Nebeneinander traten sie zurück auf die Straße und bogen um die Ecke, so dass die benachbarte Villa den Blick auf die erleuchteten Fenster der ehemaligen Familienwohnung verdeckte.

»Und du weißt auch, warum ich hier bin?«

»Ich habe so eine Ahnung.«

Ada stellte die Sporttasche zwischen den Füßen aufs Pflaster, zog ihren Tabak aus der hinteren Hosentasche und fing an, eine Zigarette zu drehen. Der Brigadegeneral entspannte sich, lehnte sich gegen die Mauer der Nachbarvilla und holte eine Packung Davidoff aus der Innentasche seiner Lederjacke.

»Ich wollte mich entschuldigen.«

Sie antwortete nicht. Ihre Zigarette war fertig gestellt, bevor der Brigadegeneral die seine aus der Packung fummeln und zwischen die Lippen schieben konnte. Er gab ihr Feuer, ohne das Streichholz abzuschirmen.

»Ich wollte mich entschuldigen, dass wir diesmal über die Osterfeiertage nichts unternehmen konnten. In Graz gibt es ein Symposium über Terrorbekämpfung und humanitäre Intervention, und ich hänge mit meinem Vortrag hinterher. Ich wäre gern mit dir weggefahren, Kleines. Wirklich.«

Erstaunt hob sie das Gesicht, drehte dabei aber die Augen nach unten, auf das glühende Ende der Zigarette schielend, so dass er nur ihre langen Lider und die ungeschminkten Wimpern zu sehen bekam. Darunter verbarg sie die Wut auf ihn. Es regte sie auf, dass er hier herumstand, unter den Fenstern des Nachbarn, in dessen Sohn sie als kleines Mädchen verliebt gewesen war und an den sie heute nicht mehr erinnert werden wollte, weil er sich Tschako nannte und das Haar im Nacken bis zur Höhe der Ohrläppchen ausrasierte. Der Brigadegeneral scharrte mit den Füßen, anstatt mit ihr auf einen Wein in die Innenstadt zu fahren, wo sie, in breiten Ledersesseln sitzend, eingehüllt vom Zigarrenrauch der übrig gebliebenen Bonner High Society, über alles in Ruhe hätten sprechen können. Hätte Ada sich ihm gegenüber eine solche Schwäche erlaubt, wäre er ihr mit Ungeduld und einer simplen Ermahnung begegnet: Die Welt wird nicht einfacher, indem wir sie fürchten. Komm zum Punkt. Ihre Erschöpfung wich der Lust, ihn zu bestrafen. Gleich wurde sie von Alevs Stimme in ihrem Kopf ermahnt: Rachsucht, Kleinchen, ist gefährlich. Sie macht uns berechenbar.

»Kein Problem«, sagte sie zum Brigadegeneral. »Ich hätte ohnehin nicht mitfahren können.«

»Oh«, sagte er erfreut, »hattest du etwas Besseres vor?«

»Ich muss arbeiten, um für meine Schulgebühren aufzukommen.«

Er trat einen Schritt seitwärts, als hätte sie ihn vor die Brust gestoßen, fand das Gleichgewicht wieder und stellte die Füße schulterbreit wie ein Scharfschütze, während seine Augen über die Sporttasche am Boden, ihr Gesicht und die beleuchteten Fassaden der Nachbarschaft wanderten.

»Du arbeitest in den Ferien?«

Ada genoss es für ein paar Sekunden, einem angeschossenen Opfer zuzusehen.

»Ob du es glaubst oder nicht«, sagte sie, »es macht mir

nichts aus. Ich war nie der Meinung, dass du verpflichtet seiest, für mich aufzukommen. Ich wundere mich bloß, wofür du die ganze Kohle brauchst.«

»Du bist doch superschlau. Guck ins BGB unter dem Stichwort Trennungsunterhalt.« Als sie zu lachen anfing, stimmte er mit ein. »Sagen wir so: Ich hab's ausgegeben.«

»Gut so«, nickte sie, »das klingt schon besser.«

»Manchmal bist du mir unheimlich.«

»Mein Geschichtslehrer sagte einmal zu mir, wenn er mein Vater wäre, hätte er mich in der Badewanne ertränkt, als noch Zeit dazu war.«

Jetzt legte der Brigadegeneral den Kopf zurück und lachte befreit zum Nachthimmel hinauf.

»Sehr gut!«, rief er, fast ein bisschen zu laut. »Das nenne ich postmoderne Pädagogik. Dem Jungen werde ich bei Gelegenheit auf die Schulter klopfen.«

»Das wird schwierig. Er hat sich vom Dach der Schule zu Tode gestürzt und ist mir direkt vor die Füße gefallen.«

Der Blick des Brigadegenerals kam zurück von den Sternen und suchte Adas zu begegnen, aber ihr bleiches Gesicht im Schatten schien augenlos wie der Mond. Die Zeit, die er brauchte, um die neue Information zu verarbeiten, nutzte sie, um dem Rhododendron des Nachbarn ein paar Blätter auszureißen und auf den Boden zu werfen. Mit einer Hand rieb der Brigadegeneral so rücksichtslos sein Gesicht, als wollte er jeden Rest von Mimik auslöschen.

»Ein schlechtes Zeichen für die Menschheitsgeschichte, wenn Historiker von den Dächern springen.«

»Ja«, sagte Ada, »ein sehr schlechtes Zeichen.«

Es entstand eine Schweigepause, die keiner von ihnen sinnvoll zu füllen wusste.

»Und wie läuft sie so«, fragte er endlich, »deine – Arbeit?«

Natürlich kannte er die Summe, die inzwischen aufgelaufen war, und er wusste genau, was Ernst-Bloch auch in Zukunft monatlich kosten würde. Ada spürte den Geschmack eines frisch begangenen Fehlers auf der Zunge.

»Ganz okay«, sagte sie abweisend, »obwohl es heute Ärger gab.«

»Es ist halb elf. Bedienst du in einer Kneipe?«

»Ich war um achtzehn Uhr fertig. Die letzten Stunden habe ich bei Alev im Internat verbracht.«

»Ist das dein Freund?«

»Mit ein bisschen gutem Willen könnte man es so nennen.«

Wieder grinsten sie sich an. Beide schätzten die herzlose Art, miteinander umzugehen. Noch auf der Planke eines Piratenschiffs hätten sie Grund für sarkastische Witze gefunden.

»Was für Ärger?«

Es wäre angenehm gewesen, ihm davon zu erzählen, stell dir vor, Smutek ist ausgerastet, der dumme Kerl. Das Bedürfnis, sich Luft zu machen, ließ sich nur mit einiger Verstandesanstrengung unterdrücken.

Eigentlich hatten sie sich heute besonders wohl gefühlt auf dem leeren Schulgelände. Ein Bienenkollektiv hatte geschäftig in den Holundersträuchern gebrummt, die Nachmittagssonne schien mit fast sommerlicher Kraft, alle drei hatten die Jacken an den Ärmeln um die Hüften gebunden und wünschten sich zur Begrüßung nachträglich Frohe Ostern. Die Turnhalle war sehr warm gewesen und hatte nach körperlicher Ertüchtigung und wohlkonstruierten Geräten gerochen. Als Alev aber ein schwarzes Tuch aus der Tasche zog, es Smutek zuwarf und Ada ihm die Handgelenke entgegenstreckte, richtete er sich auf wie ein Bär und war plötzlich ein riesiger Lehrer vor zwei kleinen Kindern.

»Das ist anormal!«, brüllte er. Es war ohne weiteres zu erkennen, dass er rot sah. Alev wich angewidert ein paar Schritte vor ihm zurück. »Das ist pervers! Was seid ihr für Menschen!«

»Schscht«, machte Alev, »Schreien ist keine gute Idee. Contenance, wenn ich bitten darf.«

»Anormal«, wiederholte Smutek mit unterdrückter Stimme. Seine Augen rannten wild wie die eines in die Enge getriebenen Tiers über Sprungseile, Böcke, Staffelstäbe, Holme und anderes unappetitliches Zubehör. Ada saß am Boden vor der hölzernen Kletterwand.

»Was ist anormal?«, fragte Alev freundlich. »Sex?«

»Es ist anormal, einen anderen Menschen zum Sex zu zwingen.«

»So?« Alev atmete tief ein und stellte einen Fuß in Rednerpose nach vorn. Ich liebe dich, dachte Ada, als sie seinem ägyptischen Blick begegnete, ich liebe dich einfach. »Du meinst, das hier weiche von der Norm ab? Ein Großteil aller sexuellen Kontakte wird in geraumem Sicherheitsabstand von schönen Gefühlen vollzogen und bestimmt die Hälfte der Begegnungen erfolgt ohne das lupenreine Einverständnis eines Beteiligten. Frauen suchen Weiblichkeit, Männer die Männlichkeit, es regieren Eigenliebe, Routine, Macht und Geld. Und Zwang ist notwendiger Bestandteil jedes geschlechtlichen Akts. Es geht immer um die Überwindung von Widerständen, nein?« Dem Ende des Vortrags verlieh Alev den Schnörkel eines sympathischen Lächelns, kam näher und sah Smutek, der sichtbar Atemluft pumpte, freundlich in die Augen.

»Was«, zischte dieser, »weißt DU darüber?«

Sofort geriet Alev tiefer in sein Element, breitete die Arme aus und entlud ein Stück orientalischer Herzlichkeit. Mit dem schräg einfallenden Licht im Rücken bildete er für einen Moment das Zentrum des Universums.

»So viel, wie nur ein Außenstehender wissen kann. Lass dir von dieser Warte gesagt sein: Was hier zwischen uns abläuft, ist nicht schlimmer als das Klirren einer Balkontür, die ein menschlicher Körper durchschlägt. Es gehört schlicht zu den Dingen, die sich täglich auf der Welt ereignen.«

Ada hatte während der ganzen Szene reglos gesessen wie ein Medizinball, ein zusammengekauertes Stück Leder und Luft. Nachdem Smutek eine seitliche Bewegung vollführt hatte, entzog sein breites Kreuz Alev ihren Blicken. Aber sie sah einen Miniaturwald aus unruhig federnden Beinen, und sie sah das Zucken in Smuteks Armen, während er mit den Händen eine Geste dicht vor Alevs Gesicht vollführte, die jenen dazu brachte, seine Haltung aufzugeben und rückwärts vor Smutek zurückzuweichen. Ada wartete auf den Klang schneller Schritte, einen Schlag, ein Stöhnen oder Schreien, Geräusche, die sie präzise vorhersagen konnte, ohne sie jemals gehört zu haben. Nichts passierte. Smutek kam zu ihr, hockte sich neben sie, dass ihre Schultern sich berührten, und schlang die Arme um die Knie, bis er ein ebenso kleines Paket war wie sie. Seite an Seite sahen sie zu Alev hinüber, der sein Gesicht verbarg, indem er sich tief über die Kamera beugte. Mit einem Mal bekam Ada Angst, nackte, unintelligente Angst vor einem Mann, der nicht einfach ein gutmütiger Junge war, sondern sich jeden Freitag unter Zwang in dieser Sporthalle einfand und die Kraft besessen hätte, sie beide totzuprügeln.

»Das eigentlich Perverse ist«, sagte Smutek leise, »dass ich *dir* jeden Verrat verzeihe und dass *der da* mir leid tut.«

Ich liebe dich, dachte Ada, nicht, weil es stimmte, sondern weil es ihr grundlos in den Sinn kam. Alev klatschte in die Hände wie ein Animateur, er hatte die Kamera in Position gebracht. Es dauerte über eine halbe Stunde, bis Smutek tun konnte, was sie von ihm verlangten.

Ada hatte nur ein paar Sekunden geschwiegen, der Brigadegeneral schaute sie abwartend an. Die Möglichkeit eines simplen Gesprächs über die Ereignisse des Nachmittags spürte sie im Nacken wie die Anwesenheit von etwas Gegenständlichem. Ein Löwenkäfig, vor dem sie plaudernd beisammenstanden, während nur Ada die offene Gittertür bemerkte. Ihre Selbstgedrehte war ausgegangen, mit ungeduldigem Zeigefinger verlangte sie ein zweites Mal Feuer, nahm das Streichholz selbst und setzte mit schief gelegtem Kopf den kurzen Stummel in Brand. Dabei stand der Brigadegeneral zu nah vor ihr, und plötzlich ergriff sie ein Würgen, dass die ganze Länge des Körpers erfasste, in den Zehenspitzen begann, die Kniescheiben dazu brachte, sich aneinander zu pressen, die Eingeweide zusammenkrampfte und die Mundwinkel verbog.

»Alles klar?«

»Jaja. Hab mich verbrannt.«

Sogleich beruhigte sie sich wieder. Etwas zu unvermittelt war ihr aufgefallen, dass Smutek nicht viel jünger war als der Brigadegeneral, was waren schon fünf oder sechs Jahre, wenn man die dreißig überschritten hatte? Im ersten Moment war ihr dieser harmlose Gedanke pervers erschienen, perverser als alles, was Smutek in der Turnhalle beanstandet hatte. Natürlich war nichts dabei. Sie waren eben beide noch jung, gleichaltrige Männer, potentielle Freunde oder Feinde, mit dem Unterschied, dass nur Smutek einem einfiel, wenn man in einer holländischen Kneipe nach Personen suchte, deren Gedankengänge man zitieren konnte. Der Brigadegeneral war einer von vielen, die draußen herumliefen, und einer von wenigen, mit denen man sich unterhalten konnte. Kein Grund zur Panik.

»Kein schlimmer Ärger«, sagte Ada, um zum Gespräch zurückzukommen, und inhalierte die letzten verbrennenden Tabakreste. Weil man so die besten Lügen erzeugte, beschloss sie, bei der Wahrheit zu bleiben. »Fassen wir es so: Die Kuh, die ich melke, wollte nicht gleich auf die Wiese.«

Er nickte und ließ es gut sein. Er glaubte nicht, dass sie etwas tun könnte, mit dem sie sich selber schadete. Dafür war sie zu klug, zu flink und zu hart im Nehmen. Und damit hatte er recht. Als er sich zum Gehen wandte, hielt sie ihn zurück.

»Mutter leitet ein Strafverfahren gegen dich ein«, sagte sie. »Wegen Unterschlagung und Verletzung der Unterhaltspflicht. Nur damit du es weißt.«

»Das ist doch Unsinn.«

»Mag sein. Aber sie will es bis zum Klageerzwingungsverfahren treiben. Was, wenn dein Arbeitgeber davon Wind bekommt?«

Trotz Nacht und Mondlicht sah sie ihn erbleichen und

konnte sich nicht erinnern, jemals zuvor einen solchen Farbwechsel auf seinem Gesicht bemerkt zu haben.

»Dir ist klar, dass im Zweifel alles von meiner Aussage abhängt, oder?«

»Ada.« Als er nach ihr fasste, griff er ins Leere. Sie war ausgewichen, lang bevor seine Hände sie erreichten. Dann erst erkannte er jenes Lächeln, mit dem sie gemeinsam über die Planke der Piraten schreiten würden.

»Nur falls du vorhattest, penetrant zu werden bezüglich der Frage, auf welche Weise ich mein Schulgeld verdiene«, sagte sie.

Er umarmte sie, dankte ihr für die Absolution und dafür, dass der Apfel auch dann nicht weit vom Stamm fällt, wenn er gar nicht auf dem Baum gewachsen ist. Auf klappenden Ledersohlen verschwand er in der Nacht, sein Auto stand zwei Straßen weiter geparkt, und nahm eine Menge Stoff zum Nachdenken mit sich.

Smutek erschlägt eine Fliege. Smutek gibt gern

Am Ende der zweiwöchigen Osterpause tauchten alle Beteiligten in den Schulalltag wie Fische, die man in letzter Sekunde vom Land ins Wasser zurückgeworfen hat. Die vielen sonnendurchfluteten, beschäftigungslosen Vormittage, die kalt verregneten Nachmittage, dazu ruhige Abende auf der heimatlichen Couch, dem Bett oder Klodeckel hatten zermürbende Wirkung. Sekunden tickten gleichmäßig und sinnlos wie eine chinesische Wasserfolter. Das Fernsehen redete Blödsinn, und man konnte nicht ständig Bücher lesen, oder besser gesagt, während des Wartens auf den Fortgang realer Dinge war Lesen ein aussichtsloses Unterfangen. Smutek war es nicht einmal gelungen, den Stapel zeitgenössischer Literatur durchzugehen, der seit Monaten als ständige Mahnung auf seinem Schreibtisch lag. Wie Kinder mit Hausarrest pressten die Gedanken sich an den Fenstern des Bewusstseins die Nasen platt.

Am Dienstagvormittag fand Smutek mitten im Unterricht einen Zettel, der wie ein Lesezeichen im *Mann ohne Eigenschaften* steckte, genau an der Stelle, deren Zusammenfassung er der Klasse als Hausarbeit über die Ferien aufgegeben hatte. Seit Ada und Alev den Unterricht nicht mehr als Trainingslager gebrauchten, hatte sich das Leistungsniveau der Klasse spürbar gesenkt. Während ein Schüler seine Ideen von der österreichischen Parallelaktion mit nörgelnder Lesestimme ins Klassenzimmer sprach, interpunktiert vom stoßweisen Gebrumm einer Fliege, die hartnäckig gegen die gläserne Illusion von Freiheit anflog, las Smutek den kleinen Brief, der, in Adas Handschrift verfasst, ein völlig anderes Aussehen, ja förmlich einen anderen Geruch als die bisherigen Erpressernotizen besaß.

Ada saß reglos wie eine Statue auf ihrem Platz. Das Haar hing als kleines blondes Zelt an den Seiten herab und verdeckte das Gesicht, so dass es aussah, als schaute sie mit gesenktem Kopf in das aufgeschlagene Buch auf der Tischkante. In Wahrheit betrachtete sie ihre Füße, die, parallel nebeneinander gestellt, in weichen roten Turnschuhen steckten. Diese Schuhe hatte Alev ihr am Morgen geschenkt, nachträglich zu Ostern, und verlangt, dass sie sofort die schweren Stiefel ablege. Die Turnschuhe waren aus Wildleder, mit weißen Streifen an den Seiten, teurer als jedes Kleidungsstück, das sie bislang besessen hatte. Gemeinsam mit dem abgescheuerten Saum der Jeanshosenbeine ergaben sie eine optische Zusammenfassung des aktuellen Jahrzehnts. Ada trug Zeitgeist an den Füßen und konnte sich nicht satt daran sehen. Wer so schnelle Füße besitzt wie du, hatte Alev gesagt, braucht angemessene Futterale dafür. Solche Schuhe waren nicht für den Sport, sondern für die Straße bestimmt. Nun hatte sie etwas, worin sie auch im Alltag davonlaufen konnte. Sie passten wie angegossen.

Aus Smuteks Perspektive schaute Ada nach unten, um das Gesicht zu verbergen. Sie musste bemerkt haben, wie er sein Buch zur Hand nahm, sie musste wissen, dass er den Zettel las. Willst du mit mir gehen? Ja, Nein, Vielleicht. Wie die meisten Leute schätzte er die Option des Vielleicht als einzig wahrhaftige Antwort, hochgradig ehrlich und auf jede Frage passend. Der Brief, den er bekommen hatte, enthielt diese Variante nicht, es waren überhaupt keine Kästchen an den unteren Rand gemalt. Die Briefschreiberin wollte keine Antwort, sie erteilte Befehle und bat zur gleichen Zeit um Vergebung dafür.

Ich habe Schulden bei Ernst-Bloch. Erneuter Schulwechsel nicht empfehlenswert. Gib ein Zeichen der Hilfsbereitschaft. Glaub nicht, dass mir das Spaß macht. PS: Keine Bedenkzeit.

Smutek bedankte sich für den Beitrag des Schülers, von dem er kein Wort verstanden hatte, und rief den nächsten auf, um ein paar Minuten Zeit zu gewinnen. Heimlich drückte er den Zettel zusammen und schob ihn in die Hosentasche, korrigierte zum wiederholten Mal die Aussprache von ›Diotima‹ und ließ die anschließende Suada ungestört abspulen. Die Frau von Sektionschef Tuzzi ist eine gebildete Dame, wenn auch ohne öffentliches Amt.

Ada hatte sich keinen Nanometer gerührt. In der schräg gegenüberliegenden Ecke kippelte Alev auf seinem Stuhl und verfolgte die Bahnen der kämpfenden Fliege mit dem trägen Ausdruck einer Raubkatze, die geistesabwesend wirkt und doch bereit ist, in nächster Sekunde loszuschlagen. Irgendetwas in seiner Haltung bezeugte, dass er von diesem Zettel keine Kenntnis besaß. Da war ein Riss. Ein haarfeiner Spalt zwischen Alev und Ada, in den ein Keil gesetzt werden konnte, um mit kräftigem Schlag die beiden Hälften zu spalten. Was, wenn Smutek ihr sagte, dass er Alevs Anweisungen befolgen würde, nicht die ihren? Wenn er zu Alev hinüberginge, um den zerknüllten Zettel auf dessen Pult fallen zu lassen? Smutek war sicher, dass Ada allein die Bombe niemals zum Platzen bringen würde. Ihre Drohung war leer, und weil sie schlau war, musste sie ahnen, dass Smutek das ahnte.

Bei genauem Hinsehen glaubte er zu bemerken, dass auch ihre abgedichtete Haltung etwas zu sagen hatte. Ihre Arme hingen neben dem Stuhl herab, und der nach vorn gebogene Nacken sah aus, als müsste er schmerzen. Spuren der Hilflosigkeit, Symptome der Schwäche. Es gab also eine Sache, die sie wirklich wollte, etwas, das ihr wichtig war. Sie wollte Ernst-Bloch, diese Insel der Gestrandeten, nicht verlassen. Das kam einem Gefühl gleich. Smutek war gerührt.

»Auch der große Paul Arnheim«, leierte der Schüler, »der ein Deutscher ist, kann sich Dio-tiiie-mas Charme nicht entziehen. Dabei hat sie eigentlich nie eine richtige Idee, sondern redet nur heiße Luft.«

Die Klasse lachte. Es war sensationell, mit welch harmlosen Späßen die Angehörigen der angeblich abgebrühtesten Generation aller Zeiten zu beglücken waren. Natürlich lachten Ada und Alev nicht mit, sondern behielten ihre Positionen bei, unberührt wie Taubstumme vor einem Hörspiel. Smutek näherte sich dem Fenster, ohne eine Entscheidung getroffen zu haben. Das Entscheiden an sich war ein unsinniger Akt. Er wollte sich aufs Gehorchen konzentrieren, um auf diese Weise wenigstens einen Teil seiner Würde zu retten. Seit er am vergangenen Freitag darauf verzichtet hatte, seinem jäh überkochenden Zorn freien Lauf zu lassen und ihn auf Alev zu hetzen, haderte er mit der Idee, dass er das Ganze möglicherweise nur Ada zuliebe ertrage, nicht unter dem Druck der Erpressung, nicht aus Angst vor gerichtlicher Strafe, sondern weil dieses Mädchen so glücklich wirkte an der Seite ihres kleinwüchsigen Gebieters. Ein unerträglicher Gedanke.

Die Fliege hatte sich zum Ausruhen auf einem Wandstück niedergelassen. Hätte sie Lungen besessen, wären ihr diese vor Anstrengung schier zersprungen. Smutek schob einen Finger ins Buch, um das Kapitel nicht zu verlieren, klappte es zu und hob es bis zu der Stelle, an der die Fliege saß. Es klatschte mit solcher Macht gegen die Wand, dass der vortragende Schüler leise aufschrie und das knittrige Kästchenpapier, von dem er abgelesen hatte, zu Boden gleiten ließ. Jetzt war die Fliege ein übelfarbiger, stückchenhaltiger Fleck auf dem *Mann ohne Eigenschaften*. Smutek hatte ein Zeichen gegeben.

»Manche Wesen«, sagte er zur Klasse, »muss man von ihren Irrtümern über die Natur der Freiheit erlösen.«

Darüber lachte nur Alev, dafür so laut, dass es für alle anderen reichte. Gleichzeitig strich Ada sich die Haare aus dem Gesicht und schenkte Smutek ein offenes Strahlen, als stünden sie gemeinsam vor dem Altar und warteten auf die Erlaubnis des Priesters, sich küssen zu dürfen.

An den nächsten schlaflosen Morgen liefen die gefräßigen Termiten in Form von Zahlenketten durch Smuteks Kopf. Man konnte sie in Kalkulationen zu einem fleißigen Ameisenstaat domestizieren, dessen Funktionieren vor Angriffen schützte. Als Smutek fertig war mit Rechnen, ging er eines Nachmittags zur Bank und bat um einen Kleinkredit. Weil er nichts besaß außer einem Grundstück an einem polnischen See mit dem verbrannten Skelett eines Holzhauses darauf, bot er dem Geldinstitut eine Abtretung seiner Gehaltsansprüche als Sicherheit an.

Das Lehrerzimmer begann hämisch zu wispern. Nun wäre unser Töter die kleine A. beinahe ohne jedes Zutun losgeworden. Sonja Rosenhof blies den mütterlichen Busen auf. Wo die Not am größten, ist Gottes Hilfe am nächsten! Nach meinen Informationen, zischte Mathe-Wirger, ist es weniger Unser Herr als ein generöser Verwandter, der ihre Schulden begleicht.

Smutek wurde nicht nach seiner Meinung befragt. Seine idiosynkratische Aura erlaubte ihm seit Wochen ein steppenwölfisches Mäandern durch die sozialen Zusammenhänge. Um dem Geschwätz zu entgehen, stellte er sich mit seiner Kaffeetasse in möglichst großer Entfernung zu den flüsternden Grüppchen an die andere Seite des Raums. Auch davon hatte man also erfahren. Am Morgen noch hatte er einer verängstigten kleinen A. in wenigen, schnellen Worten erklären müssen, dass die Bewilligung und Auszahlung eines Darlehens eine gewisse Zeit in Anspruch nehme. Niemand hier war zu Gründer gelaufen, um zu verhindern, dass eine derart hoch begabte Schülerin aus pekuniären Gründen von der Schule entfernt wurde, niemand hatte sich für eine Stundung oder einen Schulgelderlass eingesetzt, und ihm selbst waren in allem, was Ada betraf, die Hände gebunden. Er wandte sich ab, weil er fürchtete, der Ärger könne ihm ins Gesicht geschrieben stehen. Seit Höfis Tod war Ernst-Bloch nicht mehr der rechte Platz für ihn. Höfi hätte gewusst, was zu tun war, Höfi hätte sich nicht aufs Flüstern beschränkt. Vielleicht hätte er sogar für Smuteks Lage eine Lösung gewusst. Ohne Höfi war Smutek ein Fremdkörper in diesen Räumen, ein Karpfen im Hechtteich, ein Tropfen Öl im Wasserglas. Er fühlte sich fremd. Er wollte zurück in sein Heimatland, zurück nach Polen, wo solche Dinge ebenfalls passierten, derzeit aber nicht ihm.

Spätestens nach diesem Gedanken wusste Smutek, dass er nicht ganz zurechnungsfähig war. Wenn er an die kleine A. dachte, über deren Schulgeld das Kollegium stritt, die, wo sie auch auftauchte, zum Zankapfel wurde, die keine einzige Regel des menschlichen Zusammenlebens auch nur in Ansätzen kapiert hatte, die renitent war und auf intelligente Weise dumm, verspürte er nur einen Wunsch: Er wollte den letzten Tropfen Blut aus den körpereigenen Schläuchen pressen und für sie hingeben, wenn es nötig sein sollte. Sie hatte den großen Kopf im Nebel eines neu heraufziehenden Zeitalters verloren, das ihr eine andere Wirklichkeit zeigte als jene, in der Smutek sich bewegte und die er für die einzig gültige gehalten hatte. Sie konnte nichts dafür. Die kleine A. war amoralisch, anormal und asozial. Er mochte sie gern. Smutek stand vor den Bildern an der Wand des Lehrerzimmers, ohne eins davon zu betrachten, und fühlte deutlich, dass er nur hier war, weil er keinen anderen Leib und keine zweite Seele besaß, die als Aufbewahrungsort für die Tatsache seiner Existenz hätten dienen können. Die Idee, in ein Land zurückzukehren, das den Status einer Schwarz-Weiß-Photographie aus den siebziger Jahren einnahm, hatte sich genauso schnell wieder verflüchtigt, wie sie gekommen war. Zugrunde gehen konnte man überall. Er hatte Lust, auf dem Absatz herumzufahren und Mathe-Wirger die Fresse dafür einzuschlagen, dass er sie ›Die kleine A.‹ genannt hatte.

Sicherheitshalber hielt er sich an einem Heizungsrohr fest. Aber es hatte längst zum Ende der Pause geklingelt, und das Lehrerzimmer hinter ihm lag öde und leer. So stand Smutek allein mit dem Gesicht zur Wand, und für den Moment hatte ihn alles verlassen. Er stand da aus rein statistischen Gründen, der obligatorische Außenseiter, ein leeres Gefäß mit einer vollen Tasse kalten Kaffees in der Hand.

Fliegende Bauten. Smutek kommt mit dem Zeitgenössischen nicht zurecht. In einem Flashback versucht Ada, ihn prophylaktisch zu impfen

In den ersten Maitagen entschuldigte der Frühling sich traditionsgemäß für den vergangenen Winter, für Schneematsch, überfrierende Nässe, umgeworfene Bäume und dafür, dass die Menschheit wie jedes Jahr ihre Vorfahren in den Rohren der Heizungsanlagen verfeuert hatte, in Kilojoule gesprochen. Allmorgendlich wurde ein feuchter Himmel zum Trocknen aufgespannt, flatterte leicht im Wind und wellte sich an den Rändern, wo die wärmer werdenden Sonnenstrahlen ihn aufheizten. Aus jedem Gebüsch tönte das Kampfgeschrei balzender Singvögel und erfüllte die Menschen mit Phantasien von der angeblichen Freude der Meisen über das schöne Wetter. Kinder bewegten sich im Hüpfschritt fort, Passanten lächelten einander grundlos zu, die Zahl der Verkehrsunfälle ging saisonbedingt zurück, und sogar das Wehgeschrei der Presse über den sicheren Untergang der Nation verstummte. Smutek trainierte seine Läufer wieder im Freien.

Der Durchmesser des Kreises, innerhalb dessen er sich während der Aufwärmübungen drehte, hatte sich deutlich vergrößert. Augenscheinlich sprach man wohlwollend von ihm, jedenfalls unter Mädchen. Die Gruppe unterlag den demographischen Strukturen eines Bauch-Beine-Po-Kurses. Wenn er den Schülerinnen beim Grätschen, Beugen und Strecken zusah, fünfzehn Paar Hände in die schmalen Hüften gestützt, die Haare vielfarbig flatternd im Wind, fünfzehn Gesichter, weich und rein wie frisch gekneteter Teig, den ersten Nasenstübern der Sonne entgegengereckt, hätte es Grund gegeben für ein bisschen *mens-sana*-Glückseligkeit. Aber

Smutek konnte nur daran denken, dass diese jungen Leute niemals wirklich schnell werden würden. Ihm fehlte eine gewisse *mens insana,* die sich während des Aufwärmtrainings abseits zu halten pflegte, unbeteiligt am Boden kauerte und Gräserkunde betrieb, bis sich die Gruppe Richtung Tartanbahn in Bewegung setzte. Einmal hatte er gesehen, wie sie eine ausgerauchte Zigarette fortwarf, bevor sie das rote Granulat betrat. An einem solchen Tag, ganz in blau-grün-weiß wie eine Waschmittelreklame, war es besonders schwer zu glauben, dass er selbst ihr verboten hatte, am Training teilzunehmen. Sie hatten lang nicht miteinander gesprochen. Manchmal, wenn ihre Blicke sich zufällig kreuzten, verfinsterte Adas Miene sich auf eine Weise, dass Smutek sich entzückt fragte, ob sie ihm deswegen böse sei.

Der EU-Beitritt vollzog sich ohne großes Rumoren. Es gab nur ein leises, bescheidenes Klicken, das Umlegen eines Schalters, nachdem die ganze Maschinerie in jahrelanger lärmender Arbeit fertiggestellt worden war. In Berlin, hörte man, hatten ein paar Osterweiterungspartys stattgefunden. Der Erste Mai fiel aufs Wochenende und stahl der arbeitenden Bevölkerung einen Feiertag. Frau Smutek, die noch vor einem halben Jahr behauptet hatte, sich an diesem historischen Datum im Schlafzimmer einzuschließen, um das Ende einer Weltordnung zu beweinen, war mit einer Arbeitskollegin in die Eifel gefahren.

Smutek wusste nichts mit sich anzufangen, lungerte im Arbeitszimmer herum wie an einer Bushaltestelle nach Fahrplanende und griff sich ein Buch vom Stapel mit Gegenwartsliteratur.

»Ich küsste ihn und sein Mund war weich wie aus Schamlippen zusammengesetzt. Eine quer gelegte Vagina mit beweglicher Zunge in der Mitte. Ich weiß, wie Vaginen sich anfühlen, wenn man sie küsst. Als Studentin hatte ich immer nur Frauen. Ich glaubte, dass das die einzig verbliebene Art von Liebe sei. Alles andere war abgedroschen, an den unwürdigsten Orten unzählige Male besprochen und verhandelt.

Bausparwerbung, Kleinwagen, Loveparade, Kita-Platz, von der *Bravo* bis ins *Brigitte*-Dossier, Levi's, Atemfrische, der ganze heterosexuelle Kitsch. Ich konnte nicht mehr. Ich hielt es nicht aus, diese Scheiße zu reproduzieren. Ich war nicht hässlich genug, um mit reinem Herzen zu denken. Ich fürchtete die Armee der Puppen wie Heerscharen des Leibhaftigen, ich sehnte mich nach dem islamischen Bilderverbot. Handeln nicht alle Religionen letztlich vom Erhalt der mentalen Gesundheit? Gleichzeitig wollte ich ein ›Wir‹ sein. Ich ertrug Sätze nicht mehr, die mit ›Ich‹ anfingen. ›Ich‹ war eine psychologische, literarische oder ökonomische Fiktion, ein handliches Türschild an den Laboratorien der Selbsterschaffung, und nun sollte es herhalten als politisches Programm, als Flagge der neuen Kleinstaaterei in einem Land aus achtzig Millionen Ein-Mann-Systemen? Gebt mir eine Uniform, damit ich ›wir‹ sein kann! Aber es gab keine Uniformen mehr. Wenn ich mich mit meiner jeweiligen Liebsten in einem Schaufenster spiegelte, erinnerten wir wenigstens nicht an einen Werbespot für ostdeutsche Zigaretten. Ach, die neunziger Jahre. Das zwanzigste Jahrhundert! Blasmusik und Bewusstseinserweiterung. Was soll's. Ist doch vorbei. Ich will nur nicht durch den Mund eines Mannes daran erinnert werden.«

Smutek schlug das Buch zu und legte es zurück zu den anderen. Diese Bücher waren warm und feucht aus den Umluftöfen der Gegenwart zu ihm gekommen, gut aussehende Bücher, die das gute Aussehen ihrer Autoren durch große Photos auf dem Umschlag dokumentierten. Er hätte sich von seinem Kurs erklären lassen müssen, wovon diese Texte handelten und was sie bedeuten wollten, er hätte als einzelner Schüler dreißig kleinen Lehrern gegenübergestanden. Dazu fehlte ihm die Nervenkraft. Er wollte nicht ahnen müssen, er wollte wissen dürfen. Das Buch, in dem er gelesen hatte, hieß *Fliegende Bauten*, die Autorin war eine runde Anzahl von Jahren jünger als er und verdiente vermutlich ein Vielfaches an Geld. Im Lehrplan galten Böll, Brecht und Borchert ebenso als zeitgenössisch wie ein vor wenigen Monaten erschienenes Werk. Aber Smutek wollte kein Kulissenschieber sein und den Schülern vor modernem Bühnenbild einen Text präsentieren, dessen literarisches Konzept der Vergangenheit angehörte. Die wirklich zeitgenössischen Werke verstand er jedoch nicht, oder vielleicht war er gewöhnt, alles, was er nicht verstand, mit dem Attribut ›zeitgenössisch‹ zu belegen.

Aus Unschlüssigkeit schlug er den Begriff ›Fliegende Bauten‹ im Duden-Lexikon nach und schrak zusammen wie unter einer unerwarteten körperlichen Berührung, als er ihn tatsächlich fand. »Ein Rechtsbegriff«, stand dort. »Fliegende Bauten sind bauliche Anlagen, die geeignet und bestimmt sind, an verschiedenen Orten wiederholt aufgestellt und zerlegt zu werden.«

Die Worte verbreiteten eine unverantwortliche Traurigkeit, und Smutek spürte sein Gesicht schwer werden, indes er weiterlas: »Beispiel: Zirkuszelte, Jahrmarktsbuden, Toilettenwagen, Karusselle. Fliegende Bauten bis fünf Meter Höhe, die nicht dazu bestimmt sind, von Besuchern betreten zu werden, bedürfen keiner Ausführungsgenehmigung.«

Er saß still und stumm, bis es schwierig wurde, nicht zu bemerken, dass ihm möglicherweise doch bekannt war, wovon ein solches Buch handeln musste. Aufbauen. Zerlegen. Weiterziehen. Keine Besucher. Jahrmarktsbuden. Toilettenwagen. Er wollte damit nichts zu tun haben. Er stützte den Kopf in die Hände. Nacken und Schultern waren müde davon, immerzu das Kinn hoch tragen zu müssen.

Durch Konditionierung kann es bei Süchtigen zu Rauschzuständen kommen, die jenen nach dem Konsum von Drogen gleichen, obwohl im konkreten Fall kein Rauschgift eingenommen wurde. Dann genügt ein sensorischer Lindenblütentee, ein Nadelstich oder der Geschmack weißen Pulvers auf der Zunge, und der Körper weiß, was er zu tun hat, das Gehirn definiert sich als *stoned*. Einen solchen Flashback löste der Begriff ›Fliegende Bauten‹ aus. Er brachte ein Gespräch zu Smutek zurück, mit dem Ada ihn vor einigen Tagen überfallen hatte. Offensichtlich hatte sie das erzwungene Schweigen zwischen ihnen nicht mehr ausgehalten. Was sie ihm gesagt hatte, erschien Smutek nun wie ein Prolog zu seiner unvermittelten Traurigkeit, als hätte sie ihm im Voraus und mit vielen kryptischen Worten erklären wollen, warum er nicht in der Lage war, ein Buch zu lesen, das *Fliegende Bauten* hieß.

Süß, Smutek!, klang es ihm in den Ohren, verstärkt durch Kachelwände, die es in seinem Arbeitszimmer nicht gab, und erneut empfand er jene mit Verlangen gemischte Ablehnung, die ihn seit neuestem anfallsartig überkam, wenn er sich Ada allein gegenüberfand. Sie hatte das Ende seines Lauftrainings abgewartet und ihn im Waschraum der Turnhalle abgepasst. Weil Smutek nichts Besseres eingefallen war, hatte er sie versuchsweise für eine Wahnvorstellung gehalten, hervorgerufen durch die Perlenkette aus Wassertropfen, die ihm an den Wimpern hing. Seit er die dreißig überschritten hatte, verlängerten sich die Phasen des Nachschwitzens von Jahr zu Jahr, und Smutek verbrachte immer mehr Zeit damit, sich über weiße Keramikschüsseln zu beugen. Ada hatte ihn wirklich erschreckt.

»Ich bin davon überzeugt«, sagte sie laut und scharf, »dass es auch für dich irgendwo auf der Welt einen Platz gibt. Vielleicht nicht gerade hier. Aber irgendwo schon.«

Er tauchte, beide Hände noch unter fließendem Wasser, aus dem Becken auf, keuchend, als wäre er knapp dem Ertrinken entronnen. Ada trug die Haare am Hinterkopf zusammengerafft mit einer Plastikkralle, die er noch nie an ihr gesehen hatte und die ihr mit gebogenen Stacheln Löcher in die Kopfhaut zu bohren schien. Sie war wütend.

»Du platzt hier rein, um mich für meine Herkunft auszuschimpfen? Kindchen – bist du übergeschnappt?« Smutek freute sich, sie zu sehen, und verschwendete keine Mühe darauf, es zu verbergen.

»Ich war im Park auf der Wiese, um dir, dem Frühling und deiner Laufgruppe zuzuschauen.« Sie trat neben ihn, und weil er gebückt über dem Becken stand, befanden sich ihre

Gesichter im Spiegel auf gleicher Höhe. Smutek fragte sich erstaunt, ob er diesen Auftritt als eine verquere Eifersuchtsszene verstehen solle. Bislang hatte dieses Mädchen so viel Gefühl für ihn gezeigt wie ein Bauer für die Kuh, die er zum Weiden auf die Wiese bringt.

»Du ziehst eine qualvolle, halsstarrige und rechthaberische Show ab«, sagte sie. »Du handelst von einer Wirklichkeit, die es nicht mehr gibt.«

»Was gibt es nicht mehr?«

»Unschuldige Mädchen, die auf einer grünen Wiese herumhüpfen.«

»Was gibt es dann?«

»Menschen, die nicht hüpfen, solange Hüpfen nicht zu ihrem persönlichen Fortkommen beiträgt. Menschen, denen selbst das Fernsehen zu anstrengend ist. Die den Sinn einer Wiese nicht begreifen und erst recht nicht den Sinn eines Sportlehrers.«

»Du meinst also: Es gibt dich.« Darauf antwortete Ada nicht. Smutek versuchte es anders: »Beweist die Existenz meiner Sportgruppe nicht das Gegenteil?«

»Die kommen zum Laufen, weil sie deine breiten Schultern, deinen harten kleinen Hintern und deinen Schwanz sehen wollen, der sich durch die Sporthose drückt.«

»Was«, fragte Smutek, um einiges lauter, »willst du mir eigentlich sagen?«

»Wenn ich könnte«, sagte sie ernst, »würde ich dich retten. Wegbringen. Du bist nicht von hier.«

»Sondern aus Polen, oder wie?«

Er hielt ihrem Blick stand, der sich direkt auf seine Augen richtete. Über einen Spiegel fiel es ihr leichter, ihn anzusehen. Darüber dachten sie beide nach, während ihre Blicke zwischen dem linken und dem rechten Auge des jeweiligen Gegenübers hin und her wanderten. Dann nahmen sie das Strickzeug des Gesprächs wieder auf und schlangen die nächsten Maschen. Zwei links, zwei rechts. Zwei fallen lassen.

»Ich weiß nicht«, sagte sie. »Du kommst aus einer anderen Welt. Oder aus einer anderen Zeit. Du glaubst an ein Leben vor dem Tod.«

»Wahnsinnig geistreich.«

Sie ließ sich nicht aus der Ruhe bringen. Ihr Gesicht hing im Spiegel wie eine kunstvoll bemalte Gipsmaske vor der Kachelwand.

»Du kennst die besondere Tragödie der Statik nicht.«

»Der was bitte?«

»Der Statik. Das ist die Lehre davon, wie man das Umfallen vermeidet.«

Fliegende Bauten, dachte Smutek jetzt, haben eine ganz eigene Statik. Ohne Fundament. Im Nachhinein kam es ihm vor, als wären sie an diesem Punkt der Unterhaltung plötzlich beide darüber erschrocken, dass Ada extra gekommen war, um ihm so etwas mitzuteilen, sie waren zusammengezuckt, als hätten sie einander an den Händen gehalten, um einen elektrisch geladenen Weidezaun anzufassen. Smutek hatte geahnt, dass sie nicht von der Verfasstheit der Welt im Allgemeinen, sondern von seiner konkreten Lage sprach. Das muss eine Spielpause sein, dachte er, während Aufregung in ihm pendelnd nach oben stieg wie Kohlensäure in einer frisch geöffneten Sprudelflasche. Schon Halbzeit. Sie hatten sich am Rand der Arena getroffen, um ein paar codierte Sätze auszutauschen, unsicher darüber, ob das Gegenüber der heimischen oder gegnerischen Mannschaft angehörte.

Ada riet ihm, sein altes Leben schleunigst abzulegen, so wie man sich beeilt, eine dicke Jacke loszuwerden, nachdem man ins Wasser gefallen ist. Wie aber sollte er sich von einer Sache befreien, an die er sich kaum erinnern konnte? Gehörte die Laufgruppe zu einem alten, einem neuen oder zu gar keinem Leben? Hatte er im alten Leben seine Arbeit geliebt? An Gott geglaubt? Ein Ziel gehabt? Ein Kind gewollt? Es gab nur ein Ding, das ihm mit Sicherheit angehört hatte, das war seine Frau, und er würde niemandem, schon gar nicht Ada, erlauben, ihm zu raten, dass er sich von ihr befreite. Noch ehe er sich eine passende Antwort zurechtgelegt hatte, begannen Lippen und Zunge einen stammelnden Stepptanz aufzuführen, angetrieben vom Druck all der Worte, die er ihr wahrscheinlich schon immer einmal hatte sagen wollen.

»Geht es wieder um das ewige Thema? Um die Überlegenheit einer Post-Aufgeklärten gegenüber dem altmodischen Idealisten? Willst du wissen, worin deine Verblendung liegt? Du meinst, der *horror vacui* sei deine persönliche Erfindung. Was dir so endgültig erscheint wie ein Knick in der Geistesgeschichte, hat jeder kluge Mensch durchlitten. Es handelt sich um einen Ausgangspunkt, nicht um den Endpunkt des Denkens.«

»Hör mal ...«

»Lass mich ausreden!!« Die Nymphe Echo antwortete von den Kachelwänden, zur ewigen Wiederholung verdammt. Ada schwieg mit einem spöttischen Lächeln und ließ Smutek fortfahren.

»Auch ich denke oft genug: Was soll ich mit dem Wind, wenn ich kein Segelboot habe? Was mit der Sonne, wenn ich keine Solarzelle bin? Ich sehe nach oben: nichts als Sterne, Urknallschutt, ein Großteil schon lange tot, übrig gebliebenes Licht auf einer sinnlosen Reise durch den sinnlosen Raum. Und neben mir, zum Beispiel: du. Manchmal, wenn ich dich ansehe, wundere ich mich von Herzen darüber, dass du nicht nur eine Erinnerung bist. Du kannst doch nicht wirklich eine Gegenwart besitzen, du kannst doch nicht wirklich – immer noch hier sein?«

Er stoppte sich selbst, wie man ein flüchtendes Kind kurz vor der Hauptverkehrskreuzung stoppt, atemlos, mit beiden Armen nach dem nächstbesten Haltepunkt grapschend.

»Süß, Smutek«, sagte Ada, nachdem das Schweigen effektvoll genug geworden war. »Dein Eifer widerlegt dich. Eigentlich hatte ich fest damit gerechnet, dass du von den sinnstiftenden Leiden deiner Frau zu reden anfängst. Aber ich habe auch nichts gegen Segelboote und Sonne. Nichts gegen Juliusz Słowacki. Aber die Dinge, vor denen ich dich warnen wollte, lassen sich nicht mit ein bisschen Pubertätslyrik beiseite reden.«

Endlich stützte Smutek beide Hände auf die Waschbeckenkante, streckte den Rücken und entlastete die Wirbelsäule. Er stellte sich vor, wie Adas Blick weiter in der Luft hing, genau dort, wo sich eben noch sein Gesicht befunden hatte, eine Achse, die ihren zweiten Endpunkt verloren hat.

»Wenn ich dich fragen würde, ob du meine Freundin oder Feindin bist, würdest du lachen, nicht wahr?«

»Ich würde lauthals lachen und mich hier vor deinen Füßen auf dem Boden hin- und herrollen.« Weil er nicht antwortete und sichtbar zu ventilieren begann, setzte sie flüsternd hinzu: »Ganz ruhig, Smutek. Das ist eine Lebendimpfung. Gut für das Immunsystem. Wirkt gegen bevorstehende Schicksalsschläge.«

Er hatte nicht zugehört.

»Dein Problem«, brüllte er, die Hände immer noch auf das Porzellan gestützt, das warm zu werden begann und rings um seine Finger beschlug, »ist, dass du das allgemeine NICHTS mit deiner persönlichen LEERE verwechselst.«

Das war ein Übergriff. Sie war nicht seine Tochter, sie hatte sogar aufgehört, seine Schülerin zu sein. Außerdem war sie erst fünfzehn. Ein Kind. Er durfte sie nicht anschreien, nicht beleidigen, schon gar nicht verletzen. Der blasse Untertassenvollmond ihres Gesichts war aus dem Spiegel verschwunden, noch ehe seine Augen die ihren suchten, um Vergebung zu erbitten oder zu gewähren, um eine Brücke zu schlagen über den Strom aus Worten, der sie seit ihrer ersten Begegnung voneinander trennte.

»Ada, Ada.«

Er flüsterte diesen Namen wie ein Ehemann, der zu weit gegangen ist und schon in der nächsten Sekunde bereut. Sie ging, auf roten Turnschuhen, unter ihrer komischen Hochfrisur aus viel zu kurzen blonden Strähnen. Nie zuvor waren ihr blasierter, amtsmüder Geist und die empörende Kindlichkeit so heftig aufeinander geprallt. Kein Lehrer, kein Liebhaber und kein Erpressungsopfer verstellten Smutek den Blick. Er sah eine kleine, vom Leben zum Tode verurteilte Frau, eine Fünfzehnjährige mit greisem Verstand. Er flüsterte noch vor sich hin, als sie die Turnhalle längst verlassen hatte: Vielleicht braucht sie Hilfe, mein Gott, sie braucht Hilfe – und wusste dabei, dass dem nicht so war.

Er saß noch immer vor dem Schreibtisch und hatte eine Hand auf den Bücherstapel gelegt, als könnte er auf diese Weise erfühlen, was dem Verstand nicht zugänglich war. Er hatte die letzten Wurzeln, die ihn mit dem Boden verbanden, noch nicht gekappt. Erst wenn diese durchschnitten waren, würde er sich in etwas verwandeln, das man aufstellen, zerlegen und wieder aufstellen konnte. Erst dann könnte er Ada in die Augen sehen, ohne zu kämpfen.

Frau Smutek packt aus

Am darauf folgenden Abend kehrte das Schneewittchen aus der Eifel zurück. Sie hatte zwei Tage auf langen Spaziergängen im Wald mit ausgiebigen Gesprächen verbracht. Auf jeden ihrer Schritte waren drei Wörter gefallen, die Arbeitskollegin hatte geduldig zugehört. Eine Weile werkelte sie durch die sonntägliche Wohnung, dann rief sie Smutek zu sich in die Küche. Zwei Teller standen auf dem Tisch, in der Mikrowelle drehten sich Plastikschalen mit Fleisch und Beilagen. Smutek warf sich auf einen Stuhl, dass das Holz ächzte.

»Weißt du, was Fliegende Bauten sind?«

»Keine Ahnung.«

»Das beruhigt mich.« Es gab doch eigentlich nichts, um das man sich sorgen musste. »Chodź do mnie na chwilę.« Er küsste ihr blasses Gesicht, und als er damit fertig war, war die Tür der Mikrowelle längst aufgesprungen, und der Geruch von Bratensoße und Kartoffeln hatte sich in der Küche verbreitet.

Schließlich sagte sie es einfach. Sie hatten über etwas völlig anderes gesprochen, wahrscheinlich über Literatur, vielleicht hatte Smutek erklärt, was Fliegende Bauten seien, während die Gabeln hoch und runter gingen und die Messer vor und zurück. Es stieß ihr auf wie eine Luftblase aus einem übersäuerten Magen. Sie selbst schien sich am meisten zu wundern über ihre Worte, die eine Antwort darstellten, ohne dass eine Frage vorausgegangen wäre: »Es kam alles daher, dass ich wenige Tage vorher die Nachricht vom Tod meines Vaters erhalten hatte.«

Nach diesem Satz hob sie das Gesicht und schaute ihn staunend an. Mit unruhigen Augen irrte Smutek zwischen Zeiten und Ereignissen umher und suchte den Gegenstand, auf den sie sich bezog. Ihr Mund zerschmolz in einem Lächeln.

»Dein Vater«, sagte er vorsichtig, »ist vor über zwanzig Jahren in einem polnischen Gefängnis erfroren.«

»Er ist letzten Herbst am Alter gestorben, vielleicht am Kummer. Anscheinend war er auch krank. Nur ein bisschen. Nicht viel kränker als wir alle.«

Smutek vermutete einen Rückfall, eine geistige Verwirrung, etwas, mit dem man vorsichtig umgehen musste, um nichts zu zerbrechen. Er streckte eine Hand aus, die ebenso sanft war wie seine Worte: »Wovon sprichst du überhaupt?«

»Die Nachricht kam mit der Post. Sie wussten die ganze Zeit, wo ich bin und was ich mache, verstehst du? Sie haben Erkundigungen eingeholt, Nachforschungen angestellt. Es war dumm von mir, nicht zu erkennen, wie einfach so etwas ist.«

»Vor oder nach der Wende?«

»Woher soll ich das wissen? Jedenfalls haben sie mich ohne weiteres gefunden. Dein Nachname hat mich überhaupt nicht beschützt.«

Egal, was passiert war – sicher war Smutek an allem schuld, aber daran hatte er sich gewöhnt und achtete kaum noch darauf. Damals nach der Wende hatte sie auf eine Heirat gedrungen, obwohl sie weder schwanger noch besonders katholisch war. Sie wolle ihn nicht der Gefahr einer Abschiebung aussetzen, hatte sie gesagt, und als Smutek einwandte, aus so profanen Gründen nicht heiraten zu wollen, war sie dazu übergegangen, ihm pathologische Ehescheu vorzuwerfen. Frau Smutek war kein polnisches Mädchen, das mit Ende zwanzig einen Mann zu erwerben versucht wie mit achtzehn das Abitur. Weil ihm kein besserer Grund in den Sinn gekommen war, hatte Smutek angenommen, dass sie ihn liebe. Jetzt saß sie vor ihm und schaute zu Boden wie ein Schulmädchen, das sein Klassenziel nicht erreicht hat.

»Stell dir das vor. Meine eigene Familie hat niemals versucht, Kontakt zu mir aufzunehmen. Bis nach zwei Jahrzehnten eine Benachrichtigung vom Ableben meines toten Vaters eintrifft.«

»Hast du damals nicht von deiner Mutter verlangt, sie solle sich ab sofort als kinderlos betrachten? Sagtest du nicht zu ihr: Deine Tochter ist jetzt eine Waise?« Darauf schwieg sie. »Eins will ich wirklich wissen.« Smuteks Hand lag leer auf dem Tisch, und als sie einer aufgestellten Mausefalle zu ähneln begann, zog er sie zurück. »Als du auf dem Rand meiner Asylantenpritsche saßest und General Jaruzelski, deine Eltern und die Volksrepublik Polen mit gotteslästerlichen Flüchen belegtest – wusstest du da, dass dein Vater noch am Leben war?«

Unvermittelt traf ihn der altbekannte Hass aus schwarzen Augen, als wären zwei Rollos hochgegangen vor einer Lichtquelle, von der Smutek geglaubt hatte, dass sie längst verloschen sei.

»Man hat uns unentwegt belogen«, rief Frau Smutek. »Hat deine Mutter etwa nicht an den Tod ihres Sohnes geglaubt? Muss sie andere Gründe für ihren Sprung in die Weichsel gehabt haben, nur weil dieses Land mit allen Fundamenten auf einer Lüge errichtet war? Bist du schuldig, Smutek? Oder ist es General Jaruzelski? Die Verhältnisse? Vielleicht deine Mutter, das Schicksal oder Gott?«

Darüber wollte Smutek nicht sprechen. Ihm fiel nur eine lächerliche Phrase ein, die ihm der Widerwillen diktierte: »Lass die Toten ruhen.«

»Keine Sorge, ich werde deine Vergangenheit nicht durcheinander bringen. Hat nicht jeder ein Recht zu glauben, was ihm gut bekommt? Ist man denn, wenn man belogen wird, trotzdem zur Kenntnis der Wahrheit verpflichtet? Kann es *das* sein«, jetzt schrie sie beinahe, »was von einem Menschen verlangt wird? Dass er immer und trotz allem Bescheid weiß?«

Darauf kannte keiner von ihnen eine Antwort, die Frage war ausgesprochen kompliziert. Sie schwiegen lange Zeit, den Blick auf die halb gefüllten, erkalteten Teller gerichtet, und während sie inmitten dieser fatalen Stille saßen, machte ein großes Erstaunen sich breit.

»Ist es nicht merkwürdig«, sagte Smutek, »wie sehr sich

gleicht, was mit uns geschehen ist? Als hätte jeder für sich an einer anderen Aufführung desselben Theaterstücks mitgewirkt.« Er hatte etwas Großartiges sagen wollen, nun aber klang es matt und schal. »Man spürt förmlich, wie sich in uns das ewig Gleiche wiederholt. Das verbindet uns auf besondere Art.«

Sie wich seinem Blick aus, der Hilfe suchte.

»Seit wann interessierst du dich für Nietzsche? Wir sind einfach Kinder desselben Systems. Für uns gilt der Merksatz: Indem man die Menschen belügt, macht man sie zu Verbrechern.«

Das stimmte wahrscheinlich. Mit aller Sorgfalt griff Smutek wieder nach der Hand seiner Frau, die sie ihm diesmal widerstandslos überließ, und betrachtete sie eingehend wie einen interessanten Gegenstand.

»Hast du zugehört?«, fragte sie. »Das gilt auch für dich. Einmal Verbrecher, immer Verbrecher. Das wirst du Zeit deines Lebens nicht mehr los.«

Smutek hörte es und beschloss trotzdem, diese Sätze nicht zur Kenntnis zu nehmen. Seine Frau dachte politisch, auch wenn das in letzter Zeit in Vergessenheit geraten war. Politisch-Sein bedeutete, dass es nichts gab, wofür das System nicht verantwortlich war. Er mochte sie dafür und hatte keinesfalls vor, dem Allgemeinen einen Stein an die Füße zu binden, um es in den Teich des Persönlichen zu werfen. Er war durchaus in der Lage, abstrakt zu denken, vorausgesetzt, es diente einem guten Zweck.

»Was du sagst«, behauptete er, »gilt heute mehr denn je. Die Wahrheit, oder besser, die Abwesenheit von Lüge, ist der letzte Wert, dem wir ins Titelblatt unseres Lebens eine Widmung schreiben können. Daneben gibt es noch anderthalb Gebote von ehemals zehn. Erstens: Du sollst keinem anderen Menschen auf die Nerven fallen. Und das halbe: Du sollst nicht töten, wenn es sich vermeiden lässt. Wenn jeder diese anderthalb Gebote befolgte und sich dabei an die Wahrheit hielte, wäre die Welt längst ein Paradies.«

»Und verschweigen«, sagte sie mit schwer zu deutender Anzüglichkeit, »ist wie lügen?«

Er schüttelte den Kopf, langsam, damit die Gedanken nicht in Unordnung gerieten, in gespielter Nachdenklichkeit, weil es schnell zu überlegen galt, ob sie mit dieser Äußerung etwas Bestimmtes bezweckte.

»Jeder hat Gründe und ein Recht zu schweigen. Aber wenn man schon spricht, kann man versuchen, bei der Wahrheit zu bleiben, nicht wahr?«

»Du redest, als hättest du mir verziehen.«

»Verziehen?«

Diese Option im menschlichen Miteinander war Smutek entfallen. Jetzt musste er lachen, ein wenig müde, wie über die zu lang hinausgezögerte Pointe eines dramaturgisch schlecht aufgebauten Witzes. Natürlich, man konnte alles erzählen, um Verzeihung bitten und sie erhalten, und was gerade stattfand, war der so genannte rechte Moment. Frau Smuteks schlechtes Gewissen bildete einen fruchtbaren Boden für den Kuhhandel der Vergebung. Was spielte es letztlich für eine Rolle, was sie getan hatte und was er? Die Schwäche der Menschen war gerichtsbekannt. Zwischen ihnen hatte es immer einen Raum gegeben, in dem sie sich selbst und einander liebten und genauso alles, was sie umgab, die hübsche Wohnung, die Topfpflanzen, ihr Auto, die Katze der Nachbarn, alles, was lebte, und alles, was litt. Einmal hatten sie auf einem Abendspaziergang einen Igel gefunden, der frühzeitig aus dem Winterschlaf erwacht war, ihn mitten in der Nacht zum Tierarzt gefahren und eine Exklusivbehandlung für ihn bezahlt. Sie wiesen sich gegenseitig auf außergewöhnliche Wolkenformationen hin. Sie lasen Bücher. Wo Frau Smutek ihre Hände wegnahm, entstand Kälte. Was sie berührten, begann zu atmen. Das war ein Raum, in den man leichten Herzens eine Beichte sprechen konnte.

Da war sie wieder, die Versuchung, alles zu gestehen. Frau Smutek saß vor ihm, ausdruckslos wie ein Stück Tonmasse, das auf die Hände des Töpfers wartet, und Smutek brauchte die seinen, um sich mit aller Kraft das Gesicht zu reiben, als könnte er auf diese Weise das dahinter liegende Hirn von falschen Ideen reinigen. Er nahm eine leere Tasse vom Tisch, drückte sie ans Ohr und hörte das Meer darin wie in einer Muschel rauschen.

»Wenn es etwas zu verzeihen gäbe«, sagte er, »hätte ich dir selbstverständlich verziehen.«

»Gestern ist Polen der EU beigetreten«, sagte Frau Smutek. »Hast du etwas gespürt? Einen Ruck? Ein Ziehen? Nichts dergleichen. Wir sind, was aus diesem verlorenen Land geworden ist. Das ist die einzige Wahrheit.«

Er umrundete den Tisch und nahm sie in die Arme, wo sie erleichtert zu weinen begann. Er wiegte sie wie eine Tochter, gab Zischlaute von sich und hütete dabei das eigene Geheimnis wie eine verborgene Quelle, die ihn vergiftete und ernährte. Er verspielte die allerletzte Chance, ein weiteres Mal abzuspringen, diesmal freiwillig, aus einem Gefährt, das unzweifelhaft in den Abgrund steuerte, ins Dunkle, ins Nichts.

Es war drei Uhr morgens, als sie sich vom Tisch erhoben, das Geschirr zusammenräumten, die Reste des abgebrochenen Abendessens mit Messerrücken in die Mülltüte schoben und Gläser in die vorgesehenen Abteile der Spülmaschine stellten. Smutek schlief zwei Stunden, seine Träume wurden mit Abspann gezeigt. Ada stand breitbeinig wie in Reitstiefeln auf dem Dach von Ernst-Bloch und rief ihm etwas zu, das er nicht verstand. Idee und Realisation: Szymon Smutek. Drehbuch: Szymon Smutek. Musik ... Und so fort, bis er das Bett, diese Legebatterie für leere Eier, verließ, am Fenster im Wohnzimmer lehnte und auf das entfernte elektronische Wispern von Klängen lauschte, die aus den Lautsprechern vorbeifahrender Autos drangen. Er konnte nicht mehr ruhig neben seinem Schneewittchen liegen. Seine und ihre Atemgeräusche waren zu Duellanten geworden.

Smutek fühlte sich wie ein mit bleichen Knochen und einem kleinen Stück ewiger Dunkelheit gestopfter Hautsack.

Das Nebeneinanderstehen mit anderen Hautsäcken hatte er ›Liebe‹ oder ›Hass‹ getauft, und das fehlende Verständnis für die eigene Existenz nannte er ›Seele‹. Draußen lag der Mond im Himmel und schien hinter vorbeieilenden Wolken rückwärts zu fahren. Nebenan lag der Mensch, den er geliebt hatte, und fuhr rückwärts hinter Smuteks vorbeieilenden Gedanken. Die Zeitspanne zwischen vier und sieben Uhr morgens verschlief ein gesunder Mensch aus guten Gründen. Diese Stunden verschafften unerwünschte Hellsichtigkeit. Was bei Tag selbstverständlich und unverrückbar erschien, lag plötzlich brach in seiner ganzen Bedeutungslosigkeit. Einst hatte die Frau hinter der Wand ihm Gründe geliefert, morgens aufzustehen, dazu Harmonie mit dem Weltgeist, eine regelmäßige Verdauung, ruhige Akzeptanz gegenüber den zeitraubenden Notwendigkeiten der Existenzsicherung und immer einen Anlass zum Lachen. Zwischen vier und sieben Uhr morgens aber war Glück das Ergebnis einer Absprache, von der Smutek nicht sicher wusste, ob außer ihm noch jemand daran beteiligt war. Er hörte Adas Stimme: Alle Wege führen zur Erkenntnis der Nichtigkeit aller Dinge, aber keiner führt zurück.

Endlich klingelte der Wecker im Nebenzimmer. Smutek brachte das Bettzeug zurück ins Schlafzimmer und küsste seiner Frau einen guten Morgen mitten ins Gesicht. Als sie mit Zahnbürsten im Mund nebeneinander vor dem Badezimmerspiegel standen, war die Front des Alltäglichen lückenlos geschlossen. Es war Montagmorgen. Erfolglos drängte Smutek einen Gedanken beiseite, der sich hinter seiner Stirn wiederholte: Ab jetzt, erst ab jetzt würde alles wirklich anders werden. Beim Mundausspülen stießen er und das Schneewittchen mit den Köpfen zusammen.

Ein merkwürdiger Donnerstag. Spannung wird aufgebaut und wenig geschieht. Ein Geldkurier erreicht das Ziel

Es war ihnen allen nicht ganz wohl an diesem Morgen. Obwohl der Tag keine Hinweise auf irgendetwas Ungewöhnliches enthielt, glaubte doch jeder, es sei etwas im Gange. Vielleicht eine Änderung des Luftdrucks. Vielleicht die Vorbereitung einer Kurskorrektur der partiellen Menschheitsgeschichte. Der Mensch ist taub und blind gegen die Welt, aber er spürt es wie Rheuma, wenn ihn etwas am Schicksal reißt.

Schon vor Schulbeginn strengte die Sonne sich bei ihren Aufwärmübungen an. Über den Köpfen der Menschen wippten weiße Blüten vor blauem Hintergrund wie in einer öffentlich-rechtlichen Sendepause. Die Parklücke, in der Smutek seit Jahren seinen Wagen abstellte, war besetzt. Ein Zeichen? Kopfschüttelnd schloss er die Fahrertür ab und hielt das Gesicht für einen Moment in die Sonne. Er war übermüdet und überreizt und befand sich in der angenehmen Lage, sich selbst nicht trauen zu müssen. Am liebsten hätte er eine Napalmbombe in das angrenzende Gebüsch geworfen, um das apokalyptische Kreischen der Spatzen für immer zum Schweigen zu bringen.

Außer Alevs war auch Odettas Platz unbesetzt, und das fiel auf, als wären jene beiden speziellen Stühle durch mehrere Meter unsichtbarer Drähte miteinander verbunden. Ada hatte die Füße hochgezogen, die Knie mit den Armen umschlungen und signalisierte Smutek durch einen warnenden Blick, dass sie diese Haltung nicht ändern würde, gleichgültig, was er dagegen unternehmen mochte. Der Tag war eben erst angebrochen und hatte sich schon disqualifiziert. Auch Ada war müde und überreizt. Seit zu Hause die Vorbereitungen zur strafrechtlichen Verfolgung eines ehemaligen Familienmitglieds liefen, bot die abgeschlossene Badezimmertür keinen ausreichenden Schutz mehr. Manchmal fühlte sie sich wie auf vermintem Territorium, das schleunigst verlassen werden musste, ohne dass man dabei einen Fuß vor den anderen setzen durfte. In der rechten Hosentasche trug sie heute eine Geldscheinrolle, dick wie ein Phallus, die sie am Vortag aus dem verabredeten Versteck im Papierkorb nahe der Sportbahn gezogen hatte.

Mit einer halben Stunde Verspätung betrat Alev den Raum, begrüßte die Klasse als seinen Fanclub, Ortsverband Godesberg, nickte Ada zu, die unbeweglich zu ihm hinübersah, und zog sich wie eine Schnecke in sich selbst zurück, mit verschränkten Armen, die Augen starr auf die Tischkante gerichtet. Odetta kam zwei Minuten später, murmelte eine Entschuldigung und huschte blass auf ihren Platz. Jemand pfiff durch die Zähne, die Klasse lachte, Alev veränderte seine Haltung nicht. Smutek verzeichnete zwei sinnlose Einträge ins Klassenbuch.

Er hatte den Schülern eine Woche zur Bearbeitung einer Hausaufgabe eingeräumt. Sie sollten ein Kapitel aus dem *Mann ohne Eigenschaften* nacherzählen. Dass Ada ihre Sache mit Sorgfalt erledigt hatte, war ebenso klar wie Alevs absolute Untätigkeit. Smutek hatte keine Lust, mit einem von beiden zu reden. Er nahm ein Mädchen dran, das für gewöhnlich wenig auffiel. Sie hatte braune Haare und blaue Augen und zog ihre exzellenten schriftlichen Noten durch mangelhafte mündliche Mitarbeit in den Keller. Als Smutek sie bat, ihren Text vorzulesen, legte sie zwei von einer winzigen Handschrift bedeckte Seiten Papier zu einem exakten Rechteck zusammen.

»Jeden Moment kann etwas aus der Spur springen, plötzlich quer schlagen, seitwärts rutschen, die Fahrtrichtung verlassen, sich drehen. Ein schwerer, abrupt gebremster Lastwagen zum Beispiel, der dann mit schrägem Leib zum Stehen kommt, ein Rad auf dem Bordstein, dicht vor einer Laterne, als wollte er das Hinterbein daran heben, während sich vor seiner Schnauze eine dunkle Wolke Fußgänger wie Fliegen versammelt, um zu betrachten, was da reglos und unförmig auf dem Asphalt liegt. Ein Haufen alter Mäntel vielleicht, die nicht mehr in den Altkleidercontainer gepasst haben? Auch ohne genaues Hinsehen weiß man es besser. Man beginnt, dem Reglosen die Jacke zu öffnen und wieder zu schließen, seinen Kopf bald aufwärts, bald abwärts zu betten, ihm rhythmisch die Brust zu drücken, vielleicht sogar Luft in seine Nase zu blasen. Erst das Herannahen der Rettungssirene macht den Vorfall zu einem technischen Problem. Es gilt, eine Bahre auszuladen, den womöglich schwer Verletzten hinaufzuheben, Spritzen aufzuziehen, Ventile zu öffnen, Schläuche anzuschließen. Mit schnellen Stichen vernäht das kreisende Blaulicht ein Loch in der Ordnung, aufgerissen durch das außerplanmäßige Versterben eines Artgenossen, ein Loch, über das die aufgelaufene Menschenmenge sich beugt, um einen entsetzten Blick in das darunter liegende Chaos zu werfen. Die Heckklappe des Rettungswagens schlägt zu. Wieder ein Problem, das sich am saubersten lösen lässt, indem man es vergisst. Der Tag ruckt und stöhnt und setzt sich von neuem in Bewegung. Fünfzig verstörte Passanten stellen sich ein Unfallopfer als überlebend vor: Ob es dadurch von den Toten aufersteht? Ich will die Antwort, egal wie sie lautet, nicht hören.«

Und so ging es weiter. Es war ein ganz normaler Tag im Monat Mai, genauer gesagt: Der 6. Mai 2004, bis die Arbeit mit den Sätzen schloss: »Was soll ich vor der Tür? Man kann tun, was man will, es kommt in diesem Gefilz von Kräften, wie es draußen herrscht, nicht im Geringsten darauf an.«

Das Mädchen verstummte und sah ruhig vor sich hin, mit einem Blick, als befände sich außer ihr kein Mensch im Raum. Smutek blätterte hektisch in den ersten zehn Seiten seiner Romanausgabe und suchte das Material, aus dem diese Sätze geformt waren, fand die Inhalte an verstreuten Stellen, nicht aber ihren Klang. Als er aufschaute wie ein Ertrinkender, der den Kopf über die Wasseroberfläche reißt, sah er direkt in Adas Gesicht, in dem sich sein eigenes Erstaunen spiegelte. Ein paar Sekunden lang hielten sie sich mit Blicken aneinander fest, einander stumm versichernd, dass es sich bloß um eine gut gelöste Hausaufgabe gehandelt hatte und nicht um eine Stimme aus dem Off. Es war einfach ein merkwürdiger Donnerstag.

»Das war sehr gut«, sagte Smutek endlich. »Mir scheint, Sie haben besonderes Talent.«

Am Ende der Doppelstunde entlud die Spannung sich in einem Zustand überflüssiger Verwirrung. Der Schatten von etwas Großem war über die Wände gezogen, eine jener Erscheinungen, die in Märchen als Drachen und nächtliche Reiter dargestellt werden und doch nicht mehr sind als eine Rangierbewegung von Zeit und Raum, so dass die Menschen sich an nie Gewesenes erinnern oder glauben, ein Ereignis vorhergesehen zu haben. Gelegentlich kommt es zum einen oder anderen Schicksalsschlag, wie zu einer Fehlzündung. Diesmal aber sprang nichts aus der Spur. Das schwerfällige Fahrzeug hatte bloß ein wenig gestockt und setzte seinen Weg fort.

Man ließ sich Zeit beim Einpacken der Taschen. Smutek wartete auf die unscheinbare Autorin. Ada wartete auf Smutek, während Alev ihr Zeichen gab, dass sie ihm ins Internat folgen sollte. Die üblichen Vorbesprechungen am Donnerstag fanden für gewöhnlich nicht in der Pause, sondern nach Schulschluss statt, so dass Toni nach dem Mittagessen im Speisesaal gar nicht erst auf das gemeinsame Zimmer zurückkehrte. Ada hatte eine Verabredung mit Teuter, schüttelte langsam den Kopf und bemerkte im gleichen Moment Olaf, der im Gang gegenüber der offenen Klassentür an der Wand lehnte. Eine Prinzessin geriet dazwischen, sprach Smutek aus nichtigem Anlass an, hatte die obersten Knöpfe der Bluse geöffnet und beugte sich weit über das Lehrerpult, damit er ihr in den Ausschnitt sehen konnte. Inzwischen entwischte die unscheinbare Schülerin, und Ada ließ sich von Olaf abfangen, um Alev zu entgehen, der auf keinen Fall von dem Treffen mit Teuter erfahren durfte.

»Nice to meet you«, sagte Olaf, als sie ihm regelrecht in die Arme rannte.

»Ganz meinerseits«, erwiderte sie und schaute Alevs Rücken hinterher, der betont entspannt den Gang hinunter entschwand. Als er um die Ecke gebogen war, wollte sie weiter, aber Olaf fasste sie am Arm.

»Ganz ruhig. Lassen wir die Hysterie für einen Moment beiseite.«

Sie musste an sich halten, um ihm nicht die Spitze ihres Turnschuhs ins Schienbein zu rammen. Man mochte ihr manches nachsagen, aber sicher nicht Hysterie. Sie war stolz auf den Schwarzen Gürtel der Indifferenz. Außerdem konnte sie es nicht leiden, festgehalten zu werden.

»Ich hab keine Zeit.«

»Versteht sich von selbst«, nickte Olaf. »Immer in wichtigen Geschäften unterwegs.«

Misstrauisch überflog sie seine Miene wie eine fremdsprachige Buchseite. Ein besonderer Ernst umgab ihn, als hätte er eine Sendung gefunden, die es zu erfüllen galt. Trotz Milchhaut, Vogelknochen und seines kleinen, verletzlichen Mundes trug er die würdevolle Verzweiflung des denkenden Menschen zur Schau.

»Ich möchte dich bitten, morgen zur Bandprobe zu kommen.«

»Seit wann proben die *Ohren* am Freitag?«

»Gut.« Olaf fuhr sich mit seiner Lieblingsgeste durch die langen Haare. »Formulieren wir es anders. Komm morgen um siebzehn Uhr in den Fahrradkeller.«

»Um siebzehn Uhr kann ich nicht.«

»Ada.« Seine Lippen pressten sich aufeinander, Schranken an der Grenze zwischen Innen- und Außenwelt, denen die schwierige Aufgabe zukam, aus den herausdrängenden Massen einzelne, bestimmte Wortindividuen auszuwählen und passieren zu lassen. »Wir scheitern ständig daran, einander etwas erklären zu wollen. Ich bitte dich einfach, morgen um siebzehn Uhr da zu sein. Ich muss mit dir reden. Sagen wir, es ist wichtig. Sagen wir, du schuldest mir noch etwas.«

»Den letzten Satz streichen wir aus dem Protokoll. Ich werde um achtzehn Uhr da sein.«

»Ada!«

Sie erreichte aus dem Stand innerhalb weniger Schritte ihre Höchstgeschwindigkeit, rannte, weil das Linoleum herrlich unter den Gummisohlen schrie, weil sie mit großen Sprüngen beinahe der Schwerkraft entkam und weil sie schon fünf Minuten über dem verabredeten Zeitpunkt war. Die Treppen nahm sie in Viererpaketen, eine Hand auf dem Geländer, von dem sie sich abstieß, um entgegenkommenden Schülern auszuweichen. Quer über den Schulhof, über die Straße, die das Terrain von Ernst-Bloch in zwei Teile schnitt, durch den Park, in dessen Gebüschen Vogelfamilien weiterhin lautstark über den Zustand der Welt stritten.

Der Schulträger hatte sein Büro im Privathaus der Familie, am äußersten, rheinseitigen Rand des Schulgeländes gelegen. Bei Adas Tempo blieb nicht viel Zeit, unterwegs darüber nachzudenken, was hinter Olafs Drängen stecken mochte und ob sie Alev deswegen verständigen müsste. Sie stand kurz vor dem Entschluss, sich in ihr eigenes Leben nicht einzumischen, als sie Gründers Büro erreichte und mit der Tür ins Zimmer sprang.

Gründer war schlecht möbliert. Das Gebäude zählte weit über hundert Jahre und verlangte nach einem Design, das hohe Decken, Kronleuchter, Fischgrätparkett und den Erker mit Fensterfront zu meistern wusste. Stattdessen war alles praktisch und abschraubbar, aus naturbelassener Fichte mit Astlochmuster oder aus schwarzem Furnier. Neben dem großen quadratischen Tisch wirkte Teuter wie der kindliche Teilnehmer an einer Bastelstunde.

Ada sog ein paar tiefe Atemzüge durch die Nase, um die Muskeln mit Sauerstoff zu versorgen, und schaute nur Gründer an, der hinter dem Schreibtisch saß und an einer Pfeife saugte, die das Zimmer mit Vanillearoma füllte.

»Ja nee, Sie können schon reinkommen«, sagte Teuter.

»Herein, herein!«, rief Gründer.

Ada zwang sich zum Durchmarsch, griff im Gehen in die Hosentasche und warf die Geldscheinrolle auf die Tischplatte, wo sie sofort aufschnappte und zu einem unordentlichen Haufen auseinander fiel.

»Zählen Sie«, sagte Ada. »Ich brauche eine Quittung für den edlen Spender.«

Die Quittung war ihr erst in diesem Augenblick eingefallen. Erpresste, Freier und beraubte Bankangestellte verlangen keine Quittungen. Gründer nickte zufrieden. Der Betrag stimmte.

»Falls es zu weiteren Verzögerungen kommt, bitte ich Sie um ein bisschen Geduld«, sagte Ada. »Mein Vater hat zugesagt, die Zahlungen wieder aufzunehmen.«

»Eine wunderliche Situation«, meinte Gründer und grinste rings um den Pfeifenstiel. »Für mich jedenfalls sind Sie die erste Schülerin, die hier reinkommt, um ihr Schulgeld in bar zu entrichten.«

»Mich interessiert vor allem, woher das Geld stammt«, sagte Teuter.

»Bin ich zur Offenlegung meiner Verwandtschaftsverhältnisse verpflichtet?«

»Sie sind zu gar nichts verpflichtet«, mischte Gründer sich ein und schaukelte seinen Leib in die Höhe, um Adas Hand zu drücken. »Wir freuen uns schließlich, dass Sie bei uns sind. Nicht wahr?«

»Das kommt darauf an«, sagte Teuter. »Es wird sich herausstellen. Schon bald!«

»Die Freude liegt auf meiner Seite«, sagte Ada und deutete eine Verbeugung an.

Bis zu der Sekunde, da sie die Tür hinter sich endgültig geschlossen hatte, erwartete sie, dass Teuter sie zurückrufen werde. Ja nee, kommen Sie mal mit. Wir gehen in mein Büro.

Alles blieb still. Auf dem Rückweg ging sie langsam und beschloss, dass es wohl doch Grund gebe, Alev nachdrücklich zu warnen.

Sie hatten keine weiteren gemeinsamen Stunden an diesem Tag. In den folgenden Pausen erschien er nicht auf dem Hof. Nach der letzten Stunde wartete sie vergeblich darauf, dass er sie vor dem Klassenzimmer abhole, um sie zum Mittagessen mit ins Internat zu nehmen. Ohne Einladung war ihr der Weg in die oberen Stockwerke verwehrt. Weil es sonst nichts zu tun gab, beschloss sie, gleich mit Laufen anzufangen und das Pensum für heute zu verdoppeln.

Während sie auf dem Sportplatz eine Runde nach der anderen drehte, durchquerten drei Kurznachrichten den Äther, flitzten über Funkwellen und landeten piepsend und surrend im Taubenschlag ihres Handys.

Die kürzeste stammte von Olaf: »Überleg es dir noch mal. Dir zuliebe.«

Die zweite von ihrer Mutter: »bitte komm heute nachmittag nach hause ich brauche dich hier mutter.«

Und die letzte von Smutek, der ohne Zwischenräume schrieb und die hundertsechzig Zeichen zu nutzen verstand: »Vielleicht bin ich verrückt. Ich würde dich gern mal allein treffen, auf Kaffee oder so. Wir könnten reden. Und im Juli ist Kreismeisterschaft, du kannst sie alle in die Tasche stecken.«

Als Ada die Botschaften las, fragte sie sich, ob Smutek seine Frau verlassen habe, ob für den morgigen Tag ein Bombenanschlag auf Ernst-Bloch geplant sei, der sich nur im Fahrradkeller überleben ließ, und ob ihre Mutter ein bezahltes Attentat auf den Brigadegeneral plane, bei dem sie Hilfe mit der Logistik brauchte. Sie löschte alle Nachrichten und ging nach Hause. Die Zukunft war ein schwieriges Geschäft: Wenn eins nicht passierte, so geschah stattdessen eben etwas anderes.

Es werden zwei Figuren aus der Geschichte entlassen, bevor vom geplatzten Freitag erzählt werden soll

Es war das erste Mal, dass eine Vorbesprechung zwischen Ada und Alev ausgefallen war. Ada sagte sich, dass dieser Tatsache keine allzu große Bedeutung beizumessen sei – wie jede Begebenheit würde sie ihre Gründe haben. Inzwischen fühlte sie sich durchaus in der Lage, mit den Anforderungen eines Freitagnachmittags improvisierend fertig zu werden. Nur war das Spiel bislang von strengen Regeln bestimmt gewesen, und niemand hatte diese Regeln gebrochen. Hätte Ada länger darüber nachgedacht, wäre ihr aufgefallen, was es aus der Unregelmäßigkeit zu lernen gab: Alev folgte nach wie vor eigenen Pfaden, deren Ursprung, Verlauf und Ziel niemandem außer ihm selbst – oder jener Instanz, die ihn steuerte – bekannt waren.

Als er am Freitagmorgen pünktlich und gut gelaunt zur Schule erschien, beantwortete er ihre zwingende Bitte um eine Audienz mit einer Handbewegung, die dem taumelnden Aufstieg eines Riesenschmetterlings glich. Unter Verzicht auf alle Zurückhaltung in der Öffentlichkeit legte er ihr den einen Arm um die Taille, den anderen um die Schultern und zog sie so kräftig an sich, dass ihn das Herrenhafte dieser Geste um zwei Köpfe wachsen ließ und Ada wie ein Paar Skier in seine Armbeuge sank. Das Wenden der Hälse aller Schüler auf dem Hof, die Aufmerksamkeit der Aufsicht führenden Lehrerschaft und selbst die der Passanten außerhalb des fünf Meter hohen Maschendrahtzauns verursachte ein trockenes Rascheln, als hätten die Bäume der angrenzenden Allee ihre frischen Blätter mit einem Mal abgeworfen. Die plötzlich eingetretene Stille allerdings existierte nur in Adas Einbildung. Sie hörte nichts außer Alevs Stimme, die aus warmer, in ihr Ohr geatmeter Luft bestand: »Vergiss nicht, Kleinchen, wer wir sind. Kinder des Nichts, Erben einer Macht, die niemand mehr ausüben will oder kann. Wir können sie nur festhalten, wenn wir die Fäuste nicht öffnen. Vertrau mir.«

Offensichtlich hatte sein Größenwahn neue Nahrung bekommen; wodurch, blieb gleichgültig, solange nur eine Person behauptete, zu wissen und zu verstehen, was vor sich ging. Mehr haben die Menschen, entgegen aller anderslautenden Beteuerungen, niemals verlangt.

Bevor aber vom geplatzten Freitag erzählt werden kann, steht der Restdonnerstag breitbeinig im Weg. Aufgrund des ausgefallenen Treffens war Ada drei Stunden früher als gewöhnlich nach Hause zurückgekehrt und hatte somit versehentlich den per SMS übermittelten Wunsch ihrer Mutter befolgt. Zu diesem Zeitpunkt hatte die Aufregung, ausgelöst durch ein Telefax des Brigadegenerals, ihren Gipfel erreicht. Die Mutter hatte vom Fenster aus die Straße im Blick behalten und wartete fromm wie Hiob am Treppenabsatz vor der Wohnungstür. Um ihre rechte Hand krümmte sich das Faxpapier, verzweifelt bemüht, in seine aufgerollte Form zurückzugelangen. Ada benutzte die dreißig Stufen, um den Kopf zu leeren und die verstreuten Gedankentruppen in die kleine befestigte Bastion ihres Persönlichkeitskerns zurückzuziehen: Ada ist eigenschaftslos und unangreifbar. Sie ist die Umsetzung eines vor hundert Jahren angekündigten Prototyps, einstweilen mehr für die Präsentation seiner Funktionen als für den tatsächlichen Einsatz gedacht. – Stufe für Stufe stieg sie aus dem Alltagsmenschen heraus und war, als sie den Treppenabsatz erreichte, die Ruhe selbst.

So ein Verbrecher. Nichts ist ihm heilig. Er würde sein eigenes Kind den Wölfen vorwerfen. Wenn er eins hätte, nicht? Komm rein.

Schnell fraßen Adas Augen sich durch die wenigen Zeilen, schnell arbeitete das Gehirn. Es gab nicht viele Erklärungsmöglichkeiten für den Brief des Brigadegenerals, der seiner

Anrede nach an die Mutter, indirekt aber ebenso sehr an sie selbst gerichtet war. Vielleicht pokerte er. Wahrscheinlicher war, dass Teuter ihn angerufen hatte, gleich nach ihrem Zusammentreffen in Gründers Büro. Mühelos konnte Ada sich vorstellen, wie die Kermetstimme im Hörer geklungen hatte. Zur Verunstaltung durch einen angehobenen Kehlkopf und überspannte Stimmlippenränder kamen die technischen Entstellungseffekte, so dass Teuter wie ein Erpresser gequakt haben musste, der mit seinen Opfern durch einen Stimmverzerrer spricht. Ja nee, eben war Ihre Stieftochter bei mir. Sie hat eine beträchtliche Summe Bargeld auf den Tisch gelegt. Wissen Sie davon?

Der Brigadegeneral hatte es gewusst. Er wusste es nicht nur, es war ihm unangenehm. Teuter als Schulleiter trug die Verantwortung und fühlte sich persönlich in jedes einzelne Schicksal involviert. Ja nee, ob er sicher sein könne, dass es mit solchen Barschaften in den Händen eines Kindes seine Ordnung habe?

Je genauer der Brigadegeneral darüber nachgedacht hatte, desto deutlicher war ihm geworden, dass dieses Geld von ihm selber stammte. Eine solche Notlüge war er der Stieftochter schuldig. Sofern Teuter sich darüber im Klaren sei, dass er hiermit bezüglich einer innerfamiliären Angelegenheit in strengstes Vertrauen gezogen werde, könne er andeuten, dass die ursprünglich fehlende Summe nicht etwa durch eine Verletzung der Unterhaltspflicht, sondern durch die verzeihliche Dummheit eines jungen Mädchens entstanden sei, die einem engen Freund habe helfen wollen. Die Konsequenzen aus diesem Verhalten seien verwickelt, nun aber weitgehend bereinigt.

Ohne Zögern zeigte Teuter Verständnis und sicherte höchste Geheimhaltungsstufe zu. Ob der Brigadegeneral vielleicht den Namen des besagten Freundes kenne?

Nein, kenne er nicht, und selbst wenn, würde er die Sache hiermit als erledigt betrachten.

Gewiss.

Vergeblich glättete Ada das Fax mit den Händen, es schnappte sofort in seine Ringelform zurück. Die nervösen Blicke der Mutter fühlte sie wie eine krabbelnde Insektenfamilie auf dem Gesicht, mit den Handrücken rieb sie sich Stirn und Wangen. Dann ging sie zum Telephonieren auf den Balkon, schloss die Tür hinter sich und behielt die Mutter, die am Esstisch saß und die Erregung durch kontrolliertes Atmen bekämpfte, durch die Scheibe im Auge. Der Brigadegeneral war sofort am Apparat.

»Kleines! Gut dich zu hören.«

»Willst du spielen?«

»Kannst du nicht lauter sprechen? Ich verstehe dich kaum.«

»Nein, kann ich nicht. Sie sitzt am Tisch, flattert mit den Nerven und spitzt die Ohren. Wie du sie zurichtest! Sie ist wie eine junge Robbe, mit der ein Hai grausam spielt, um seinem Kind das Jagen beizubringen.«

»Den Film habe ich auch gesehen«, sagte der Brigadegeneral. »Phantastische Aufnahmen. Ich weiß, dass sie leidet. Wir leiden alle drei.«

»Ich leide nicht.«

»Möglicherweise bemerkst du es nicht.«

»Leid, das man nicht bemerkt, ist keins.«

»Mag sein. Jedenfalls ist das Krieg. Glaub mir, damit kenne ich mich aus. Und du wirst die Nerven nicht verlieren, hab ich recht?«

»Komm zur Sache.«

»So ist es gut. Wie findest du meine Lösung?«

»Du hast mich über den Tisch gezogen.«

»Unsinn!« Der Brigadegeneral lachte laut, der Vorfall bereitete ihm nicht als Ganzes, wohl aber in einigen Spitzen unwiderstehliches Vergnügen. »Du bist nicht auf der Höhe deiner strategischen Fähigkeiten. Denk nach!«

Ada schwieg. Die Mutter am Esstisch hatte zu weinen begonnen, vergrub das Gesicht in den Armen und zuckte mit den Schultern, hilflos wie ein Kind, das bei Nacht von der Leere des Universums zerrissen wird.

»Ein sinnloses Strafverfahren kann ich mir in meiner Position nicht leisten«, sagte der Brigadegeneral. »Und du hast, wenn ich es richtig sehe, keine Lust auf Nachforschungen über die Herkunft des Geldes.«

»Ich dachte mir, dass Teuter dich angerufen hat.«

»An dieser Front ist die Gefahr vorerst gebannt. Wenn du aber darauf bestehst, nichts von mir erhalten zu haben, sind wir beide geliefert. Du hast die Sache nach wie vor in der Hand. Ich bitte dich um einen Gefallen.«

»Du schlägst mir ein Geschäft vor.«

»Nein, Ada.« Jetzt war er ernst. Wenn er wollte, gewann seine Stimme Macht über jede Membran. »Gleichgültig, was du gemacht hast, ich würde dich nie in Schwierigkeiten bringen. Ich bin die Wand, an der du mit dem Rücken stehen kannst.«

»Vor einem Erschießungskommando?«

»Das reicht jetzt. Auch Sprachspiele haben ihre Grenzen. Spiele ohne Grenzen gibt es in der Hölle.«

»Worum genau bittest du mich?«

»Du sollst einen Brief an die Staatsanwaltschaft schreiben, in dem du versicherst, das Geld von mir erhalten und für private Zwecke verwendet zu haben. Dafür zahle ich deine halsabschneiderische Schule bis zum Abitur, auch wenn das Familiengericht mich nicht dazu verpflichtet.«

»Das ist eine wissentliche Falschaussage.«

»Im Zweifel könntest du alles zurücknehmen und die Aussage verweigern. Aber dazu wird es nicht kommen. Deine Mutter wird die Anzeige zurückziehen, und dieses überflüssige Verfahren wird eingestellt.«

»Manchmal«, sagte Ada leise, »erscheinst du mir vor lauter Pragmatik, Realismus und Bodenständigkeit schon wieder wie ein Geist.«

»Kleines, wir gehören unterschiedlichen Generationen an und stehen nicht unter dem Zwang, einander verstehen zu müssen. Das ist das Schöne.«

»Etwas Ähnliches erfahre ich zur Zeit in anderem Zusammenhang.«

»Das freut mich für dich. Sag ihm einen lieben Gruß und danke für das Geld. Wenn er darauf besteht, werde ich es ihm irgendwann zurückerstatten.«

In Adas Kopf war im Augenblick nichts mehr zu finden außer audiometrischem weißem Rauschen.

»Kann ich das Schweigen so interpretieren, dass du einverstanden bist?«

»Ja.«

Zwei Buchstaben waren leichter zu sprechen als vier. Ada genoss seine Freude, sein Lachen, das nicht nach Erleichterung klang, sondern nach Entzücken über das besondere Einverständnis zwischen ihnen, über dieses seltene Verhältnis, das sie allein der Tatsache verdankten, dass jeder von ihnen so war, wie er war, und für das sie deshalb niemandem danken mussten. Jetzt glaubte der Brigadegeneral, sie habe einen älteren Geliebten, der für sie sorge. Das war der größte Witz.

Ohne es zu merken, hatte sie das Telephon so fest ans Ohr gepresst, dass die rechte Backe gerötet war und schmerzte. Mit langsamen Bewegungen kehrte sie ins Zimmer zurück. Die Mutter sah auf und streckte einen Arm nach ihr aus.

»Ada! Hast du ihm gesagt, dass er sich die Lügen sparen kann? Ich halte zu dir. Ich weiß, dass du das Geld nicht für dich verbraucht hast.«

Dass sie insoweit Recht hatte, besaß noch mehr traurige Komik. Ada wich ihrem Griff aus, öffnete eine Schublade des alten Sekretärs und nahm Papier und Stift heraus.

»Was machst du denn? Komm her, sieh mich an. Man darf ihm nicht zuhören, das weißt du doch, nicht? Man muss immer sprechen, laut genug und ohne Unterbrechung, damit er gar nicht zu hören ist. So hab ich es gemacht, als er damals behauptete, dass ich für dein Schulgeld verantwortlich sei.«

Als Ada saß, den Stift entkappt hatte und die ersten Wörter auf dem Papier erschienen, an die Staatsanwaltschaft beim Amtsgericht Bonn, dokumentierte das Absacken des Bluts aus den Wangen der Mutter den Vorgang ihres Begreifens.

»Warum tust du das?«, flüsterte sie. Die Hysterie hatte echtem Entsetzen Platz gemacht, das eine schauerliche Ruhe verbreitete. Der Stift kratzte über das Papier, verstärkt durch den Resonanzkörper des Tischs, der jeden von Adas kleinen Händen verschütteten Kakao auf seinem Rücken geduldet hatte. »Es geht doch um die Wahrheit. Um unsere Wahrheit. Du sollst auf die Schule gehen, die du möchtest. Du sollst ein Kind sein dürfen, nicht?«

Ada stand kurz davor, die Fassung zu verlieren. Als die Mutter versuchte, ihr den Stift wegzunehmen, stieß sie ihr grob die Hand zur Seite. Schon wieder liefen Tränen, aber es waren nicht die gleichen wie sonst, sie besaßen eine andere Form und Farbe, rannen langsamer, waren größer und trugen Schmerz in sich, keine Wut und keine verletzte Eigenliebe.

»Es ist die Wahrheit«, sagte Ada. »Deshalb schreibe ich es auf.«

Gebührenden Sicherheitsabstand zum Stift wahrend, begann die Mutter, ihr über das Haar zu streichen.

»Ich liebe dich«, sagte sie. »Vielleicht weißt du nichts davon. Aber ich weiß, dass du das Geld nicht gestohlen hast.«

»Und als du neulich mein Zimmer durchwühlt hast«, sagte Ada, ohne dass die Bewegung des Stiftes ins Stocken geraten wäre, »wusstest du da auch, dass ich nichts getan hatte?«

Es gab ein fast unhörbares Geräusch, ähnlich dem Reißen dünner Seide. Dann klappte die Mutter lautlos zusammen. Der Brief war fertig, Adresse und Aktenzeichen fanden sich im Fax des Brigadegenerals. Ada suchte Umschlag und Marke und nahm das Schreiben mit, um es selbst einzuwerfen. Als sie den Raum verließ, hatte die Mutter sich nicht gerührt. Sie lag mit dem Oberkörper über der Tischplatte, die Augen offen, den Kopf in die Arme gestützt. Sie weinte nicht mehr. Sie sah aus, als träumte sie ohne besonderen Affekt vor sich hin. Es war etwas geschehen, das Ada nicht gewollt hatte. Es betraf die Mutter, und es betraf den Brigadegeneral. Sie hoben sich gegenseitig auf. Etwas war zu Ende gegangen und bestätigte die alte Vermutung, dass man seine Eltern nicht mitnehmen kann, nirgendwohin. Sie bleiben dort, wo man sie vorgefunden hat, als man langsam das Bewusstsein erlangte. Sie werden kleiner und kleiner, als stünden sie mit hängenden Armen hinter einem abfahrenden Zug, dem nachzuschauen ihre einzige Freude, ihr Schmerz und Laster geworden ist. Als Ada die Zimmertür so vorsichtig wie möglich hinter sich schloss, wusste sie, dass sie in Zukunft mit diesem Bild zu leben hatte. Es war ein Totschlag durch Vergessen, und wir werden von der Mutter und vom Brigadegeneral fortan nichts mehr zu hören bekommen.

Geplatzter Freitag

Den weichen freitäglichen Fisch in durchfeuchteter Panade teilten sie wie Bruder und Schwester. Mit aneinander gepressten Ellenbogen aßen sie vom selben Teller und nahmen reichlich Mayonnaise und Salzkartoffeln, um satt zu werden. Unangemeldete Gäste wurden von der Internatsküche mit Freundschaft behandelt, bekamen aber keine eigene Portion.

Alevs gute Laune hatte sie zu zweit die Treppe hinaufgetragen und noch vor dem Essen aufs Zimmer getrieben, um sich dort ein paar Zeilen aus dem Buch, das Alev gerade las, zu Gemüte zu führen: »Kennst du das Gefühl, wenn man plötzlich feststellt, dass es völlig hirnrissig ist, etwas für andere Menschen zu tun, weil man selbst ein Mensch ist und deshalb weiß, wie wenig sie es verdienen? Kaum hat man das erkannt, bricht der Sinn jeglicher Beschäftigung in sich zusammen, und alles, was man fortan unternimmt, kann nur noch als Teil eines Spiels geschehen. Die Christen waren schlicht Pragmatiker mit ihrem ›Liebe deinen Nächsten‹. Nur das ›wie dich selbst‹ hätten sie weglassen sollen.«

Ada verstand nicht, ob er damit zur täglichen Erziehungsarbeit beitrug, die sie zu einem vollwertigen Mitglied ihrer Zwei-Mann-Gesellschaft machen sollte, oder ob er wieder einmal glaubte, die Stimme eines weiteren Mitglieds der göttlich-teuflischen Kollektivexistenz erkannt zu haben. Er hatte ihr keine Zeit gelassen, darüber nachzudenken, war mit ihr an seiner Seite in den Speisesaal gewirbelt und unterhielt während der Mahlzeit die versammelte Mannschaft mit einer Schilderung des Hauser-Disputs vom Vormittag.

Zwei Monate lang hatten verschiedene Vertretungskräfte im Leistungskurs Geschichte ein Gastspiel gegeben. Hauser war neu, Geschichtslehrer auf Probe, und versuchte gar nicht erst, Höfi zu ersetzen. Gleich zu Anfang erklärte er, dass er erstens ein eigenes fachliches und didaktisches Konzept verfolge, es ihm zweitens nicht das Geringste ausmache, hinter seinem Rücken Kaspar Hauser genannt zu werden, und die Schüler, drittens, wenn sie sich trauten, auch gleich jetzt damit anfangen könnten. Den Namen des Mädchens, das fragte, wer Kaspar Hauser sei, trug er ins Klassenbuch ein. Er war ein ruhiger Mann, der weder geliebt noch gefürchtet werden wollte.

»Ich werde Sie zu Tode langweilen«, sagte er. »Sie müssen mir trotzdem zuhören, weil Sie sich sonst den Abitursdurchschnitt versauen. Und darin erschöpft sich das ganze Geheimnis unserer Beziehung.«

Wer Alev kannte, brauchte nur einen kurzen Blick in sein Gesicht zu werfen, um zu wissen, dass dieser prätentiöse Phlegmatiker eine Herausforderung darstellte. Flüchtig wie eine Sternschnuppe zuckte die Frage durch Adas Kopf, ob sie bei einer geringfügigen zeitlichen Verschiebung sämtlicher Umstände am Nachmittag Hauser anstelle von Smutek hätte treffen müssen. Eine Welle von Sympathie für Smutek, dessen Kurznachricht sie nicht beantwortet hatte, schlug hoch und verebbte.

Die Attacke war nicht vorbereitet, sie entsprang allein Alevs Energiefeld, das ihn an diesem Tag umgab wie Elektronen ein massestarkes Atom. Alevium. Halbwertszeit unbekannt. Sie hatten ihre Namensschildchen beschriftet und an die Tischkanten gestellt, Hauser machte Anstalten, den Dienst nach Vorschrift aufzunehmen, als Alev, der sich sonst niemals meldete, sondern darauf wartete, dass er gefragt würde, den Finger hob. In der Klasse verstummte alles Rascheln, Scharren, Atmen und Flüstern, das die Anwesenheit von Menschen zu begleiten pflegt.

»Herr El Qamar?«

»Bevor wir uns in historischen Details verlieren, würde ich gern eine grundsätzliche Frage stellen.«

»Ich hatte nicht vor, mich zu verlieren, aber versuchen Sie es ruhig mit Ihrem Anliegen.«

»Seit ich Augen habe zum Zeitungslesen und Ohren zum Verfolgen politischer Debatten, frage ich mich, warum täglich Millionen von Kilojoule an Hirnenergie auf Analyse und Bewertung des Weltgeschehens verschwendet werden, wenn sich doch jedes beliebige Ereignis auf unserem Planeten durch die heilige Dreifaltigkeit des höchsten Menschheitsgesetzes erklären lässt. Was man alles beheizen könnte mit dieser Energie, wenn man ...«

Irgendein Mädchen kicherte, zum Zeichen, dass Alevs Fanclub geschlossen hinter ihm stand.

»Fassen Sie sich kurz«, sagte Hauser, der Alev mit dem ausdruckslosen Blick eines Zootiers betrachtete. »Was für eine Dreifaltigkeit?«

»Feigheit, Dummheit, Eigennutz«, sagte Alev. »Die Achsen des dreidimensionalen Koordinatensystems allen Verhaltens.«

»Vielleicht«, antwortete Hauser, »sollten Sie insoweit nicht von sich auf andere schließen.«

Ein Raunen war durch die Klasse gegangen. Alevs Augen leuchteten ein weiteres Mal fiebrig auf, während er die Szene nacherzählte, dabei eine auf die Gabel gespießte Kartoffel in der Luft schwenkte und beim Lachen den halbzerkauten Inhalt seines Mundes sehen ließ.

»Ganz falsch, Herr Hauser«, hatte er gerufen, »ganz falsch. Natürlich soll man von sich auf andere schließen, das ist der erste und einzig mögliche Schritt zur Erkenntnis. Oder glauben Sie an Objektivität?«

»Fassen Sie sich kurz«, hatte Hauser erwidert. »Ich möchte den Unterricht aufnehmen.«

»Sie können den Unterricht *nicht* aufnehmen.« Das war Ada, von der anderen Seite des Raums. Träge drehte Hauser sich um, verblüfft wie ein Dickhäuter, dem von hinten ein zweiter Lanzenstich beigebracht wurde. »Nicht bevor Sie nicht verstanden haben, worum es sich handelt.«

Alev Alphatier, zu hundert Prozent in seinem Element, hatte einen schmachtenden Blick zu ihr hinübergesandt, den er jetzt, im Zuge der Nacherzählung, durch ein kräftiges Kneten ihres Nackens ersetzte, wobei er sich halb vom Sitz erhob. Ein Teil der am langen Tisch versammelten Internatsbewohner lauschte ihm amüsiert, während die anderen mit feindselig gekrümmten Rücken über ihren Fischtellern hingen.

»Und dieses märchenhafte Mädchen«, sagte er zu allen Augenpaaren, die ihn betrachteten, »dieses Monster in Menschengestalt hat dem Jungen einfach die Füße weggetreten. Verbal, versteht sich.«

»Sie brauchen ein Beispiel«, hatte sie zu Hauser gesagt, »um zu verstehen, warum wir im Angesicht einfacher Erklärungsmöglichkeiten keinen szientistischen Geschichts-Schnickschnack mitmachen werden. Ihrem Vorgänger ist der Fehler unterlaufen, uns das Denken beizubringen.«

Hauser, der nicht sicher war, welche Art Spiel mit ihm getrieben wurde, hatte eine abwartende Haltung eingenommen. Olaf, kaum zwei Meter von Ada entfernt, machte eine Bewegung, als wollte er ein unsichtbares Marmeladenglas mit flacher Hand verschließen und schütteln. Time out!, flüsterten seine Lippen.

»Seit fast zwei Jahren überlegt die Welt, ob es im Irak Massenvernichtungswaffen gegeben habe. Die einfache Antwort lautet: Gäbe es sie tatsächlich, hätten die Amerikaner mit ihrer Zinksarg-Phobie dieses Land niemals angegriffen. Die Durchführung des Angriffs widerlegt seinen behaupteten Grund.«

»Der heilige Vater: Feigheit!«

Hauser öffnete den Mund und schloss ihn wieder. Diesmal hatte Alevs Stimme ihn um die eigene Achse gedreht.

»Noch ein Beispiel«, sagte dieser von der Tür her. »Seit Jahren doktern Presse und Politik an den Ängsten der Bevölkerungen vor der EU-Erweiterung herum. Dabei lautet die einfache Antwort: Wenn die Osterweiterung in irgendeiner Weise nachteilig für uns wäre, würde sie nicht stattfinden. Politischer Altruismus – ein Oxymoron.«

»Eigennutz«, rief Ada, »der heilige Sohn!«

»Meine Frage«, sagte Alev, »lautet also: *Cui bono*? Wer braucht die ganze Humanzoologie, diesen aufgeblasenen Apparat aus Geschichts-, Politik- und Gesellschaftswissenschaften, wenn es doch nur darum geht zu verschleiern, dass die ganze Welt sich auf drei Prinzipien zurückführen lässt?«

»Feigheit, Eigennutz, Dummheit«, sagte Ada eindringlich zu Hauser. »Und welche Disziplin des menschlichen Triathlons hat Sie zu uns geführt?«

Es verstrich eine Kunstpause von drei Sekunden, Alev zählte sie beim Mittagessen an den Fingern ab, einundzwanzig, zweiundzwanzig, dreiundzwanzig.

»Was«, hatte Hauser schließlich in die Stille gefragt, »ist denn noch übrig?«

Die Hälfte der Schüler war in Gelächter ausgebrochen und konnte sich schwer beruhigen, im Internat schlug man Löffel gegen die Teller. Hauser hatte, das Chaos ignorierend, ganz für sich ein paar Notizen in seinen Unterlagen gemacht. Ada und Alev lachten sich mit geschlossenen Mündern zu und schienen darauf zu warten, dass ein Vorhang fiele und sie den Blicken der Öffentlichkeit entzöge. Es sollte ihr vorletzter gemeinsamer Auftritt in der Öffentlichkeit gewesen sein.

Wovon sie nichts ahnten. Dass Alev darauf verzichtete, den Epilog der Komödie in seine Berichterstattung am Mittagstisch aufzunehmen, war keinem unguten Gefühl, sondern allein der Tatsache geschuldet, dass man bereits zur Süßspeise überging und der letzte Akt sich dramaturgisch schlecht einbinden ließ. Er war von einem Dilettanten inszeniert.

Hauser hatte einen Schritt auf Ada zu getan und sich doch anders entschieden, abgelenkt von Alevs Gravitationsfeld und von der Erwägung, dass er Schulbänke hätte überklettern müssen, um sich Ada von vorn zu nähern. Er hatte sich so dicht vor Alev aufgepflanzt, dass er von hoch oben auf ihn heruntersehen konnte.

»Ich habe anderthalb Sekunden, um in Notwehr zurückzuschlagen«, zischte Alev durch die Zähne.

»Es heißt«, hatte Hauser erwidert, »Sie würden nicht mehr lange unter uns weilen, jedenfalls nicht als Schüler dieser Anstalt. Ich beginne zu begreifen, woraus das Ondit sich speist, und bedauere im Voraus, einen so ausgesucht cleveren, um nicht zu sagen, aufdringlich klugen Kopf zu verlieren.«

»Danke untertänigst für die Kondolenz«, hatte Alev geantwortet und Mund und Augen zu einem wahrhaft geometrischen Grinsen aufgerissen, unflätig, dreist, alles verachtend wie ein böser Clown. Ende der Szene.

Die verbleibenden Stunden bis siebzehn Uhr schlugen sie auf Alevs Zimmer tot. Während Alev sonst immer darauf achtete, auf getrennten Wegen und in vollkommener Heimlichkeit zur Turnhalle zu gelangen, hatte er heute Bastian, Grüttel und Toni zu sich eingeladen. Festlich saß man im Kreis und ließ einen Joint zirkulieren. Die gehobene Stimmung steckte Ada an, die keine Ahnung hatte, was es zu feiern gab. Um zwanzig vor fünf näherte Alev seine Lippen ihrem linken Ohr und fragte, ob sie ihre Sportsachen dabeihabe. Mit dem Armeerucksack auf der Schulter verschwand sie in der Großraumdusche am Ende des Flurs und kehrte nach wenigen Augenblicken in Laufhose und T-Shirt zurück.

Im Treppenhaus tat das Cannabis ein Stück seiner Wirkung, sorgte für Luftkissen unter den Fußsohlen und brachte Ada dazu, sich selbst für eine Metapher zu halten, allerdings ohne zu wissen, für was sie stand. Auf dem Treppenabsatz des dritten Stockwerks blieb sie stehen.

»Smutek hat mir einmal erzählt«, sagte sie, »dass er beim Sex mit seiner Frau in Phantasien schwelge, in denen weder er noch sie einen Auftritt haben. Er denkt an fremde, namenlose Gesichter mit verzerrten Mündern und rollenden Augen. An junge Mädchen mit auffallend großen Brüsten.«

»Du bist ein junges Mädchen mit auffallend großen Brüsten.«

»Ich bin aber nicht gemeint. Ist das nicht seltsam?«

»Nein. Alle denken beim Sex an etwas anderes. Sie haben den Geschlechtsverkehr bei der Masturbation erlernt und kennen es nur so. Sex funktioniert durch Einsatz der Phantasie.«

»Aber warum?«

»Mein armes Kleines. Das erste von zehn Geboten lautet: Du sollst nicht töten – aber der erste Sündenfall war kein Mord, sondern verbotener Geschlechtsverkehr, Frucht und Schlange. Der Heiland höchstpersönlich wird zu Tode gefoltert, aber unbefleckt empfangen. So betrachtet, ist die gute Seite völlig überbevölkert, alles, sogar das Töten kann sich dort aufhalten. Ihr gegenüber steht ganz allein der lustvolle Sex. Jeder praktiziert dieses Böse, die meisten so oft wie möglich, und darin liegt unsere besondere Verdammnis.«

»Nur deine nicht? Du bist die impotente Heilige Jungfrau?«

»Ich bin ein Schreibtischtäter. Smutek aber ist Katholik, das solltet ihr beide niemals vergessen. Hat er dir gesagt, woran er denkt, während er auf dir liegt?«

»Nein.«

Alev lachte, nahm Ada an der Hand und setzte sie wieder in Bewegung.

»Ich hab's dir immer gesagt: In uns hat Smutek sein wahres Selbst gefunden. Unser Verhältnis ist reiner als Liebe, tiefer als Freundschaft und inniger als die Beziehung des Bergsteigers zum Seil. Wir sollten heiraten, alle drei.«

Nebeneinander liefen sie über den Schulhof. Während Ada noch lachte, hatte Alev das Interesse an der Unterhaltung bereits verloren und war auf der Suche nach dem nächsten Reiz.

»Hast du die nichtkooperativen Spiele von John Nash zu Ende gelesen?«, fragte er.

»Fast.«

»Was denkst du?«

»Dass der Mann einen guten Lektor gebraucht hätte.«

»Wann wirst du lernen, den Inhalt vor der Form zu schätzen?«

»An dem Tag, an dem der Inhalt lernt, ohne Form zu existieren.«

»Ist es das, was du dir wünschst? Inhalt ohne Form?«

»Unsinn. Inhalt und Form sind mein Problem nicht mehr. Wenn man klug ist, ohne wunderschön zu sein, tut man gut daran, Frieden mit diesen beiden Gesellen zu schließen. Was ich mir wünsche …« Sie waren am Rand des Parkplatzes stehen geblieben, hinter dem die Turnhalle sich flach und ziegelfarben streckte wie ein Kasernenbau. »Ich wünsche mir, mal wieder am Meer zu sitzen. Zu sehen, wie sich die Schiffe im Hafen vor dem befestigten Ufer verneigen.«

»Lass uns hinfahren.«

»Was hast du gesagt?«

»Lass uns ans Meer fahren. Bald sind Ferien. Es war ein hartes halbes Jahr. Smutek kann es bezahlen.«

»Du liebst mich.«

»Ich liebe dich nicht. Nicht mal ansatzweise.«

»Warum fährst du nicht mit Odetta ans Meer?«

»Weil mir ihr blödes, blondes Geschwätz auf die Nerven geht.«

»Warum verbringst du dann deine gesamte unbewachte Zeit mit ihr?«

»Gut geraten, Kleinchen. Du hast eine große Zukunft vor dir.«

»Liebst du sie?«

»Vielleicht.« Lachend fasste er ihren Pferdeschwanz und zog ihr den Kopf zurück. »Wahrscheinlich schon.«

»Ich bin auch blond.«

»Bei dir ist es Tarnung.« Alev sah auf die Uhr. »Okay«, sagte er. »Let's go.«

Das Erste, was den Überraschungsbesuch verriet, war das Geklimper des Generalschlüssels in Teuters Hand. Einen halben Schritt hinter ihm stand Hauser und überragte ihn um Haupteslänge, ein spontan hinzugezogener Zeuge mit verschlossenem Gesicht. Als seltsam geduckte, doppelköpfige Gottheit standen sie am Rand der Halle.

Der weiche Mittagsfisch wurde durch die Klappbewegungen in Adas Bauch zusammengedrückt und entsandte Luftblasen mit Meer- und Mayonnaisegeschmack in ihre Mundhöhle. Alle Proteste gegen die ungewohnten gymnastischen Übungen waren ungehört verhallt. Alev hatte sich, noch strenger als sonst, jede Frage verbeten. Er befahl ihnen, unverzüglich zu beginnen, bevor auch nur die Kamera aufgebaut und schussbereit war. Smutek tat sich leichter als Ada; Bewegungen dieser Art führte er ständig beim Krafttraining aus. Er hatte die Hände hinter dem Kopf verschränkt, sein schwerer Oberkörper fuhr gleichmäßig wie an Stahlseilen gezogen in die Höhe. Beide trugen weiße T-Shirts zu ihren Sporthosen, hatten die Knie angewinkelt und die nackten Füße unter die niedrigste Stange des Klettergerüstes geklemmt. Die Spitzen ihrer Haare glänzten gelb wie blondiert, jedes Mal, wenn die Köpfe beim Aufsteigen ins Sonnenlicht tauchten. Sie waren synchron, sie waren stark und schnell, sie hatten Kontrolle über ihre Körper, sie waren Vorzeigeexemplare der Maschine Mensch, Mann und Frau, Bruder und Schwester, Adam und Eva vor dem Sündenfall.

»Fünfzig«, rief Alev, der vorgab, noch immer mit dem Aufbau der Kamera beschäftigt zu sein, »durchhalten!«

Gleich nach dem Schlüsselklimpern hatte Smutek sich beim linksseitigen Klappmesser noch ein Stück weiter gedreht, so dass er aus dem Augenwinkel hinter sich blicken konnte. Auch Ada geriet für einen Moment aus dem Takt, riss sich zusammen und ließ ein lautes Stöhnen hören.

»Ja nee, Herr Smutek!« Teuters Froschstimme suchte den Weg zur Decke hinauf, versagte und fiel wie ein flügellahmer Vogel herab. Smutek machte noch zwei Klappmesser, bevor er innehielt, sich auf den Boden stützte und umwandte. Zwei Meter neben ihm ließ Ada sich auf den Rücken sinken und breitete die Arme auf dem kühlen Hallenboden aus, als wollte sie mit dem ganzen Körper Adler oder Engel in eine Schneedecke zeichnen.

»Herr Direktor«, sagte Smutek. Die Farbe war aus seinem Gesicht gewichen, die Mundwinkel zuckten, und die Augen, schwach wie Fäuste beim Erwachen nach langem Schlaf, konnten kein Ding länger als eine Sekunde im Blick behalten. Widerstreitende Gefühle rannten wie Böcke mit gesenkten Hörnern aufeinander los, und Smutek saß einfach da, betäubt vom Lärm in seinem Inneren.

»Was«, sagte Teuter heiser, »machen Sie hier?«

»Wir trainieren für die Kreismeisterschaft«, sprach Alev vom linken Bühnenrand.

»Sie ...!« Teuter war anzusehen, dass er sich mühsam vom Fluchen abhielt. »Sie habe ich nicht gefragt.«

»Und Sie müssen der neue Geschichtslehrer sein«, sagte Smutek. Ein breites Grinsen vertrieb das Entsetzen aus seinem Gesicht. »Willkommen auf Ernst-Bloch!«

Hauser starrte verständnislos auf die Szenerie, wie einer, der sich im Kinosaal vertan hat, und hob flüchtig die Hand, als grüßte er aus einem fahrenden Wagen.

»Und was zum Teufel ist das?«, fragte Teuter, auf die Kamera zeigend.

»Haben Sie jetzt mich gefragt?« Mit einem bestrumpften Fuß hob Alev affengleich den Objektivdeckel vom Boden und schloss das starre Auge.

»Geben Sie Antwort!«

»Das ist eine Canon Eos 300 D«, sagte Alev. »Sie gehört meinem lieben Freund Bastian, der steinreich ist und sie uns regelmäßig leiht.«

»Ja nee, wozu dient dieses Wunderwerk?« Jetzt klang Teuter süß wie der Polizist im Kasperletheater.

»Autoreflexive physische Observation«, mischte Smutek sich ein. »Selbstkontrolle sportlicher Bewegungsabläufe.«

»Zeigen Sie mir die Bilder.«

»Wie Sie sehen«, sagte Alev, »ist Ada nach der Aufwärmphase gerade beim Krafttraining. Mit Laufübungen beginnen wir in etwa zwanzig Minuten.«

»Dann zeigen Sie mir die Bilder vom letzten Training.«

Teuter kämpfte um Beherrschung und stand kurz vor der Niederlage. Mit großen Schritten kam er auf Alev zu, stolperte über dessen vorschriftsmäßig ausgezogene Schuhe und vermied in polterndem Taumel einen Sturz auf das Linoleum.

»Ja nee, Gegenstände«, ließ Ada sich dumpf vernehmen, den Blick aus der Rückenlage an die Hallendecke gerichtet. »Ein Gegenstand erwächst aus der Vereinigung von Gegenwehr und Widerstand. Sie sollten vorsichtig sein.«

»Die Bilder der letzten Trainingseinheit«, sagte Alev beruhigend, »sind vom Chip gelöscht. Sie erfüllen ihren Zweck während des Gebrauchs.«

»Wäre ein Camcorder mit Monitor nicht erheblich sinnvoller bei diesem Anliegen als ein kleines Display?«

Smutek zog die Beine unter den Körper und sprang auf die Füße.

»Herr Teuter«, sagte er eifrig, »wenn Sie daran denken, unsere Ausrüstung in diese Richtung zu erweitern, wäre ich dankbar. Es ist in der Tat so, dass die Arbeit mit einer Digitalkamera ...«

»Es reicht.«

Teuter machte auf dem Absatz kehrt, schlug einen Bogen um Alevs Schuhe, die umgeworfen wie die abgeknickten Füße eines Unsichtbaren am Boden lagen, und erreichte die breite Schiebetür.

»Wann findet die Kreismeisterschaft statt?«, rief er von dort.

»Sechzehnter bis achtzehnter Juli«, sagte Smutek.

»Wir freuen uns, bei diesem Ereignis zu Gast zu sein«, bemerkte Hauser, der noch immer auf der Drei-Punkte-Linie stand wie ein vereinzelter Baum in der Wüste.

Nachdem die Außentür im Vorraum ins Schloss gefallen war, setzten MEZ und Erdrotation aus. Die Situation gefror zu einem Standbild. Alevs Hand ruhte auf dem Kamerastativ, Ada lag flach am Boden, Smutek stand in Gutsbesitzerpose mit verschränkten Armen zwischen beiden. Es herrschte eine seltene Abwesenheit jeder Art von Geschehen, bis die Chronologie der Ereignisse nach Überwinden einer Weiche sicher in die neue Spur geraten war und Smutek sich in Bewegung setzte. Er lief in den Vorraum, entnahm der Werkzeugkammer einen Besen und klemmte ihn unter die Klinke der Eingangstür. Als er zurückkam, hatte Alev Kamera und Stativ in die Phototasche gepackt, Ada stand auf den Beinen und schob sich die Haare zurecht, als wäre sie gerade aufgewacht. Smutek rannte. Smutek hatte Beine zum Rennen, Lungen zum Atmen und ein Zwerchfell zum Lachen, er war einwandfrei am Leben. Infantiler Übermut trieb ihn in Adas Arme; er fasste ihre Hüften, hob sie hoch und schwenkte sie herum. Er schlug Alev auf die Schulter, hob einen Schuh auf und schleuderte ihn mit solcher Gewalt gegen die Plastikrückwand des Basketballkorbs, dass sie wie ein höllischer Gong erdröhnte. Auch Alev lachte, während er in den anderen Schuh stieg, genau wie Ada, die den Körper bog und sich den Bauch mit beiden Armen hielt. Zeigen Sie mal die Bilder vom letzten Training. Wir üben für die Kreismeisterschaft. Er kann uns einen Camcorder kaufen. – Es fehlte nicht viel, und sie hätten sich zu dritt an den Händen gefasst, um gemeinsam hinauszulaufen in den Frühlingsabend.

Auf dem Kiesplatz standen sie noch einen Moment zusammen, wieder ernst, aber gelöst, drei Menschen nach dem Sport, mit geschulterten Taschen, das Gewicht von einem Fuß auf den anderen verlagernd.

»Verzichten wir diesmal auf Zettel«, sagte Alev. »Ab jetzt lauft ihr wieder gemeinsam, wenigstens zweimal die Woche. Macht die Termine unter euch aus. Alles Weitere später. Schönes Wochenende.« Er verschwand, die Phototasche schwenkend, pfeifend wie ein Handwerker.

Die beiden Zurückgebliebenen wollten einander etwas sagen. Am Rand des Parkplatzes war die Sonne wärmer als überall sonst in der Republik. Sie standen dicht voreinander, schauten abwechselnd in den Himmel und zu Boden, und die Haare fielen ihnen in die Gesichter. Vorsichtig nahm Smutek Adas Hand, die in seiner lag wie ein Gegenstand, niemals konnt ich an deine hände denken ohne zu lächeln ... das eben ist das ende, sah sich um und ließ sie sogleich wieder los. Wandte sich ab und ihr wieder zu. Okay. Bis Montag. Schönes Wochenende. Zum Wagen lief er. Der Zündschlüssel traf das Schloss erst beim dritten Versuch.

Splendid Isolation

Smuteks Volvo verließ den Parkplatz mit quietschenden Reifen wie der Ford Escort eines Achtzehnjährigen, und Ada blieb noch eine Weile stehen und schaute ihm nach, obwohl es auf der leeren Straße nichts zu sehen gab. Für das Gefühl, das sich gerade häuslich in ihr niederließ, gab es ein simples Wort: Freiheit. Als gäbe es keine Eltern, die man lieben und deren Liebe man ertragen musste, weil Natur und gemeinsam verbrachte Jahre es verlangten. Als existierte kein Grund, Freunde zu gewinnen und Feinde zu bekämpfen. Sie fühlte sich, als hätte Alev Recht, dem sie genau genommen niemals ein einziges Wort geglaubt hatte. Als wäre tatsächlich alles ein Spiel. Nicht: NUR ein Spiel, sondern: EIN SPIEL. Sogar von dem seltsamen Trieb, der sie seit Monaten zwang, einem einzigen Wesen im Schweinsgalopp nachzulaufen, die Nase am Boden wie ein Bluthund auf der Spur des angeschossenen Tiers, ohne dass sie je mehr zu Gesicht bekommen hätte als einen Schatten, die Spiegelung und frische Abwesenheit eines eben noch dort Gewesenen – selbst von diesem unglaublichen Irrsinn war momentan wenig übrig. Zum ersten Mal hatten sie zu dritt miteinander gelacht, und nun schien etwas zerbrochen, ein Riegel, eine Kette, ein Gitterstab, und Ada fragte sich, ob dies das eigentliche Ende des Gefangenendilemmas sei: wenn Richter und Angeklagte sich in die Arme fielen, um gemeinsam über einen Repräsentanten der alten Ordnung zu spotten. In diesem Fall wäre die so genannte befreiende Wirkung von Gelächter immer falsch verstanden worden. Man lachte nicht sich, sondern alles andere tot.

Ada wusste nicht genau, ob ihr der eingetretene Zustand gefiel oder nicht. Sie ging fest davon aus, dass die Freitagnachmittage fortgesetzt würden. Das Spiel aber konnte nicht funktionieren, solange alle drei Mitspieler in einem Boot saßen. Ada brauchte einen Gegner, nein, zwei: Smutek und Alev. Wenn Letzterer mit der heutigen Inszenierung die neue Lage absichtlich herbeigeführt haben sollte, war er entweder mutig oder dumm.

Es schlug achtzehn Uhr, sie machte sich auf den Weg zum Fahrradkeller.

Durch die Leere in ihrem Kopf schwebte als Nächstes der Gedanke an Smutek, schwerelos wie ein Falter. Als sie versucht hatte, in der Vergangenheit einen Menschen zu finden, von dem sie erzählen konnte, war er ihr eingefallen. Wenn sie sich etwas gestattete, das sie sonst niemals tat, nämlich an die Zukunft zu denken, passierte das Gleiche. Smutek kam ihr in den Sinn. Sie konnte seine Wohnung sehen, die sie nicht kannte, und sie sah sich selbst durch diese Räume schreiten, die noch handwarm waren von den Berührungen einer geflohenen Ehefrau. Sie malte sich aus, wie sie mit einer Hand die leeren Kleiderbügel im Schrank beiseite schieben würde, um ihre wenigen Sachen daneben zu hängen. Wie sie morgens gemeinsam frühstückten und aufbrächen, jeder in eine andere Schule. Wie Smutek sie an den Abenden in Ruhe ließe, bis die tägliche Verzweiflung von selbst gewichen wäre und Ada sich ihm zuwenden könnte. Wie sie in eine bunte Decke gerollt mit einem Balzac auf der Couch läge, fernab von Badezimmertüren und Wannenrändern. Wie sie das Abitur erreichte und die Hochleistungsmaschine in ihrem Kopf an irgendeine Universität tragen würde, um, zum Beispiel, das Recht zu studieren. Das alles war ebenso leicht vorstellbar wie die Realität. Die Bilder im Kopf besaßen keinen geringeren Wahrscheinlichkeitsgrad und waren nicht mehr oder weniger trügerisch als die gegenwärtige Situation. Falls Smutek, der im Gegensatz zu ihr an die Zukunft glaubte, in der gleichen Sekunde dieselben Bilder sah, würde er mit der Überzeugungskraft dieser Darbietung schwer zu kämpfen haben.

An der schräg abfallenden Betonrampe kamen alle Gedankengänge zum Erliegen. Unten lehnte Olaf am Metalltor und sah zu Ada hinauf, klein wie eine Heiligenfigur in einer zementierten Kapelle. Ihm war anzusehen, dass er eine Stunde lang auf sie gewartet hatte. Während sie mit pendelnden Hüften abwärts ging, schaute er immerfort hinter sie, als erwartete er das Auftauchen einer weiteren Person.

»Bist du allein?«

»Wie immer in *splendid isolation.*«

Der Abstand, in dem Ada vor ihm stehen blieb, war ein wenig zu weit für ein gewöhnliches Gespräch.

»Alles in Ordnung?«

»In bester Ordnung.«

Mit einem Ärmel seines Armeeparkas wischte er sich über die Stirn und schaffte es irgendwie, bei dieser Geste um jede Theatralik herumzukommen.

»Woher wusstest du, was passieren würde?« Ada hatte nicht erwartet, dass es ihr so viel Vergnügen bereiten würde, ihn zu sehen, und fand sich damit ab, dass sie in merkwürdiger Stimmung war. Olaf hob die Schultern.

»Jemand hat euch verraten.«

»Fürchtest du nicht, Alev könnte auf die Idee verfallen, du seiest das gewesen? Vielleicht hast du uns nachspioniert?«

»Hast du ihm gesagt, dass ich versucht habe, dich zu warnen?«

»Etwas zu sagen scheint auf diesem Nebenschauplatz nicht der gebräuchliche Weg der Informationsvermittlung zu sein.«

»Da könntest du Recht haben.«

»Falls du Ärger willst, kann Alev ohne Mühe ein paar Leute mobilisieren.«

»Das kann ich auch«, erwiderte Olaf.

Für ein paar Sekunden hielten sie inne und kosteten eine imaginäre Szene aus. In der späten Abenddämmerung näherten sich mehrere dunkle Gestalten von beiden Seiten der Schulhofmitte. Die eine Frontlinie wurde von Alev, Grüttel, Bastian und Toni gebildet; hinter der zweiten Stellung materialisierten sich Olaf und die *Ohren*. Wie Duellanten aus der

West Side Story standen sie sich wortlos gegenüber, bevor der befreiende Moment eintrat, ähnlich einem großen, lang anhaltenden Gelächter: Ein Ausbruch von Gewalt. Ada löschte das Bild. Sie wusste, dass Alev in der Lage war, eine erheblich größere Gruppe von Menschen auf die Beine zu bringen, und dass er anders vorgehen würde.

»Heißt das«, fragte Olaf schließlich, »dass ihr die Angelegenheit fortsetzen werdet?«

»Ich wüsste nicht, was diese Angelegenheit dich anginge.«

»Du wirst mich für rührselig halten, aber ich bin schon verdammt froh darüber, dass dir heute nichts passiert ist.«

»Hast du uns verpfiffen?«

»Glaub es oder nicht.« Wieder hob er die Schultern. »Ich bin es nicht gewesen. Nicht mal, um dich zu retten. Du weißt, dass ich Teuter nicht leiden kann.«

»Ich frage noch mal: Was geht dich das Ganze an?«

Er schaute zur Seite, hob beide Arme wie Jesus am Kreuz und schlug die Hände flach gegen die Wand.

»Sagen wir so, es stört mich, dass du dich verkaufst. Und wahrscheinlich wieder einmal ohne Gegenleistung. Jede Hure weiß, warum sie ihren Beruf ausübt – aus finanzieller Not, aus Zwang, zur Befriedigung einer Drogensucht. Du bist schlimmer als eine Hure, denn du bekommst nichts. Keinen Cent, keine Anerkennung, keine Liebe, nichts. Ein Flittchen will glänzen und seinen Marktwert beweisen – du tust es im Verborgenen. Eine Nymphomanin will ihren Spaß – du tust es gleichgültig und kalt. Das Fehlen von Gründen macht es zum Schlimmsten vom Schlimmsten.«

»Wow«, sagte Ada anerkennend, »das war mehr, als meine Eltern zusammengebracht hätten.«

»Ich weiß nicht, ob ich es schon einmal erwähnt habe. Wahrscheinlich bist du verrückt. Und blöd genug, deinen Wahnsinn von anderen Wahnsinnigen ausnutzen zu lassen.«

»Nun gut«, sagte Ada und trat zwei Schritte vor, bis sie dicht vor ihm stand. »Nenn mir einen Grund, warum ich es nicht tun sollte, wenn du so versessen auf Gründe bist.«

Ein langes Schweigen trennte die Gedankensphären voneinander, bis Ada und Olaf nur noch zufällig beieinander standen wie zwei Büsche im Unterholz. Gewaltsam ließ die nächste Bemerkung sie wieder zusammenprallen.

»Um den Respekt zu behalten«, sagte Olaf, »vor anderen und vor dir selbst.«

Ihr Lachen diente keinem rhetorischen Zweck, es war ein Ausdruck von Freude über sein argumentatives Rudern, über den verzweifelten Versuch, kluge Worte zu finden für etwas, das er schlicht empfand. Wieder fiel ihr auf, wie sehr er sich verändert hatte. Fast erwachsen war er geworden, kaum noch denkbar, dass er immer noch die Bassgitarre spielte, wie er es vor einem Jahr getan hatte.

»Danke der Nachfrage«, sagte sie, »aber ich genieße den vorzüglichsten Respekt der meisten Menschen.«

»Warum machst du dich dann zur Sklavin?«

»Wessen Sklavin?«

»Von diesem ...« Der Name hob ihm schier die Zunge aus den Angeln. »Von diesem Halbägypter.«

»Du glaubst, ich sei Alevs Sklavin?« Adas Lachen wechselte die Farbe von glockengelb zu schmutzig grau. »Weil ich Dinge tue, die nicht in das Weltbild eines Bürgersohns passen? Dein Kampf für das Gute rührt mich, und ich beneide dich um das klare Empfinden dafür, was sein darf und was nicht. Ein süßer Anachronismus. Aber es bringt nichts, mit Pfeil und Bogen auf eine Welt loszugehen, in der Atombomben fallen. Begreifst du das?« Sie legte ihm eine Hand an die Wange. »Danke, dass du dich um mich sorgst. Das tun nicht viele, und es ist ein seltenes, schönes Gefühl.«

Olaf wich aus und versuchte, durch Wenden des Kopfs sein Gesicht zu verbergen. Dann gab er auf, hoffnungslos gefangen im Winkel zwischen Tor und Wand, und ließ zu, dass sie die Konturen seines Kiefers nachzeichnete, ihm hinter dem linken Ohr sanft in die Haare griff, mit der anderen seine Augen schloss und ihm den kleinen Finger zwischen die Lippen drängte. Nach fünf Atemzügen, während deren ihr Körper unerträglich nah auf dem seinen lastete, war er sie los. Gelassen stand sie vor ihm und sezierte mit chirurgischen Blicken seine Miene. Beide wussten, dass er den Tränen nah war.

»Warum sagst du mir nicht«, brachte er hervor, »weshalb du es tust?«

»Wenn eine positive Begründung dir die geistige Gesundheit rettet: Weil ich dadurch etwas HABE. Und ihr anderen, die meisten von euch – ihr habt nichts.«

Das schien ihn ein wenig zu beruhigen, er wischte sich mit dem Handrücken über die Nase.

»Interessiert dich nicht mehr, woher ich von dem Ganzen weiß?«

»Doch.« Sie trat einen Schritt zurück.

»Von Odetta.«

Dieser Name besaß Durchschlagskraft. Ada fuhr sich an die Schläfe, als hätte ein spitzer Gegenstand sie getroffen.

»Du hast wohl einen Nebenjob als guter Kumpel von Alevs Freundinnen?«

»In deinem Fall war ich zuerst da. Schon vergessen?«

Ada hatte nicht zugehört.

»Dann hat Alev sie zu Teuter geschickt«, sagte sie. »Ich hätte es mir denken können.«

»Er soll sich selbst verraten haben? Dann ist er noch gestörter, als ich dachte.«

»Du verstehst es nicht.« Ada winkte ab. »Du kannst nicht kapieren, worum es geht.«

»An deiner Stelle würde ich mich darauf einstellen, demnächst in ähnlicher Mission entsandt zu werden.«

»Was meinst du damit?«

»Ich meine, dass Odetta und du etwas ausgesprochen Ähnliches erlebt.«

Er versuchte, an ihr vorbeizukommen. Ada und Alev, Olaf und Odetta, Alpha und Omega.

»Du bleibst hier!« Ada hielt ihn fest, krallte alle zehn Finger in den robusten Stoff seines Parkas und presste ihn gegen die Wand. Er war schwächer als sie. »Sprich weiter.«

»Ich bin fertig.«

»Weißt du, warum ich die Schule wechseln musste?«

»Ich weiß es.«

»Und du glaubst trotzdem, ich wäre nicht imstande, dich zu schlagen, bis du sprichst?«

»Schön zu sehen, dass es Dinge gibt, die dich in Bewegung setzen.«

Sie erwischte seine linke Hand mit ihrer Rechten und bohrte die Finger in das Fleisch zwischen Daumen und Zeigefinger, fand den Nervenknoten und drückte zu. Früh hatte der Brigadegeneral ihr gezeigt, was er ›die Griffe‹ nannte. Olaf schrie auf, gab in den Knien nach und merkte zu spät, wie ihre Hand ihm in die Jacke fuhr und unter der Achsel die Sehnen des Brustmuskels durch den Sweatshirtstoff erfühlte. Schon bei leichtem Druck begann er zu stöhnen.

»Was willst du überhaupt?«, flüsterte er.

»Ich will wissen, was deine Andeutungen zu bedeuten haben.«

»Warum gehst du nicht am Donnerstag um siebzehn Uhr in den Physiksaal und schaust selber nach?«

Ada stieß sich von ihm ab, geriet vom eigenen Schwung ins Taumeln und fand Halt am Metallgeländer neben der Rampe.

»Entweder«, sagte sie, »du bist ein guter Stratege. Oder ein verdammter Idiot.« Eine Strähne klebte im Mundwinkel, sie atmete wie ein gejagtes Tier. Olaf schüttelte die Haare und band sich den Zopf neu zusammen.

»Es hat sich gelohnt, dich aus der Ruhe zu bringen.«

Sie machte kehrt, setzte einen Fuß vor den anderen und stieg die Rampe hinauf.

»Ada!« Sie blieb stehen, ohne sich umzuwenden. »Ich habe dich geliebt. Damals!«

Mit dem nächsten Atemzug füllte sie die Lungen bis zum Anschlag und presste sie zusammen wie einen Blasebalg.

»Das«, schrie sie, »ist kein verdammter Liebesroman!«

»Was ist es dann?«

»Die Normalität.«

Es war Mai, die Dunkelheit weigerte sich, um achtzehn Uhr fünfzehn zu fallen. Ada musste im Hellen nach Hause gehen, geduckt unterm Sonnenschein wie unter einem Regenschauer, die Hände in der Jeans, den Rucksack über der Schulter.

Pankratius, der Vormittag

Kein Jahr ist wie das andere. Ob Mitte Mai Kaltluftvorstöße aus den Polargebieten nach Nordrhein-Westfalen einströmen oder nicht, entscheidet nicht der Kalender, sondern die Wetterlage im Norden. Wenn im Spätfrühling ein Hoch über Großbritannien oder Skandinavien kalte Luft auf den Kontinent drückt, erfriert hier alles, was im Mai schon zu leben gewagt hatte: Tod durch Meteorologie. Kaum jemand verhält sich so gesetzestreu wie das Wetter, und trotzdem ist niemand so unberechenbar. Die besten Trefferquoten erzielt man nach wie vor durch Vorhersage der aktuellen Wetterlage für den folgenden Tag, denn statistisch gesehen ist das Wetter von morgen wie das von heute. Nur die abergläubischen Bauern warten jeden Mai mit der Aussaat, bis die Eisheiligen durchs Land gezogen sind. Und sie haben fast immer Recht.

Beim Aufwachen konnte Ada riechen, was geschehen war. Ein Wintermorgen, schwerer als die körperwarme Luftwatte im Zimmer, stürzte wie ein unsichtbarer Wasserfall durch den Spalt des gekippten Fensters und überflutete das Bett. Der kleine Pankratius in seinem Harnisch aus Frost und Reif, mit steifem Nacken und der Kennziffer Zwölf auf dem Rücken, hatte das Land durchquert. Es roch nach Kälteeinbruch, nach einzeln herabtaumelnden Schneeflocken, verkrampfter Erde und kahlen Ästen. Ada schlug die Decke zurück und blieb noch eine Weile liegen, atmete durch den offenen Mund, bis die Kälte ganz von ihr Besitz ergriffen hatte, und sah dem Entstehen und Vergehen der Dampfwolken vor den Lippen zu. Als sie endlich aufstand, war es zu spät fürs Frühstück. Die Wohnung hielt still, verschlossene Türen erzählten Lügenmärchen vom friedvollen Alleinsein in den eigenen vier

Wänden. Ada freute sich auf die Straße. Die Autoreifen machten ihr Wintergeräusch.

Pankratius war in diesem Jahr auf einen Mittwoch gefallen. Im Zeitraffer zog das Wetter über einen schlecht ausgeleuchteten Himmel, die Menschheit hatte sich in graues Kaschmir oder bunte Wolle gewickelt und kratzte mit leeren CD-Hüllen die letzte winterliche Sondervorstellung des Jahres von den Autoscheiben. Niemand sprach. Niemand zwitscherte. Die Katzen hockten hinter Glas auf Fensterbrettern und sahen stumm hinaus. Auch in Ada war es kalt und still, so dass sie instinktiv die Schuld an diesem Morgen auf sich nahm. An der Ecke, wo Alev immer auf sie gewartet hatte, ging sie ohne Zögern vorbei.

Nach der Unterredung mit Olaf hatte sie das ganze Wochenende bleischwer auf dem Bett verbracht, ein Telephon unter dem Kopfkissen, das zu Smuteks Außenminister geworden war und regelmäßig in seinem Namen Gehör verlangte. Ada ging nicht dran. Die Gier nach Montag war auf einen weltweit bislang nicht verzeichneten Höchststand geklettert. Sonntagnacht hatte sie kaum geschlafen, auf dem Rücken gelegen und hinausgestarrt, als müsste sie persönlich den fünften Vollmond des Jahres über den Himmel schieben. Am nächsten Morgen war sie eilig aus dem Haus gerannt und hatte sich auf dem Weg zur Straßenecke eine Rede zurechtgelegt, die in rhetorisch akzeptable Form bringen sollte, was Ada zu sagen hatte: Lass uns aufhören mit dem Scheiß.

Alev hätte gelacht. Er hätte sie verachtet. Er hätte gefragt, ob sie übergelaufen sei, desertiert auf die Seite der Dummen, Weichen und Mittelmäßigen. Schlimmer war, dass er gar nicht erschien. Sie hatte bis fünf Minuten nach Unterrichtsbeginn gewartet, war zur Schule gerannt und hatte ihn im Klassenraum gefunden, wo er schläfrig im Stuhl hing und nicht zu verbergen suchte, dass keine einzige in diesem Raum gesprochene Silbe zu ihm vordringen würde.

Es schien ihn nicht zu stören, dass Ada ihn in dieser und in allen folgenden Schulstunden unverwandt anschaute und seine

Miene zu lesen versuchte. Am Dienstag im Deutschleistungskurs hatte sie es nicht mehr ausgehalten und ihm einen zusammengeknüllten Zettel an den Kopf geworfen. Smutek zeichnete gerade die Kurve heraufziehenden Verderbens über der österreichisch-ungarischen Monarchie an die Tafel und tat, als hätte er nichts bemerkt.

Was ist mit Freitag?

Die Antwort ließ Alev von Hand zu Hand rings um die Klasse wandern, und Ada entfaltete das von zwölf Schülerhänden platt gedrückte Papier mit manieriert klopfendem Herzen:

Alles wie immer.

Beim Aufschauen erwartete sie, seinem Blick zu begegnen, aber er sah weiter leer und zufrieden vor sich hin wie ein Junkie nach dem Schuss. Für die nächsten drei Wörter brauchte sie eine Menge Kraft, und als die Nachricht fertig war, gelang es nur mit Mühe, sie über den Kopf zu stemmen und auf die andere Seite des Klassenzimmers zu befördern.

Ich will nicht.

Alev lächelte unter gesenkten Lidern und fuhr sich übers Gesicht, um seine Züge in Ordnung zu bringen, die für eine Sekunde einer andächtig-erotischen Abbildung der heiligen Teresa glichen. Die langen Fingernägel in Augen- und Mundwinkeln, das leichte Öffnen der Lippen und schließlich der aus der Tiefe heraufgeholte schwarze Blick brachten für Momente das kalte Brennen zurück, das Ada in die Knie gezwungen und zu einer gewissenhaften Jüngerin hatte werden lassen.

Habt ihr euch verliebt?, fragte der nächste Brief.

Smutek hielt stoisch seinen Unterricht am Ufer dieser Konversation, die auf unklare Weise die ganze Klasse in Unruhe zu versetzen begann wie Leittierschnauben eine Herde von Fluchtwesen. Jemand fragte, warum Musil den heraufziehenden Antisemitismus im Hause Fischel nicht strenger verurteilt habe. Smuteks Antwort geriet schärfer als beabsichtigt: Wisst ihr, wen oder was IHR heute verurteilen solltet? In zwanzig oder dreißig Jahren wird man euch dafür zur Rechenschaft ziehen und sagen, ihr hättet es wissen müssen!

Die Klasse schwieg in verständnislosem Schreck. Ada schob den zerknüllten Zettel in die Hosentasche und entnahm ihrem Block ein frisches Blatt. Die nächste Botschaft sollte länger werden.

Für ihn kann ich nicht sprechen. Ich selbst vermute, zu einem solchen Gefühl nicht in der Lage zu sein. Stattdessen besitze ich seismographische Sensoren zur Messung von Kräfteverschiebungen. Das mag dem, was du ›Liebe‹ nennst, verdammt nahe kommen.

Alev war in lethargische Seligkeit zurückgefallen. Seine nächste Antwort ging im Gewand eines letzten Wortes und wurde diesmal nicht den Postdiensten der Mitschüler anvertraut, sondern wie Adas Nachrichten auf dem Luftweg befördert.

Wie dem auch sei. Unser kleines Gesellschaftsspiel läuft stabil in vorausberechneter Bahn. Du erscheinst Freitag zur gewohnten Zeit am gewohnten Ort. Ich muss dich nicht daran erinnern, dass du genau wie Smutek meinem Grabesschweigen Dank schuldest.

Im Slalomkurs entzifferte Ada die Zeilen um eine Menge Rechtschreibfehler herum. Sie bekam Lust, Smutek zu einem Streit über historische Schuld herauszufordern und ihm die Frage zu stellen, ob den Menschen eine Pflicht zum Erkennen der Wahrheit treffe. Sie selbst hatte die wahren Verhältnisse von Anfang an erkannt und geflissentlich missachtet: Das Dilemma umfasste zwei, nicht nur einen Gefangenen. Möglicherweise befand sich das Spiel, von dem sie geglaubt hatte, dass es längst auf vollen Touren laufe, erst in seiner Anfangsphase. Vielleicht hatte sie mit ihren Wurfsendungen soeben die Schlussakkorde der Ouvertüre angeschlagen. Eingeleitet durch Alevs Subdominante auf die Töne Alles – wie – immer, hatte Ada in einem gewaltigen, auflösenden Dreiklang das Vorspiel beendet. Ich – will – nicht. Nach einem spannungsvollen Durchatmen würde das infernalische Aufbrausen des ersten, richtigen Aktes folgen.

Sie hatte den Zettel geglättet, sorgfältig gefaltet und im Hausaufgabenheft verwahrt. Alev sah wirklich überglücklich aus.

Das war gestern gewesen. Pankratius wirkte nicht wie eine Opernfigur. Falls hinter Kältenebel und Wolkenwettrennen die ersten Takte ertönten, begannen sie in Piano und Dolcissimo. Auf dem Schulweg spürte Ada die Nähe des kleinen, kalten Körpers, der im Alter von vierzehn Jahren enthauptet und den Hunden zum Fraß vorgeworfen worden war. Seit seiner Hinrichtung, die er schweigend ertragen hatte, rächte Pankratius die Dummheit und Lügen all jener, die nicht einsehen wollten, dass man nichts wissen konnte, wenn man nichts glaubte, weil jeder wahren Aussage ein Glauben zugrunde liegen musste. Mit seinen vierzehn Jahren war er der härteste von allen. An der Treppe zum Hauptgebäude von Ernst-Bloch entließ er Ada widerwillig aus seiner frostigen Umklammerung und hauchte ihr zum Abschied ins Ohr: Schwester, du bist nicht viel älter als ich, sei ebenso kalt. Sie wollen, dass du abschwörst. Sie wollen deinen Kopf. Du wirst überdauern. – Ada in ihrem desolaten inneren Zustand verstand ihn nicht. Heftig rieb sie sich die Ohren und lief die Treppe hinauf.

Nach einer Doppelstunde bei Hauser, der mit der Bescheidenheit eines berufsmäßigen Statisten vor der Tafel stand und seinen Unterricht frontal ins Schülermeer verklappte, geriet Ada an die Schwelle zur Depression. In der Pause trieb sie sich auf dem Flur herum, weil die unbestimmte Betriebsamkeit zu ihrem Geisteszustand passte. Sie erschrak zu Tode, als ihr eine Hand auf die Schulter fiel.

Er hatte sie vermisst. Er hatte nicht gewusst, dass man von Freitagen wie von einer Droge abhängig werden konnte. Er hatte sich nur einen halben Tag lang gefreut, dass das letzte Treffen geplatzt war, dann hatte Panik Besitz von ihm ergriffen. Er war bereit zu betteln, zu zahlen, zu zwingen.

Nichts davon war notwendig. Reflexartig gehorchte Ada den Bitten seiner Hände, als er den Kartenraum aufschloss und eine menschenleere Sekunde nutzte, um sie hineinzudrängen. Kaum war der Schlüssel von innen umgedreht, dröhnten wieder Schritte auf dem Gang, so laut, als liefen sie mitten zwischen ihnen hindurch. Mit den Karten in dieser Kammer ließ sich die ganze Welt an die Wände tapezieren. Sie steckten als mannshohe Papierrollen in Tonnen, lehnten, auf Rahmen gespannt, in eckigen Behältern, hingen rissig von schlecht verschraubten Metallständern. Es blieb kaum Platz für zwei stehende Personen. Sie klammerten sich aneinander, damit sie, umzingelt von Gegenständen, das Gleichgewicht nicht verlören.

Smutek war gereizt und fahrig, seine Haut war am ganzen Körper heiß wie im Fieber. Nachdem er das ganze Wochenende lang an Ada gedacht hatte, war ihm eingefallen, dass es sich um ein krankhaftes Begehren handeln musste, das nur in der Erpressung lebte wie ein Irrer in seiner Gummizelle. Dann wäre es ihm in Alevs Abwesenheit unmöglich, Ada auch nur anzurühren, es würde ihm absurd, verdorben, schlichtweg unerträglich erscheinen. Sobald er das herausgefunden hatte, wollte Smutek sich selbst als Kranken betrachten, Heilung suchen und alles daransetzen, in jene Welt zurückzukehren, in der er morgens aufstehen und zur Schule gehen und Smutek der Deutschlehrer sein durfte. Er wollte es wissen. Er war bereit, beinahe alles für dieses Wissen zu tun.

Er drehte Ada um, öffnete von hinten Knopf und Reißverschluss ihrer Jeans, trat die roten Turnschuhe an den Fersen herunter und zerrte ihr den widerstrebenden Hosenstoff von den Beinen. Er erkannte die Unterhose mit dem hellblauen Muster und glaubte für einen Augenblick, schon vor der Startlinie an einem Turnhallen-Déjà-vu zu scheitern. Gleich darauf griff seine Rechte nach vorn und fand Adas Brüste unter dem Winterpullover. Smutek spuckte auf die Finger, befeuchtete Adas innere Lippen und schob sich so vorsichtig, wie die Eile es zuließ, in sie hinein.

Natürlich ging es. Erst so gut wie immer, dann besser. Natürlich hatte er das gewusst. Smutek lachte leise über den feinen Betrug, den er an sich selbst begangen hatte, und der Hass verdoppelte jene Kraft, die sich unbedingt in Ada entladen wollte. Die Geräusche vom Flur, Schritte, Kindergelächter, gelegentlich eine sonore Lehrerstimme, die einen Namen und ein Gesicht im Schlepptau hinter sich herzog, kollidierten mit der aufsteigenden Elektrizität, die, erzeugt vom Druck eines schweren Mädchenhinterns gegen seine Hüften, das Hirn erreichen wollte und immer wieder zurückgedrängt wurde vom Anbranden der Außenwelt an die Tür der Kartenkammer. Mit den nächsten Stößen erklomm Smutek ein weiteres Stockwerk, schließlich noch eins, das er nie zuvor betreten hatte, dann, als er Teuters Stimme auf dem Gang zu erkennen glaubte, erreichte er zwei, drei, vier Etagen, von denen er nicht einmal gewusst hatte, dass sie existierten. Adas gebeugter Rücken. Ihr wippendes, blondes Haar. Sie war stumm wie ein Fisch, kalt wie ein Fisch. Er umfasste sie mit beiden Armen, drückte sie an sich in großer, freundschaftlicher Umarmung, während es bereits dunkel wurde in seinem Kopf in Vorbereitung auf den alles vertilgenden Blitz. Ada, lass uns weggehen von hier, ohne Alev, lass uns weggehen und etwas ganz anderes anfangen, es ist nicht schwer. Smutek konnte nicht mehr flüstern und begann tonlos zu wimmern. Als es passierte, war es kein rauschender Höhepunkt, sondern ein langsames, schmerzhaftes Verkümmern, ein Krampf ohne Erlösung. Smutek klappte seinen Körper über ihrem zusammen, Lippen und Zähne aufeinander gepresst, um nicht zu schreien, und als er glaubte, nicht mehr loszukommen, in ihr verbrannt zu sein zu bröckelnder Asche, gelang ihm ein letzter Stoß, der sie beide gegen eine der Tonnen mit Kartenrollen warf. Alles fiel, alles krachte zu Boden.

Lass uns weggehen, gemeinsam. Nur wir beide. Sie lagen still zwischen Afrika und den Kanarischen Inseln. Smutek war aus ihr herausgerutscht, irgendwo war Feuchtigkeit, glitschige Haut, beschmutzte Kleidung. Sicherheitshalber hatte er den Schlüssel von innen stecken lassen. Man würde fragen nach diesem Lärm. Es gab keinen Spiegel – wie sich in Ordnung bringen? Sie rührten sich nicht, erwarteten ein Rütteln an der Klinke, flach schlagende Hände auf dem Holz. Nichts passierte. Die Pausenklingel schrillte, noch fünf Paar Füße trappelten über den Flur. Endlich Stille.

Smutek sprang auf die Füße, wie nur Sportler springen, sammelte mit fliegenden Fingern die Karten ein und schob sie zurück in die Tonne, fast hätte er sie ein zweites Mal umgeworfen. Ada blieb liegen. Er flüsterte ihren Namen, glaubte einen Moment lang, sie beim Sturz verletzt zu haben. Ihre Augen waren offen, sahen vom Boden herauf und an ihm vorbei. Sie wartete darauf, wie eine der Landkarten in die Vertikale gehoben zu werden. Er griff ihr unter die Achseln, stellte sie auf die Füße, zog Slip und Hose die Beine hoch, strich ihr Pullover und Haare glatt.

»Wie sehe ich aus?« Mit allen Fingern fuhrwerkte er sich durch die Haare.

»Verwegen«, sagte sie. »Gut.«

Da war ein Grinsen. Es bannte ihn und war gleich wieder fort.

»Komm«, sagte er. »Du hast Mathe.«

Sie hielten sich an den Händen, während er die Tür aufschloss. Sie betraten Seite an Seite den Gang. Niemand war in Sicht. Die Fenster zeigten einen inhaltslosen Himmel und trennten gleichgültig Maikälte von Heizungsluft.

»Heute Abend«, sagte Ada, als er sie an der Ecke flüchtig küsste, »laufen wir gemeinsam.«

»Achtzehn Uhr«, sagte Smutek, »in der Turnhalle.«

Er war fort und hatte die Depression mit sich genommen. Ada ging auf die Toilette, um sich die Hände zu waschen. Im Spiegel sah sie das lächelnde Gesicht eines Mädchens, das frei war. Alle paar Sekunden für wenige Augenblicke frei wie ein fliegender Fisch.

Pankratius, früher Abend

Szymon Smutek. Man vergisst leicht, dass du einen vollen Namen besitzt. Szymon Smutek klingt nach einem toten Mann, der durch einen winzigen Treibanker im Brockhaus mit der Unendlichkeit verbunden ist.«

»Ohne Photo, versteht sich.«

»Geboren und gestorben in je einem gesichtslosen Jahr. 1824 und 1878.«

Wegen der Kälte hatte Smutek sie zu Aufwärmübungen gezwungen, und während sie die Rümpfe beugten, die Fersen bei gestrecktem Bein gegen den Widerstand der Sehnen zu Boden drückten und die Oberkörper wie Getriebeteile um die vertikale Körperachse kreisen ließen, plauderte eine veränderte Ada ohne Unterlass.

»Polnischer Physiker, entwickelte ein Raum-Zeit-Theorem, das von den Kollegen als unplausibel verworfen wurde. Einige von S. Gedanken könnten Eingang in Einsteins Relativitätstheorie gefunden haben. Siehe Einstein.«

»Woher weißt du, dass ich in einer lang vergangenen Epoche Physik studieren wollte?«

»Das wusste ich nicht. Vielleicht hast du mal über Raum und Zeit gesprochen.«

Rhythmisches Atmen zerteilte jeden Redebeitrag in Viervierteltakte.

»Wie wär's mit – Szymon Smutek – 1965 bis 2005 – Deutschlehrer polnischer Herkunft – entwickelte eine scheiternde – Moraltheorie, verübte – an seinem vierzigsten Geburtstag – Selbstmord in Haft?«

»Du arbeitest an einer Moraltheorie?«

»Noch nicht. Aber wenn es so weitergeht, wird mir nichts anderes übrig bleiben.«

»Du wirst nächstes Jahr vierzig?«

»Findest du das zu alt?«

Adas Augen waren blank von Spott, als sie innehielt und den Blick zu ihm aufhob.

»Du hast schon wieder Angst. Das ist immer ein Fehler.«

»Glaub mir, Ada, du hättest auch Angst an meiner Stelle.«

»Du irrst, Herr Smutek, wie immer. Du glaubst, dasselbe Gefühl sei in zwei verschiedenen Menschen reproduzierbar. Dem ist nicht so. Es gibt keine Gemeinsamkeiten, nicht einmal in der Angst. Und schon gar nicht zwischen dir und mir.«

»Darüber müsste ich vermutlich froh sein.«

»Mit Sicherheit sogar.«

»Lass uns rausgehen. Wärmer wird es heute sicher nicht mehr. Höchstens kälter.«

Der Nebel füllte das Rheintal bis unter den Rand, packte Häuser, Bäume und Laternenmasten in Watte, dass jedes Ding vereinzelt stand und sich auf nichts bezog als auf sich selbst. Es gab keine Stadt mehr, sondern nur noch eine Ansammlung von Gegenständen auf abgrenzbarem Gebiet. Sie trabten los, der Wind schnitt ihnen den Atem in Scheiben vom Mund und bot eine metallkalte Luftmenge dafür, die sie mit gestreckten Hälsen wie Schwertschlucker in die Lungen zwängten. Das lange Gras an der Böschung war flussaufwärts gestriegelt, die Halme trugen Blütenkronen aus winzigen Wassertröpfchen, an ungeschützten Stellen zu filigranen Kristallgebilden gefroren. Eine Birke stand starr mit erschrocken abgespreizten Ästen, jeder Zweig und jedes Blatt von Eis überzogen, als habe eine große Hand sie ausgerissen, in Plexiglas getaucht und wieder in den Boden gesteckt. Ein solcher Tag würde keinen Platz in den Archiven der Menschheitsgeschichte erhalten, weil nichts Besonderes geschah, weil niemand Wichtiges gezeugt, geboren oder getötet, nichts erfunden, nichts zerstört, nichts Wesentliches gedacht oder gesagt worden war. Das Gros der Menschheit verließ die geschlossenen Räume nicht und verschob alles Wesentliche auf ein andermal. Niemand würde sich an so einen Tag erinnern können.

Adas Redelust war einem Schweigen gewichen, das, anders als früher, keine Mauern gegen Smutek errichtete, sondern sich faltenlos bis zu den eng sitzenden Nebelhorizonten erstreckte und der surrealen Wirklichkeitsskizze als Soundtrack diente. Zu allen Seiten lag das Ende der Welt in greifbarer Nähe. Der Wind legte ihnen die Haare glatt an die Köpfe, kühlte und wusch die schwitzenden Körper. Sie waren ganz auf sich gestellt, sie teilten Kraft und Bewegung wie Pferde im Galopp über ein zaunloses Gelände.

Es gab keine Trauzeugen. Keine Mithörer ihrer tonlosen Vereinbarungen. Niemand, nicht einmal Ada und Smutek selbst würden jemals erfahren, worauf sie sich beim Ablaufen dieser zwanzig Kilometer geeinigt hatten, wo und wie ihre Wünsche und Befürchtungen einander begegneten, welcher Art die Schnittmenge war, in der sich irgendein Blau und irgendein Rot zu irgendeinem Violett übereinander schoben. Als sie wieder auf den Weg zum Schulpark einbogen und die Steinstufen hinauf zur Bastei in trippelndem Laufschritt nahmen, sah ihnen der große, alte Notar Zukunft über die Schultern und verschwieg, ob er seinen Stempel unter ihr Abkommen drücken wollte oder nicht.

Smutek verriegelte die Turnhalle und lehnte sich von innen gegen die Tür, die aus würfelgroßen Glaskästchen in einem feinen Drahtnetz bestand. Ada hatte Reif auf den Wimpern, den die Heizungsluft zum Schmelzen brachte. Nach einem solchen Lauf musste jedes beliebige Wort deplaziert klingen. Smutek nahm die Bürde auf sich.

»Meine Eisheilige«, sagte er lächelnd, »meine kalte Sophie.«

»Pansophie kannst du mich nennen, wenn überhaupt.«

»Als ich so alt war wie du«, sagte er, »lebte ich in einem kommunistischen Land, lernte unter Anleitung der Großen, die Welt zu hassen, und hielt mich für glücklich. Ist das nicht merkwürdig?«

»Nein.«

Sie hatte die Augen auf den Reisverschluss seines Sportpullovers gerichtet, um nicht zur Werkzeugkammer hinüberzusehen, deren Tür angelehnt stand. Von dort roch es nach alten Medizinbällen, Magnesium und abgestelltem Rasenmäher. Niemand befand sich darin, und trotzdem hatte Ada mit dem Pollenflug einer Paranoia zu kämpfen.

»Als ich so alt war wie du, als du so alt warst wie ich«, sagte sie, »war ich ein saturierter Kuhfladen unter vielen anderen saturierten Kuhfladen, und niemand von uns konnte sich daran erinnern, aus dem Arsch welcher Kuh er gefallen war. Tag und Nacht atmeten wir den Gestank unserer eigenen inhaltsleeren Besorgnis und hielten uns deshalb für unglücklich.«

Smutek stieß sich von der Glasscheibe ab und riss die Tür zur Werkzeugkammer auf. Nachdem er kurz hineingesehen hatte, fand er den passenden Schlüssel am Bund und drehte ihn zweimal im Schloss. Schnell kam er zurück und suchte die identische Position, in der er gestanden hatte. In Adas Gesicht gingen die Lichter an, sie strahlte zu ihm hinauf, klein wie ein Hydrant. Auch er fürchtete also, wenn sie zusammenstanden, die Gegenwart eines freischwebenden Augenpaars, auch er fühlte den kalten Blick einer Linse.

Smutek verstand ihre Freude nicht und empfing ihr Lächeln als zufälliges Geschenk. Er war dabei, ein Rätsel zu lösen, das ihn seit dem Vormittag beschäftigte und das vielleicht nicht den Sinn, wohl aber den Inhalt der menschlichen Existenz betraf. Ein Großteil des Daseins verging mit Warten, während der Lebensweg im Rückblick aus einer nahtlosen Kette von Ereignissen bestand. Aus dieser Diskrepanz zwischen Vergangenheit und Gegenwart entstand ein Störgeräusch, das Sehnsucht hieß und Smutek in diesem Augenblick zugleich schrecklich und wunderbar erschien. Er wurde das Gefühl nicht los, dass es Ada war, die ihm solche Ideen eingab. Flach streckte er beide Hände aus, und sie legte die ihren wie rechtmäßige Anteile einer Beute hinein. Er griff nicht zu, sondern trug die kleinen, hellen Körperstücke leicht in der Luft. Etwas Feierliches breitete sich aus. Sie befanden sich in einem Zwischenraum. Wenn sich nicht bald etwas Besonderes ereignete, würde niemand sich an diesen Moment erinnern können. Eine unerträgliche Vergeudung. Smutek stand kurz davor, etwas Wichtiges zu sagen.

Ada wusste, um welchen Satz es sich dabei handeln würde, denn sie hatte eben erst etwas Ähnliches gedacht: Unter anderen Bedingungen hätten wir es schön miteinander haben können. Derartige Gedanken kamen vorbei wie ein Windstoß an einem schwülen Nachmittag, besaßen wie jener Ursachen, die sich von jedem Experten bei Kenntnis aller Umstände berechnen ließen, und berechtigten dennoch zu keiner Prognose, ja nicht einmal zu einer Aussage über das, was hinter ihnen lag. Sie hatten nichts zu erzählen und kündigten nichts an, sie waren weder Vorboten noch Nachhut, weder Zeugen noch Pressesprecher eines Glücksfalls oder einer Katastrophe. Sie waren die Spucke nicht wert, um sie über die Lippen zu bringen.

»Behalt es für dich«, erwiderte Ada seinem schwangeren Schweigen. »Es ist nicht wahr, und selbst wenn es wahr wäre, machte es keinen Unterschied.«

Halb hatte sie erwartet, er werde sich abwenden und gehen, er aber ließ ihre Hände los, dass sie herabfielen, als wirkte der Schwerkraft kein Leben entgegen, wischte ihr die spröden Reden vom Mund und küsste sie lachend, und weil sie ebenfalls lächeln musste, stießen ihre Schneidezähne hart aneinander. Er küsste wieder und wieder, bis da Lippen waren und Wärme und ein bisschen Druck. Beide schmeckten sie salzig und feucht wie frisch an Deck gezogener Fisch. Keiner von ihnen schloss die Augen. Smutek fühlte, ihre Gestalt vermessend, die Wirbelsäule hinab über Hüften und Hintern bis zu den Schenkeln und krümmte sich affenartig zusammen, um noch die Kniekehlen mit langen Armen erreichen zu können. Ada war am ganzen Körper kalt wie eine Amphibie.

»Du musst unter die Dusche«, sagte er, sich zu voller Höhe aufrichtend.

Ohne ein weiteres Wort steuerte sie die Schülerumkleide an, zerrte Handtuch und Shampoo aus dem Rucksack und stellte sich unter das heiße Wasser. Bei zurückgelegtem Kopf floss ihr das Haar lang über den Rücken. Das war die zärtlichste Berührung der Welt.

Als sie sich wenig später vor der hereinbrechenden Dämmerung verbeugte, um in ihre Jeans zu steigen, war Smutek plötzlich im Türrahmen, die Haare nass, das knappe T-Shirt in den Bund einer frischen Sporthose gesteckt, dass es über den wohldefinierten Bauchmuskeln spannte. Er hielt den Kopf schräg und lächelte wie ein Junge aus der Werbung für Energy-Drinks. Erschrocken wandte Ada sich ab, schnürte ihre roten Turnschuhe zu und streichelte dabei das weiche Leder mit den Fingerspitzen. Als sie wieder auftauchte, stand er immer noch dort. Er hatte schöne Zähne. Eine Weile schaute sie ihm beim Lächeln zu, dann verschwammen ihr die Augen vor der Welt.

»Was«, fragte sie, »würdest du sagen, wenn ich dir erzählte, dass ich manchmal gemahlenen Pfeffer über eine heiße Herdplatte pudere, den Sternbildern aus verglühenden Körnern zusehe und den Duft in die Nase sauge, weil es so riecht, als würde ab und zu jemand für mich kochen?«

»Wahrscheinlich würde ich gar nichts sagen. Mein Magen wäre mit Blei ausgegossen.«

»Siehst du«, sagte sie. »Kein einziges Pfefferkorn habe ich jemals auf eine Herdplatte geworfen. Es bedarf nur einer Hand voll Wörter, um dich glauben zu machen, dass du mich liebst. Verstehst du?«

»Aber sicher«, sagte er. »Sprache ist Antriebsmotor, Inhalt und kunstvolles Ergebnis unserer seltsamen Welt. War mir auch schon aufgefallen.«

»Verzeih. Man vergisst leicht, dass du Deutschlehrer bist, der Beruf haftet nicht besonders gut an dir. Ständig hat man das Gefühl, dir etwas erklären zu müssen.«

»Das Schöne ist«, sagte Smutek geheimnisvoll, »ob du die Wirklichkeit Illusion, Schattenboxen oder Sprachspiel nennst, macht, mit deinen eigenen Worte gesprochen, nicht den geringsten Unterschied.«

»Schön scharf schießt Smutek sprachliche Schrapnelle!«

Seit drei Minuten hatte sie ihm kein einziges Mal aufs Kinn oder zwischen die Augenbrauen geschaut.

»Absurdes Addendum: Alarmiert ahnt ausgerechnet die adorable Ada allumfassende Adiaphora.«

Sie hatte ihn nicht verstanden, aber die Sätze machten so viel Spaß, dass sie zappelig wurde, als bestünde sie nur noch aus Armen und Beinen. Als kurzfristige Leihgabe erhielt sie ihre Kinderstimme zurück, die nach Kettenkarussell und ungemähten Wiesen klang.

»Fakt und Binsenweisheit ist«, rief sie, »dass es keine Wirklichkeit gibt außerhalb unseres Vermögens, sie zu beschreiben! Deshalb liegt es in unserer Macht, einander zu retten.«

Smutek fing sie ein, fesselte ihr mit seiner großen Faust die Handgelenke zusammen und spürte zum zweiten Mal dieses seltene Lachen unter den Lippen: gespannte weiche Haut und das saubere Porzellan junger Zähne.

»Ich meinte nicht unbedingt dich und mich«, korrigierte sie, kaum freigekommen, »sondern die Menschheit im Allgemeinen.«

»Klar«, sagte er. »Die Menschheit im Allgemeinen schließt uns beide nicht ein.«

Kurz geriet sie aus dem Tritt, ihr Gesicht schloss sich wie ein Theatervorhang und öffnete sich sogleich wieder von neuem. Alle Schauspieler auf die Bühne.

»Was ich eigentlich sagen will, ist, dass du dir weniger Sorgen machen solltest. Ich habe beschlossen, dich da rauszuholen.«

»Raus?« Mit einem Schlag war er ernst geworden. »Wo raus?«

Als sie ihren Rucksack vom Boden riss und davonlief, versuchte er nicht, sie zurückzuhalten. Hätte er ein Tagebuch geführt, folgender Eintrag wäre zu vermerken gewesen: Pankratius, früher Abend. Heute haben wir das erste Mal miteinander gesprochen.

Der Gedanke an ausgedachte Pfefferkörner auf der Herdplatte, an Errichten, Vernichten, an Adiaphora und die verschiedenen Gesichter der Wirklichkeit wollte Smutek so schnell nicht wieder verlassen. Während der nächsten Stunden folgte er ihm, umstrich seine Beine, stupste ihm die Nase in die Kniekehlen, entfernte und näherte sich und blieb immer in Sichtweite, ganz Haustier, ganz Quälgeist und Kuschelwesen, und Smutek wartete auf die Nacht und die erste Gelegenheit, ihn zu vertreiben.

Pankratius, in der Nacht

Er hatte mit seinem Schneewittchen, das von Tag zu Tag außer Reichweite seiner Hände ein regeres Eigenleben führte, zu Abend gegessen, er hatte ihre neu erblühende Schönheit aus der Ferne bewundert wie die traurige Perfektion des Titelmädchens auf einem Magazin, er hatte dem kryptischen Geplauder von vormittäglicher Laborarbeit, Weltpolitik und dem aktuellen Kinoprogramm gelauscht und dessen Urheberin um halb elf zu Bett gebracht. Dort hatte er stumm auf der Kante gesessen und jedes Mal gelächelt, wenn sie die Augen wieder aufschlug, bis sie nach vorausberechneten zwanzig Minuten in Tiefschlaf verfiel. Beim Verlassen des Zimmers hatte er das Apfelstück in der eigenen Gurgel gespürt.

Nun belegte er seinen Stammplatz am Wohnzimmerfenster hoch über der glücklichsten Straße der Stadt, die im Kälteschlaf langsam zu atmen schien. In der Phantasie setzte er das Gespräch mit Ada fort und hoffte, es zu einem befriedigenden Ende zu bringen, um den zudringlich schnüffelnden Gedankenhund von seinen Fersen zu schütteln. Er wollte sie nach ihrer Meinung fragen, sie sollte ohne Umschweife äußern, was sie über die Situation dachte. Dass er mit Bestimmtheit wusste, auf welche Weise sie ihm verbal in die Beine gegrätscht hätte, erleichterte den Einstieg.

Meinung?, hätte sie gerufen. Ich bilde schon lange keine Meinungen mehr. Ich sage Dinge, weil sie besser klingen als andere, die ich ebenfalls hätte sagen können.

Daraufhin wäre er, wie er sich kannte, darauf verfallen, sie von etwas überzeugen zu wollen. Dass das eine Zwischenphase sei. Dass das Denken für eine Weile alle Unterscheidungen aufhebe, bevor es in die Lage gerate, sich neue zu bilden. Und so weiter. Sie hätte ihn kurz und harsch zurechtgewiesen, als wäre er ein Tier, das immerzu den falschen Weg hinunterläuft, obwohl es den Pfad zur Weide längst auswendig kennt. Diesmal aber wollte er nicht lockerlassen.

Wie kommst du also ohne Meinung zu der Auffassung, das Nichts sei Fluchtpunkt allen menschlichen Strebens?

Das habe ich nie gesagt.

Habt ihr euch nicht Nihilisten genannt?

Soweit ich mich erinnere, nannte ich uns einmal die Urenkel der Nihilisten.

Also glaubt ihr an nichts.

Wir haben nichts mehr, an das wir nicht glauben könnten. Mathematisch folgt daraus, dass wir an alles glauben. Alles gleich gültig.

Und wie bist du zu dieser Meinung gelangt?

Smutek, versteh doch.

Deutlich spürte er, wie ruhig sie geblieben wäre und wie diese Ruhe seine spanische Eröffnung ins Wanken gebracht hätte, wie er zugelassen hätte, dass sie ihn mit einem ihrer Monologe übergoss:

Das Nichts kann nicht Gegenstand einer Meinung sein. Es ist die Abwesenheit von Dingen, ein leerer Raum, den menschliches Wollen unablässig zu füllen versucht. Es ist Ursprung und Zielpunkt, es ist Hintergrund unserer Existenz, lebensnotwendig und lebensbedrohlich. Die Menschen taufen es ›Etwas‹, spazieren umher und bauen ihre Gedankengebäude darauf, als handelte es sich um festen Untergrund. Zu dieser Täuschung war ich nie in der Lage. Das planmäßige Herumirren in unserem Zeitalter hat nicht nur Nachteile: Hinter dem Verlust des Glaubens ist es der letzte Schutzwall vor der letzten Erkenntnis.

Und hiermit wäre die Unterhaltung beendet gewesen. Smutek wollte weiterreden, fand aber bei aller Anstrengung keinen Anknüpfungspunkt, das Gespräch war zu Ende wie ein Seil, nach dessen letztem Zentimeter nichts mehr kommt, so sehr es ein Ausbrecher auch wünschen mag. Während er in

Gedanken schwieg, begann es in ihm zu kochen, als hinge ein Heizstab vom Solarplexus in die Magengrube hinab. Es war eine kindische Wut, die in ihm brodelte, nicht zuletzt darauf, dass er sich von einer Jüngeren abkanzeln ließ, sogar in der eigenen Phantasie. Immer wieder fiel er herein auf ihre besondere Art des Argumentierens, die aus einem geschlossenen System bestand, das jeden einkerkerte, der den Fehler beging, sich darauf einzulassen. Am Schluss stand immer ein metaphysisches Sendepausenzeichen. Er hatte andere Dinge mit ihr besprechen wollen; nun hatte er vergessen, worum es ihm gegangen war.

Wenn er ehrlich sein wollte, musste er eingestehen, dass sein Anliegen zu simpel war, um es zu vergessen. Er brachte einfach die Frage nicht über die Lippen. Ob sie nicht aufhören könnten. Ob Alev und Ada ihren Spaß nicht gehabt hätten. Er konnte anbieten, bis zum Abitur für Adas Schulgeld aufzukommen. Er wollte sie daran erinnern, dass ohne sie das Spiel zum Erliegen käme wie ein Skat ohne dritten Mann. Dass es zum Aufhören genau wie zum Weitermachen nur eines winzigen Schrittes bedurfte.

Drei rote Autos identischen Herstellers und Typs spotteten allen Gesetzen der Wahrscheinlichkeit, indem sie hintereinander unter dem Fenster vorbeifuhren. Während Smutek ihnen nachsah, wie sie um die Ecke verschwanden, wurde ihm klar, dass seine Frage sich erübrigte. Ada konnte nicht antworten, weil es darauf in ihrer Welt keine Antwort gab. Wieder hatte er einen Punkt entdeckt, in dem sie einander ähnlich waren. Auch sie traf keine Entscheidungen. Ausgerechnet ihr eine solche Frage zu stellen hätte den Gipfel der Lächerlichkeit erreicht.

Ada und er standen in seiner Vorstellung nebeneinander wie zwei Trockner im Waschsalon, deren Programme gleichzeitig ans Ende gelangt waren. Eine Eingebung bat um Aufmerksamkeit. Erstaunt sah Smutek seine imaginäre Ada von der Seite an und erinnerte sich an das plötzliche, engelhafte Strahlen, das er am frühen Abend gleich zweimal auf ihrem

Gesicht erblickt hatte. Möglicherweise fehlte gar nicht viel. Möglicherweise lag in ihrer hartnäckigen Verweigerung die dringende Bitte darum, eine These auszusprechen, damit sie Wirklichkeit werden könne. Die These lautete: Die einzige Chance zum Vermeiden eines unvermeidlichen Endes besteht in der Hoffnung, Ada werde sich versehentlich in Smutek verlieben.

Vor dem Hintergrund der schwarzen Scheibe, die ihre Durchsichtigkeit verlor, wenn er seine Augen nur wenige Zentimeter von der Oberfläche entfernte, konnte er den passenden Ausdruck auf Adas Gesicht vor sich sehen wie das letzte Bild am glücklichen Ende eines alptraumhaften Thrillers: Ein weiches Zergehen, das die Rückkehr ihres wahren Alters ankündigte, ein leiser Triumphzug der verletzlichen Fünfzehnjährigkeit, erfüllt von jenem sehnsuchtsvollen Flehen um Zuneigung, Nähe und Wärme, das doch in Smuteks Weltbild geheimer Kern allen menschlichen Verhaltens war.

Unbewegt starrte Ada als vollmondgleiche Erscheinung aus den nachtschwarzen Baumkronen zu ihm herein. Nachdem Smutek sie eine Weile betrachtet hatte, verstand er, dass der wahre Träger von Grausamkeit im Menschen die Unschuld sei. Folglich konnte jede Unterscheidung in Recht und Unrecht nicht mehr darstellen als ein gut gemeintes Bemühen, und so blieb die Welt, seine kleine ebenso wie die große im Allgemeinen, unrettbar verloren. Den Zustand, der aus dieser Erkenntnis folgte, fand Smutek so unerträglich, als hätte er soeben erfahren, dass es ab sofort kein Rechts und Links mehr gebe und die Menschheit selbst herauszufinden habe, wie sie damit zurechtkommen wollte.

Jetzt wuchs das Bedürfnis nach Abschied. Smutek wollte Ada die Hand geben, ihr fest in die Augen schauen und sagen, dass es nicht darum gehe, jemanden zu retten, sie nicht, ihn nicht und nicht einmal Frau Smutek, die im Nebenzimmer ahnungslos im chemischen Gesundheitsschlaf lag, und dass er das endlich begriffen habe. Er wollte sie väterlich ein letztes Mal umarmen, etwas Kurzes, Merkwürdiges sollte in dieser Sekunde zu Ende gehen: Ein heftiges und zugleich zartes Gefühl zwischen ihm und ihr, dessen kurzer Lebensweg vom Dunklen ins Dunkle verlief.

Er tat nichts dergleichen. Da war niemand, von dem er sich hätte verabschieden können, nur Baumkronen, ein vom Kältedunst beschlagener Himmel und der Mond, im Abnehmen begriffen, ein halb gegessenes Fladenbrot. Smutek entspannte sich, öffnete das Fenster und ließ sich vom Atem des späten Pankratius bestreichen, der längst bereitstand, um den eisigen Staffelstab an seinen Nachfolger weiterzugeben. Der Gedankenhund war hinaus in die Dunkelheit verschwunden und suchte sich einen besseren Herrn. Nach einigen Minuten beschloss Smutek, der sich von der Selbstachtung zu einer Entscheidung genötigt sah, dass er die letzten Tage, gleich wie viele es sein mochten, mit diesem und jenem verbringen würde, bevor das Ende, von dessen Gestalt er nach wie vor nicht mehr als eine vage Ahnung besaß, schließlich eintreten sollte.

Servatius, Vormittag

Servatius war gut gelaunt. Alle sieben Jahre trugen Wallfahrer in großer Prozession seine Knochen durch die Gassen von Maastricht, und heuer war ein solches siebentes Jahr. Was bedeutet ein Sieben-Jahres-Rhythmus vor der Ewigkeit? Das schnelle Flackern einer halbdefekten Neonröhre. Er freute sich, zog den Holzschuh an, mit dem man ihn einst erschlagen hatte, und hinkte mit einem derart strahlenden Lächeln durchs Land, dass eine armenische Sonne in den Himmel stieg und die weißlichen Spuren des verbitterten kleinen Pankratius beseitigte. Streiten konnten sie später. Wer nur einmal im Jahr Ausgang hat, genießt diesen Tag, auch wenn das Vergehen von Zeit in der Unendlichkeit eine andere Bedeutung besitzt.

Mit krummem Rücken hing Ada über einer Müslischüssel wie ein Hund über seinem Napf, als ein Problem infolge einer seltenen Koinzidenz gleichzeitig mit der Lösung in ihrem Hirn eintraf. Wenn sie, Olafs Andeutungen folgend, am Nachmittag ohne viel Aufhebens im Physiksaal auftauchen wollte, brauchte sie einen Schlüssel zum Hauptgebäude, dessen Türen nach Schulschluss verriegelt wurden, und es war völlig klar, wer ihr einen solchen auszuborgen hatte.

Die Wohnung war totenstill wie an jedem Morgen seit Eingang der formlosen Mitteilung, dass das Ermittlungsverfahren gegen einen hohen Beamten des Verteidigungsministeriums nach Paragraph 170 der Strafprozessordnung mangels hinreichenden Tatverdachts eingestellt worden sei. Kaffee- und Müslilöffel, die Ada beim Nachdenken von sich geschoben hatte, dienten einer schneeweißen Morgensonne als konkave Spiegel und lenkten einen gebündelten Strahl direkt in ihre geöffnete Pupille, als sie sich vorbeugte, um bei angehobenem Gesäß das Mobiltelephon aus der Hosentasche zu ziehen. Sie musste ein paar Sekunden warten, bevor sie das schwach leuchtende Display erkennen konnte.

Sag ihnen, du seiest krank. Ich warte um halb neun unter der Südbrücke auf dich.

Im gleichen Moment hing Smutek aus dem Fenster und schützte die Augen mit der Hand, um seinem Schneewittchen nachzuschauen, das in wollgrauem, scharf tailliertem Winterkostüm und kniehohen Lederstiefeln, mit offenem Rabenhaar und einer braunen Tasche über der Schulter zur Straßenbahnhaltestelle lief, sich an der Ecke noch einmal umdrehte und zu ihm hinaufwinkte. Diese Geste war ein Relikt aus alten Zeiten, als Frau Smutek morgens allein aus dem Haus gegangen war, um den gemeinsamen Lebensunterhalt zu verdienen, und galt noch heute der Nachbarschaft als Beleg für die Möglichkeit eines glücklichen Zusammenseins von Mann und Frau.

Kaum war sie um die Ecke verschwunden, piepste es in seiner Hosentasche, und weil er die Hand von den Augen nehmen musste, um nach dem Telephon zu greifen, erwischte eine Lichtkartätsche seine Pupillen, an jener Stelle durch die Baumkronen gezielt, an der in der vergangenen Nacht Adas Traumgesicht gehangen hatte. Blind trat er zwei Schritte zurück und riss dabei mit dem Ellenbogen ein Grüppchen lilafarbener Primeln von ihrem Podest, die im Holzschuh eines polnischen Zwangsarbeiters wuchsen. Einst war ein nackter Fuß darin bei dreißig Minusgraden aufs Feld gegangen, um Autobahntrassen zu graben und große Steinplatten zu einer unendlichen Treppe zusammenzulegen, auf der Smuteks Volvo inzwischen viele Male schüttelnd und stoßend nach Osten gerollt war. Der Fuß hatte Frau Smuteks Großvater gehört.

Während der Bruchteilssekunde, die der Fall der Primeln benötigte, dachte Smutek darüber nach, ob widerspenstige, deutschstämmige Großindustrielle tatsächlich zur Zwangsarbeit eingezogen worden waren. Ein solcher Schuh konnte ohne weiteres von einem der Berliner Märkte stammen, auf denen auch NVA-Uniformen, FDJ-Ausweise, Che-Guevara-Fahnen und, etwas abseits der Tapetentische, Hitlers schlecht geschriebenes Buch zum Kauf angeboten wurden. Frau Smuteks Familiengeschichte war zu einer echten Geschichte geworden: Sie funktionierte nur, solange man sie im Ganzen hörte und keine Fragen stellte. Das *corpus relicti* traf mit dem Absatz voran die drei mittleren Zehen an Smuteks nacktem Fuß, und der Schmerz knickte ihm die Knie und trieb Wasser aus den Augenwinkeln. Sekundenlang starrte er auf das Display seines Handys, ohne etwas zu erkennen. Dann hatte er verstanden und humpelte zum Endgerät seines Festanschlusses.

Im Schatten der Brücke, hinter einer Sonnenbrille jenes Modells, dass Neo in der ersten Folge der Matrix getragen hatte, mit einer aufgetürmten Wollmütze, die dem Winterarsenal der Mutter entstammte, sah Ada aus wie ein anonymer Filmstar unter der Markise eines New Yorker Hotels. Sie ließ die Maskerade auch im Wagen an und sprach kein Wort, als bestünde Gefahr, in Smuteks Volvo abgehört zu werden. Die Welt war ein Dorf, ganz besonders in Bonn.

Ada wartete am Wagen und folgte Smutek in einem Abstand von zehn Minuten ins Haus. Der Flur war mit bunten Kacheln ausgelegt, an den Wänden rankten sich aufgemalte Ornamente bis unter die Decke, und das einfallende Licht wurde durch geschliffene Glasscheiben in alle Farben des Spektrums zerlegt. Ada hatte nie darüber nachgedacht, dass es Behausungen gab, die weniger geräumig waren als die palastartigen Hallen im Godesberger Villenviertel, dafür aber zum Bleiben einluden. Nachdenklich stieg sie Treppen, bis sie auf eine angelehnte Tür traf. Die Wohnung dahinter roch nach frisch gemahlenem Kaffee. Smutek goss kochendes Wasser in zwei Tassen, rührte hurtig wie ein Barmixer und sah freundlich auf, als Ada, den Geräuschen folgend, die Küche betrat.

»Jetzt schwänzen wir zusammen die Schule.«

»Weißt du auch, warum?«

»Es ist mir egal.«

»Ich wollte deine Wohnung sehen, und zu einem anderen Zeitpunkt wäre ich bestimmt ungelegen gekommen. Richtig?«

»Verdammt richtig.«

»Außerdem brauche ich deinen Generalschlüssel.«

Smutek antwortete nicht, hob beide Brauen zum Zeichen eines unbestimmten Einverständnisses und schob eine randvolle Tasse über den Küchentisch.

»Trink.«

Mit dem Kaffee in beiden Händen unternahm sie eine Besichtigungstour. Die Zimmer wirkten vertraut, als hätte Ada sie sich selbst ausgedacht. Kreatives Chaos in Smuteks Arbeitszimmer. Wacklige Stapel ungelesener Bücher, die sie allesamt kannte. Ein großer farbenfroher Teppich, der nach Mitbringsel aus dem Marokkourlaub aussah und den Raum von unten mit einem breiten wolligen Lächeln füllte. Fliegende Bauten.

»Kennst du das?« Smuteks Hand lag auf ihrem Nacken, warm, feucht und schwer wie ein Halswickel.

»Sicher«, sagte Ada. »Das ist nichts für dich.«

»Erklär's mir.«

»Viel sinnloser Sex mit flüchtigen Freunden und alten Bekannten. Reisen nach Paris, Belgrad und Fitzroy, innere Monologe in schäbigen Hotelzimmern. Nichts für Typen mit virilem Wertesystem. Warum hinkst du?«

»Zur Feier des Tages.«

Selbst die dunkle Stelle abgeplatzten Lacks an der Tür, die sich, aus dem Augenwinkel betrachtet, wie eine Kakerlake zu bewegen schien, kam ihr bekannt vor.

Ein abgekühltes Bett im Schlafzimmer. Ein offen stehender Kleiderschrank. Ada konnte sich noch immer vorstellen, Kleiderbügel beiseite zu schieben und ihre wenigen Sachen daneben zu hängen. Einmal am Tag müsste er mit starken Armen unter ihre Kniekehlen und Achselhöhlen fahren, sie hochheben und auf einem kleinen Rundgang durch die Wohnung tragen, während sie das Gesicht im waschmittelfrischen Kragen seines Hemds versteckte.

»Warum schmeißt du sie nicht raus?«

»Wie bitte?«

»Wenn du sie rauswirfst, ziehe ich bei dir ein.«

Der Halswickel verschwand, Smutek brachte Abstand zwischen sich und sie und lehnte sich gegen die Wand.

»Früher oder später«, sagte Ada, »wird sie dich ohnehin verlassen. Es ist nur eine Frage der Zeit. Trenn dich von ihr, kündige auf Ernst-Bloch, warne deine besten Freunde. Dann kannst du gelassen abwarten, zurückgelehnt und mit ausgestreckten Beinen wie ein erwachsener Mann.«

Smutek legte eine Hand über den Mund, um sich selbst an einer Antwort zu hindern, und schaute sie an, als sähe er sie zum ersten Mal. Als Ada auf ihn zutrat, fuhr er ihr in die Haare und suchte nach den Spitzen der Hörner, die ihr jeden Moment durch die Kopfhaut brechen mussten.

»Überleg es dir«, flüsterte sie. »Du kannst alles Weitere mir überlassen.«

Er zog sie an sich, bettete ihren Kopf gegen seine Schulter und schwieg.

»Eine Sache«, flüsterte sie, »will ich dir schon lange sagen.« Beim Heraufschauen von unten wurden ihre Augen groß, zwei blassblaue Pfützen, die verzerrte Miniaturaufnahmen von Smuteks Gesicht in ihren Mitten spiegelten. »Wenn es passiert, darfst du keine Fragen beantworten. Beruf dich sofort auf dein Schweigerecht. Wir werden uns eine Weile nicht sehen können. Aber auch das geht vorbei. Hast du verstanden?«

Wieder hob er die Brauen, was Entsetzen ebenso wie Einverständnis oder Belustigung meinen konnte. Er ging langsam in die Knie und hob sie mühelos hoch, trug sie über den Flur, warf einen Blick in Küche und Bad, während Ada das Gesicht im Kragen seines Hemds verbarg, und entschied sich fürs Wohnzimmer. Auf buntem Patchwork gingen sie nieder. Die Primeln unter dem Fenster drückten mit abgeknickten Hälsen die Köpfe aufs Parkett.

»Und jetzt«, sagte er leise, »werde ich dir zeigen, worum es die ganze Zeit eigentlich geht.«

Fast jeder weiß, wie es ist, wenn ein menschlicher Körper einem anderen in der Weise begegnet, wie die Biologie es für alle Wesen seit Urzeiten vorgesehen hat. Wie jedes wilde Tier scheut der Mensch körperliche Kontakte und erträgt die Nähe von Artgenossen nur mit Mühe. Er braucht ausgeklügelte Rituale, um die Fremdheit zu überwinden, er muss intime Begegnungen zu einem Tanz machen, der Instinktbarrieren niederreißt, um dem Verlangen einen Weg zu bahnen. Jeder von uns hat ein Guckloch in der Seele, das ihm das alljährliche Menuett der Albatrosse zeigt, wie sie, felsigen Untergrund unter den großen Füßen, mit meterweit ausgebreiteten Schwingen im Gewimmel der Kolonie nach dem einen Partner suchen, den das Leben für sie erschaffen hat. Wir kennen die Belohnung, die die Natur bereithält, wenn wir das Werben ernsthaft betreiben. Wir wissen, was es bedeutet, wenn aus Nomaden Partner werden. Dank dieser Vorkenntnisse muss nicht beschrieben werden, wie Smutek und Ada zueinander fanden, nachdem er sie auf der Sofakante entkleidet hatte und vor ihr in die Knie gesunken war. Wir können sie unbeobachtet lassen und uns darauf beschränken, eine wichtige halbe Stunde mit abgewandtem Blick für die Ewigkeit zu balsamieren.

Um Punkt zwölf klingelte Smuteks Wecker. Längst saßen sie angekleidet am Küchentisch, die zweite Kaffeetasse war abgewaschen, getrocknet und im Schrank verstaut, das Patchwork glatt gestrichen, Adas Parka, Mütze und Brille lagen an der Tür bereit. Diesmal ging sie zuerst und betrachtete in Smuteks spiegelnder Heckscheibe zehn Minuten lang unverwandt das eigene Gesicht, bis er ihr die Beifahrertür öffnete und sie auf dem Sitz verstaute.

Schmerz saß im Mundwinkel und begann dort zu zittern. Draußen liefen Grundschulkinder unter Dampfatembannern fröhlich nach Hause. In kleinen Supermärkten verkauften Männer Waren an Frauen. Hunde ließen ihren Urin an Häuserecken und Laternenmasten abwärts rinnen. Für ein paar Minuten arbeitete Adas Herzschlag als Metronom der gesamten Lebensmusik.

»Wenn das hier nicht mehr wäre«, sagte sie zu Servatius, »bliebe nichts. Außer Alev und Smutek habe ich niemanden, nicht einmal mich selbst.«

»Klingt traurig«, sagte Smutek von weit her. »Ich dachte, du gehörst zu jener Generation, die einen Herzschrittmacher braucht, um ein menschliches Gefühl zu erzeugen?«

Mit einem heftigen Kopfschütteln kehrte sie zu ihm zurück und hatte das Visier der Blasiertheit schon wieder über das Gesicht geklappt.

»Das ist grundsätzlich richtig. In den neunziger Jahren wäre ich magersüchtig oder drogenabhängig geworden. Wahrscheinlich beides.«

»Und was wirst du im Jahr 2004?«

Sie zuckte die Achseln. Licht und Schatten überquerten ihren Körper mit fünfzig km/h. »Vielleicht gibt es dafür noch kein Wort. Lass uns abwarten, was die Leute in zehn Jahren darüber sagen werden.«

Als eine Hand sie an der Schulter berührte, fiel ihr auf, dass der Wagen am Anfang der Straße hielt, in der sie wohnte.

»Das war der schönste halbe Tag, den ich seit langem hatte«, sagte Smutek. »Sehen wir uns morgen?«

Sie verließ das Auto, ohne sich noch einmal umzudrehen.

»Do widzenia, meine Kleine!«, rief er ihr hinterher.

Servatius, Nachmittag

Am Nachmittag hatte Servatius seine gute Laune restlos verbraucht, im Haushalten und Einteilen war er nie gut gewesen. Die Himmelsmiene verfinsterte sich und drohte mit Hagel und Wind. Der Schulhof lag leer gefegt, das Maigrün der Bäume wirkte schmutzig im gesiebten Licht. Im Schreck hatten die Häuser die Menschen eingeatmet, hinter einigen Fenstern gingen die Lichter an. Dicht unter der Wolkendecke leuchtete das oberste Stockwerk der Festung Ernst-Bloch als betriebsamer Kopf auf einem schwer ruhenden Körper und bemerkte nicht, dass ein Wesen ihm einen Generalschlüssel in die Ferse bohrte. Ein paar Sekunden lang glaubte Ada, Smutek habe sie geprellt oder versehentlich einen falschen Schlüssel vom Ring gelöst, dann griffen die Sicherheitszähne, und die Hintertür schwang auf. Der Physiksaal lag tief im Bauch des Bauwerks. Obgleich es zwischen den starken Mauern keinen Grund zum Schleichen gab, setzte Ada so bedächtig Fuß vor Fuß, als ob sie befürchtete, bei einem derart peinlichen Vorhaben könnten selbst Steinstufen zu knarren beginnen.

Ein leeres Schulgebäude gleicht seinem *alter ego* der Vormittagsstunden so wenig wie eine Leiche dem lebendigen Menschen. Die vertrauten Räumlichkeiten empfingen Ada mit lauerndem Schweigen. Dunkle Holztäfelung, die vormittags hinter Schlurfen und Schlendern, Hetzen und Gerangel verschwand, beherrschte die Atmosphäre auf der naturwissenschaftlichen Etage mit massigem Braun und legte sich als grundlose Beklemmung auf die Atemwege. Hoch unter der Decke traten ausgestopfte Eulen, ein Adler mit erbeuteter Schlange und ein grinsender Keilerkopf aus den Ecken hervor und beugten sich forschend über die Besucherin. Auf Glasregalen stand alles Mögliche in Formalin. Ada dichtete einen großen Glaskolben hinzu, in dem Olafs abgetrennter Kopf in klarer Flüssigkeit lagerte.

Nichts von dem, was in den letzten Monaten geschehen war, hatte ihre Ehre berührt. Das Einschleifen ihres Körpers zum hetärischen Werkzeug, das permanente rhetorische Sliding-Tackling zur Sabotage Smuteks moralischer Durchmärsche, die familiäre Realpolitik und der versuchte Mord an Olafs Unschuld hatten sich im äußersten Orbit ihrer Persönlichkeit zugetragen, waren immer gleich Vergangenheit und keiner Korrektur zugänglich gewesen. Berührt, geführt. Dieser zögernde Gang im Museumsschritt durch Ernst-Blochs verlassene Hallen jedoch fand im Hier und Jetzt statt. Es gab nur ein einziges, simples Wort für das, was Ada tat: Schnüffeln. In einem Film hätte an dieser Stelle die Musik ausgesetzt.

Hinter der nächsten Ecke hörte sie Stimmen. Sie drangen durch die zweiflügelige Tür des Physiksaals, und als Ada lautlos auf ihren weichsohligen Turnschuhen davor zu stehen kam, waren sie verstummt. Ein leises Klappern. Ein weiblicher Seufzer, ein tiefer männlicher Atemzug. Stille. Ada erteilte kurz angebunden Befehle: Arm heben. Schlüssel vorsichtig ins Schloss schieben. Drehen. Klinke drücken. Die Tür ging nach innen auf.

Lindenhauers mathematische Höhlenmalereien umrahmten den ganzen Raum. Sie nahmen ihren Anfang auf dem Triptychon der vorderen Tafel, setzten sich über die Ziegelwand fort, übersprangen die Fenster, meisterten auch die drei Holztüren an der rückwärtigen Seite, von denen eine die Chemiekammer verbarg, und kehrten über die Schiefertafeln an der langen Wand zum Ausgangspunkt zurück. Ada hatte erwartet, den Physiksaal leer und eine Kammertür angelehnt vorzufinden. Aber die Türen waren geschlossen und trugen in bröselnden Kreidezeichen jene Gauß'schen Mys und Sigmas, die von den Gesetzmäßigkeiten des Ungesetzmäßigen zu berichten wussten. Aus zehn Meter Entfernung betrachtete Ada die Insignien von Wahrscheinlichkeitsdichte und Limesfunktion, ignorierte das Drei-Personen-Standbild in der

Mitte des Raums und dachte darüber nach, was Mathe-Wirger über die Stochastik gesagt hatte: Ihre exakten Aussagen galten nur für die fiktive Unendlichkeit, während die reale Endlichkeit von Fehlern wimmelte, deren zufälliges Auftreten sich wiederum nach bestimmten Regeln häufte. In Alevs spieltheoretischen Berechnungen hatten Abweichungen und ihre Normalverteilung keine Rolle gespielt. Er zählte auf die Unendlichkeit, auf den ewigen Fortgang der freitagnachmittäglichen Treffen, bei denen Ada die Rolle der liegenden Acht zu spielen hatte.

Aber jetzt war Donnerstag, siebzehn Uhr dreißig. Ada sah sich selbst am äußeren, flach auslaufenden Rand einer Gauß'schen Kurve stehen und mit in den Nacken gelegtem Kopf den steilen Abhang der Dichtefunktion hinaufschauen, das Gelände einer reichlich unwahrscheinlichen, jedoch nicht ausgeschlossenen Abweichung unter den Füßen.

»Unsere Musterschülerin«, sagte Lindenhauer freundlich. »Kommen Sie doch herein und unterstützen Sie mich dabei, diesen beiden Blindgängern die Grundbegriffe des delischen Problems zu erklären.«

»Ich ...«, sagte Ada, »ich war gerade dabei, die Aussicht auf die Gauß'sche Formel zu genießen.«

Lindenhauer folgte ihrem Blick zur Chemiekammertür. Trotz seines Alters wirkte er aufrecht und stark. Fast so groß wie Smutek, mit schmalem, rechteckigem Mathematikerschädel, feucht an den Kopf gebürsteten grauen Locken und dem tadellos sitzenden Anzug sah er aus wie die Hauptfigur aus einem der Genie-und-Wahnsinn-Filme, die während der letzten Jahre in Mode gekommen waren.

»Ach das«, sagte er. »Das stammt aus dem Leistungskurs vom Vormittag. Sie glauben doch nicht, dass Ihre Kollegen hier sich für die Genialität einer so simplen Erkenntnis begeistern könnten?«

»Hallo, Ada«, wisperte Odetta, die den Fenstern am nächsten saß und auf dem ungespitzten Ende eines Bleistifts kaute. Ihr Lächeln war zutraulich und schüchtern.

»Na, Hydrozephalus«, sagte Alev mit diabolischem Grinsen. »Apparemment, j'ai une sensation de déjà-vu. Il en de même pour toi?«

»Seit wann«, fragte Ada und sah nur Lindenhauer an, »geben Sie Nachhilfestunden in Mathematik?«

»Seit ich von Ihrem Klassenlehrer darum gebeten wurde.«

»Smutek hat Sie darum gebeten, sich mit Alev und Odetta zu treffen? Szymon Smutek?«

»Meines Wissen nach«, erwiderte Lindenhauer, wobei ihm die Ironie fast aus den Mundwinkeln troff, »führen wir gegenwärtig nur einen Lehrer dieses Namens.«

»Soweit ich es überblicke«, warf Alev ein, »hatte Herr Smutek in Anbetracht der Umstände gar keine andere Wahl. Er fühlte sich regelrecht gezwungen.«

»Diese zwei Harlekine verfehlen sonst das Klassenziel«, fügte Lindenhauer hinzu.

»Wir machen ein paar Kurvendiskussionen«, ließ Odettas Schlafzimmerstimme sich vernehmen. Über ihrer Brust spannte ein T-Shirt, das ihr eine Nummer zu eng war und eine klein gedruckte Aufschrift trug, die Ada aus der Entfernung nicht entziffern konnte. Beim Zuhören legte Odetta den Kopf schief wie ein Hundewelpe, so dass sich das lange blonde Haar auf der Tischplatte sammelte.

»Et voilà tout.« Alev breitete in gestischem Triumphzug die Arme aus, berührte dabei Odettas Schulter und lachte mit geöffneter Kehle. »Überdies haben wir gerade französische Wochen. Es wird mehr geredet als gehandelt. Dürfte dir auch schon aufgefallen sein.«

»Wenn ich die letzte Zeugniskonferenz richtig in Erinnerung habe«, sagte Lindenhauer, legte einen Finger an die Stirn und ahmte mit ein paar Schritten das autistische Hin und Her eines Dozententanzes nach, »stehen Sie bei der Göttin aller Wissenschaften auf Eins plus. Deshalb frage ich mich, was Sie hier zu suchen haben?«

Sie hatten die Unterhaltung über sechs Bankreihen und zehn hallende Meter Physiksaal hinweg geführt. An diesem

Punkt tat sich die Möglichkeit auf, mit einem flotten Spruch die neue Front zu durchbrechen, Papier und Stift zu erbitten und siegreich an einer Komödie teilzunehmen, als deren tragisches Opfer Ada andernfalls übrig bleiben würde. Für alles Weitere würde Alev sorgen. Mit Sicherheit hielt er längst ein passendes Drehbuch bereit, das die Möglichkeit vorsah, sich ohne Gesichtsverlust seinem Gefolge zum zweiten Mal anzuschließen. Ada bemerkte, wie der Zeigefinger seiner rechten Hand, die mit der Fläche nach oben auf der altmodischen Schulbank ruhte, hinter Lindenhauers Rücken die lockende Geste einer Hexe vollführte. Odettas lange Glieder lagen fromm in der vom Sitzpult vorgegebenen Haltung, die grünen Augen ruhten dunstig auf Adas Gesicht. Von dieser Seite standen keine Kämpfe zu befürchten. Hier gab es keine Kriegserklärung, nur Friedensangebote, die im Vorhinein jede Bedingung akzeptierten. Ada konnte nicht anders, als der Perfektion der Inszenierung Tribut zu zollen, und führte eine Hand an die Stirn: Chapeau.

»Ich glaube«, sagte sie dann, »ich habe mich sozusagen in der Tür geirrt.«

Alev zog den Zeigefinger ein und ballte die Hand zur Faust.

»Pièce touchée, pièce jouée«, sagte er warnend. Berührt, geführt.

»J'adoube«, antwortete ihm Ada, und zu Lindenhauer gewandt: »Entschuldigen Sie die Störung.«

Sanft schloss sie die Tür, kräftig stieß sie den Schlüssel ins Schloss und drehte hörbar zweimal um. Die Treppe hinunter wurde sie von Alevs Gelächter gejagt, das ihr wie ein Ohrwurm im Kopf saß, lauter wurde, verstärkt von der Stille, die sie rennend durchschnitt, und erst verstummte, als Ada die Hintertür aufgestoßen und sich selbst ins Freie entlassen hatte.

Hier war alles in Ordnung. Ein Graupelschauer schraffierte fast waagerecht die Luft, Blätter zitterten, Äste bogen sich in stummer Abwehr, prasselnd bespielten Eiskörner das steinerne Trommelfell des Schulhofs mit einer Ankündigungsmelodie für den Sommer der Windhosen und Gewitterkatastrophen. Ada fischte den elektronischen Außenminister hervor und trug ihm eine Nachricht für Smutek auf:

Man sagt, deine Fürsprache habe den Physiker, die Schöne und Luzifer zusammengeführt. Wusstest du, dass die Gesetze der Mathematik immer und überall zum selben Ergebnis führen?

Ob diese Botschaft jemals ihren Bestimmungsort erreicht hat, ist nicht bekannt. Eine Antwort ging nicht ein. Ada warf sich Servatius in die Arme und lief gegen den Wind nach Hause.

Bonifatius, der Wohltäter

Warum man ihn den Wohltäter nannte, war nicht einmal ihm selbst bekannt. Soweit es Überlieferungen gab, wusste er nichts von ihnen. Wenig wurde über ihn erzählt, an das wenigste konnte er sich erinnern, und neun päpstliche Namensvettern sowie der bonifäzliche Apostel der Deutschen machten die Verwaltung der eigenen Biographie nicht leichter. Als Knochenjäger hatte Bonifatius den Auftrag erhalten, im türkischen Tarsus nach den Überresten christlicher Märtyrer zu fahnden. Zurück in Rom, musste er erleben, wie seine gläubigen Auftraggeber unter der Folter des Kaisers Galerius zu leiden hatten. Aus Masochismus, Dummheit oder dem menschlichen Trieb, es immer mit den Schwachen zu halten, ließ er sich taufen und erduldete, durchaus nicht zum Märtyrer geboren, den Tod durch siedendes Pech.

Sein Auftritt in diesem Jahr fiel schwach aus. Bonifatius war ein Tüftler und hatte zu Monatsanfang dafür gesorgt, dass sich die Erdoberfläche des Kontinents stark erwärmte, bis Konvektion die Luftmassen als gewaltigen, unsichtbaren Fesselballon in die Höhe steigen ließ. Die Blasen sollten über Großbritannien unter rasanter Verengung der Isotopen wieder absinken und eine Polarfront nach Mitteleuropa hinunterschieben. An vorderster Linie wären Wolkentürme aufgequollen und hätten sich in einem Gewitter entladen, das genau an seinem Ehrentag die Atmosphäre über Bonn mit Schnee- und Hagelstürmen in ein Inferno verwandeln sollte. Er wusste nicht, warum es nicht geklappt hatte. Hohe Schicht- und Federwolken ließen den morgendlichen Himmel aussehen wie eine schlampig gestrichene Wand. Es war wärmer als am Tag zuvor, und die Menschen freuten sich über eine Pause vor dem Eintreffen der kalten Sophie. Gegen Mittag würde sich ein mächtiger Stratus im mittleren Wolkenstockwerk bilden, am Abend sollte es zu regnen beginnen. Bonifatius beschloss, sich nicht länger ums Wetter zu kümmern, sondern anderen Angelegenheiten nachzugehen, von denen er nicht genau sagen konnte, worin sie bestanden.

Um Viertel vor fünf stand Smutek auf dem kleinen Kiesplatz vor der Turnhalle und legte in Erwartung der ersten Tropfen den Kopf zurück. Nichts. Der Himmel hing tief, aber trocken. Föhnartiger Wind strich um Smuteks Wangen, die er in unbestimmtem Protest gegen alle Zwänge seit Tagen nicht rasiert hatte. Er verspürte keine Lust, in die Halle zu gehen, scharrte mit den Füßen, kickte zu groß geratene Kieselsteine gegen die Wand und hätte auch als Nichtraucher eine Zigarette entzündet, wenn Zigaretten in Reichweite gewesen wären. Schon seit dem Morgen saß ihm Unruhe in allen Gliedern, eine Mischung aus Ungeduld, Jagdtrieb und Angst, die kein Ziel fand und aus keiner bestimmten Quelle zu stammen schien. Am liebsten wäre er wie ein Leistungssportler vor dem Marathon auf der Stelle getänzelt und hätte mit beiden Fäusten ins Leere geboxt. Aber er wollte kein Aufsehen erregen. Er nahm sich zusammen, verließ den Präsentierteller des Vorplatzes und ging hinter dem von Plastikscheiben eingefassten Eingangsbereich in Deckung.

Durch zwei Lagen schmutzigen Plexiglases betrachtet, war die sich nähernde Gestalt nicht einmal eine Silhouette, sie war ein wabernder, wachsender Fleck. Der Minutenzeiger auf Smuteks Armbanduhr traf die volle Stunde, der Stundenzeiger berührte die Fünf. Ein Fleck, nicht zwei. Als er nah herangekommenen war und Smutek hinter der Glaswand hervortrat, schrak er sichtbar zusammen.

»Wo ist sie?«

»Wer – sie?«, fragte Alev zurück. »Odetta? Ada? Oder noch eine dritte?« Ohne Smutek anzusehen, streckte er eine Handfläche aus und blickte in den Himmel. »Viel zu warm«, murmelte er und fuhr sich mit dem Ärmel über die Stirn. »Na ja. Wird schon kommen.«

»Ada?«

»Ich meinte den Regen. Warten wir einfach ab, wer oder was auftaucht, um uns Gesellschaft zu leisten.«

Dass Ada nicht da war, schien Smutek nicht nur seltsam, es war ein übernatürliches Ereignis. Alev schenkte ihm ein breites Lächeln und trat neben ihn hinter die Kunststoffscheibe. Trotz der demonstrativen Gelassenheit seines Widersachers vermutete Smutek, dass irgendetwas nicht nach Plan lief. Wie eine Fieberphantasie flimmerte ihm die Idee durch den Kopf, Alev könne einen Partnertausch planen und würde ihm als Nächstes die junonische Odetta zuführen, um Ada mit einem anderen zu verkuppeln. Lindenhauer, der neue Nachhilfelehrer! Der bloße Gedanke schüttelte ihn wie ein Anfall von Übelkeit.

Es vergingen einige Minuten, in denen sie sinnlose Äußerungen über die meteorologischen Besonderheiten der letzten Tage tauschten, um dann wieder schweigend vor sich hin zu starren. Alev rauchte eine Zigarette, nahm einen tiefen letzten Zug und trat die Kippe in den Kies.

»Nett war's«, sagte er. »Bis Dienstag im Deutschunterricht.«

»Moment mal.«

Alev hatte keine Anstalten gemacht zu gehen. Er stand da, lächelte zu Boden, als dächte er im Stillen an etwas Angenehmes, und hatte beide Hände in den Hosentaschen versenkt.

»Ist sie ausgestiegen?«, fragte Smutek.

»Wie bitte?«

»Hat Ada dir gesagt, dass sie nicht mehr mitmacht?«

Alev schüttelte den Kopf und schnalzte dreimal mit der Zunge, wie beim Anblick eines dummen und ungehorsamen Kinds.

»Mach dich nicht lächerlich«, sagte er. »Sieh den Tatsachen ins Gesicht. Es ist vorbei.«

Smutek konnte nicht unterscheiden, ob Alev bluffte, ob er versuchte, eine missglückte Situation zu seinen Gunsten zu retten oder ob er wie üblich den Anweisungen eines feststEhenden Plans folgte. Smutek war nicht einmal sicher, ob er richtig gehört hatte.

»Was hast du gesagt?«

Während er in Alevs gesenkter Miene angestrengt nach einem Hinweis auf die Wahrheit suchte, hob dieser den Kopf und zeigte ein grimassenhaft verzerrtes, trauriges Clownsgesicht.

»Das Spiel ist aus.«

Noch vor wenigen Augenblicken war dies der Satz gewesen, auf den Smutek mit allen Fasern seines Wesens gewartet hatte, eine Zauberformel, unwahrscheinlich und heiß ersehnt wie die plötzliche Rettung der Welt. Vielleicht glaubte er Alev nicht. Vielleicht hielt er den Auftritt für eine Finte, für den Auftakt zu einem nächsten, noch schrecklicheren Level des Systems. Das Spiel ist aus. Aus einem unverständlichen Grund waren diese vier Wörter nicht das, was Smutek gewollt hatte.

Alev genoss die Verwirrung wie den Applaus eines großen Publikums. Die Clownsgrimasse hatte sich in den mild blasierten Ausdruck eines Arztes verwandelt, der dem Patienten eine schlechte Nachricht mitzuteilen hat.

»Smutek-Baby, alles auf der Welt geht zu Ende, wenn es seinen Zweck erfüllt hat. Die Ada kommt nicht mehr. Der Alev auch nicht. Ich bin hier, um dir das zu sagen. Tschüs.«

Smutek trug die Arme verschränkt vor der Brust, als wollte er sich an sich selber festhalten. Nach zwei kräftigen Atemzügen wurde ihm klar, dass die noch ausstehende Entscheidung allein die Frage betraf, ob er noch etwas sagen wollte oder nicht. In Filmen pflegten sich die Beteiligten einer solchen Szene in einen Dialog zu verwickeln, der ihnen und den Zuschauern zur Beseitigung letzter Unklarheiten diente. Sagen Sie mir, wo mein Fehler lag. – Kommt es darauf noch an? – Wir leben doch nur für den Versuch der Fehlerlosigkeit. – Leben ist momentan kein besonders tauglicher Maßstab für Sie. – Und so weiter. Nicht selten wendete sich das Blatt im Verlauf eines solchen Gesprächs, nicht selten erschien plötzlich alles in anderem Licht. Unschuldig wurde Schuldig, Gut entpuppte sich als Schlecht, und der Böse mutierte am Ende zum Opferlamm.

Smutek entschied sich gegen das Sprechen. Irgendetwas reizte ihn zum Lachen, aber auch lachen wollte er nicht.

Dann ging, wie man so sagt, alles sehr schnell.

Er löste sich aus der Umklammerung der eigenen Arme, holte seitlich nach unten aus und schlug seinem Gegenüber, dessen Gesicht sich auf Höhe seiner Brustmuskeln befand, mit voller Wucht gegen das Kinn. Alev hatte gerade etwas sagen wollen. Seine Zähne krachten aufeinander, der Kopf flog in den Nacken, für einen Moment blitzte das Weiße der Augen ohne jede Spur von Iris und Pupille. Er wollte zu Boden gehen, strauchelte und stürzte gegen die Seitenwand des Turnhalleneingangs, klammerte sich daran fest und richtete sich mühsam wieder auf. Smutek wartete, bis er auf den Beinen war, schüttelte die rechte Hand und bewegte die Finger in der Luft wie ein Pianist. Sein Schüler schaute ihn an, das Weiße des rechten Auges dunkel verfärbt von Blut, obwohl er dort mit Sicherheit nicht getroffen worden war. Der Lachreiz wurde stärker. Bis auf das Auge sah Alev unversehrt aus. Die Verwunderung stand ihm in alle Züge geschrieben, und Smutek begriff endlich, was er an der Lage so witzig fand. Er war anderthalb Köpfe größer und ohne weiteres in der Lage, Alev aus der Hocke über den Kopf zu stemmen. Trotzdem hatte sein Gegner, der so vieles bedachte, damit nicht gerechnet. Zum ersten Mal betrachtete er Smutek mit Erstaunen, und dieses Erstaunen verlieh ihm den Ausdruck eines kleinen Jungen, der von Anfang an etwas missverstanden hat.

Schließlich war es Alev, der zu lachen begann. Als er den Mund öffnete, lief ihm ein kräftiger Schwall Blut übers Kinn, aufgestaut, um Smutek zu erschrecken. Ohne Druck spuckte er aus, etwas fiel zu Boden, etwas anderes blieb am Vorderteil seiner Jacke hängen.

»Okay«, sagte er, ohne die Zunge zu benutzen, »dann mal

los.« Ein roter Sprühregen von seinen Lippen beschmutzte Smuteks Unterarme.

Der nächste Schlag war auf die Nasenwurzel platziert. Smutek hatte keine Geduld, um die Folgen zu inspizieren. Mit der Unterseite der Faust, verstärkt durch eine halbe Körperdrehung, schlug er Alev direkt hinters Ohr und fing den vornüber Stürzenden mit dem linken Knie, das, senkrecht hochgerissen, in Magengrube und Solarplexus drang. Als er ihn losließ, fiel Alev zu Boden, und seine Stirn traf mit einem trockenen Krachen, das dem der zusammenschlagenden Zähne nicht unähnlich war, die Kante der gemauerten Eingangsstufe. Von irgendwoher meinte Smutek, das Klirren einer Glasscheibe zu hören, die von einem menschlichen Körper durchschlagen wird, obwohl nichts in seiner Nähe einen solchen Laut verursacht haben konnte.

Nun waren seit dem ersten Schlag kaum zwanzig Sekunden vergangen. Einerseits nahm Smutek an, dass Alev ab sofort nicht mehr verstehen würde, was mit ihm geschah, andererseits war er noch nicht fertig. Weil der Schüler seitlich lag, das Gesicht bei offenen Augen nach unten gekehrt, als wollte er den Beton aus wenigen Millimetern Entfernung erforschen, zielte Smutek mit dem Fuß erst aufs Steißbein, dann auf die linke Niere. Alevs Körper gab nach wie ein fest gestopftes Daunenkissen, er ließ keinen Laut hören und probierte nicht die geringste Bewegung. Schon bei den ersten Tritten hatte Smutek nur halbherzig ausgeholt. Bald fand er keine Stelle mehr, die er malträtieren konnte, ohne sich zu wiederholen. Die Geschlechtsteile schonte er aus einer Art Ehrgefühl, und obgleich er nur Turnschuhe trug, wagte er sich an den Kopf nicht mehr heran.

Wäre es Smutek jemals in den Sinn gekommen, einen anderen Menschen zusammenzuschlagen, hätte er sich den Vorgang aufwendiger, peinlicher und prekärer, im Ganzen schwierig und damit im Nachhinein erheblich befriedigender vorgestellt. Er fragte sich, wann die Erkenntnis kommen würde und mit ihr das Entsetzen. Sollte er noch einmal die

Möglichkeit erhalten, mit Ada zu sprechen, würde sie mit glasigem Blick zu ihm aufsehen und sagen: Siehst du. Das Problem besteht nicht darin, dass Menschen gern grausame Dinge tun, sondern darin, dass Grausamkeit so einfach ist. Und was gut funktioniert, gilt heutzutage als gut.

Widerstrebend drehte er Alev um und musste sogleich Abstand zwischen sich und dieses Gesicht bringen. Wer auch immer den Jungen fand, würde Schwierigkeiten haben, ihn an etwas anderem als seiner Kleidung zu identifizieren. Smutek war überzeugt, ihm Kiefer und Nase gebrochen, ein paar Zähne ausgeschlagen und möglicherweise ein Stück Zunge abgetrennt zu haben, ging aber gleichzeitig mit absoluter Sicherheit davon aus, dass er noch am Leben war. Einen Augenblick lang überlegte er bedächtig, ob diese Gewissheit dem Versuch eines Kindes glich, den zu Tode gequälten Frosch auf seinen Stein zurückzusetzen. Er hatte keine Lust, sein Ohr vor Alevs blutige Lippen zu halten oder ihm unter die Jacke zu greifen. Mangels medizinischer Kenntnisse wertete er den Glauben an Alevs Widerstandskräfte als Intuition.

Auf dem Weg zum Auto stellte sich endlich Erleichterung ein. Der Regen ließ auf sich warten und würde erst am späten Abend fallen. Smutek versuchte ein paar Hüpfschritte, brach einen Zweig vom Gebüsch, warf ihn in die Luft und traf ihn beim Herabfallen mit dem Hacken des rechten Turnschuhs. Es war vorbei. Das Spiel war aus. Er setzte sich ins Auto und suchte auf allen Sendern nach guter Musik. My god, my tourniquet, return to me salvation.

Der Pragmatismus, hatte Ada einmal gesagt, ersetzt uns alles, was früher die großen Ideen, die Ideologien und Religionen, der Glaube an Friede, Menschenrechte und Demokratie zu bieten hatten. Der Pragmatismus hält uns davon ab, zu Verbrechern zu werden, oder macht uns zu solchen, wenn es nötig ist. Er legitimiert das Bestehen von Rechtssystem, Familie und Arbeit, er lässt uns nett sein und empfiehlt, sich ein angenehmes Äußeres zu erwerben. Nachdem wir uns aller Zwänge nach und nach entledigt haben, sorgt ein einziger Betreuer für uns: Pragmatismus. Du wirst schon sehen, Smutek, uns, den Entleerten, fehlt es wahrlich an nichts!

Smutek nickte am Steuer vor sich hin. Jetzt, in der Erinnerung, hatte er Ada zum ersten Mal richtig zugehört. Er hatte praktisch gehandelt. Daheim wartete sein Schneewittchen auf einen letzten ruhigen, gemeinsam verbrachten Abend und würde sich freuen, wenn er früher als sonst nach Hause käme.

Sie hielten erst nach Mitternacht auf dem Bürgersteig direkt vor dem Haus. Smutek hatte gewartet, gab ihnen von oben ein Zeichen, nicht zu klingeln, und drückte den Türsummer. Sie waren in Zivil, behandelten ihn höflich und brachten die Rechtsbelehrung im Flüsterton vor, um das Schneewittchen nicht zu wecken. Der ganze Vorgang war wesentlich angenehmer als eine gewöhnliche Verkehrskontrolle. Nein, er brauche nichts mitzunehmen. Eine Befragung, weiter nichts. Vielleicht eine Zahnbürste, für den *worst case*. Die nächtliche Störung sei ihnen unangenehm. Leider könne man nie wissen. Manch einer verliere den Kopf, und dann sei es am nächsten Morgen zu spät.

Die Erkenntnis, dass der Mensch unmittelbar nach einem Gewaltverbrechen einen verfeinerten Umgang mit intelligenten Artgenossen pflegen konnte, dass die Regeln des guten Betragens selbst nach einem Mord ihre Gültigkeit nicht verlieren würden, stellte Smutek tief zufrieden. Er bat die beiden Männer um eine Minute Geduld. Dezent beobachteten sie durch die Küchentür, wie er seinem Schneewittchen einen Zettel auf der Anrichte hinterließ, und als er fertig war, blickte ihm einer der Beamten kurz über die Schulter, um den Inhalt zur Kenntnis zu nehmen:

Bitte zieh zu einer Freundin. Hier ist soeben etwas zu Ende gegangen. Ich müsste lügen, um zu behaupten, dass es mir leid tut.

Die kalte Sophie ...

... nannten mich die Mitschüler, weil ich nicht weinte, wenn sie mich schlugen, an den Haaren zogen oder mit gefrorenen Schneebällen bewarfen. Die Lehrer nannten mich so, wenn meine Antworten präziser waren als ihre Fragen. Meine Eltern hatten bei der Namenswahl mehr an Weisheit als an Kälte gedacht, aber *nomen* ist entgegen einer landläufigen Auffassung keineswegs *omen*, sondern erschafft sich seine Omina selbst. Für meine Eltern blieb ich Sophia, obwohl ich von Platons göttlichen Ideen und körperlosen Seelen keine Ahnung hatte. Ich war *Sophie-sticated* für meinen englischen Geliebten auf Oxford High, *La Jolie Sophie* für alle französischen Urlaubsbekanntschaften, Sophisma schon im ersten rechtswissenschaftlichen Semester an der Universität Heidelberg, Sofa für verlassene Freunde und Söfchen für die Großeltern. Heute aber, wenn ich über die Flure des Amtsgerichts laufe, um mir in der Kantine einen Kaffee zu holen, höre ich nur den einen Namen aus allen Ecken wispern. Meine Stammkunden erzählen es den Frischlingen in Untersuchungshaft, die Verteidiger sind darauf eingestellt und die Kollegen schütteln die Köpfe, mal neidisch, mal amüsiert: Vergiss Strategie bei der kalten Sophie. Der Strafrichterin scheint dieser Name zu passen wie ein gut sitzender Skianzug.

Mit der Entscheidung, den Pfad der Rechtsgelehrtheit zu beschreiten, machte Sophia die Weise ihren Eltern große Freude. Ist Weisheit nicht vor allem das Wissen darum, was gut und richtig ist und was nicht? Was hätte Weisheit für einen Wert, wenn sie nicht in die Lage versetzte, ein Urteil zu fällen? Offenbarte nicht auch Salomons Weisheit sich im Rahmen einer richterlichen Entscheidung? – Man glaubte, ich wolle meinem Namen Ehre machen. Ich gab widerborstige Antworten, wenn ich in den Semesterferien nach Hause kam. Das Recht sei ein Raum, den die Gerechtigkeit niemals betrete. Weisheit sei eine Fiktion altersschwacher Moralisten. Ich war noch jung, ich verstand noch nichts und hatte doch – Recht.

Das Recht ist kein Kreißsaal für die Gerechtigkeit und hat niemals behauptet, einer zu sein. Das Recht besteht aus Gesetzen, Gesetze bestehen aus Wörtern, und Wörter können manches sein, aber sicher nicht gerecht. Wie soll eine geschriebene Regel, für unendlich viele Fallkonstellationen gedacht, angesichts der Einmaligkeit eines Geschehens eine gerechte Aussage treffen? Das Recht ist klüger als diese Forderung. Seine Regeln sind ebenso giftig oder heilsam wie Gefäße, die erst vom Menschen mit verschiedenen Inhalten gefüllt werden müssen.

Meine Eltern hätten gerufen: Was soll das, es ist verboten zu töten, und das ist Recht!

Der Soldat darf töten. Der Notwehrübende darf töten. Der Polizist darf töten im finalen Rettungsschuss, der Mensch darf sich selber töten, ein anderer Mensch darf ihm dazu Beihilfe leisten. Ein Tier darf man töten. Der Schuldunfähige, gleich ob betrunken oder verrückt, tötet straflos. Man darf aus Versehen töten, solange man nicht fahrlässig handelt. Verboten ist nicht das Töten, verboten sind Totschlag und Mord. Was aber ein strafbarer Totschlag sei, sagt das Gesetz nicht. Jeder Fall fügt seiner eigenen Beurteilung eine neue Komponente hinzu.

Um anwendbar zu werden, braucht das Recht einen Vermittler zwischen Wort und Welt, da diese beiden, seit es Sprache gibt, im Stellungskampf miteinander liegen. Ich bin eine Schieds-Richterin, nicht zwischen Menschen, sondern erst einmal zwischen Geschriebenem und Geschehenem. Schon ein Jurastudent im ersten Semester schreibt zwanzig Seiten zu einem kurzen Paragraphen, um ihn auf einen Fall applizieren zu können, und hat dabei lange nicht alles von Relevanz erwähnt. Die Versöhnung von Regel und Realität bedarf langer Verhandlungen. Am Ende steht der Schlichter wieder allein. Die Masse möglicher Ergebnisse lässt sich eingrenzen. In Zweifelsfällen aber bleibt ihm nichts übrig, als in sich selbst zu forschen.

Und was findet er bei seinen Nachforschungen in jenem mythischen Selbst? Ein filigranes Geflecht aus Vorstellungen, was Gut und was Böse sei. Jede Menge Bibel, gleich, ob man gläubig ist. Grimms Märchen, egal, ob man sie gelesen hat. Sigmund Freud, Nationalsozialismus, Adorno, Postmoderne und dazu das Bewusstsein, dass alles sich ändert und man seine Gegenwart ebenso wenig begreifen kann wie ein Zahnrad das Getriebe, in dem es sich dreht.

In diesem ethischen Urschlamm steht der Schiedsrichter bis über beide Knie und muss darauf vertrauen, dass durch seinen Kopf, seine Hände und seine Lippen niemand Geringeres als die Menschheitsgeschichte spricht. Gut, sagten meine Eltern. Dieser Urschlamm ist Weisheit, wir haben es immer gewusst. Es gab keinen Grund mehr, ihnen zu widersprechen.

Nennt es, wie ihr wollt. Interessanter ist die Frage, was geschieht, wenn ein Richter einen Fall sorgfältig prüft, die einschlägigen Normen findet und auslegt, den Sachverhalt subsumiert, Abweichungen und Ausnahmen durchdenkt und widerstreitende Theorien in Einklang bringt, und wenn er am Ende in sich hineinhorcht, um ein Urteil zu finden, und es antwortet ihm – nichts! Er wird wild zu blättern beginnen. Den Fall noch einmal prüfen. Einen Kollegen befragen. Drei Tage Urlaub nehmen, an etwas anderes denken, das Ganze in Ruhe von vorn beginnen. Und erneut zu keinem Ergebnis gelangen.

Ein solcher Richter hängt fest. Er steckt in einer Gletscherspalte zwischen den Zeitaltern, die sich erst wieder schließen kann, wenn eins das andere vollständig ersetzt haben wird. Altes geht zugrunde, ohne dass gleich etwas Neues entsteht. Seelenruhig verabschiedet die Menschheit eine Weltordnung, ohne sich um die Inbetriebnahme einer neuen zu kümmern.

Das Leben, heißt es simpel und tiefsinnig, müsse weitergehen. Wenn wir uns darauf beschränken, den Verlust eines Glaubens zu diagnostizieren und das entstandene Vakuum zu beweinen oder zu feiern, wird dieses Leben beim Weitergehen hochbeinig über die Leerstellen hinwegsteigen und sich als Brücken Gesetzmäßigkeiten errichten, deren Bausubstanz ›Pragmatismus‹ heißt und mit der Ideenwelt so wenig zu tun hat wie ein Kleiderbügel mit der neuen Sommerkollektion. Der Pragmatismus unterteilt Menschen, Dinge und Gedanken nach ihrer Funktionstüchtigkeit. Er lässt groß und klein, schön und hässlich, alt und jung und überhaupt alle Gegensatzpaare aufeinander los, kürt den Sieger als das Gute und dient dabei dem ältesten und primitivsten Instinkt: dem Selbsterhaltungstrieb. Die Natur ist pragmatisch. Jedes Tier ist pragmatisch. Der Mensch ist es dort, wo ihm die Ideen ausgegangen sind.

Man betrachte die Ozeane. In ihnen lebt eine weit höhere Anzahl von Wesen als auf dem Festland, die Nahrungsgrundlagen sind knapp und ungleichmäßig verteilt. Unter Wasser gibt es keine Gesetzbücher, keine Richter, keine Gefängnisse, keinen Anwalt und keine Polizei. Alles ist Kampf, nichts Krieg. Die Artenvielfalt verringert sich nicht, die Populationen bleiben im Gleichgewicht, das große Ganze funktioniert, während das Einzelwesen sich nimmt, was es braucht, und nichts darüber hinaus. Dieses Wunder bewirkt der Pragmatismus. Ein Tier muss an nichts glauben außer an den unsinnigen Sinn des Überlebens. Allein, der pragmatische Mensch unterscheidet sich vom pragmatischen Tier in einer bedeutenden Einzelheit. Sein Spieltrieb erlischt nicht mit dem Eintritt der Geschlechtsreife. Sein Spieltrieb lebt ewig. Ob das den menschlichen Pragmatismus zu einer gefährlichen Einrichtung macht – ich vermag es nicht zu sagen.

Jedenfalls werde ich nicht vor den Völkern Gog und Magog herlaufen, um die Leute vor dem Weltuntergang zu warnen. Ich werde nicht öffentlich darauf hinweisen, dass es vielleicht pragmatische Urteile gibt, nicht aber pragmatische

Gerechtigkeit. Auch ich bin ein Kind meiner Zeit und darf leichtsinnig hinnehmen, was mit uns geschieht. Hunderttausende denken, dass einer allein nichts ändern könne, und sie haben verdammt noch mal recht.

Ich verband die Verfahren, kaum dass die Akten auf meinem Schreibtisch lagen. Herr El Qamar gehörte als Heranwachsender vor die Jugendgerichtsbarkeit, und ich wollte sie beide vor meinem Pult. Der andere konnte sich freuen, vor ein Teenie-Gericht geladen zu werden. Nachdem die halbe Belegschaft der betroffenen Erziehungsanstalt ihr Interesse an der Verhandlung bekundet hatte, lehnte ich einen Antrag auf Zulassung der Öffentlichkeit ab. Vor den ordentlichen Gerichten wäre es zu einem Schauverfahren gekommen.

Die Beschuldigten hatten nicht in Untersuchungshaft gesessen. Sie werden von ihren Verteidigern erfahren haben, dass die kalte Sophie sich anschickte, ihnen den Prozess zu machen. Ich kann es vor mir sehen, wie die Anwälte die Köpfe wiegten und mit den Zeigefingern wackelten. Ich will Sie nicht beunruhigen, aber das sieht schlecht für uns aus. Gewiss ahnte niemand, dass es ein Glücksfall war. Gerechtigkeit gibt es in der Hölle. Im Himmel herrscht Gnade.

Vor Gericht und auf hoher See sind wir in Gottes Hand

Smutek war im schwarzen Anzug gekommen, hatte das Haar an den Kopf gestriegelt, hielt den Blick gesenkt und wirkte in dieser Aufmachung wie ein Konfirmand, der sich beschämt in die Kostümierung eines Erwachsenen schickt. Alev saß zwei Rechtsbeistände weiter links auf der Anklagebank, trug seine beige Hose, italienische Lederschuhe und das übliche Hemd. Knapp unter den Augen verdeckte ein Pflaster die Spuren der zweiten Nasenbeinoperation. In der Mitte der Stirn saß ein aus zwanzig Stichen gezeichnetes Lambda und würde ihm fürs Leben erhalten bleiben. Um kleinere Kopfverletzungen verarzten zu können, wurde sein Schädel im Krankenhaus regelmäßig geschoren und saß als staubfarbener Himmelskörper zwischen den Schultern, brutal, bemitleidenswert, von Jodflecken übersät. Die Augen hielt Alev halb geschlossen, als stünde er, widerstrebend wie ein Katzenjunges, überhaupt zum ersten Mal im Begriff, der Welt ins Gesicht zu schauen. Kinn und Kiefer waren violett verfärbt und schienen von Fäulnis befallen, als wollte Alev bei lebendigem Leib vom Hals her verwesen.

Die schlimmsten Verwüstungen aber verbarg er hinter geschlossenen Lippen. Drei Zähne fehlten, zwei waren gebrochen, es mussten noch Wochen ins Land gehen, bevor das Trümmerfeld in seinem Mund geräumt und mit dem Wiederaufbau begonnen werden konnte. Als zwei Zivildienstleistende nach Smuteks anonymem Anruf das flach am Boden liegende Opfer gefunden und auf eine Bahre gehoben hatten, war der Kopf zur Seite gekippt und hatte einen solchen Sturzbach von Blut durch Mund und Nase entlassen, dass die beiden Männer sich auf die Knie warfen und vor der Turnhalle im Kies umherkrochen, als suchten sie eine verlorene Münze. Schließlich fanden sie etwas, das, rundum mit Sand paniert, einer kleinen, in sich zusammengezogenen Nacktschnecke ähnelte. Sie wickelten es in ein Taschentuch und brachten es dem behandelnden Arzt, der es betrachtete und in den Mülleimer unter dem Waschbecken warf. Das unscheinbare Stück Fleisch hatte sein Leben bereits ausgehaucht, und mit dem Ausschwingen des weißen Plastikdeckels war die Beerdigungszeremonie für Alevs zweitschnellste Waffengängerin vollzogen.

Die schnellste jedoch war am Leben, saß vor der Tür des Gerichtssaals und wartete darauf, in den Zeugenstand gerufen zu werden.

Alev hatte herrisch darauf bestanden, am frühestmöglichen Verhandlungstermin teilzunehmen. Die Ärzte hatten es schließlich mit spöttischem Achselzucken erlaubt: Ein Indianer kennt keinen Schmerz. Am Wandstück zwischen den Fenstern lehnte ein Paar Krücken. Langsam, in umgekehrtem Lambdazismus jedes ›L‹ als schweizerisches ›Ch‹ aussprechend, erklärte er sich für verhandlungsfähig. Als er hinzufügte, dass er in freudiger Erwartung dem abwechslungsreichsten Nachmittag seit acht Wochen entgegensehe, hob die kalte Sophie beide Augenbrauen, geschwungen wie Schwalbenflügel vor einem Sonnenuntergang, und schüttelte die glattblonde Kurzhaarfrisur. Die Unbekümmertheit dieser Geste ermutigte Smutek, seinem Opfer endlich ins Gesicht zu sehen. Er beugte sich in der Bank ein Stück vor, ihre Blicke trafen sich, sie nickten einander zu und schauten flink wieder zur Seite. Kein Hass. Keine Feindschaft. Nur Zerstörung, schweigende Ruinen. Ruhe nach dem Sturm und ein bisschen Verlegenheit wegen der rückhaltlosen, ungeschminkten körperlichen Veränderung. Alevs seltsame, auf Wildwechseln daherkommende Schönheit, der Eindruck von unerhörter Glücks- und Leidensfähigkeit und schließlich seine in geistigen Trapezen schwingende Sprechakrobatik waren unter Smuteks Händen vergangen, und niemand war imstande zu glauben, dass sie eines Tages zu ihm zurückkehren würden. Übrig blieb ein Mensch – kein Gott, kein Teufel, kein Alptraum und keine Wunschphantasie. Da saß ein Achtzehnjähriger, der auf Bitte der Gerichtspolizei mit dem Krankenfahrzeug zur Verhandlung gebracht worden war, seinen Verteidiger mit Verachtung behandelte und zwischen den schwarz gekleideten Erwachsenen verloren wirkte. Smutek fand ihn beinahe sympathisch. Am liebsten wäre er aufgestanden, hätte den kahlen Schädel, der tapfer wie die Weltkugel auf Atlas' Schultern an seinem Platz saß, mit einer warmen Hand berührt und gesagt, dass alles, so oder so, in Ordnung komme, dass das Leben weitergehe und ähnlichen Blödsinn. Stattdessen warf er Alev einen zweiten Seitenblick zu und spürte, wie die Erinnerung an die frühere Gestalt dieses Menschen verblasste, so endgültig, als hätte es sie niemals gegeben, als wäre Alev immer nur der Schatten von etwas Größerem gewesen, der sich für Momente hoch aufrichten konnte, um im nächsten Augenblick wieder klein und fromm bei den Fersen zu kauern.

Über die Sprechanlage forderte die kalte Sophie die Zeugen auf, in den Saal einzutreten und auf den Zuschauerbänken Platz zu nehmen. Die schwere Holztür öffnete sich langsam, als würde sie mit äußerster Kraftanstrengung aufgestemmt. Lindenhauer, Hauser und Teuter überquerten lautlos das grünliche Linoleum, dessen Oberfläche zerkratzt war wie ein alter Turnhallenboden, und glitten auf drei Stühle in erster Reihe, geschickt und schnell wie bei der Reise nach Jerusalem. Lindenhauer klemmte die Finger zwischen die Knie, als wäre ihm kalt. Odetta und Olaf hielten einander an den Händen, bogen gleich nach rechts ab und strebten der letzten Reihe zu, wo sie sich dicht nebeneinander hockten wie Vögel auf einen Ast. Den Zeugen war anzusehen, dass sie vor der Tür kein einziges Wort miteinander gesprochen hatten. Das Schweigen umgab sie wie ein Pesthauch.

Die kalte Sophie ließ den Blick durch ihren Gerichtssaal wandern, der mit seinen versprengten Besuchern dem Zuschauerraum eines schlecht besuchten Kinos glich, und beugte sich noch einmal über das Mikrophon.

»Ich weiß, dass Sie da sind. Sparen Sie sich die Mätzchen und kommen Sie herein, aber *tosto*!«

Durch die offenstehende Tür schallte das letzte Wort laut vom Flur herein, als stünde draußen eine zweite Sophie und triebe Nachzügler wie widerspenstiges Vieh in den Saal. Der Vertreter der Anklage hob eine Hand, um in den weiten Ärmel seiner Robe zu grinsen. Seit er die kalte Sophie kannte, beneidete er jeden männlichen Angeklagten darum, während der mündlichen Verhandlung für ein paar Stunden ihr linkes Profil betrachten zu dürfen, während er selbst von seinem Platz aus immer nur das rechte zu sehen bekam. Er hatte erwogen, straffällig zu werden, um einmal unter ihre Fuchtel zu geraten, und den Gedanken gleich wieder verworfen. Er war über einundzwanzig Jahre alt, und sein Nachname begann mit einem Buchstaben, der nicht in ihren Geschäftsbereich fiel.

Ada entließ den letzten Rest Zigarettenrauch durch die Zähne, während sie schon mitten im Raum stand und sich blinzelnd umsah wie ein Nachttier, das sich am Tag auf unbekanntem Gelände zu orientieren versucht. Smutek hatte sich unwillkürlich aufgerichtet, als sie im Türrahmen erschien. Wärme war ihm in den Kopf geflossen und hatte sich über die Wangen ausgebreitet, und er musste an sich halten, um nicht einen Arm in die Luft zu werfen und ihr zu winken, dass sie sich neben ihn setzen sollte. Acht Wochen lang hatten sie sich nicht gesehen. Acht Wochen, in denen Smutek keine Telephonanrufe tätigte, keine SMS verschickte und die Wohnung nur bei Nacht für kurze Einkaufsbummel zur nächsten Tankstelle verließ. Tagsüber lief er Gefahr, sich dem Zugriff eines Lokalreporters auszusetzen oder, schlimmer noch, einer Horde aufgeregter Oberstufenschüler in die Hände zu fallen.

Vielleicht wissen Sie es noch nicht, hatte sein Verteidiger gleich beim ersten Treffen zu ihm gesagt, Sexualdelikte sind stärker geächtet als Totschlag oder Mord, und wenn eine Minderjährige im Spiel ist, erfinden selbst die härtesten Jungs im Knast einen gescheiterten Banküberfall mit Geiselnahme. Das Furchtbare am Gefängnis sind nicht die Gitterstäbe.

Ohne Vorwarnung war Smutek ausgerastet. Behandeln Sie mich nicht wie einen Pädophilen! Für eine winzige Sekunde hatte er das Geräusch aufeinander schlagender Kiefer vorausgeahnt, sich schlagartig wieder beruhigt und seine Nervosität mit den Auswirkungen von Isolationshaft in der eigenen Wohnung entschuldigt.

Vor dem Hintergrund dieser acht Wochen wirkte Ada auf ihn, als wäre sie engelsgleich von der Saaldecke herabgesunken. Die helle Haut war von einem Leuchten umgeben, erzeugt vom dunklen T-Shirt und einer schwarzen Hose, die Smutek noch nie an ihr gesehen hatte. Unter den Aufschlägen sahen die Spitzen der roten Turnschuhe hervor. Sie schien schlanker geworden, und ihre Haare mussten in zwei Monaten um zehn Zentimeter gewachsen sein. Daran rätselte Smutek herum, bis ihm auffiel, dass ihr Bild in seinem Gedächtnis jenen Momenten entstammte, da er sie über die Flure der Dahlemer Herberge ins Badezimmer getragen hatte. In seiner Erinnerung lag sie wie schlafend in seinen Armen, während er sie in aller Ruhe betrachtete. Wenn man jung war wie sie, stellten acht Monate eine kleine Ewigkeit dar. Schon innerhalb von acht Wochen vermochte die Welt sich von Grund auf zu ändern. Dieser Gedanke fasste Smutek mit kalten Fingern an. Möglicherweise war Ada eine andere geworden. Vielleicht konnte sie sich kaum noch daran erinnern, was zwischen ihnen vorgefallen war. Als sie ihm das Gesicht zukehrte, gingen seine Mundwinkel zum Willkommensgruß in die Breite. Ihre Augen schauten an ihm vorbei ins Freie, als bestünde Smutek genau wie das Fenster aus reinem Glas.

Die kalte Sophie war eine aufmerksame Beobachterin. Sie bemerkte den gescheiterten Blickwechsel, Smuteks spontane Freude und die anschließende Bestürzung. Sie sah, dass Alev den Kopf gesenkt hielt, um sein zerstörtes Antlitz vor diesem

Mädchen zu verbergen, und dass Ada beim nächsten Atemzug noch immer Zigarettenrauch aus den Lungen entließ. Als Ada endlich den Blick zum Richterpult hob, wandelte sich das abwartende Schweigen in einen Zustand der Anspannung. Richterin und Zeugin hefteten einander mit Blicken fest. In einem unsichtbaren Gedränge meinten Urd und Skuld, ungestüme Fürstinnen der Vergangenheit und der Zukunft, in der jeweils anderen etwas Vertrautes zu erkennen, und zerquetschten beim Ineinanderstürzen Werdandi, die stets leidende Gegenwart, zwischen sich. Für einen irrationalen Moment war die kalte Sophie froh, dass die Staatsanwaltschaft einstweilen darauf verzichtet hatte, gegen Ada Anklage zu erheben, weil sie als Zeugin besser zu gebrauchen war. Es wäre ihr vorgekommen, als hätte man sie aufgerufen, über sich selbst zu Gericht zu sitzen.

»Guten Tag«, sagte Ada.

»Den wünsche ich Ihnen auch.« Der Bann brach splitterfrei und lautlos. »Hätten Sie die Güte, sich hinzusetzen?«

Sophie rief zur Sache auf, stellte die Präsenz der Zeugen und Sachverständigen fest, begrüßte den Vertreter der Jugendgerichtshilfe, belehrte über Wahrheitspflichten und die strafrechtlichen Folgen einer Lüge vor Gericht und wies die Zeugen an, den Sitzungssaal wieder zu verlassen. Als dies geschehen war, ging ein raschelndes Aufatmen durch den Raum, als hätte man eine erste große Hürde gemeinsam genommen.

Der Staatsanwalt verlas den Anklagesatz volltönend wie ein Häuptling, der gewohnt ist, über freies Feld zu seinen Leuten zu sprechen. Bei den Begriffen ›schwere Körperverletzung‹, ›gefährliche Körperverletzung‹ und ›Misshandlung von Schutzbefohlenen‹ warf er Smutek finstere Blicke zu. Die kalte Sophie lauschte, das Kinn in die Hand gestützt, dankte und vernahm die Angeklagten ungerührt zu ihren persönlichen Verhältnissen, während der Vertreter der Anklage enttäuscht auf seinen Stuhl zurücksank und sich aufplusterte wie ein Rabe im Winter.

Smutek antwortete leise und dienstbeflissen. Alev wälzte

langsam und qualvoll Stücke von Sprache über seine halbierte Zunge und mischte scharfe Zischlaute mit gutturalen Vokalen, dass es klang, als spräche er mit einer Zahnbürste im Mund. Beide Verteidiger erklärten die Weigerung ihrer Mandanten, zur Sache auszusagen. Man schickte sich an, zur Beweisaufnahme überzugehen, als Alev die Hand hob.

»Möchten Sie doch etwas sagen?«, fragte die kalte Sophie. Alevs rotweißer Schlafzimmerblick stieg zu ihr auf.

»Mein Mandant hat sich entschieden, von seinem Schweigerecht Gebrauch zu machen«, rief der Verteidiger, erhob sich halb vom Stuhl, eine Hand auf Alevs Schulter gestützt, und verlor fast das Gleichgewicht, als dieser ihn mit einer ruckartigen Bewegung des Oberkörpers zur Seite stieß.

»Vor Gericht und auf hoher See«, sprach die kalte Sophie zum Anwalt, »sind wir in Gottes Hand. Stören Sie den Gang der Verhandlung nicht, wenn Sie eine Ordnungsrüge vermeiden wollen.«

»Verbindlichsten Dank«, sagte Alev. »Euer Ehren, kennen Sie das Gefangenendilemma?«

»Die Fragen«, erwiderte die kalte Sophie, »stelle ich. Und sagen Sie nicht ›Euer Ehren‹ zu mir.«

»Ich würde Ihnen gern etwas über das Gefangenendilemma erzählen.«

»Dient es der Sache?«

»Die Vorgänge, in deren Gedenken wir heute hier sitzen, sollten zur Verifizierung einer spieltheoretischen These beitragen.«

»Gehe ich recht in der Annahme, dass Sie sich die Auflösung des Dilemmas ein wenig anders vorgestellt hatten?«

Alev lachte leise und hielt sich dabei die Hand vor den Mund.

»Sie sind eine kluge Frau«, sagte er.

»Ersparen Sie mir solche Vertraulichkeiten!« Die kalte Sophie konnte wie ein Gewitter donnern, ohne dass zuvor ein einziger Regentropfen niedergegangen wäre.

»In der Tatsache, dass ausgerechnet Herr Smutek und ich«,

Alev wies ohne Blick auf den zweiten Angeklagten, »heute gemeinsam vor einer Richterin sitzen, liegt perfide Ironie. Das wollte ich Ihnen sagen.«

»Sind Sie fertig?«

»Nach den Regeln der Spieltheorie würden wir uns gegenseitig ans Messer liefern, wenn wir glaubten, dass wir zum ersten und letzten Mal bei Ihnen sind. Halten wir unsere Zusammenkunft für den Beginn einer iterativen Kette, kooperieren wir. In diesem Sinn müssen Sie unsere Aussageverweigerung verstehen: Wir sind noch nicht sicher.«

»Sind Sie JETZT fertig?«

»Ja.«

»Schön. Dann hören Sie zu. Erstens: Wenn ICH mit Ihnen fertig bin, werden Sie aller Wahrscheinlichkeit nach zum ersten und letzten Mal hier gesessen haben. Das zeigt die Empirie. Zweitens: Seien Sie sicher, dass ich keine Deals vorschlage, bei denen Sie mit Maximin-Strategien zu einer optimalen Lösung gelangen können. Dominantes Strategiengleichgewicht gibt es in der Theorie. Aber, Herr El Qamar, wenn ich vorstellen darf: Das hier ist DIE REALITÄT.«

Sie war schon wieder laut geworden, der Staatsanwalt verdrehte entzückt die Augen.

»Touché«, rief Alev, die rechte Hand auf dem Herzen, »von nun an gehöre ich Ihnen. Zwar bin ich anderer Meinung, was das alte Techtelmechtel von Theorie und Praxis betrifft. Aber *regina regit colorem*.«

»Dann erweisen Sie mir einen Ritterdienst und seien Sie still, wenn Sie nicht weiter zur Sache aussagen wollen.«

Alev lüftete den imaginären Hut eines Musketiers. Das Zucken rings um den Mund der Richterin sowie das sanfte Aufsteigen ihrer Brauen entging keinem der Anwesenden im Sitzungssaal. Als die Zeugen gerufen werden sollten, hob Smutek die Hand.

»Frau Richterin, ich möchte eine Teilaussage machen.«

Der Staatsanwalt grinste breit. So war es immer bei der kalten Sophie. Früher oder später sangen sie alle.

»Ein Teil«, sagte sie, »ist besser als nichts. Ich vermute, Sie wollen sich auf den Tatvorwurf der schweren Körperverletzung beziehen? Ausgezeichnet. Andernfalls hätten wir Ihr Verfahren abtrennen und Herrn El Qamar als Zeugen vernehmen müssen. Doppelte Arbeit für alle Beteiligten. Schießen Sie los.«

Smutek legte ein schnelles, detailfreudiges Geständnis ab. Rechneten Sie damit, dass das Opfer stürzen und mit dem Kopf auf die Treppe schlagen könnte? Nein. Haben Sie irgendein Werkzeug verwendet, ein Hilfsmittel, um auf das Opfer einzuschlagen? Einen Stock? Einen Stein. Einen – Schlagring? Nichts dergleichen. Welche Art von Schuhen hatten Sie an? Turnschuhe. Näherten Sie sich dem Opfer von hinten? Nein. Der Staatsanwalt machte Notizen und sah seine gefährliche Körperverletzung den Bach hinunterschwimmen. Er bat um das Wort, aber die kalte Sophie war noch nicht fertig.

»Warum haben Sie es getan?«

Auf die Idee, sich diese Frage zu stellen, war Smutek auch schon gekommen, und er hatte acht Wochen Zeit gehabt für gründliche Ursachenforschung. Aber die Antwort war schwierig. Er wusste es nicht. Der Vertreter der Anklage erhob sich selbstbewusst von seinem Stuhl.

»Sie wurden von Hass getrieben. Vom verständlichen Bedürfnis nach Rache. Von der Verzweiflung im Gefolge einer wahrhaft unerträglichen Situation.«

»So war es nicht.«

»Sie wurden vom gerechten Zorn auf einen Menschen übermannt, der es geschafft hatte, gleich zwei junge Mädchen in eine abscheuliche Lage zu bringen?«

»Ich bitte Sie«, sagte die kalte Sophie. »Wir sind hier nicht in Amerika. Sehen Sie irgendwelche Geschworenen?«

Sie fasste links und rechts von sich in die leere Luft und wedelte mit den Fingern. Wieder lachte Alev hinter vorgehaltener Hand.

»Nein«, sagte Smutek, »so war es nicht.«

»Wenn Sie nur die Situation beenden wollten, wäre es doch einfacher gewesen, jemanden um Hilfe zu bitten? Die Polizei? Den Schuldirektor? Die Eltern dieses – zweiten Angeklagten?«

»Zuschlagen«, sagte Smutek, »ist immer am einfachsten.«

»Da haben Sie wohl recht«, sagte die kalte Sophie. »Und jetzt, Herr Smutek, sagen Sie uns endlich, warum Sie es getan haben.«

»Ich weiß nur eine befremdliche Antwort.« Als er nach vorn sah und dem Richterpult das Gesicht zukehrte, geriet der Staatsanwalt perspektivisch ins Abseits, wurde kleiner und verschwand wie eine aus dem Spiel genommene Schachfigur. »Ich kann es nicht näher erklären, aber ich habe es aus Liebe getan.«

Alev beugte sich vor, um Smutek anzulächeln: »Er sagt die Wahrheit.«

Die flache Hand des Staatsanwalts traf die Tischplatte.

»Tut es Ihnen leid?«

Smuteks Arm fuhr so weit heraus, dass er seinen Rechtsbeistand fast vor die Brust geschlagen hätte.

»Schauen Sie sich diesen Menschen doch an! Selbstverständlich tut es mir leid.«

»Danke. Keine weiteren Fragen.«

Alle Beteiligten machten Notizen. Sophie brachte die Lippen nah ans Mikrophon und rief die erste Zeugin herein. In dem Moment, als sie Adas Namen sagte, befiel sie die merkwürdige Idee, dass sie nicht in der Lage sein würde, diesen Fall zu entscheiden. Ein Anflug von Wahnvorstellung, der sich mit einem energischem Flügelschlagen beiseite wischen ließ.

Das Plädoyer einer Zeugin

Am Tag nach seiner nächtlichen Verhaftung war Smutek gegen Mittag nach Hause gekommen, erschöpft, benommen, aber zu seiner eigenen Verwunderung wenig verändert. Er war weder ein neuer Mensch noch ein gebrochener Mann, er erkannte sein Auto, seine Wohnung und schließlich sich selbst im Garderobenspiegel und fand sich insgesamt gut zurecht in einer Welt, die gnadenlos dieselbe geblieben war. Smutek saß fest im Sattel und verspürte kein Bedürfnis, mit gesträubten Nackenhaaren zum Telephon zu greifen, sich selbst anzurufen und nachdenklich dem Belegtzeichen zu lauschen oder einen ähnlichen Unsinn aus dem Bereich des Ein-Mann-Krisenmanagements zu veranstalten.

Im Einklang mit dem, was er seine Persönlichkeit nannte, hatte er die Wohnung betreten und sich vergewissert, dass Kleiderschrank und Badezimmer teilweise ausgeräumt und einige Bücher aus den Regalen verschwunden waren. Überall entdeckte er Spuren der Hast. Kleidungsstücke und Gegenstände lagen am Boden, aufgenommen und wieder hingeworfen, das muss mit, nein doch nicht, die Auswahl war schwierig. Bei der Vorstellung, wie sein Schneewittchen, panisch wie ein Tier, an dessen Käfig es von außen furchtbar rüttelte, durch die Zimmer gerannt war, empfing er einen heftigen Stoß in die Magengrube. Das Brennen von Schuldgefühl, Reue und Mitleid schmiedete seine Liebe zu einer Waffe, die ihre Spitze in sein Herzfleisch setzte, um ihn fortan bei jeder Bewegung zu stechen. Damit würde er leben müssen wie der Fisch mit dem Angelhaken im Gaumen, nachdem er noch einmal davongekommen ist. Spätestens in ein paar Wochen würden sie sich wiedersehen, in einem Café, große, schaumige Milchkaffeeschalen als Pufferzone zwischen sich, über

Notwendiges sprechend, nach Gründen forschend. Frau Smutek würde sich verändern, würde ihr Haar abschneiden, seitlich scheiteln und glatt an den Kopf kämmen, vielleicht ihren Job aufgeben und zu malen beginnen. Sie würde einen neuen Mann finden. Sie würde nie wieder lügen. Sie würde ein Kind bekommen.

Auf dem Küchentisch hatte die aufgeschlagene Zeitung gelegen. Smutek hatte es über das Vermischte hinausgebracht und sein Photo auf der ersten Seite des Lokalteils gefunden. Es war das Bild, das einst seiner Bewerbung auf Ernst-Bloch beigelegen hatte. Aus dieser Zeitung erfuhr er, dass Alev am Leben war.

Nach einigem Suchen entdeckte er sein Handy im Inneren des Holzschuhs, der primellos auf der Fensterbank stand. Das Display verkündete den Empfang einer Kurznachricht, die spät in der Nacht bei ihm eingetroffen war.

Halte durch. Überlass alles mir. Ich hau dich da raus.

Er löschte die Botschaft und lächelte über den großartigen Klang dieser Worte. Während der anschließenden mehrwöchigen Quarantäne in der eigenen Wohnung hatte er mehr als genug Zeit, das Hoffen zu lernen. Er begann zu hoffen, dass Ada, auf welche Weise auch immer, ihr Versprechen einlösen würde. Sie hatte den Überraschungseffekt und gute Kenntnisse des Geländes auf ihrer Seite. Aber es würden für den gesamten Feldzug nur wenige Minuten zur Verfügung stehen.

Der Brigadegeneral war glücklich gewesen, ihr einen Gefallen tun zu können, hatte die Telephonnummer eines anerkannten Bonner Strafrechtlers genannt und gebeten, sich um das Beratungshonorar keine Sorgen zu machen. Ada hatte sofort angerufen und ein Problem geschildert, das in der Laufbahn des Experten bislang nicht vorgekommen war. Eine Zeugin wollte ein Plädoyer halten. Für gewöhnlich sagten Zeugen aus, wurden vernommen und leisteten einen Eid, während Plädoyers zum Aufgabenbereich der Staatsanwälte und Verteidiger gehörten.

Das wusste Ada bereits. Ob man ihr gestatten werde, im Zeugenstand eine vorgefertigte Aussage vom Blatt zu lesen?

Mit Sicherheit nicht. Notizen zur Stützung des Gedächtnisses waren erlaubt, das Rederecht blieb jedoch auf die Beantwortung gestellter Fragen begrenzt. Der Strafrechtler schlug vor, einen Deal zu versuchen: Gegen Einräumung von zwanzig Minuten freier Sprechzeit würde Ada davon absehen, ihr Verlöbnis mit Herrn El Qamar bekannt zu geben und sich auf ihr Zeugnisverweigerungsrecht zu berufen. Nachdem er den Namen der erkennenden Richterin in Erfahrung gebracht hatte, zog er diesen Vorschlag zurück.

»Bei uns heißt es: Vergiss Strategie bei der kalten Sophie«, sagte er am Telephon. »Sie dealt nicht.« Ada dankte und legte auf.

Am Tag der Verhandlung war sie vorbereitet. Als die Stimme der kalten Sophie die Membranen der Lautsprecheranlage mit Raureif überzog, erhob sie sich von der geschnitzten Holzbank, warf Olaf, der unglücklich neben den Aschenbechern saß und Odettas Hand nicht loslassen wollte, einen nichtssagenden Blick zu, und betrat den Gerichtssaal zum zweiten Mal. In Händen trug sie einen Stapel Karteikarten. Ihr Konzept war nach einem Baukastensystem aufgebaut, dessen Teile frei gegeneinander getauscht werden konnten, so dass sie hoffte, nach jeder Einmischung, jeder Unterbrechung und jeder neuen Frage den Einstieg an anderer Stelle wiederzufinden. Sie war entschlossen, so lang und so viel zu sprechen, wie es sich unter Vermeidung eines Ordnungsgeldes einrichten ließ.

Niemand im Saal schaute sie an. Alle kritzelten in ihren Unterlagen oder sahen zu Boden, wie eine Gruppe Schüler, die etwas vor dem eintretenden Lehrer zu verbergen hat. Wenn die Wolkendecke aufriss, schien eine zaghafte Julisonne herein und raubte den eingeschalteten Neonröhren unter der Decke alle Eigenschaften des Lichts. Geräusche von der Straße drängten sich auf, wellenförmiges Motorengeräusch, kauderwelschende Passantengespräche, das metallene Schreien einer Straßenbahn. Für den nächsten Tag waren verheerende Unwetter angekündigt, sintflutartiger Regen, sturmstarke Böen. Die Menschen hatten aufgehört, die apokalyptischen Gewitter dieses Jahres zu zählen. Das Wetter, sagten sie, spielt verrückt. Im Juni hatte eine Windhose in Ostdeutschland ein halbes Dorf davongetragen. Schließlich hob die kalte Sophie den Kopf: »Fangen Sie bei dem an, was Sie für den Anfang halten.«

Nichts leichter als das. Ada schob ihre Karteikarten zu einem sauberen Quader zusammen und tat wie befohlen.

»In jenem Augenblick, den der Scheinwerfer dieser Verhandlung ins Licht taucht, war ich vierzehn Jahre alt, blond und kräftig gebaut. Ich wurde im Sommer 2002 in die zehnte Klasse auf Ernst-Bloch eingeschult, nachdem ich aus einem Grund, der hier nichts zur Sache tut, mein vorheriges Gymnasium hatte verlassen müssen. Auf Ernst-Bloch erregte ich zu Anfang wenig Aufmerksamkeit. Ich sah älter aus, als ich war. Auf die neue Schule hatte ich mich gefreut. Nach den Sommerferien aber fand ich mich in einer Klasse zwischen fünfundzwanzig Leuten wieder, die mich nicht das Geringste angingen, und spürte sofort, dass alles beim Alten geblieben war. Vielleicht neige ich dazu, nicht nur auf das falsche, sondern auf nichtexistente Pferde zu setzen und mich später zu wundern, dass ich weder gewonnen noch verloren habe.«

Während Ada sprach, traten die Geräusche von draußen in den Hintergrund und kehrten zurück, wenn sie eine Pause einlegte, damit das Tastenklappern der Urkundsbeamtin die eben verklungenen Worte einholen konnte. Trotz der novemberartigen Kälte war es heiß im Raum. Der Vertreter der Anklage wischte sich mit einem Zipfel der Robe über die Stirn.

Auf die Idee, dass die kalte Sophie beschließen könnte, Ada einfach reden zu lassen, war der Strafrechtsexperte nicht gekommen. Sophie hatte den Kopf in die Hand gestützt, wobei sie die blondierten Borsten an einer Seite platt drückte, und hörte Ada zu, die hartnäckig wie Scheherazade von Prinzessinnen berichtete, vom Fahrradkeller und den *Ohren*, von

Olaf und seiner missglückten Entjungferung, von Smutek, dem Deutschlehrer, und natürlich von Herrn El Qamar, der als neuer Schüler ein Jahr nach ihr auf Ernst-Bloch erschienen war. Als sie die Dahlemer Klassenfahrt und das Nachtbad der Eisfee schilderte, hielt der Saal den Atem an. Bevor die kalte Sophie mit der ersten Frage unterbrach, hatte sie bereits drei Karteikarten abgehandelt.

»Was hatte es mit dem Tod des Geschichtslehrers auf sich?«

Ada fand das Kärtchen mit der Überschrift ›Höfi‹ und machte sich daran, mit Schwung die nächsten Stufen zu erklimmen.

»Davon wollen Sie hören? Ich hätte das Ereignis ausgespart, es steht nur in mittelbarem Zusammenhang mit unserem Fall. – Wie das klingt: unser Fall! Ein Fall fällt nicht, sondern führt eine Hand voll fremder Menschen mit einem Ruck zusammen und bindet sie für eine gewisse Zeit aneinander. Herr Höfling fiel mir direkt vor die Füße. Das werde ich ihm nie vergessen. Er war der beste Lehrer auf Ernst-Bloch. Von Anfang an achtete er mich als ebenbürtigen Gegner, und ich hätte viel für ihn getan, wenn er jemals etwas verlangt hätte. Herrn Smutek hat es härter als alle anderen getroffen. Nicht nur, weil Herr Höfling sein Freund gewesen war. Mit Höfi war das ganze alte Europa vom Dach gesprungen, im Geschichtslehrer starb auch die Geschichte. Falls dem Hohen Gericht diese Ausführungen zu esoterisch sind, kann ich sie auch reduzieren auf den Satz: Es ging uns allen nicht besonders gut in diesen Tagen.«

Die kalte Sophie ließ das ›Hohe Gericht‹ unkommentiert und unterdrückte träge ein Lächeln. Ihr Verhandlungssaal duckte sich in einer Art Lauern, dessen äußere Erscheinung einer kollektiven Kreislaufschwäche glich. Der Staatsanwalt lauschte mit geschlossenen Lidern, unter denen sich seine Augäpfel bewegten. Die Verteidiger bohrten mit starren Blicken Gucklöcher in die Luft, als hielten sie in einer anderen Dimension nach Antworten Ausschau. Der Sachverständige, den die Anwesenheitspflicht nicht traf, war bereits seit längerem auf dem Klo. Alev und Smutek saßen vornübergebeugt und hatten die Ellbogen auf die Bank gestützt, so dass sie sich jederzeit ansehen konnten, wenn ein Bedürfnis danach entstand. Bei dem Satz: Smutek hat es am härtesten getroffen, nickten beide lange vor sich hin.

»Gut«, sagte die kalte Sophie. »Wir kommen jetzt zum ersten Tatvorwurf. Bitte schildern sie die Ereignisse vom Freitagnachmittag, zwölfter März.«

Ada brauchte nicht einmal ihre Karteikarten umzusortieren.

»Sie müssen wissen, dass ich die Kunst des Davonlaufens pflege, wann immer es Anlass dazu gibt, und das bedeutet: fast täglich. Zwei Tage nach Höfis Tod galt es, vor einer Menge Dingen davonzurennen, und so kam es, dass ich auf dem Sportplatz ein wenig übertrieb. Unterzucker kann sich anfühlen wie eine tödliche Krankheit. Was ich brauchte, war eine kalte Dusche und etwas zu essen. Ich schleppte mich zur Turnhalle und hoffte, dass der Lehrer der Volleyballmannschaft mir öffnen werde, aber bevor ich klingeln konnte, fand ich die Tür unverschlossen. Seit in den Umkleiden geklaut wurde, waren die Lehrer angewiesen, die Tür während des Sportunterrichts zu verriegeln. Deshalb vermutete ich, ein Volleyballer habe dem Dieb heimlich die Tür geöffnet. Nicht alle Schüler auf Ernst-Bloch sind reich, und Drogen kosten Geld. Mein moralisches Empfinden ist in solchen Dingen vollkommen unterentwickelt, und bevor Sie sich festbeißen an der Frage, warum ich nicht auf die Idee verfallen sei, den Lehrer über die unverschlossene Tür zu informieren, möchte ich daran erinnern, dass Sie als Teil des Gerichtswesens die letztverbliebene Instanz in diesem Land verkörpern, deren Aufgabe es ist, zwischen Gut und Böse zu unterscheiden. Ich habe damit nichts zu tun. Ich wollte duschen. In der Lehrerumkleide gibt es eine Mischbatterie, und das Wasser schaltet sich nicht alle paar Sekunden automatisch ab. Nach dem gemeinsamen Lauftraining ließ Herr Smutek mich regelmäßig seine Dusche benutzen, und als ich jetzt einen Blick in den

Raum warf und seine Sporttasche auf dem Tisch erkannte, freute ich mich. Offensichtlich hielt er eine Vertretungsstunde bei der Volleyballmannschaft ab. Wir waren Sparringspartner, sogar Freunde. Er würde es mir durchgehen lassen, wenn ich seinen Vorrat an Eiweißriegeln verzehrte. Mundraub, will ich hoffen?«

Die letzten Worte klangen dreist. Schon bei den Bemerkungen über die letztverbliebene Instanz war der Staatsanwalt aus seinen Meditationen erwacht und hatte angefangen, den Kopf von einer Seite zur anderen zu wenden wie bei einem Tennisturnier. Die kalte Sophie lachte nicht, fluchte nicht und drohte nicht mit dem Instrumentarium ihrer Sanktionspalette. Mit priesterlich ausgestreckter Hand gebot sie dem Rechtsbeistand von Herrn El Qamar Einhalt, der auf seinem Stuhl herumrutschte, seit klar war, in welche Richtung die Zeugenaussage zielte. Der Staatsanwalt überlegte, ob es Grund gab, einen Befangenheitsantrag zu stellen, und vergaß den Gedanken wieder, weil es spannend wurde. Unauffällig hatte Ada drei Karteikarten nebeneinander auf dem Zeugenpult angeordnet.

»Als Herr Smutek die Sportgruppe verabschiedet hatte und die Umkleide betrat, saß ich in ein Handtuch gewickelt auf seinem Stuhl und rauchte eine Zigarette. Er brauchte eine Weile, um den Schreck zu überwinden. Dann sprachen wir von Herrn Höfling. Damit Sie das Folgende verstehen können, muss ich Ihnen mitteilen, dass Herr Smutek niemals eine Respektsperson für mich gewesen ist. In Geistesfragen hielt ich mich schon immer für ihm weit überlegen, und als ich merkte, dass er Trost bei mir suchte, vollzog sich ein endgültiger Rollentausch. Vielleicht haben Sie selbst einmal im Auto hinter Ihren Eltern gesessen, als ein frecher BMW-Fahrer die einzige Parklücke in der Innenstadt wegschnappte, auf die Ihr Vater am Steuer so höflich gewartet hatte. Vielleicht haben Sie die Bestürzung, ja Verzweiflung Ihrer Eltern über eine Welt erlebt, von der die alternde Menschheit glaubt, sie sei in ständiger Beschleunigung begriffen. Entsetzt sahen Sie zu, wie

Ihre Eltern zum Kind wurden und Sie selbst zur Mutter, wie Sie trösten mussten, ist doch nicht schlimm, Papa, nicht weinen, Mama, bis Sie schließlich gemeinsam in die Tiefgarage rollten wie in ein Familiengrab. Dieses Gefühl empfand ich Herrn Smutek gegenüber, als er mich mit flatternden Augenlidern fragte, wie mit dem Verschwinden eines Menschen umzugehen sei, der doch als Einziger auf Ernst-Bloch den Kopf stets über der Wasseroberfläche getragen habe. Es war an der Zeit, ihn in die Arme zu nehmen. Er wehrte sich mit Händen und Füßen. So ein Handtuch ist dünn, und auch Sporthose und Boxershorts bieten wenig Schutz. Über die Härte in seiner Körpermitte bestand während unseres kleinen Ringkampfs kein Zweifel; bezüglich der Einzelheiten appelliere ich an Ihre Phantasie. Falls Sie fragen wollen, ob ich in ihn verliebt gewesen sei – die Antwort ist nein. Ob er mich körperlich angezogen habe – ebenfalls nein. Ich war einfach sicher, das Richtige zu tun. Ich legte die Kleider ab und sprang ins kalte Wasser, wie ich es wenige Monate zuvor für seine Frau getan hatte. Und er gehorchte meinen Befehlen, wie auch seine Frau mir gehorcht hat.«

Die anschließende Kunstpause nutzte die kalte Sophie, um die Reaktionen ihrer Schäfchen zu überprüfen. Alev lächelte zufrieden mit geschlossenen Lippen. Smutek schaute auf seine Hände, die reglos wie Gegenstände vor ihm lagen. Ada hatte den Kopf gesenkt und gab ein Bild starker innerer Bewegung ab, während sie in Wahrheit den Inhalt der nächsten Karteikarte studierte.

Die kalte Sophie rief sich ins Bewusstsein, dass beim öffentlichen Reden die gelungene Form auf die Wahrheit des Inhalts zurückwirkte, oder dass, anders gesprochen, die meisten Zeugen beim Lügen glaubten, was sie erzählten. In dem Maße, wie ein Redner sich selbst überzeugte, veränderte sich die Welt unter seinem Pinselstrich. Am Ende konnte ein derart kreativer Akt kaum noch als Lüge bezeichnet werden, weil sonst die Erschaffung der Welt selbst eine Lüge gewesen wäre. Jeder Richter kannte das Knallzeugensyndrom. Ein

Zeuge schildert einen Unfallhergang bis in die letzte Einzelheit, kann sich an den Blickkontakt zwischen den beteiligten Fahrern erinnern und ist absolut sicher, dass der Angeklagte vergessen habe, den Blinker zu setzen. Auf die Frage, wodurch seine Aufmerksamkeit auf das Geschehen gelenkt worden sei, antwortet er in heiligem Ernst: Als es knallte, habe ich mich umgedreht.

Die kalte Sophie konnte nicht ausschließen, dass Ada diesem Syndrom unterlag, und hätte in jeder anderen Situation längst begonnen, an einer geeigneten Fangfrage zu arbeiten. Jetzt aber lähmte sie der Eindruck, dass es nicht darauf ankomme, ob sie Ada glaubte oder nicht. Die Aussage war widerspruchsfrei, und außer Ada würde niemand sonst die Ereignisse schildern – den Angeklagten war anzusehen, dass sie bei ihrem Schweigen bleiben wollten. Der bloße Gedanke an Wahrheitssuche ermüdete die kalte Sophie bis an die Grenze einer krankhaften Apathie. Sie wollte einfach zuhören und darauf warten, wie die Geschichte ausgegangen war. Hätte sie in diesem Augenblick mehr Zeit zum Nachdenken gehabt, wäre sie auf einer Abkürzung zu der Einsicht gelangt, die sich nun erst am Ende einer durchgrübelten Nacht offenbaren würde: Wirklichkeit war ein anderes Wort für das, woran Zeugen sich erinnern. Wahrheit war nichts, das man wissen konnte, sondern etwas, an das man glauben musste, und unter Menschen, die ihre Glaubensfähigkeit verloren hatten, gab es keine Wahrheit mehr. Ohne Wahrheit kein Urteil.

Ada hatte ihre Gliederung neu sortiert und wartete auf ein Zeichen, dass sie weitersprechen sollte. Die kalte Sophie nickte ihr zu.

»Unser Gerangel endete zwanzig Meter und zwei Schiebetüren weiter auf dem Mattenstapel im Geräteraum. Ich lag auf dem Rücken, mit dem Kopf den schmalen Fenstern zugekehrt. Herr Smutek war nicht der erste Gast in meinem Unterleib. Ich hatte keine Angst. Mir tat nichts weh. Es bereitete mir kein Vergnügen. Ich erlebte mit Interesse, wie Herr Smutek den Geschlechtsakt auf Erwachsenenart an mir vollzog, mit der Selbstsicherheit eines Mannes, der das oder Ähnliches schon Hunderte, wenn nicht Tausende Male im Leben getan hat. Im nächsten für Sie bedeutsamen Moment tauchte eine kleine silberne Kamera auf. Ich spürte Herrn Smuteks Stocken gerade in der Sekunde, als ihm Erlösung bevorstand. Ich versuchte, mich unter ihm aufzurichten, und bemerkte eine schnelle Bewegung wie von einem flüchtenden Tier, einem Marder vielleicht, der beim Abfressen von Bremsleitungen aufgescheucht wird. Hakenschlagend floh etwas um Gymnastikkästen, Schwebebalken und Recks herum. Das war Herr El Qamar, der mit seinen Photos das Weite suchte.«

Dieses Mal hob Ada den Kopf und bedachte Alev mit einem Blick, in dem sich Anklage und Verzeihung wohldosiert miteinander mischten. Du Turnhallen-Dieb. Du Spanner. Du Verräter und Erpresser. Du hast uns alle ins Unglück gestürzt, und doch kann ich nicht aufhören, dir gut zu sein. Sie belegte seine Stirn mit einem zweiten Zeichen, markierte Alev als Bauernopfer, als Märtyrer, als gefallenen Engel. Bei genauem Hinsehen wäre noch eine weitere Botschaft aus ihrem Augenaufschlag herauszulesen gewesen: Einst liebte ich dich, und du hast mich um dich selbst betrogen. – Aber was ist eine Botschaft, die niemand empfängt?

Die kalte Sophie hatte sich vorgebeugt, bis ihr Oberkörper fast auf dem Richterpult lag. Sie schloss die Finger um die hintere Tischkante und schaute Alev mit der sturen Aufdringlichkeit eines Tieres ins Gesicht. Sprechen Sie nur. Sagen Sie was dazu. Wir hören Sie an. Aber er schwieg. Adas Darstellung würde die Einzige bleiben, das lag in der Natur der Sache. Ein kleines Lächeln spielte um Alevs gequälten Mund. Er ließ sich in den Stuhl zurücksinken, scheuchte den Mund seines Verteidigers wie eine lästige Fliege vom Ohr und erwiderte abwechselnd Adas Blick und den der kalten Sophie. Das Aufrichten, Durchatmen und Achselzucken im Raum prägte einen gestischen Aphorismus: Vor Gericht bekommt jeder, was er will, und danach ist noch eine Menge für den nächsten

Kandidaten übrig. Der Moment einer stummen Abrechnung ging vorüber, wie noch jeder einzelne Moment seit Menschengedenken, sei er noch so grausam oder schön, widerstandslos vergangen ist.

Was Ada noch zu sagen weiß

Nach meiner in aller Hast erworbenen Kenntnis des deutschen Strafrechtssystems ist die innere Verfasstheit von Tätern und Opfern ausschlaggebend für die Beurteilung eines Falls. Und da ist er schon wieder: Der Fall! Das Recht strotzt vor seltsamen Wörtern. Ich könnte ›Verfahren‹ sagen. Aber Verfahren bezeichnet eine Situation, in der ich mit einem unhandlichen Stadtplan über den Knien im Auto sitze, während Mutter oder Stiefvater mit zusammengekniffenen Augen die Straßenschilder auf der anderen Seite der Kreuzung zu lesen versuchen. Wir könnten uns ebenso gut in Fitzroy befinden wie in einem Stadtteil von Bonn und haben uns also – verfahren.

Wenn wir alle uns im Drehbuch für eine *Tatort*-Folge befänden, bestünde kein Zweifel daran, welche Person sich in einer Dreiergruppe aus einem Osteuropäer, einem Halbaraber und einem kleinen blonden Mädchen zum Schluss als der wahre Täter herausstellen müsste: Ich. Wussten Sie, dass Gut und Böse zu einem strukturellen Problem geworden sind? Kennen Sie den Grund für die Aufregung um einstürzende Zwillingstürme? Nach den Gesetzen Hollywoods und Ted Turners waren die Täter strukturell im Recht. Warum sitze ich dennoch im Zeugenstand und nicht auf der Anklagebank? Weil Sie glauben, in diesem Raum eine Wirklichkeit erzeugen zu können, die wirklicher ist als alles, das über die Mattscheiben flimmert. Kein Wunder, dass man das ein ›Verfahren‹ nennt!

Aber lassen wir das. Man kann nicht jedem Juristen ein zusätzliches Studium der Theaterwissenschaft abverlangen, auch wenn es eine unschätzbare Hilfe wäre. Kommen wir auf die innere Verfasstheit zurück und beginnen wir bei mir. Sie müssen minder schwere und besonders schwere Fälle bilden und wollen deshalb wissen, ob das minderjährige Opfer einer Erpressung, zu regelmäßigem Geschlechtsverkehr mit einem erwachsenen Mann gezwungen, an der Seele Schaden genommen habe. Zuerst muss ich Ihnen etwas Grundsätzliches erklären. Wollen Sie es hören? Das dachte ich mir.

Auf dem Gebiet des Seelischen gibt es nichts, das ein Psychologe den Vertretern meiner Generation erzählen könnte. Wir kennen die Funktionsweisen von Traumata. Wir wissen, was Projektionen, Minderwertigkeitsgefühle und Schuldkomplexe sind. Wir kennen Ödipus und Elektra, haben Freud, Adler, Jung und *Psychologie heute* gelesen, können das *Borderlinesyndrom* genauso erklären wie die vier Kategorien der Angst, das neurologische Funktionieren von Schizophrenie und die Ursachen der Magersucht. Bis vor kurzem galt ein kaputtes Elternhaus als Hauptgrund für Seelenschäden bei Jugendlichen meines Formats. Die neue Generation aber ist ausgestattet mit der Überzeugung, dass mehr als ein Elternteil zum Erhalt des Wohlbefindens nicht erforderlich sei, und beäugt Kinder aus heilen Familien mit Misstrauen. Wunder der Evolution! Noch vor wenigen Jahren hätten wir uns verpflichtet geglaubt, an der Seele Schaden zu nehmen, wenn zwei Menschen, die uns gezeugt haben, ihre wechselseitige Gegenwart nicht länger ertragen. Man hätte uns das Fehlen eines seelischen Defekts als seelischen Defekt ausgelegt. Diese Eltern haben uns als den Sinn ihres gemeinsamen Lebens erschaffen, und sie brauchen bei einer Trennung das Leiden der Kinder als Beweis der Gültigkeit ihrer gescheiterten Glücksvorstellung. Was ist der Wert einer Familie, wenn es niemandem wehtut, dass sie zerbricht? Lassen Sie mich offen sprechen: Die Scheidung der Eltern stellt in meinem Verhältnis zu Welt und Wirklichkeit das geringste Problem dar. Glauben Sie mir, dass ich mich für meine Seele ebenso wenig interessiere wie für Ihre oder die einer beliebigen anderen Person. Ich glaube nicht einmal an ihre Existenz.

›Seele‹ ist ein Name für den berüchtigten Versuch des Menschen, sich über die Welt der Gegenstände zu erheben. Wenn gelegentlich auch einer Landschaft, einem Auto oder einer Geburtsstadt eine Seele zugesprochen wird, so will man diesen Dingen einen Gefallen tun, indem man sie auf den Dachgarten menschlichen Selbstverständnisses hebt. Wer seinem Hund eine Seele zuspricht, um ihn dorthin mitnehmen zu können, wird als schräger Vogel belächelt und in Zukunft weniger ernst genommen. Wer sich aber anmaßt, dem Menschen die Seele abzusprechen und ihn auf eine Stufe zu stellen mit den anderen bewegten und unbewegten Erscheinungen in jenem Konglomerat aus Kausalitäten, das wir ›Welt‹ zu nennen gewohnt sind, weil es hübsch klingt und gar nichts sagt, der gerät in Verdacht, ein Misanthrop zu sein, ein Euthanasiebefürworter und Gentechnik-Fan, vor allem anderen aber: Ein kalter Mensch. Als ob die Seele der Sitz des Guten im Menschen wäre! Eine Seele ist ein spiralförmig gedrehter Hohlraum, durch den eine Pistolenkugel fliegt, man könnte auch sagen: Ein tödliches Loch. Wo ist die Seele, wenn Deutsche in alle Himmelsrichtungen marschieren, um den halben Erdball mit Tod und Verderben zu belästigen? Wo ist sie, wenn Kinder Fußball spielen mit den abgetrennten Köpfen anderer Kinder? Ist die Seele der Ort, an dem das Gefühl, nicht aushalten zu können, was unsere Artgenossen begehen, neben der Fähigkeit sitzt, genau dasselbe zu tun?

Hier haben Sie die Antwort auf die Frage nach der inneren Verfasstheit des Opfers: Was mich vom Tier unterscheidet, ist meine, relativ gesehen, beträchtliche Intelligenz. Ich brauche keine Seele. Das, woran ich Schaden nehmen könnte, ist nicht vorhanden. Ich möchte, dass Sie das im Gedächtnis behalten, während Sie darüber nachsinnen, wer wem was angetan hat und warum. Wenn ich herausfinden sollte, dass Sie von einem Fall ausgehen, in dem ein von der Scheidungssache Mama gegen Papa korrumpiertes Mädchen unter Ausnutzung seiner Schwäche von bösen Männern missbraucht wurde, ziehe ich meine gesamte Aussage zurück und verweigere unter Berufung auf irgendwelche Prozessrechte, die sich finden lassen werden, jedes weitere Wort.

Gut. Es ist nicht so einfach, einmal getätigte Aussagen zurückzuziehen, und das Gericht lässt sich, anders als der Rest der Menschheit, nicht erpressen. Zugestanden. Was ich Ihnen sagen möchte, ist eigentlich ganz einfach. Ich versuche es anders.

Man erwartet manches im Leben. Es mag sein, dass wir noch immer das Glück erwarten – wenn es aber zu uns kommt, dann immer unerwartet. Das ist eine Binsenweisheit, und ich will Sie nicht mit langen Ausführungen darüber langweilen, dass Binsenwahrheiten und Bauernregeln gerade aufgrund ihrer Binsen- und Bauernhaftigkeit in Kürze die letzten gültigen Normen darstellen werden, weil sie ihren Sinn in sich selber tragen und sich nicht bei heruntergemoderten weltanschaulichen Systemen bedienen müssen. Der kurze Sinn der langen Rede ist schlicht: Was auf den ersten Freitagnachmittag mit Herrn Smutek folgte, war die bislang schönste Zeit meines Lebens. Das kam unerwartet, wie es die Angewohnheit des Glücks ist. Sagen Sie Ihrem Sachverständigen, der sich da hinten unentwegt Notizen macht, dass er alles, was er zum Stockholmer Syndrom in seine Unterlagen schreibt, gleich wieder streichen kann. Für derlei Kleinhirnsteckenpferde bin ich zu schlau. Oder zu kaltblütig. Siehe oben. Ich versuche nicht, meine Peiniger zu decken. Ich sage Ihnen, wie es war. Mehr habe ich nicht zu bieten. Für meine Verhältnisse war es eine glückliche Zeit.

So viel zum Opfer. Kommen wir nun zur inneren Verfasstheit des Täters. Ich glaubte, Herr Smutek müsse sich wie ein Schlachtochse fühlen, dem einmal in der Woche am Freitagnachmittag der Rücken massiert wird, damit sich beim anschließenden Todesschuss kein bitterer Angstsaft in den Muskeln befindet, und dem dann anstelle der Hinrichtung eine Bilderserie präsentiert wird, auf der Bolzenschussgeräte, ausgeweidete Rinder, T-Bone-Steaks mit Kräuterbutter, eben das ganze Ausmaß der Katastrophe zu sehen ist. Alev hingegen meinte, dass Herr Smutek empfinde wie ein Mann, der sich endlich auf dem Highway zu seiner persönlichen Befreiung bewege. Er erklärte mir, dass erst die Möglichkeit von Strafe und Sanktion dem Menschen zu echten Entscheidungsmöglichkeiten verhelfe. Es dauerte eine Weile, bis ich begriff, was Herr El Qamar mit seinem Verhalten bezweckte: Er wollte beweisen, dass das Spiel die letztmögliche und deshalb letztglückliche Seinsform für unsere Gattung bereithält. Wissen Sie, was übrig bleibt, wenn man dem Menschen alle Wertvorstellungen nimmt?

Sagen Sie nichts. Ich sehe Ihnen an, dass Sie es wissen. Der Spieltrieb bleibt. Das Überraschende ist: Herr El Qamar hatte Recht. Sie sitzen heute über eine Gruppe glücklicher Menschen zu Gericht.

Für Herrn Smutek kann ich als seine Freundin sprechen. Freundschaft zwischen Menschen gedeiht unter totalitären Bedingungen am besten, in Autobahnstaus ab zwanzig Kilometer Länge, während Flugzeugentführungen, Flutkatastrophen oder Streiks der Nahverkehrsbetriebe. Auf diese Weise lernte ich Herrn Smutek besser kennen als je einen Menschen, und deshalb kann ich Ihnen sagen: Am meisten litt er an der Gewissheit, über kurz oder lang seine Frau zu verlieren. Er hat sie geliebt. Wenn er seine Lebensgeschichte erzählte, begann er stets mit dem Moment, in dem er dieser Frau begegnet ist. Wegen dieser Liebe wollte er nicht zuhören, wenn ich ihm die Sinnlosigkeit des Universums erklärte. Verstehen Sie, was es bedeutet, wenn ein kluger Mann so sehr liebt, dass er zu den simpelsten geistigen Erkenntnissen keinen Zugang mehr findet? Trotzdem wirkte er die ganze Zeit über ruhig wie ein Mensch, der sich daran gewöhnt hat, einen großen Kummer vor der Außenwelt zu verbergen. Welche Haltung das war, begriff ich, als er an einem Freitag kurz vor der wöchentlichen Aufführung unserer pantomimischen Operette die Augen zu mir aufhob und mich ansah, als wäre ich die fleischgewordene Mutter Gottes.

Er kniete gerade unter mir, weshalb ich seinem Blick wie

dem eines Hundes begegnete. Die Beziehung von Hunden zu Menschen spiegelt exakt das Verhältnis der Menschen zu Gott. Für einen Hund ist der Mensch die Instanz, die über Leben und Tod, Futter und Verhungern, Freude und Leid gebietet. Der Mensch straft und belohnt, er spricht eine Sprache, die außerhalb des intellektuellen Radius seiner Jünger liegt, und verständigt sich deshalb in Zeichen und Wundern. Seine Beweggründe sind dem Hund nicht einsichtig. Ob der Hund einem gütigen Gebieter oder einer rachsüchtigen Gottheit dient – ein Leben ohne den Menschen ist ein Leben im Nichts und deshalb nicht vorstellbar. Auch unseren höchsten Herrn hätten wir Menschen guten Gewissens ein Herrchen taufen können. Religion ist nichts anderes als die Lehre davon, wie man frei von Erkenntnis gehorcht, und in Herrn Smuteks zu mir aufgehobenen Augen erkannte ich, dass er sich fürs Gehorchen entschieden hatte. Für ein gespieltes Gehorchen, das versteht sich von selbst. Seit dieser Entscheidung kennt Herr Smutek sich selbst, und er kennt die Natur jener Liebe, die ihn zwanzig Jahre lang an seine Frau gebunden hat. So wie er heute hier sitzt, weiß er genau, was er gewonnen hat, indem er sie verlor.

Alevs Erklärung für Herrn Smuteks Gehorchen klang etwas sachlicher: Der moralische Wert einer Weigerung wäre vielleicht mit zehn von zehn Punkten, der praktische Nutzen aber höchstens mit einem Punkt zu bewerten gewesen, denn es bestand kein Anlass zur Hoffnung, dass im Fall eines Ungehorsams die kleine Privatsammlung an pornographischem Bildmaterial nicht an die Öffentlichkeit gelangt wäre. Wenn von zwei ausschließlichen Varianten eine die Katastrophe, die andere das Warten auf die Katastrophe bereithält, so räumt das Abwarten doch wenigstens dem Zufall eine winzige Chance ein. Solange der Mensch pragmatisch handelt, und pragmatisch handelt er stets im Rahmen eines Spiels, lässt er sich berechnen.

Dem werden Sie mit Vehemenz widersprechen wollen. Berechenbar sei die tote Materie, der Mensch hingegen werde für immer ein Wunder und Rätsel bleiben. Weil wir keine Zeit haben für ausgedehnte Debatten zu diesem Thema, ziehe ich mich auf die Behauptung zurück, es handele sich bei ihrem Unverständnis an diesem Punkt um ein Generationenproblem. Auch wenn Sie selbst noch verdammt jung sind, liegt doch etwas zwischen uns, das gemeinhin eine Generation genannt wird, obwohl man es besser einen zeitgeistlichen Tapetenwechsel nennen sollte. Ihr Geburtsjahr mag mit einer Neunzehn-Sieben beginnen, vielleicht sogar mit einer Neunzehn-Sechs, während ich der Achter-Serie angehöre, eine späte Acht, beinahe schon eine Neun. Bedenken Sie: Menschen, die in den neunziger Jahren geboren wurden, können heute schon mit funktionierendem Hirn und gelenkiger Zunge zu Ihnen sprechen! Haben Sie nicht erst in den neunziger Jahren Abitur gemacht? Voilà: Ich bin so alt wie Ihre Hochschulreife. Wir rufen uns, auf verschiedenen Planeten stehend, im kosmischen Vorbeirauschen ein paar Worte zu. Was uns verbindet, sind zwei leere Konservendosen mit einem mäßig straff gespannten Bindfaden dazwischen. Der Mensch, sage ich Ihnen auf diesem Weg, lässt sich berechnen, und Herr Smutek handelte nach dem zutreffenden Ergebnis einer aufgelösten Gleichung. Und somit handelte er gut.

Für den Fall, dass es mir bis hierhin noch nicht gelungen ist, etwas Greifbares über die innere Verfasstheit des Täters zu sagen, möchte ich hinzufügen: Das Wort ›Smutek‹ bedeutet auf Polnisch etwas. Es bedeutet ›Traurigkeit‹.

An viel mehr Nützliches kann ich mich, unser gemeinsames *Verfahren* betreffend, nicht erinnern, oder besser gesagt, ich kann mich erinnern, aber nicht mehr daran, an was. Kennen Sie dieses Gefühl? Es gleicht dem Versuch, einen vergessenen Traum zurückzuholen, und es gibt mir einen letzten, einen wirklich letzten Gedanken ein.

Gott ist mein Zeuge, pflegt man bei schlechtem Gedächtnis oder ungünstiger Beweislage gern zu rufen. Was für eine aberwitzige Redewendung! Gott ist niemals ein Zeuge gewesen. Gott war immer Richter. Gott war sogar der Inbegriff des Juristen: Stellt Regeln auf, spricht Recht und überlässt anderen das Handeln. Gott ist, wie Sie bestimmt gehört haben, verstorben. Sie könnten getrost aufhören, hinter diesem Pult herumzusitzen und die ehrbare Dienerin eines toten Königs zu spielen. Sie könnten nach Hause gehen und sich eine andere Beschäftigung suchen. Selbstverständlich werden Sie das nicht tun. Sie werden sogar abstreiten, einer Gottheit zu dienen. Sie dienen dem Recht, und falls Sie sich des Zirkelschlusses bewusst werden, werden Sie innehalten und sich verbessern: Sie dienen der Demokratie, diesem ephebischen Wesen, das sich weigert, den frei gewordenen Thron des Höchsten einzunehmen und stattdessen wie ein Bürschchen auf den Stufen sitzt und dem Volk zulächelt: Seht her, ich bin einer von euch, seht her, ich bin ihr. L'etat c'est moi. Der Demokratie dienen Sie, und damit der ideologiefreiesten Ideologie der Welt. Alt ist sie geworden, trägt Runzeln im Gesicht, hat sich längst zum Sterben hingelegt und hält das Zepter nur noch schwach in der Hand, an dessen anderem Ende die virile Wirtschaft mit aller Kraft zieht. Die Kinder der Demokratie sind groß geworden, haben selbst längst Kinder und Enkelkinder, und diese betrachten das Bild der Urmutter mit Gleichgültigkeit. Auch insoweit dienen Sie einer halb toten Göttin.

Der ideale Mensch unserer demokratischen Grundordnung ist ein geistig-sittliches Wesen und gestaltet seine Freiheiten nicht als diejenige eines isolierten und selbstherrlichen, sondern als die eines gemeinschaftsbezogenen und gemeinschaftsgebundenen Individuums – sagt wer? Ein Verrückter? Ein rettungsloser Idealist, dem beim besten Willen nicht geholfen werden kann? Das sagt das Bundesverfassungsgericht. Ich habe es auswendig gelernt.

Sei's drum. Ich kann Sie nicht hindern, den Beruf auszuüben, für den Sie bezahlt werden. Aber Sie sollen wissen, dass Sie Recht sprechen über eine Gruppe von Menschen, die sich abgewandt hat von den Grundlagen dieses Systems. Sie urteilen über Verständnislose.

Erlauben Sie mir für einen Moment, als ein ›Wir‹ zu sprechen, vielleicht als literarisches ›Wir‹, als das ›Wir‹ eines überindividuellen Zusammenhangs, als ›Wir‹ in der Rolle eines Prototyps. Wir schütteln wie ein Mann die Köpfe angesichts des erwähnten höchstrichterlichen Zitats, und unser massenhaftes Kopfschütteln wird eines Tages einen Sturm ergeben, der die Dächer der Häuser davonträgt. Der ideale Mensch ein geistig-sittliches Wesen? Nicht isoliert und selbstherrlich? Gebunden an und bezogen auf die Gemeinschaft? Welche Gemeinschaft, werden wir fragen, und unser Gelächter wird zum donnergrollenden Soundtrack unserer Verständnislosigkeit. Wir sind nicht einmal in der Lage, eine Familie zu gründen, geschweige denn, uns mit einer Partei zu identifizieren! Wissen Sie, was wir wollen? Wir wollen keine Gemeinschaft. Wir wollen unsere Ruhe. Nennen Sie es isoliert. Nennen Sie es selbstherrlich. Wir sind der banalen und kleinkrämerischen Reglementierungen müde, die uns bei Strafe zwingen, ein Licht an unser Fahrrad zu schrauben, mit dem Rauchen bis zum sechzehnten Lebensjahr zu warten und unsere Autos für zwei Euro pro Stunde in ein Kästchen zu stellen, das irgendjemand fein säuberlich auf den Boden gemalt hat, während wenige Flugstunden entfernt ganze Welten verbrennen, vertrocknen, ersaufen, explodieren, verbluten. Wir passen nicht mehr zu diesem Staat, wir sind dem System vorausgeeilt, von den Gedanken und Wünschen vergangener Generationen über die Linie hinausgedrängt worden und stehen außerhalb, kopfschüttelnd, wie es alle paar Jahrzehnte einer Generation passiert. Sehen Sie in die Geschichtsbücher, fragen Sie einen Fachmann Ihres Vertrauens: So etwas kommt vor, so etwas muss vorkommen, andernfalls säßen Sie noch immer mit einer Keule auf der Schulter unter einer Eiche zu Gericht. Wir sind im falschen Zeitalter geboren, wir sind wie Schafe ohne Weide, ohne Schäfer, ohne Stall. Wir irren, umgeben von Wölfen, durch unbesiedeltes Gebiet und müssen uns bei alldem vom Schäferhund der notorischen, sinnentleerten Pflichterfüllung in die Waden beißen lassen. Der Schäferhund, Hohes Gericht, sind unter anderem Sie. Was nützt es uns, dass wir in zwei oder drei Jahrzehnten Recht gehabt haben werden, dass man uns im Nachhinein anerkennend ›Die Ersten‹ nennen wird? Wir sind müde. Wir müssen uns anhören, dass es böse sei, wenn eine Schülerin ihren Lehrer verführt, sittenwidrig, wenn der Lehrer mit dieser Schülerin schläft, anormal, wenn ein dritter Beteiligter das Geschehen protokolliert, entartet, wenn der Lehrer durch seine Angst vor Entdeckung zum Weitermachen angehalten wird. Am Rande gesagt, die Angst vor Entdeckung, die den Lehrer vorangetrieben hat, ist die Angst vor dem Schäferhund, der, wie der Lehrer richtig voraussah, jetzt kurz vor dem Zubeißen steht.

Ich breche keine Lanze für die Anarchie. Ich schildere ihnen nur die spezielle Müdigkeit, die jeden befällt, der sich anhören muss, was gut und böse, richtig und falsch sei, obwohl niemand mehr die Grundlagen dieser Unterscheidung zu erklären oder auch nur zu benennen vermag. Moral dient der Herbeiführung von Berechenbarkeit. Der Mensch ist, ich wiederhole es noch einmal, am berechenbarsten, wenn er pragmatisch handelt. Wenn er spielt. Warum behandeln Sie einen Täter mit Milde, der, Ihnen zur Freude, sein Unrechtsbewusstsein beweist und behauptet, sich zu schämen und seine Tat zu bereuen? Wir alle wissen, dass allein die Angst vor Strafe dem geständigen Täter das Wasser aus den Augenwinkeln treibt. Warum belohnen Sie nicht jenen, der sich aufrichtet und sagt: Ich weiß, was ich getan habe, und ich weiß, warum!?

In diesem Übergangszustand, in einer regellosen, verwirrten und unübersichtlichen Welt gibt es nichts Gefährlicheres als Lüge und Heuchelei – und nichts Anerkennenswerteres als Ehrlichkeit. Warum belohnen Sie nicht diese beiden Angeklagten, die im Lichte all dessen, was ich Ihnen erklärte, bescheiden schweigen? Sie sind die Vernünftigen. Sie sind berechenbar und damit, in fremden Worten gesprochen, moralisch einwandfrei. Seit wir den Glauben und damit die Wahrheit verloren haben, liegt zwischen Heuchelei und Ehrlichkeit der letzte Unterschied, der uns bleibt. Es wäre Großes vollbracht, wenn Sie als eine Vertreterin des Rechts sich daranmachten, diesen Unterschied zu retten.

Wäre ich ein Anwalt für einen von uns dreien oder gar für eine ganze Epoche, ich würde enden mit dem Ausruf: Sprechen Sie frei! – Ich bin kein Anwalt. Ich bin nicht beruflich zur Hoffnung verpflichtet. Mein Aufruf lautet: Tun Sie, was Sie wollen! Aber tun Sie es mit offenen Augen. Seien Sie sich darüber im Klaren, dass Sie mit abgewandtem Gesicht über Menschen urteilen, die ebenfalls die Gesichter abgewandt halten. Denken Sie daran, dass unser Rechtssystem wie ein Kopf vom Rumpf des Gemeinwesens abgetrennt wurde, dass der Leib irgendwo herumliegt und stinkt, dass wir mit zugeklemmten Nasen zueinander sprechen und dass niemand hier noch in der Lage ist, dem abgeschnittenen Haupt ins Gesicht zu schauen. Verurteilen Sie einen von uns oder uns alle, aber tun Sie es in Kenntnis und Ehrlichkeit.

Vielen Dank.«

Ada schob ihre Karteikarten zusammen und ging gemäß Paragraph 61, Nummer 1 der Strafprozessordnung unvereidigt nach Hause, weil sie das sechzehnte Lebensjahr erst vor zwei Wochen vollendet hatte. Sie hatte die Vorkommnisse detailliert geschildert, manches weggelassen, wenig hinzuerfunden und im Ganzen ein so vollständiges Bild der Ereignisse gezeichnet, dass Staatsanwalt und Verteidiger, als sie das Wort erhielten, nur ein paar lasche Fragen zu stellen wussten. Eins war vollkommen klar geworden: Außer Alev konnte niemand etwas dafür. Fast zwei Stunden waren vergangen. Ada verzichtete auf Fahrkostenerstattung und verließ den Saal mit gesenktem Kopf.

Während der folgenden Teile der Verhandlung, weiterer Zeugenvernehmungen, Befragung des Sachverständigen, Anhörung der Jugendgerichtshilfe und abschließender Plädoyers machte die kalte Sophie einen abwesenden Eindruck. Das Gefühl, diesen Fall nicht entscheiden zu können, hatte sich zur Gewissheit verdichtet. Alle Anwesenden hatten begonnen, aus ihren Rollen zu rutschen wie schlecht verschraubte Maschinenteile aus ihren Halterungen. Das Amt der Richterin verlor an Kontur, die Robe wurde zur Maskerade, das Pult zum unbequemen Aufenthaltsort im Vergleich zu jedem beliebigen Café, in dem sich Probleme wie diese bei einem Glas Wein erheblich besser diskutieren ließen. Smutek und Alev hätten ebenso gut zu Zeugen getaugt wie Ada zur Angeklagten, sie waren Menschen unter anderen Menschen, die sich über etwas unterhielten, das erstens vorbei war, zweitens niemanden außer den Beteiligten etwas anzugehen schien und drittens auf so seltsamen Motiven beruhte, dass sich das rechtliche Instrumentarium in den Händen der kalten Sophie anfühlte wie Hammer und Meißel beim Versuch, eine Homepage zu bauen. Das Gefühl, das die Richterin befallen hatte, glich, je nachdem, auf welche Seite man es wendete, Erleichterung oder Furcht.

Weil es keinen Grund gab, sich zu vertagen, endete die Verhandlung wie vorgesehen am späten Nachmittag. Die Fakten des Geschehens lagen offen wie ein aufgeschlagenes Buch, nur dass die Sprache darin plötzlich nicht mehr verständlich war. Alev bekam sechs Monate Jugendstrafe auf Bewährung wegen Erpressung, Nötigung und sexuellen Missbrauchs in mittelbarer Täterschaft. Smutek wurde mit Hilfe einer aufwendigen rechtlichen Konstruktion in Anlehnung an eine Mindermeinung zum so genannten Bratpfannen-Fall vom Vorwurf der Körperverletzung freigesprochen. Eine Frau hatte ihren Ehemann, welcher sie über Monate psychisch und physisch grausam terrorisierte, im Schlaf mit einer Bratpfanne erschlagen. Weil im Moment der Tat keine akute Angriffssituation vorgelegen hatte, waren die Gerichte nicht von einer Notwehrhandlung ausgegangen, während einige Stimmen in der Literatur wegen der andauernden Tyrannisierung eine notwehrähnliche Lage annehmen wollten. Der letztgenannten Beurteilung schloss die kalte Sophie sich an und konstruierte aufgrund des Vorliegens einer planwidrigen Regelungslücke zugunsten des Angeklagten eine Analogie zu Paragraph 32. Bezüglich des sexuellen Missbrauchs am ersten Freitagnachmittag sah sie nach Paragraph 174, Absatz IV des Strafgesetzbuches wegen der dominanten Rolle der ihn verführenden Schutzbefohlenen von Strafe ab, in allen weiteren Fällen wurde wegen der Erpressung die Schuld des Angeklagten verneint. Nachdem das Urteil verkündet war, die kalte Sophie sich erhoben hatte und erschöpft wie eine alte Frau beide Hände flach auf das Pult stützte, bat Alev ein letztes Mal um das Wort.

»Habe ich recht verstanden, dass derjenige mit der halbierten Zunge und dem zerquetschten Gesicht als Einziger ins Gefängnis wandert, während alle anderen frei in den kühlen Abend hinauslaufen?«

»Sie wandern nicht ins Gefängnis, sondern auf Bewährung in Ihr Leben zurück. Ob das etwas Ähnliches bedeutet, müssen Sie selbst entscheiden.«

»Aber ich bin der einzig Verurteilte?«

»Herr Smutek wurde ebenfalls verurteilt. Das Gericht hat von Strafe abgesehen.«

»Dann bin ich der einzige Bestrafte?«

»Vielleicht könnte man es so fassen.«

»Danke. Das war wichtig. Sie haben den Verlierer des Spiels verurteilt und recht daran getan. Die Verhandlung hat die meisten meiner Thesen bestätigt und mir ein paar zusätzliche Denkanstöße beschert.«

»Gehen Sie aufgrund dessen mit leichtem Herzen nach Hause?«

»Ich gehe nicht nach Hause, sondern ins Krankenhaus zurück. Aber mein Herz, danke der Nachfrage, ist leicht.«

Sie alle verließen leichten Herzens den Ort des Geschehens. Der Abend hatte noch nicht vor, sich zu neigen, Luft, Licht und Vögel behaupteten einen Novembervormittag. Der Verkehr auf den Straßen war fast zum Erliegen gekommen, die Menschen saßen aus Protest gegen den ausgefallenen Sommer in dicken Jacken vor den Cafés, warteten auf das erste Bier des Wochenendes und träumten von den sonnenwarmen Mauern kleiner alter Häuser, von Meeresbrandung, weit aufgespannten Himmelszelten und dem Knirschen sauberer Kieswege unter den Füßen.

Smutek trug seinen Kopf wie einen gasgefüllten Ballon einige Meter über dem Körper, schaute sich zwinkernd auf dem Gehweg um und bestaunte alle Passanten als Wunder der Natur. Ada, die auf dem Sportplatz ihre Runden lief, wurde von einem hartnäckigen Siegerlächeln belästigt, das sich gleich einem nervösen Muskelzucken nicht vertreiben ließ. Der Staatsanwalt fühlte einen reizend spöttischen Blick der kalten Sophie auf dem Gesicht, der ihm die Wangen wärmte, seit er nach Verkündung des Urteils sogleich ein Rechtsmittel angekündigt hatte. Irgendeins. Er hatte vergessen, welches es war.

Die kalte Sophie ging mit dem Gefühl nach Hause, gegen besseres Wissen und Wollen etwas richtig gemacht zu haben. Später am Abend, während sie allein in der Küche ihrer Wohnung eine leichte Mahlzeit verzehrte, wuchs der Eindruck, es befinde sich etwas Böses im Raum, das sie in Ermangelung eines passenden Sinnesorgans nicht genau wahrnehmen konnte, etwas Unwägbares, der Schatten einer nicht ganz ausgestandenen Gefahr. Vor dem Einschlafen dachte sie lange an Ada und spürte ihr Herz schlagen wie beim Gedanken an eine ferne Tochter, von der sie getrennt leben musste, weil sie keine Tochter hatte und niemals eine haben würde.

Auch Ada dachte an die kalte Sophie. Als sie spät in der Nacht ans Fenster trat, um den Sternen der Julinacht ein Telegramm an die Eisheilige aufzutragen, stand unten im Garten Smutek, ein lachendes Stück Mensch mit weit ausgebreiteten Armen. Nun haben Sie, liebe Sophie, wollte das Telegramm sagen, am eigenen Leib erfahren, wie berechenbar der Mensch ist. Alles, was ich Ihnen erzählte, diente einem Zweck, und dieser Zweck steht dumm wie ein Schuljunge vor meinem Fenster und freut sich, als gäbe es keinen Grund zur Verzweiflung auf diesem Planeten. Sehen Sie, ich musste die Welt mit Worten in Felder einteilen und mit einem Rahmen versehen, dass sie zum Brett wurde, auf dem wir uns als Spielfiguren bewegen, damit Sie begreifen, dass in einem System ohne rechts und links nur die Regeln gelten können, auf welche die Spieler einer Partie sich geeinigt haben. Sie sind eine von uns. Sie lieben die Wahrheit, obwohl sie nicht an sie glauben. Sie sind ein guter Mensch.

Das imaginäre Telegramm wurde nicht abgeschickt. Ada winkte Smutek zu mit einer Handbewegung, als wollte sie den Hund des Nachbarn aus der Blumenrabatte vertreiben. Er verstand, winkte zurück und verließ den Garten über die hintere Grundstücksgrenze. Bei der leichten Flanke berührten seine Hände kaum den Zaun. Ada zog sich aus und legte sich ins Bett. In den letzten Nächten hatte ein Traum sich wiederholt. Darin war sie auf Reisen gewesen, hatte viele Städte besucht, war in Autos gefahren, ohne zu wissen, ob sie sich am Steuer oder auf dem Beifahrersitz befand, hatte Hausfassaden betrachtet und in einer unverständlichen Sprache mit den Menschen gesprochen. Vor den Toren von Izmir, Montevideo oder Fitzroy hatten sich Windkraftanlagen auf den Feldern gedreht wie die Giganten eines modernen Don Quichotte. Die ganze Zeit über hatte Ada gewusst, dass sie in einem Roman unterwegs war, den Alev eines Tages schreiben würde. Keinesfalls durfte sie vergessen, ihm davon zu erzählen. Heute ließ sie die Vorhänge offen und sah weiter zu den Sternen hinauf. In dieser Nacht würde sie nur vom Schlafen träumen.

Am Morgen ging über Bonn die Sonne auf, ohne dass sich dieser Umstand bemerkbar gemacht hätte. Eine dunkelgraue Wolkendecke verbarg den Himmel, Windstöße drückten junge Bäume zu Boden, warfen Mülltonnen um und ließen Autos in der Spur schlingern. Im Radio wurde von Evakuierung, Notstand und Gefahrenprophylaxe gesprochen, das Fernsehen lieferte meteorologische Analysen verschiedener Gewittertypen, im Kino fraß der Nordatlantik New York. In Mitteleuropa herrschte seit neunundfünfzig Jahren Frieden. Die Bonner Baselitz-Ausstellung ging in die sechzehnte Woche, die großen Ferien standen unmittelbar bevor. Smutek packte einen Koffer. Er reinigte die Wohnung und lüftete, bis es nur noch nach Regen und nicht mehr nach Isolationshaft roch. Er schrieb zwei Briefe, einen an seine Frau, den anderen an Ernst-Bloch. Draußen vor der Tür standen seit dem vergangenen Abend zwei Reporter und ein Photograph, in der Nacht waren sie für ein paar Stunden zum Schlafen nach Hause gegangen. Sie drückten sich in den Hauseingang, warfen Papierkügelchen in den Wind und sahen zu, wie diese mit hoher Geschwindigkeit den Bürgersteig hinuntergetrieben wurden. Smutek lächelte. Früher oder später würde der Sturm sie aus den Ecken putzen.

Als er fertig war, verschickte er eine SMS, die eine genaue Zeit- und Ortsangabe enthielt, setzte sich mit einem Buch auf die Couch und begann zu lesen. Fliegende Bauten. Den Namen der jungen weiblichen Hauptfigur ersetzte er im Kopf durch ›Ada‹. Ein Ort ist ein Ort. Die Frage, wo man sich befinde, wird für gewöhnlich überschätzt. Wir leben nicht mehr wie Tiere, die sich ihre Futterplätze merken müssen. Essen und Trinken und eine Bettstatt für die Nacht finde ich überall auf der Welt und glaube dennoch, dass Geschmack und Konsistenz des Essens und der Geruch der Laken eine Bedeutung für mich haben könnten. Der blaue Himmel, scheint es, ist zum farbigen Pappdeckel einer Spielesammlung geworden. Wenn das alles ein Spiel ist, sind wir verloren. Wenn nicht – erst recht. Smutek hatte keine Verständnisprobleme. Die Sätze kamen ihm bekannt vor. Ab und zu hob er den Kopf und tauchte den Blick in das durchgeschüttelte Grün der Baumkronen vor dem Fenster.

Ada kam nicht vor Mittag aus dem Bett und errechnete, dass sie fast dreizehn Stunden geschlafen hatte. Die Wohnung schien leer, die Türen standen angelehnt, irgendwo schepperte ein Fensterladen gegen die Wand. Sie wusste kaum noch, wofür die Mutter und sie sich gegenseitig bestraften. Die letzte Äußerung, an die sie sich erinnern konnte, lautete: Kriminell, ihr seid alle kriminell. – In ihr selbst wohnten weder Groll noch Zorn.

Zum Frühstück briet sie sechs Eier und aß sie ohne Brot. Der Lokalteil der Zeitung zeichnete ein unverständliches Bild des Prozesses unter der Headline »Justitia – unbekannt verzogen«. Am Rand der aufgeschlagenen Zeitung hinterließ Ada eine kurze Notiz: Teilfreispruch und Absehen von Strafe. Ihr Handy piepste. Sie las die Nachricht und verzichtete auf Antwort.

Als sie das Krankenhaus erreichte, war dort der größte Teil des Tages schon von der Morgen- auf die Abendseite getragen worden. Eine Visite, zwei Mahlzeiten, Bettenmachen, Bodenwischen und die dritte Medikamentenrunde gehörten der unmittelbaren Vergangenheit an. Friedfertig lag die Kundschaft in ihren Zimmern, hier und da pfiff ein Fernsehgerät, verschwommenes Gelächter klang von den Balkonen, wo die leichten Fälle mit ihren Besuchern Kaffee tranken und heimlich an Zigaretten zogen. Aus dem Aufenthaltsraum war das Rollen von Würfeln zu hören. Alev bewohnte ein Einzelzimmer. Seine rechte Hand lag oben auf der Bettdecke und zitierte sterbende Frauen aus Vorabendserien. Mit Erstaunen nahm Ada zur Kenntnis, dass seine Nägel geschnitten waren. Er musste die Klauen freiwillig abgelegt haben, gemeinsam mit dem Rest der Maskerade, in der er vor einem Jahr auf Ernst-Bloch eingelaufen war. Vielleicht bereitete er sich in seinem Kokon aus Decken und Verbänden auf die nächste Metamorphose vor. Das Bild vor Adas Augen klärte sich, sie war plötzlich sicher, dass sie ihn in diesen Minuten zum letzten Mal sah.

Stilsicher, als hätte ihr bisheriges Leben vor allem aus Krankenbesuchen bestanden, ließ sie sich auf der Bettkante nieder, führte nichts bei sich, das sie ihm zwischen die Arme hätte legen können, und nahm stattdessen seine Hand zwischen die ihren. Er fühlte sich gut an. Warm, trocken und freundlich. Geschwisterlich. Sie lächelten sich an wie zwei Mannschaftskapitäne nach dem Kampf, die schon während der ersten Halbzeit Sympathien füreinander entwickelt hatten.

»Bist du glücklich?«, fragte er, als der Marmeladentopf des gemeinsamen Schweigens bis zur Neige gelöffelt war. Ada nickte.

»Und du?«

»Ich glaube schon.«

»Was wird jetzt geschehen?«

Er zuckte die Schultern, was im Liegen eine Bewegung des ganzen Körpers unter der Bettdecke verursachte.

»Mein Vater nimmt mich von der Schule, aus dem Land, vielleicht vom ganzen Kontinent. Vermutlich werde ich die internationale Schule in der Hauptstadt irgendeines Entwicklungslands besuchen. Montevideo. Mogadischu.«

Sie lächelten sich an, und Ada widerrief spontan den Entschluss, ihm von dem Roman zu erzählen, den er irgendwann schreiben würde, über sie und über die Städte der Welt, die sich so verzweifelt glichen.

»Und was ist mit der zweiten Instanz?«, fragte sie.

»Es wäre unsinnig, das Leben mit Warten auf die zweite Instanz zu verbringen. Eine solche gibt es immer. – Aber was wird aus dir? Du warst gut gestern. Alles lag dir zu Füßen.«

»Ich weiß nicht. Wahrscheinlich muss ich froh sein, wenn irgendeine Schule mich nimmt.«

Alev lachte, zeigte seine schwarz verfärbte Mundhöhle und kämpfte die zweite Hand frei, um ihr die Wange zu tätscheln.

»So will ich dich nicht reden hören. Sie können froh sein, dich zu kriegen. Jeder kann froh sein, wenn er dich kriegt. Dir steht Großes bevor. Es war eine Freude, von dir besiegt zu werden.«

»Ich habe dich besiegt?«

»I lost to watch you win. Das weißt du doch.«

»Je sais. Ich wollte es nur noch mal aus deinem, aus diesem Munde hören.« Mit zwei Fingern fuhr sie ihm zwischen die Lippen, zwängte die Kiefer auseinander und besichtigte den Mikrokosmos einer zerstörten Stadt im Inneren seines Kopfes.

»Grausam wie die Nacht«, sagte er, als sie ihn freigegeben hatte. »Meine entstellte Stimme, das langsame Bröseln der Vokale und die vertauschten Konsonanten, der angeknackste Kopf und das zerquetschte Gesicht – das alles gehört dir. Nimm dir, was du brauchst.«

»Mit Odetta und Lindenhauer ist niemals etwas gewesen?«

»Nichts außer Mathenachhilfe. Es gab keine Göttin neben dir. Auch das hast du gewusst!«

Ada nickte befriedigt.

»Ich habe eine gute Nachricht für dich«, sagte sie. »Es ist mir gleichgültig, ob du mich anlügst und was du in Wahrheit vorhattest.«

»Brav so, Kleinchen. Es spielt keine Rolle.«

»Wirst du Odetta heiraten?«

Erneut begann er zu lachen, fast auf gleiche Weise wie früher.

»Wie altmodisch du manchmal bist! Jedenfalls werde ich sie fragen, ob sie mit mir kommt, und sie wird ablehnen. Unter Tränen.«

Sie stand auf und gab ihm die Hand. Alev hielt sie fest.

»Stimmt es«, sagte er, »dass wir uns in diesem Augenblick zum letzten Mal sehen?«

»So ist es.«

»Gut«, sagte er, das Lächeln unverändert, die Augen sanft. »Ich wünsche dir nur Gutes. Ich werde weitermachen. Du wirst in den Nachrichten von mir hören. An meinem vierzigsten Geburtstag werde ich dich suchen, und wenn du dann noch allein sein solltest, gehörst du mir. Einverstanden?«

»Ich habe dich geliebt«, sagte sie.

»Ich dich auch«, sagte er. »Auf meine Art.«

Sie drückten sich die Hände. Ada beugte sich vor, küsste sein Lambda und ging, um Koffer zu packen.

Kolophon, Epilog oder: Zwischen den Instanzen

Die nächste Instanz braucht Zeit. Drei Monate? Ein halbes Jahr. Vielleicht ein Jahr. Oder zwei. Die Mühlen der Gerechtigkeit mahlen langsam. Zwischen den Instanzen lässt es sich für eine Weile gut leben.

Ada und Smutek fuhren am gleichen Tag nach Einbruch der Dunkelheit. Der Volvo war voll getankt, der Fahrer ausgeruht, die Außentemperatur filmreif: zehn Grad über null im späten Juli. Ada trug ein Sommerkleid, das ihrer Gestalt etwas Fließendes verlieh und Smutek zwang, die Innenheizung weit aufzudrehen. Die Mutter hatte es ihr geschenkt. Unter dem Druck des Abschieds war irgendwann das Schweigen splitternd wie Glas geborsten. Also dann. Tschüs! – Warte einen Moment. – Die Mutter war in die Wohnung gelaufen und nach kurzem Rumoren mit einem bunten Stück Stoff zurückgekehrt, das sie Ada quer über die Arme legte. Hier, damit du was Hübsches hast. Mitten im Treppenhaus hatte Ada sich umgezogen, Jeans und T-Shirt bei der Mutter gelassen und ihren Winterparka über die Schultern geworfen. Beim Auf-Wiedersehen-Sagen umarmten sie sich.

Zu Fuß, den Plastikkoffer auf Rollen hinter sich herziehend, war Ada eine halbe Stunde die ehemalige Diplomatenrennmeile entlanggegangen. Der Wind kam von hinten, der Rock des Kleides presste sich um die Kniekehlen, vorbeirasende Autos zogen ihr Hupen wie Wolfsgeheul durch die Nacht. Unter der Südbrücke verlud Smutek den Koffer, danach gaben sie sich zur Begrüßung die Hand. Kaum saßen sie im Wagen, verwandelten sich die Straßen in Flüsse. Die Orkanwarnung hatte das Radio zurückgenommen, der Regen blieb. Das Auto schien sich unter Wasser zu bewegen, sinnlos fuhren die Wischer auf der Frontscheibe hin und her. Smutek beugte sich weit über das Lenkrad. Sie nahmen die Auffahrt über das Siebengebirge und erreichten die A3 in südlicher Richtung.

Ich glaube nicht, dass Ada gefragt hat, wohin die Reise gehen solle. Natürlich wollte Smutek erst einmal nach Wien, in die Heimat der Männer ohne Eigenschaften. Ada war es gleich. Auf der Höhe von Frankfurt wurde der Regen schwächer. Bei Würzburg legte sie eine CD ein und sang die ganze Platte bis hinter Nürnberg. Hold on to me love, you know I can't stay long. Sweet rapture and life, it ends here tonight. Smutek begann zu weinen, er hatte nicht gewusst, dass Ada so singen konnte. Sie löste den Sicherheitsgurt, legte sich quer über Handbremse und Gangschaltung, grub einen Arm hinter seinen Rücken und presste die Nase gegen seine vibrierende Bauchdecke. Die Berührung war merkwürdig. Sie waren einander unvertraut, als hätte Ada soeben als Anhalterin an einem Rastplatz den Wagen bestiegen. Sie spürte die Spannung seiner Oberschenkel, wenn er Gas, Bremse oder Kupplung betätigte. Bei Passau hörte er auf zu heulen.

»Wenn wir mit Wien fertig sind«, sagte er, »fahren wir weiter Richtung Südosten. Ins verletzte Herz Europas, in den vivisezierten Kern unserer Geschichte. Unser Zeitalter wird nicht genesen, bevor die Wunden auf jenem Flecken Erde nicht vernarbt sind. Dort werden wir uns zu Hause fühlen.«

»Ist gut«, sagte Ada. Bei Linz schlief sie ein.

Und so fahren sie dahin, während ich am Fenster eines Hauses sitze, das durch einen geräumigen Vorgarten von der Straße getrennt liegt, hinter schmiedeeisernen Gittern, durch dessen Stäbe der Rhododendron seine fleischigen Finger steckt, um den Passanten an die Schultern zu fassen, und darüber nachdenke, dass gerade die Richter zu Angeklagten werden, wenn die Zeiten sich wenden. Ein neues System räumt die Relikte des alten vom Tisch, zieht den Figuren das vertraute Brett unter den Füßen weg und ersetzt es durch ein neues, auf dem andere Regeln gelten. Ich stelle mir vor, wie Ada mich eines Tages den Läufen eines Erschießungskommandos entreißen wird: Lasst sie, die nicht! Das ist die kalte Sophie, die hat damals schon geahnt, wie seltsam es ist, nach allen Katastrophen des zwanzigsten Jahrhunderts die Entscheidung über Recht und Unrecht ausgerechnet in die Hände von Staaten zu legen. Gebt sie frei. Ada, die immer behauptet hat, kein Gedächtnis zu besitzen, wird sich an mich erinnern.

Ohne Mühe kann ich mir vorstellen, wie sie in Smuteks Volvo durch den nachlassenden Regen fahren, wie sie den ersten Tag in Wien verschlafen und in der darauf folgenden Nacht die Straßen und Gebäude nach den Inhalten eines Romans befragen. Wie sie an einem Vormittag die slowenische Grenze überqueren. Ich sehe sie inmitten der geschundenen Landschaften Bosnien-Herzegowinas, umgeben von zerrissenen Häusern und abgeknickten Türmen, und ich sehe mit ihnen gemeinsam das türkisfarbene Meer hinter dem Karst der kroatischen Küste auftauchen. Ich höre sie schweigen, ich höre sie sprechen. Die Wasserlandschaft ist uneben, blaugrüne Wellenfelder, die der Wind bestellt. Jede der Zypressen hat eine große Schraube als Fuß, mit der sie in der steilen Felswand verankert ist. Die Zikaden konzertieren auf Waschbrettern und singenden Sägen, ein profunder Lärm, eng aufeinander Schicht bei Schicht, dass man sich mit den Armen rudernd vorwärts bewegen will.

Und überall der Geruch von Sonnenschein. Ein paar emsige Böen rennen umher, um ihn gleichmäßig zu verteilen. Es gibt genug tote Maler im Himmel, die täglich einen neuen Sonnenuntergang entwerfen, Farbgebäude, gemalt in Licht auf Luft. Ada und Smutek betrachten das Schauspiel im Auto sitzend, die Schönheit macht sie stumm und das Schweigen einsam. Die Einsamkeit öffnet Augen und Ohren für noch mehr Schönheit, und so sind sie erleichtert, als Dunkelheit fällt. Plötzlich sitzen Meer und Land trotzig beisammen und kehren einander den Rücken. Vom Schweigen sind die Münder trocken. Wie haben sie sich das gedacht? Wer sagt was zu wem und wann? Es ist spät, sie haben Hunger und keine Landeswährung. Das ist ihre Rettung.

»Es ist spät«, sagt Smutek. »Wir haben Hunger und keine Landeswährung.«

Ada lächelt erfreut, auch sie hat das kleine Wunder begriffen. Es geht. Alles geht. Sie müssen sich nur ums Überleben kümmern, um Essen und Schlafen, um Kleinigkeiten, die sie beide betreffen oder nur einen von ihnen, Miniaturaufgaben, die nebeneinander und gleichzeitig bewältigt werden wollen. Das Nebeneinander und die Gleichzeitigkeit werden nicht davon abhängen, ob sie eine Entscheidung getroffen haben. Sie atmen tief und erleichtert. Für heute verzichten sie auf bescheidene Zimmer in einer kleinen Pension, sie verzichten auf Vernunft und Einteilung der Mittel. Sie werden ein großes Hotel ansteuern und sich sofort ins Restaurant setzen, zwei Platten Tintenfische bestellen, *lignje na žaru*, und eine Flasche Sekt. Das Übrige wird sich zeigen. Es wird sich mit Sicherheit zeigen. Ich gehe ins Gefängnis. Du begibst dich direkt dorthin. Er, sie, es geht nicht über Los. Wir haben nichts gewusst. Ihr zieht nicht viertausend Mark ein. Sie werden schon sehen.

Es geht doch immer nur darum, dass eine, dass *die* Geschichte sich selbst erzählen kann. Wir alle sind nicht mehr als leise Stimmen im kakophonen Chor, gelegentlich ein vorwitziges Solo spielend, nie mehr als wenige Sekunden, wenige Zeilen lang.

Und hiermit ist alles gesagt.